COMMENT PLACER SON ARGENT

dans des valeurs mobilières au Canada

préparé et publié par

L'INSTITUT CANADIEN DES VALEURS MOBILIÈRES

organisme d'éducation d'envergure nationale
parrainé par

l'Association canadienne des courtiers en valeurs mobilières
la Bourse de Montréal
la Bourse de Toronto
la Bourse de l'Alberta
la Bourse de Vancouver

Les valeurs mentionnées dans cet ouvrage ne sont données qu'à titre d'exemple; on ne doit pas les considérer comme une recommandation d'achat ou de vente.

Les cours des titres indiqués ne sont donnés qu'à des fins de comparaison et d'explication et ne représentent pas les cours actuels de ces titres. On peut obtenir les derniers cours en consultant les pages financières d'un journal ou un courtier en valeurs mobilières. Bien que les renseignements qui sont contenus dans ce livre nous semblent dignes de foi, nous n'en garantissons pas l'exactitude.

Édition révisée en 1986

ISBN: 0-919796-00-1

INSTITUT CANADIEN DES VALEURS MOBILIÈRES

L'Institut canadien des valeurs mobilières est un organisme d'éducation d'envergure nationale; il est parrainé par l'ACCOVAM et par les Bourses de Montréal, de Toronto, de l'Alberta et de Vancouver. L'Institut a son siège social à Toronto et des bureaux à Montréal, Calgary et Vancouver. L'Institut est un organisme sans but lucratif; il est financé par les frais d'inscription à ses cours et par les publications qu'il vend.

L'Institut canadien des valeurs mobilières offre plusieurs cours par correspondance. Le plus populaire est le "Cours sur le commerce des valeurs mobilières au Canada" offert cinq fois l'an en versions française et anglaise auquel 60 000 candidats se sont inscrits depuis qu'il est offert, soit depuis 1964. L'ACCOVAM, les bourses et les commissions des valeurs mobilières exigent que les nouveaux vendeurs de valeurs mobilières passent ce cours avant de pouvoir négocier avec les épargnants. Ce cours est également offert aux autres employés des firmes de courtage, aux employés des institutions financières et des sociétés industrielles et commerciales ainsi qu'aux étudiants des universités et au public. Les candidats doivent remettre des devoirs et passer un examen surveillé à la fin du cours. Les candidats employés dans le commerce des valeurs mobilières doivent également passer un examen supplémentaire qui traite des lois et des règlements qui régissent le commerce des valeurs mobilières.

Le deuxième cours important de l'Institut, le "Cours sur le financement des investissements au Canada", est un cours avancé en deux parties, qui mène le personnel qualifié du commerce des valeurs mobilières au titre de F.I.C.V.M. (Fellow de l'Institut canadien des valeurs mobilières). Ce cours n'est offert qu'aux candidats qui ont réussi le Cours sur le commerce des valeurs mobilières au Canada. La Ire partie du C.F.I.C. couvre les sujets suivants: la Banque du Canada, le marché monétaire canadien, le financement des gouvernements et des sociétés, l'interprétation avancée des états financiers, la gestion de portefeuille, la vente aux institutions, les cycles et indicateurs économiques, les régimes de retraite et les régimes d'étalement du revenu imposable. Pour cette Ire partie (offerte en français et en anglais), les candidats doivent remettre trois devoirs et passer un examen surveillé. La IIe partie du C.F.I.C. couvre les sujets suivants: la planification successorale, les finances internationales, les parties du droit applicable au commerce des valeurs mobilières, la négociation des obligations, la conformité, l'analyse technique et le marché hypothécaire canadien. Cette IIe partie du cours (offerte par correspondance en français et en anglais) ne comporte pas de devoirs mais comprend trois examens.

L'Institut a élaboré et il offre aussi les cours les examens suivants: le **Cours sur le marché des options au Canada**, cours par correspondance qui se termine par un examen. Il traite de la négociation des options d'achat et des options de vente sur le parquet des bourses au Canada et aux États-Unis; l'**Examen sur le marché des contrats à terme** qui porte sur la négociation des contrats à terme; **Introduction aux opérations**, cours qui traite des opérations effectuées par les firmes de courtage; et des examens spécialisés exigés pour le personnel du commerce qui se prépare à la profession d'associés, d'administrateurs et de dirigeants.

L'Institut publie également des fascicules pouvant intéresser les écoles et les épargnants. Ces fascicules sont "Comment lire les états financiers", "Le placement - termes et définitions" et "La fiscalité au Canada et l'épargnant". On peut obtenir sur demande une liste des publications de l'Institut.

AUTRES OUVRAGES ET COURS
DE L'INSTITUT CANADIEN DES VALEURS MOBILIÈRES

Ouvrages:

- **Comment lire les états financiers** - Brochure sur les états financiers des sociétés et les méthodes de calcul de ratios importants. Prix: 1,50 $ l'exemplaire.

- **Fonds mutuels et catégories spéciales de titres** - Étude des fonds mutuels canadiens et du placement de leur actif; aperçu général des catégories spéciales de titres. Prix: 5,00 $ l'exemplaire.

- **La fiscalité au Canada et l'épargnant** - Guide sur l'imposition des gains en capital et les revenus de placement. Prix: 3,00 $ l'exemplaire.

- **Le placement: termes et définitions** - Petite brochure sur les principes de base du placement complétée par un lexique. Prix: 1,50 $ l'exemplaire.

- **Lexique des termes employés dans le commerce des valeurs mobilières** - Prix: 1,50 $ l'exemplaire.

- **Les valeurs minières et pétrolières canadiennes** - Vue d'ensemble des valeurs minières et pétrolières au Canada. Prix: 10,00 $ l'exemplaire.

Cours:

- **Cours sur le commerce des valeurs mobilières au Canada**

- **Le financement des investissements au Canada**

- **Cours sur le marché des options au Canada**

- **The Canadian Commodities Futures Examination**

Pour tout renseignement:

INSTITUT CANADIEN DES VALEURS MOBILIÈRES

Tour de la Banque Nationale
27ᵉ étage
600, rue de La Gauchetière ouest
Montréal (Québec)
H3B 4L8

Suite 360	280 Mc Farlane Tower	Box 49151
33, Yonge Street	700 Fourth Ave. S.W.	The Bentall Centre
Toronto, Ontario	Calgary, Alberta	Vancouver, B.C.
M5E 1G4	T2P 3J4	V7X 1J1

TABLE DES MATIÈRES

options sur actions - Options sur l'or et l'argent négociées en bourse - Options sur devises - Options sur titres d'emprunt - Options sur indices boursiers - Risques inhérents aux opérations sur option - Contrats à terme de marchandises - Fiducie d'investissement à participation unitaire (Unit Trusts) - Certificats d'or et d'argent de la Bourse de Montréal - Régimes d'étalement du revenu imposable - Régimes enregistrés de pension - Régimes enregistrés d'épargne retraite - Fonds enregistrés de revenu de retraite - Régimes d'épargne-actions (REA) - Rentes différées - British Columbia Equity Investment Plan - The Alberta Stocks Savings Plan - Dernière mise en garde - Valeurs spéculatives - Industrie minière - Financement d'une exploitation minière - Déceler les risques et les problèmes - Industrie du pétrole et du gaz - Financement des sociétés pétrolières et gazières - Petites sociétés minières et pétrolières non inscrites à la cote d'une bourse, évaluation des risques - Résumé

1   INTRODUCTION AU PLACEMENT

Il existe des centaines de placements possibles, de l'achat d'une maison à l'acquisition d'obligations, d'actions, de métaux précieux, d'oeuvres d'art, de timbres ou d'antiquités.

Toutefois, dans cet ouvrage, nous traiterons principalement des valeurs mobilières et surtout des obligations, des débentures ainsi que des actions ordinaires et privilégiées. Nous aborderons par la même occasion des titres de placement connexes tels que les parts de fonds mutuels, les bons de souscription, les droits de souscription et les options cotées. Nous accorderons aussi une attention spéciale à la fiscalité compte tenu de son importance dans la planification des placements.

Dans cet ouvrage, nous préconisons une approche prudente, car nous estimons que pour espérer obtenir des revenus raisonnables au cours des années, un épargnant doit faire des placements dans une perspective à plus long terme. La spéculation ou le jeu n'entre pas dans cette stratégie; la politique "de l'argent vite fait" mène invariablement à l'échec.

Enfin, cet ouvrage se propose, d'une part, de donner au lecteur une connaissance générale des titres et de leurs marchés et, d'autre part, de l'inciter à poursuivre ses recherches et ses études dans ce domaine.

Nous invitons le lecteur à consulter le lexique à la fin de ce livre où il trouvera la définition de certains termes techniques.

Pourquoi investir?

Le placement offre la possibilité d'augmenter ses avoirs financiers, autrement dit sa richesse. Ainsi, les revenus de placement peuvent prendre la forme d'intérêts reçus sur des obligations, de dividendes reçus sur des actions ou peuvent provenir de l'augmentation de la valeur d'un titre appelée "plus-value" du capital.

Lorsqu'ils achètent des valeurs mobilières, les épargnants participent au marché des capitaux canadien. Ce marché est structuré de sorte que l'épargne des particuliers, par exemple, est transférée aux sociétés et gouvernements à la recherche de fonds supplémentaires pour augmenter leur production de biens et de services. Les épargnants placent leur argent en raison du rendement promis par les emprunteurs et parce qu'ils espèrent souvent une plus-value de leur capital.

L'épargne et le placement constituent le moteur de notre système économique qui, en dépit de nombreux contrôles gouvernementaux, s'appuie toujours sur le principe de la libre entreprise. Très schématiquement, ce principe repose sur la conviction que l'on obtient les meilleurs résultats économiques lorsque les particuliers sont libres de mettre à contribution leurs propres compétences et lorsque la recherche du profit incite ces mêmes particuliers à prendre des initiatives dont toute la société bénéficie.

CAPITAUX DE PLACEMENT

De quoi s'agit-il?

En termes généraux, les **capitaux** sont la richesse - les choses réelles, matérielles telles que les terrains et les édifices et les choses représentatives telles que l'argent, les actions et les obligations - toutes ces choses ayant une valeur économique. Les capitaux représentent **l'épargne** des particuliers, des sociétés, des gouvernements et d'un grand nombre d'autres organismes et associations. Ils sont rares et l'on peut soutenir qu'il s'agit de la marchandise la plus importante au monde.

L'épargne est inutile en elle-même. Elle ne prend une importance économique que lorsqu'elle est utilisée de façon productive. Cette utilisation peut prendre la forme d'un placement **direct** ou **indirect**.

Un placement direct de capitaux serait, par exemple, un couple qui place son épargne en versant un acompte sur une maison; un gouvernement qui investit des capitaux pour la construction d'une nouvelle autoroute ou d'un hôpital; ou une compagnie canadienne ou étrangère qui paie les frais d'établissement d'une usine qui fabriquera un nouveau produit ou offrira un nouveau service.

Les capitaux sont utilisés indirectement au moyen de l'achat d'une chose représentative telle que des actions ou des obligations ou au moyen d'un dépôt de fonds dans une institution financière. Le placement indirect peut être effectué par un épargnant qui achète les titres émis par des gouvernements et des sociétés qui, à leur tour, utilisent les fonds ainsi réunis pour les investir directement de façon productive dans des usines, du matériel, etc.

Dans le cas du placement indirect grâce à un intermédiaire financier ou une institution financière, le particulier, la société ou le gouvernement peut déposer des fonds dans un compte d'épargne d'une banque ou d'une compagnie de fidéicommis. Il s'agit d'un engagement non contractuel étant donné que les fonds peuvent être retirés facilement avec un court préavis. L'épargne peut aussi être déposée dans des comptes contractuels tels que des régimes de retraite ou des polices d'assurance-vie où il est plus difficile sinon impossible de retirer les fonds avant une date précise. Dans chacun des cas, l'intermédiaire financier doit entre temps réinvestir les fonds déposés de façon rentable, jusqu'à ce qu'ils soient remis à l'épargnant.

La plupart des Canadiens participent d'une certaine façon au marché des capitaux au Canada. Toute personne qui a plus d'argent qu'il ne lui en faut pour sa consommation est un épargnant. Elle peut placer son épargne directement en achetant des valeurs mobilières, des biens immobiliers, etc. ou en le déposant dans des comptes d'épargne dans des banques, des compagnies de fidéicommis ou des coopératives de crédit (caisses populaires au Québec) ainsi que dans des régimes de retraite et des polices d'assurance-vie.

Pourquoi en a-t-on besoin?

Une bonne disponibilité de capitaux est essentielle au bien-être économique du Canada. Nous devons établir suffisamment d'usines et d'installations nouvelles et efficaces afin d'assurer une capacité de production accrue, une meilleure productivité, une plus grande compétitivité et une plus grande recherche de nouveaux produits. S'il y a insuffisance de capitaux de placement, nous aurons une production insuffisante, une diminution de la productivité, une augmentation du chômage, une baisse de la compétitivité sur les marchés canadien et étrangers et un taux d'inflation sans cesse croissant. Il en résultera une diminution du niveau de vie de tous les Canadiens.

MARCHÉ DES CAPITAUX CANADIEN

Sur le marché des capitaux, on distingue deux groupes: ceux qui disposent de fonds excédentaires à placer et ceux qui ont besoin de capitaux supplémentaires pour financer une variété de projets.

Sources de capitaux

Épargnants

Les épargnants constituent une source importante de capitaux. Par exemple, les épargnants canadiens ont plus de 100 milliards de dollars dans plus de 100 millions de comptes d'épargne personnels dans les banques à charte seulement avec, en plus, des milliards de dollars dans d'autres institutions financières telles que les compagnies de fidéicommis et les caisses de crédit. Les Canadiens ont également d'autres biens importants sous forme d'obligations d'épargne du Canada, de placements en valeurs mobilières, de biens immobiliers, de participation dans des entreprises, de polices d'assurance et de régimes de retraite, etc.

Institutions

Les principales institutions qui fournissent des capitaux sont les banques à charte, les compagnies de fidéicommis, les sociétés de prêts hypothécaires, les régimes de retraite, les compagnies d'assurance-vie, les caisses de crédit et les caisses populaires ainsi que les sociétés d'investissement telles que les fonds mutuels. Dans la plupart des cas, ces institutions reçoivent des millions de dollars des épargnants et les réinvestissent pour les faire fructifier.

Investisseurs étrangers

Au cours de son histoire, le Canada a toujours compté sur des rentrées massives de capitaux étrangers pour réaliser une croissance soutenue. Le Canada est devenu ainsi un très gros importateur de capitaux, d'abord du Royaume-Uni, puis presque exclusivement des États-Unis et plus récemment d'autres pays étrangers.

UTILISATEURS DE CAPITAUX

Les utilisateurs de capitaux sont les particuliers, les entreprises et les gouvernements.

Particuliers

Les particuliers peuvent avoir besoin de capitaux pour financer une maison, des biens durables (par ex. des automobiles, des appareils ménagers) ou d'autres biens de consommation. Ils obtiennent habituellement ces capitaux en contractant un emprunt auprès d'intermédiaires financiers comme les banques à charte (par ex. au moyen d'emprunts personnels, d'emprunts hypothécaires, de comptes d'achats à crédit).

Gouvernements

Les trois paliers de gouvernement ont besoin de montants considérables de capitaux. Le gouvernement fédéral, les gouvernements des dix provinces et des centaines de municipalités empruntent ces capitaux en émettant des obligations et des débentures. Chacun d'eux peut également garantir les titres d'emprunt d'agences gouvernementales.

Ces organismes publics doivent emprunter parce que leurs recettes fiscales ne suffisent pas à couvrir toutes leurs dépenses. D'importants montants d'argent servent chaque année à financer notamment la construction d'écoles, d'hôpitaux, de routes et de centrales électriques. Ces administrations empruntent des capitaux pour financer ces projets et perçoivent ensuite des impôts auprès des générations suivantes pour rembourser le capital et les intérêts. Ces biens publics, acquis pour de nombreuses années, profiteront autant aux futurs citoyens qu'aux contribuables actuels. De ce fait, leur coût doit être réparti sur le nombre d'années de leur durée probable d'utilisation et supporté par tous ceux qui en profiteront.

Entreprises

Les entreprises canadiennes ont besoin de sommes énormes pour financer leurs opérations au jour le jour (par ex. les stocks et les comptes clients), renouveler et entretenir leurs usines et leur matériel ainsi que pour étendre et diversifier leurs activités. Une grande partie de ces capitaux est réunie sur les marchés des valeurs mobilières par l'émission de titres d'emprunt à moyen et long terme (les obligations et les débentures) et de capital-actions (les actions privilégiées et ordinaires).

Différentes formes d'entreprises

Autrefois, presque toutes les entreprises étaient exploitées par une seule personne d'où leur nom d'entreprises à propriétaire unique. Lorsqu'elles ont commencé à prendre de l'expansion, les propriétaires uniques se sont adjoints un ou plusieurs associés pour qu'ils investissent des capitaux dans l'entreprise et participent à son exploitation. Les bénéfices étaient alors répartis entre tous les associés. Ce genre d'entreprise s'appelle une société en nom collectif. Avec la révolution industrielle, la société commerciale est devenue la meilleure formule pour faire face à une activité commerciale et industrielle sans cesse croissante.

La structure d'une société commerciale lui permet de gérer facilement les capitaux considérables nécessaires à l'exploitation d'une grande entreprise en expansion. Elle lui permet de mobiliser assez facilement des capitaux par l'émission de différentes catégories d'actions et de titres d'emprunt. Cette structure est aussi suffisamment souple pour lui permettre une diversification de ses activités. Bien que les sociétés commerciales ne constituent qu'un faible pourcentage du nombre total des entreprises, elles attirent une grande partie du capital total investi.

Responsabilité limitée des actionnaires

Le fait que les actionnaires d'une société ne risquent que la somme qu'ils ont investie pour acquérir ses actions ordinaires ou privilégiées constitue un des principaux attraits de la société commerciale. Ainsi, l'actionnaire qui a placé 1 000 $ en actions ordinaires dans une société commerciale n'est pas tenu de verser d'apport supplémentaire, même si la société devait faire faillite.

Par contre, dans le cas d'une entreprise à propriétaire unique ou d'une société en nom collectif, la responsabilité personnelle du propriétaire ou des associés est illimitée. Le propriétaire ou les associés sont personnellement responsables devant les créanciers de toutes les dettes contractées par l'entreprise.

Autres avantages de la constitution en société

Existence ininterrompue

Une entreprise à propriétaire unique prend fin avec le décès de son propriétaire; une société en nom collectif, à moins d'une entente stipulant le contraire, est dissoute si l'un des associés se retire ou décède; la société commerciale, par contre, ne voit pas son existence menacée par le décès de l'un de ses actionnaires ou de leur totalité. Les actions sont comprises dans la succession de l'actionnaire et sont léguées aux héritiers.

L'existence d'une société n'est interrompue que par des actes délibérés tels que la liquidation volontaire ou la faillite de la société même.

Transfert de propriété

Les actionnaires d'une société ouverte peuvent céder assez facilement leurs actions à d'autres investisseurs et cette liquidité rend ce genre de placement très intéressant. Bien que les actions changent de propriétaire, la société reste le seul propriétaire de ses éléments d'actif.

Personnalité juridique

Comme les sociétés possèdent une personnalité juridique propre, elles peuvent ester en justice, alors que toute action en justice, intentée par une société en nom collectif ou contre elle doit être, selon le cas, prise ou défendue par les associés qui la composent, car la loi ne reconnaît pas à cette société une existence propre et distincte de celle de ses associés. Une société en nom collectif ne peut pas poursuivre l'un des associés et un associé ne peut pas la poursuivre. Par contre, une société commerciale peut poursuivre un actionnaire et être poursuivie par celui-ci.

Gestion professionnelle

Les épargnants peuvent détenir des titres sans participer à l'administration de la société. Le soin de cette administration est confié à des dirigeants et à un comité élu par les actionnaires, appelé "conseil d'administration".

Les administrateurs sont responsables de la gestion de la société. Ils peuvent nommer ou remplacer les membres de la direction et les employés de la société. Ce sont eux qui décident si des dividendes seront versés aux actionnaires ordinaires et quel en sera le montant; ils autorisent aussi les dividendes (généralement un taux fixe) versés aux actionnaires privilégiés. Avec l'approbation des actionnaires, ils peuvent adopter les règlements nécessaires à l'émission de valeurs mobilières. De façon générale, les administrateurs ne s'occupent pas de l'exploitation quotidienne de l'entreprise (cette responsabilité incombe au président et à son conseil de direction) mais se consacrent à la politique générale de la société.

Rôle des firmes de courtage

Les firmes de courtage, qu'il s'agisse d'agents de change ou de courtiers en valeurs, jouent un rôle clé dans le transfert des fonds entre ceux qui disposent de capitaux excédentaires et ceux qui en ont besoin. Habituellement, lorsqu'une société émet des obligations et des actions pour mobiliser des fonds, les courtiers en valeurs sont appelés à assurer le succès de l'émission. Les firmes de courtage assurent aussi un autre service important dans le processus de l'épargne et du placement: la vente et l'achat des actions et des obligations en circulation. Nous expliquerons plus loin et plus en détail le rôle des firmes de courtage.

PRINCIPAUX OBJECTIFS DE PLACEMENT

Tous les investisseurs - qu'il s'agisse de particuliers ou d'institutions financières - devraient définir leurs objectifs de placement à court ou à long terme avant d'acheter des titres. En général, il y a trois principaux objectifs de placement: (1) **la sécurité du capital,** (2) **le revenu** et (3) **la plus-value du capital** avec, comme quatrième objectif, (4) **la liquidité** - qui est très importante pour certains investisseurs.

Sécurité du capital

Les investisseurs qui désirent obtenir le plus haut degré de sécurité y parviendront en acceptant un revenu moins élevé et en renonçant aux possibilités de plus-value du capital. Au Canada, la plupart des obligations fédérales, provinciales et municipales offrent la plus grande sécurité du capital et un revenu assuré. Les obligations des sociétés de premier rang entrent aussi dans cette catégorie.

Revenu

Si un investisseur désire maximiser son revenu, il doit d'habitude renoncer en partie à la sécurité parce qu'il devra acheter des obligations et des actions privilégiées de qualité inférieure en termes de placement. Nous disons "d'habitude" parce qu'il arrive parfois qu'un investisseur bien informé, qui a accès à des renseignements précis et récents, découvre des aubaines. En général toutefois, la sécurité diminue à mesure que le rendement augmente. Il ne faudrait quand même pas supposer que dans la mesure où le rendement diminue, la sécurité d'une obligation ou d'une action privilégiée augmente parce que d'autres facteurs peuvent influer sur leur cours et leur rendement.

Plus-value du capital

Bon nombre d'investisseurs recherchent une plus-value du capital plutôt qu'un revenu de placement. Ces investisseurs doivent cependant être prêts à renoncer à une grande sécurité du capital et à un revenu assuré. Le chapitre portant sur les actions ordinaires traitera des gains en capital du point de vue fiscal. Plus l'investisseur désire obtenir une importante plus-value du capital, plus il doit prendre un risque élevé.

Négociabilité ou liquidité

Un quatrième objectif de placement que beaucoup d'investisseurs recherchent est la négociabilité, qui n'est pas nécessairement reliée à la sécurité, au revenu ou à la plus-value du capital. Elle signifie simplement qu'il y aura presque toujours des acheteurs à un certain prix pour les titres. Cette caractéristique peut être très importante pour certains investisseurs qui pourraient avoir besoin de leur argent tout de suite (c.-à-d. la liquidité). Pour d'autres, elle peut être secondaire. La plupart des titres canadiens peuvent être vendus en quantité raisonnable à un certain prix et ce, dans un délai d'un jour ou deux.

Il n'y a pas de valeur parfaite

Il n'est pas possible de trouver une valeur qui offre à la fois la meilleure sécurité du capital, le meilleur revenu, la meilleure possibilité de plus-value et la meilleure négociabilité. Il est toujours nécessaire de faire un compromis. Si la sécurité et la protection sont élevées, les possibilités de plus-value ont tendance à être faibles. De même, si une valeur a de très grandes possibilités de plus-value, il y a en général une augmentation du risque et une baisse du revenu courant.

DÉTERMINER LES OBJECTIFS DE PLACEMENT

Bien qu'il existe une très grande variété d'épargnants, il est possible de faire certaines généralisations en fonction des principaux objectifs de placement - sécurité du capital, revenu et plus-value du capital. Voici, pour illustrer brièvement chacun de ces objectifs, la situation de certains particuliers.

Sécurité du capital

. une veuve dont le portefeuille de titres est la principale source de revenu;

. un jeune couple qui place son épargne en vue d'acheter une maison;

. un étudiant qui a un emploi d'été et qui achète des obligations d'épargne du Canada pour ses dépenses post-scolaires futures;

- un homme d'affaires qui place temporairement les fonds nécessaires pour acheter la part de son associé au cours des six prochains mois.

Revenu

- un salarié qui compte sur le revenu additionnel provenant de ses placements pour élever ses enfants;

- un couple à la retraite dont le revenu de pension ne suffit pas aux dépenses courantes;

- un épargnant très prudent qui, de par son tempérament, n'est pas attiré par les placements en actions ordinaires et les fluctuations des cours;

- un épargnant qui achète des actions ordinaires de premier ordre et qui, par la suite, vend une option d'achat couverte sur ces actions pour obtenir un revenu supplémentaire sous forme de prix de l'option;

- un épargnant prudent qui, au moyen d'un régime enregistré d'épargne-retraite (REER) autogéré, recherche les avantages d'un revenu réinvesti à long terme à imposition reportée.

Plus-value du capital

- un jeune cadre qui gagne un bon salaire, a un excédent de revenu et qui désire ramasser des fonds pour pouvoir prendre sa retraite plus tôt;

- un vice-président d'une société qui désire obtenir des rendements au-dessus de la moyenne grâce à des placements en actions ordinaires;

- des membres aisés d'un club de placement qui recherchent les gains en capital mais qui peuvent également se permettre de subir éventuellement des pertes;

- un couple qui, par suite d'un héritage important, peut investir de façon dynamique et qui, de tempérament, peut accepter un degré élevé de risque de placement.

Dans les prochains chapitres, nous examinerons les caractéristiques fondamentales des divers genres de titres et leur pertinence en fonction des principaux objectifs de placement. Nous examinerons également comment ces objectifs peuvent être combinés dans un portefeuille de placement et verrons pourquoi il est nécessaire de modifier les objectifs de placement lorsque surviennent des changements dans la situation personnelle de l'épargnant ou dans les conditions des marchés des valeurs mobilières.

Placement et inflation

L'un des arguments les plus convaincants en faveur du placement est sans doute la nécessité de pallier en totalité ou en partie les effets négatifs de l'inflation. Au cours des années 1970 et au début des années 1980, l'inflation a accéléré puis elle a régressé à la fin de 1982. Malgré cette récente régression, le pouvoir d'achat du dollar a diminué alors que les coûts des biens et services ont augmenté non seulement au Canada mais dans le monde entier. D'après l'indice des prix à la consommation canadien, il en coûtait 1,22 $ en 1984 pour les biens et services qui ne coûtaient que 1,00 $ en 1981.

B1

Les personnes en mesure d'augmenter leur revenu au même taux que l'inflation ne subissent pas de perte véritable de leur pouvoir d'achat. Toutefois, elles ne font que maintenir leur pouvoir d'achat relatif et leur niveau de vie reste le même.

Par contre, le problème est plus critique pour les personnes qui dépendent d'un revenu fixe comme des prestations d'un régime de retraite. Ces personnes subissent une baisse considérable de leur pouvoir d'achat pendant les périodes prolongées d'inflation élevée.

On peut obtenir des résultats spectaculaires par l'épargne régulière et une stratégie prudente de placement si l'on tire partie de la "magie" de l'intérêt composé. Le tableau suivant, par exemple, indique la croissance d'un versement de 1 000 $ par année dans un régime enregistré d'épargne-retraite, à l'abri de l'impôt, pendant des périodes allant de cinq à quarante ans à différents taux et avec un intérêt composé annuellement (c.-à-d. l'intérêt gagné sur l'intérêt chaque année).

1 000 $ déposés chaque année pour une période de	5 ans	10 ans	20 ans	30 ans	40 ans
s'élèvent aux montants suivants si le taux de capitalisation est de:					
5%	5 802 $	13 207 $	34 719 $	69 761 $	126 840 $
6%	5 975	13 972	38 993	83 802	164 048
7%	6 153	14 784	43 865	101 073	213 610
8%	6 336	15 645	49 423	122 346	279 781
9%	6 523	16 560	55 765	148 575	368 292
10%	6 716	17 531	63 002	180 943	486 852

Il est clair que les résultats peuvent être extraordinaires, toutefois, ils dépendent du taux d'intérêt et, dans une grande mesure, de la durée pendant laquelle l'intérêt doit se composer.

De nombreux épargnants se tournent vers les actions ordinaires pour se protéger de l'inflation. Au cours des dix dernières années, les épargnants, en général, ont bénéficié d'une tendance globale à la hausse des cours des actions. Pour mesurer la tendance générale des cours des actions, les bourses calculent des indices qui reflètent l'orientation d'un ou de plusieurs groupes d'actions. Par exemple, la Bourse de Toronto publie un indice de 300 actions considéré comme représentatif des 1 300 titres négociés. Il faut toutefois se garder de faire une relation directe entre ces chiffres et les cours des différentes actions, car elles n'ont pas toutes enregistré une hausse au cours de cette période. Cependant, la tendance apparente de l'indice 300 de la Bourse de Toronto depuis qu'il a été lancé en 1974, confirme réellement l'une des principales caractéristiques des placements en actions ordinaires, à savoir leur possibilité de plus-value. (Un graphique de l'indice 300 de la Bourse de Toronto se trouve plus loin dans le texte.)

Avantages de détenir des titres

Voici quelques-uns des avantages dont bénéficie un épargnant qui détient des valeurs mobilières; toutefois, ces avantages ne s'appliquent pas à toutes les catégories de titres, qui seront d'ailleurs définies dans les chapitres suivants:

- la plupart assurent un revenu sous forme d'intérêts ou de dividendes;

- nombre d'entre eux offrent des possibilités de plus-value du capital;

- un choix judicieux de titres qui jouissent de la plus haute cote de crédit, tels que les titres du gouvernement fédéral, assurent un taux de rendement concurrentiel à faible risque;

- la plupart des titres détenus dans le public peuvent s'acheter ou se vendre facilement, ce qui permet à l'épargnant de modifier son portefeuille en fonction de la conjoncture ou de réunir des fonds en cas de besoin;

- de nombreux titres offrent des avantages fiscaux et peuvent entrer dans un régime d'étalement du revenu imposable (sont étudiés plus loin);

- l'épargnant peut se constituer un portefeuille qu'il peut gérer facilement;

- l'épargnant peut facilement obtenir des conseils professionnels;

- les marchés des valeurs sont soumis à une réglementation très stricte qui protège les épargnants.

Catégories de titres

Comme nous l'avons mentionné précédemment, les principaux utilisateurs de capitaux sont les gouvernements et les sociétés. Les gouvernements réunissent de nouveaux capitaux en émettant des titres d'emprunt tels que les obligations et les débentures dont les certificats constituent une preuve concrète du placement de l'épargnant. Pour réunir des capitaux, les sociétés disposent d'une plus grande variété de titres, notamment les obligations, les débentures, les actions privilégiées et ordinaires. Les gouvernements et les sociétés sont sans cesse à la recherche de nouveaux capitaux, aussi les épargnants canadiens bénéficient en permanence d'un vaste choix de titres.

Les gouvernements fédéral et provinciaux ainsi que les municipalités émettent des titres. Le plus gros émetteur est le gouvernement du Canada qui comptait à lui seul 114,3 milliards de dollars d'obligations en circulation à la fin de 1984. À la même date, les dix provinces réunies avaient en circulation 136,4 milliards de dollars d'obligations émises et garanties, tandis que l'encours des obligations municipales (émises et garanties) s'élevait à 17,8 milliards. Quant aux sociétés, l'encours de leur dette s'élevait à 63,1 milliards.

Le Bond Record, pour les émissions canadiennes des gouvernements fédéral et provinciaux et le Corporate Bond Record, pour les émissions des sociétés, constituent des sources précieuses de renseignements sur ces centaines d'émissions. Ce sont des publications du Financial Post Information Service.

Les sociétés réunissent aussi de nouveaux capitaux par l'émission d'actions ordinaires et privilégiées. Il suffit de consulter le tableau des cours de bourse dans les pages financières des journaux pour se rendre compte du nombre impressionnant d'émissions d'actions sur le marché. Par exemple, à la Bourse de Toronto seulement, il se négocie plus de 1 300 émissions différentes, auxquelles s'ajoutent les centaines d'autres actions négociées sur le parquet des autres bourses canadiennes, sans oublier toutes celles qui se négocient sur le marché que l'on appelle "marché hors cote" ou "marché entre courtiers".

Un portefeuille équilibré

Afin de mieux concilier des objectifs divergents tels que la sécurité du capital, le revenu, la plus-value et la négociabilité on a recours à la diversification. Diversifier signifie répartir des fonds entre un certain nombre de titres afin de limiter le risque d'une perte importante.

On obtient un portefeuille équilibré en plaçant ses fonds dans des titres défensifs qui assurent la sécurité du capital et un revenu stable (habituellement des obligations, des débentures et quelques actions privilégiées d'excellente qualité) et en ayant une partie dynamique orientée vers les gains en capital (actions ordinaires de croissance). Ainsi, un portefeuille équilibré comprend différentes catégories de titres et assure le niveau souhaité quant au rendement, aux possibilités de plus-value du capital, à la sécurité du capital et à la négociabilité.

Placement contre spéculation

Les investisseurs prudents recherchent normalement des titres ayant la qualité d'un bon placement pour constituer la plus grande partie de leur portefeuille très défensif. Beaucoup d'épargnants d'un certain âge et la plupart des investisseurs institutionnels font partie de cette catégorie. Toutefois, les épargnants plus jeunes et assez à l'aise peuvent se permettre de courir plus de risques lorsqu'ils choisissent des titres pour leur portefeuille plus dynamique. Ainsi, ils achètent des titres que d'autres pourraient considérer comme spéculatifs ou même hasardeux.

Malheureusement, il n'y a pas de démarcation précise entre les titres ayant la qualité d'un bon placement et les titres spéculatifs. Il vaut mieux considérer l'ensemble des titres disponibles comme une vaste gamme de placements allant de la plus haute qualité à des titres qui présentent de plus en plus de risques jusqu'à des titres purement spéculatifs.

La distinction est plutôt une différence de qualité qu'une différence de forme parce que les obligations, tout comme les actions, peuvent convenir soit au placement, soit à la spéculation. Et la qualité n'est jamais permanente; il y a toujours un certain risque. Des revirements dans la situation de l'émetteur des titres peuvent transformer ses titres ayant la qualité d'un placement en titres spéculatifs et vice versa.

La difficulté pour tous les investisseurs consiste à déterminer le degré de sécurité ou de risque qui convient le mieux à leur programme de placement. Les investisseurs devraient déterminer la qualité de chaque titre qu'ils ajoutent à leur portefeuille afin de voir s'il correspond à leurs objectifs de placement et ils devraient revoir continuellement leurs objectifs par rapport aux titres qu'ils détiennent afin de voir si le portefeuille leur convient toujours.

Principes du placement

Voici un résumé des thèmes qui seront repris tout au long de cet ouvrage.

- La connaissance, l'expérience et le discernement sont des facteurs essentiels à la réussite et à la rentabilité de tout placement.

- Tout épargnant devrait définir clairement ses objectifs de placement et prendre toutes ses décisions ultérieures en conséquence.

- Tout placement comporte un certain degré de risque. Il revient à l'épargnant d'évaluer ce risque et de déterminer dans quelle mesure il est compatible avec ses objectifs de placement.

- Un véritable programme de placement exige une étude et une analyse minutieuses pour minimiser le risque. Quant à la spéculation, on peut dire qu'elle s'apparente plus à la loterie ou aux paris.

- On ne saurait trop insister sur le fait qu'un épargnant a besoin de conseils fiables et professionnels, surtout s'il manque d'expérience dans le domaine.

- Il est important de faire des recherches non seulement avant de placer son argent mais aussi après.

Résumé

Les épargnants voient dans le placement un moyen de s'assurer un revenu supplémentaire, ou de bénéficier d'une plus-value du capital pour ainsi accroître leur richesse et réaliser leur indépendance financière.

En achetant des valeurs mobilières, ces épargnants participent à un processus beaucoup plus large, celui du marché des capitaux, vital pour notre système économique. Ce marché permet le transfert de fonds entre ceux qui disposent de capitaux excédentaires et ceux qui en ont besoin pour mener à bien des projets de nature sociale ou économique.

Il existe sur le marché un vaste choix de titres émis par divers emprunteurs. La qualité ou le degré de risque varie considérablement d'un titre à l'autre, aussi il est important de procéder à une analyse et à un choix minutieux pour s'assurer que chaque titre est conforme aux objectifs de placement.

Les marchés de valeurs sont aussi complexes que fascinants et jouent un rôle vital dans notre système économique. Pour l'épargnant bien informé, les valeurs mobilières peuvent représenter une grande source de satisfaction et de profits.

LEXIQUE DES TERMES EMPLOYÉS DANS LE COMMERCE

DES VALEURS MOBILIÈRES

À la lecture de cet ouvrage, vous rencontrerez un grand nombre de nouveaux termes. Aussi nous vous recommandons de lire une ou deux fois le lexique qui se trouve à la fin du livre avant d'aborder le chapitre suivant.

2 SOURCES DE RENSEIGNEMENTS IMPORTANCE DES RAPPORTS ANNUELS COMMENT LIRE LES ÉTATS FINANCIERS

CLÉS D'UN PLACEMENT FRUCTUEUX

Les connaissances, l'expérience et le discernement sont les clés des placements fructueux en valeurs mobilières.

La plupart des épargnants qui ont l'intention de faire des placements en valeurs mobilières pour la première fois n'ont pas le temps de se procurer la documentation nécessaire. La quantité de renseignements qui doivent être recueillis et analysés est en effet considérable.

Les profanes devraient demander conseil à une firme de valeurs mobilières ou à un conseiller en placement ayant une bonne réputation avant de faire leur premier achat de valeurs mobilières et ce, de façon à éviter de commettre des erreurs.

S'il est important d'obtenir les conseils d'un expert, cela ne suffit toutefois pas. L'épargnant efficace cherche constamment à élargir ses connaissances de base en ce qui a trait aux valeurs mobilières et aux marchés des valeurs mobilières. La première chose à faire, c'est de connaître les principales sources de renseignements financiers accessibles.

PRESSE FINANCIÈRE

La presse financière est un outil précieux pour tout investisseur. Elle lui donne un compte rendu au jour le jour de tous les événements qui influent sur les marchés des valeurs mobilières. Les investisseurs expérimentés prennent l'habitude de lire les pages financières et les nouvelles dans leur journal local et au moins l'un des quatre journaux financiers canadiens suivants:

. The Financial Post ;

. The Financial Times of Canada;

Les deux journaux paraissent chaque lundi et contiennent une revue des principaux marchés canadiens et étrangers, des études détaillées sur les sociétés et les industries canadiennes et des articles sur les principaux événements politiques et économiques.

. The Globe and Mail Report on Business - (Toronto). Publié quotidiennement, du lundi au samedi.

Un bon journal financier doit vous tenir au courant des questions sociales, politiques et économiques, tant au Canada qu'à l'étranger. Il doit aussi donner les cours des valeurs cotées aux principales bourses canadiennes et américaines, une sélection des cours acheteurs et vendeurs des valeurs négociées activement sur les marchés hors cote, les prix de rachat des fonds mutuels canadiens, les déclarations de bénéfices et de dividendes de toutes les sociétés canadiennes importantes, les annonces relatives aux nouvelles émissions, les rendements des titres, et leurs ratios cours-bénéfices, les avis de convocation aux assemblées des sociétés, les rapports périodiques et annuels, les avis de rachat d'actions et d'obligations, les taux de rendement du marché monétaire, des statistiques sur la négociation des options et des contrats à terme, etc.

La présentation de l'information varie d'un journal financier à l'autre. Néanmoins, la plupart d'entre eux réservent une section spéciale aux indicateurs techniques (nous traiterons de ce sujet plus loin) tels que le nombre d'actions dont le cours a monté, baissé ou est resté stable par rapport à la semaine ou au jour de bourse précédent ainsi qu'une section pour les actions qui ont atteint de nouveaux cours extrêmes pendant l'année. La plupart des journaux publient une liste des actions qui ont été négociées le plus activement le jour de bourse précédent; ce renseignement est précieux, car une activité intense précède souvent des fluctuations importantes du cours d'une action.

Lecture du cours des actions cotées et non cotées

Les actions ordinaires et privilégiées sont négociées soit sur un marché boursier reconnu (pour les valeurs cotées) soit sur le marché hors cote (pour les valeurs non cotées). Les journaux mentionnent deux catégories de cotes différentes: le cours acheteur ou demande et le cours vendeur ou offre pour les actions qui n'ont pas été négociées et les cours extrêmes (haut et bas) pour celles qui l'ont été pendant la journée ou la semaine en question.

Voici, par exemple, comment se présenteraient les cours d'une action ordinaire cotée qui n'aurait pas été négociée au cours de la journée ou de la semaine en question:

Titre	Acheteur	Vendeur
XYZ	11 1/2	12

Cela signifie que le prix le plus élevé offert (côté acheteur) a été de 11,50 $ et que le prix demandé le plus bas (côté vendeur) a été de 12,00 $ pour chaque action ordinaire XYZ. N'oubliez pas que ces chiffres représentent des cours acheteur et vendeur, et non le cours des actions car elles n'ont pas fait l'objet d'une négociation à ces prix.

Voici, par exemple, comment se présenteraient les cours d'une action ordinaire négociée sur le marché hors cote:

Titre	Volume	Haut	Bas
ABC	2 000	24 1/8	23 7/8

Ces cours signifient que durant la journée ou la semaine en question 2 000 actions ABC ont été négociées et que le cours le plus élevé a été de 24,125 $ et le plus bas de 23,875 $ par action.

Voici, par exemple, comment se présenteraient les cours d'actions cotées en bourse qui ont été négociées pendant la journée ou la semaine en question:

(1) Haut	(2) Bas	(3) Titre	(4) Div.	(5) Haut	(6) Bas	(7) Ferm.	(8) Var.	(9) Volume
12 1/2	9 1/4	BEC	0,50	10 1/2	10 1/4	10 1/2	+ 1/2	6 000

Une telle présentation peut sembler compliquée mais elle est très utile; sa forme et son contenu dans le bulletin de la cote peut varier d'un journal financier à l'autre. Cette cote signifie que:

(1)   le cours le plus élevé a été de 12,50 $ par action pour l'année (ou les 52 dernières semaines);

(2)   le cours le plus bas a été de 9,25 $ par action pour l'année (ou les 52 dernières semaines);

(3)   Le symbole de l'action présentée est BEC;

(4)   l'action a rapporté un dividende de 50¢ par action au cours des douze derniers mois;

(5)   le cours le plus élevé de l'action a été de 10,50 $ pour la journée (ou la semaine) en question;

(6)   le cours le plus bas a été de 10,25 $ pour la journée (ou la semaine) en question;

(7)   la dernière transaction de la journée (ou de la semaine) s'est effectuée à 10,50 $;

(8)   le cours à la fermeture était de 50¢ plus élevé que celui de la veille (ou de la semaine précédente);

(9)   au total, 6 000 actions ont été négociées pendant la journée (ou la semaine) en question.

Les cours cotés sont pour des "lots réguliers" d'actions (nous expliquerons ce point plus loin) et ne comprennent pas les frais de courtage des actions cotées (nous verrons aussi ce point plus loin). La forme et le contenu des bulletins de la cote varient; aussi, pour les comprendre, il vous faut relever tous les codes ou symboles qui les accompagnent et vous reporter aux notes explicatives pour obtenir leur signification.

Lecture des cours d'obligations

Le cours d'une obligation ou d'une débenture publié dans un journal peut se présenter comme suit:

(1)	(2) Taux d'intérêt	(3) Échéance	(4) Cours	(5) Rendement	(6) Variation
Émetteur					
ABC	11 1/4	15 déc./02	102,68	10,89	0,232

Ceci signifie que:

(1) le nom de la société qui a émis l'obligation est ABC Ltée;

(2) le taux d'intérêt fixé pour une période de douze mois. Dans cet exemple, le porteur d'une obligation de 1 000 $ à 11 1/4% de la société ABC reçoit 112,50 $ en intérêt chaque année (payable en deux versements semestriels de 56,25 $);

(3) la date d'échéance de l'obligation est le 15 décembre 2002;

(4) le cours de l'obligation, exprimé en pourcentage de sa valeur nominale. On donne habituellement le cours moyen entre le cours acheteur et le cours vendeur. Dans cet exemple, un épargnant qui détient une obligation de 1 000 $ à 11 1/4% de la société ABC pourrait vendre cette obligation à 1 026,80 $ (c.-à-d. 102,68% de 1 000 $);

(5) le rendement à l'échéance (expliqué plus loin dans le cours) est de 10,89%;

(6) le pourcentage de variation du cours de l'obligation par rapport au cours de la journée ou de la semaine précédente. Pour l'épargnant qui possède des obligations à 11 1/4% de ABC, une fluctuation de -0,232 signifie une perte de valeur de 2,32 $ (c.-à-d. 102,680 - 102,912 = 0,232).

Le volume des ventes (total des opérations sur les obligations) n'est pas compilé ni publié contrairement à ce qu'on fait pour la plupart des opérations sur les actions. Il faut s'adresser à son courtier si l'on veut obtenir rapidement le cours des obligations.

Comprendre les moyennes et les indices boursiers

Un certain nombre de moyennes et d'indices boursiers sont publiés tous les jours dans la presse financière. Ces indicateurs mesurent le niveau relatif du marché boursier et de ses divers secteurs; ils sont utiles pour comparer la performance boursière d'une action donnée par rapport aux fluctuations des cours d'un indice ou d'un groupe d'actions appartenant à la même catégorie. Les indices les mieux connus sont ceux de Dow Jones, de Standard and Poor's (aux États-Unis) et ceux des Bourses de Montréal, de Toronto, de l'Alberta et de Vancouver (au Canada).

Ces indices et moyennes sont de précieux outils statistiques pour déceler les variations à long terme des cours. Ils diffèrent quelque peu à court terme et ce en raison de différences dans leur composition et dans leur méthode de calcul (nous expliquerons ce point plus loin). À long terme, toutefois, leurs résultats des tendances du marché concordent avec précision.

Les journaux financiers publient normalement le niveau courant de l'indice par rapport à celui du jour précédent et résument les événements responsables de sa hausse ou de sa baisse.

AUTRES SOURCES D'INFORMATION

La presse financière est surtout utile pour se tenir au courant des cours des actions et des obligations, des bénéfices, des dividendes et d'autres nouvelles se rapportant aux sociétés ou à la conjoncture économique. Il existe en outre un grand nombre de publications et de services pour ceux qui désirent obtenir des informations plus complètes sur la finance et les affaires.

Périodiques

En plus des journaux, les magazines financiers constituent une source de renseignements utile pour les investisseurs. En voici quelques-uns:

Canadian Business - revue d'affaires publiée tous les mois;

C A Magazine - revue mensuelle;

The Northern Miner - hebdomadaire de format tabloïde spécialisé dans les industries minière et pétrolière;

Business Quarterly - publication universitaire trimestrielle;

Investors Digest of Canada - périodique bimensuel de format tabloïde renfermant des rapports de recherches sur le marché boursier en général et sur certaines sociétés et industries.

Your Money - revue bimensuelle d'affaires pour les consommateurs.

Parmi les nombreuses revues américaines on peut citer:

Money - une revue mensuelle pour les consommateurs;

Fortune - une revue mensuelle.

Publications de la Banque du Canada

. Bulletin hebdomadaire de statistiques financières - il donne le volume et le rendement des bons du Trésor adjugés chaque semaine; il reproduit aussi le rendement des titres émis par le gouvernement et les taux d'intérêt en vigueur sur les marchés financiers; il fournit des données sur l'encours des titres émis et garantis par le gouvernement, sur les soldes de la Banque du Canada et ceux des banques à charte et sur les réserves de change.

. Revue de la Banque du Canada - une publication mensuelle qui contient des renseignements aussi bien actuels que passés, des tableaux sur la situation de la Banque du Canada et celle des banques à charte; des renseignements sur les obligations en circulation émises par les gouvernements fédéral, provinciaux et les municipalités; des renseignements sur les cours et les rendements; des statistiques sur le cours du change; une grande variété d'articles et des statistiques économiques. On retrouve aussi dans cette revue les communiqués de presse publiés par la Banque ainsi que les discours prononcés par le Gouverneur ou par d'autres hauts fonctionnaires.

• Rapport annuel du Gouverneur de la Banque du Canada - il est adressé au Ministre des Finances et contient un résumé des principaux faits économiques de l'année et une description des réactions de la Banque aux événements.

Publications de Statistique Canada

La plus grande partie des statistiques du gouvernement fédéral provient de Statistique Canada, organisme central de la statistique à l'échelle nationale qui rassemble, classe et publie des données statistiques relatives à un grand nombre d'activités de caractère social et économique au Canada. Statistique Canada publie un catalogue annoté de ses publications courantes que l'on peut obtenir sur demande et qui indique le numéro de catalogue, le titre, la fréquence de publication, le prix et le nombre de pages de chaque rapport ainsi qu'un bref aperçu de son contenu et la période à laquelle il se rapporte. Il contient un index des matières traitées qui indique dans quelle publication de Statistique Canada on peut trouver des renseignements sur un sujet ou un produit donné. Il comporte également un index des titres.

Bulletins des commissions des valeurs mobilières

Ces Bulletins d'information sont publiés chaque semaine sous les auspices des Commissions des valeurs mobilières du Québec, de l'Ontario, de l'Alberta et de la Colombie-Britannique. Ils contiennent une grande variété de renseignements sur les instructions générales de ces commissions, les règlements, les interdictions d'effectuer des opérations sur valeurs, les déclarations d'initiés de sociétés et les détails des inscriptions, les nouvelles émissions et le reclassement de titres, les offres publiques d'achat, les offres publiques de rachat et les dossiers d'information continue déposés.

Publications des bourses

Des revues mensuelles d'information sont publiées respectivement par les Bourses de Montréal, de Toronto, de l'Alberta et de Vancouver. Elles donnent, dans le cas de chaque société dont les actions sont inscrites à leur cote, les cours extrêmes, le nombre d'actions négociées, le symbole au téléscripteur, le dividende, le nombre d'actions autorisées et en circulation, etc.; on y trouve également des renseignements sur les quotités de négociation, des graphiques sur les indices boursiers, des détails sur les nouvelles inscriptions à la cote, les prises fermes, les options, les droits de souscription, les opérations sur des blocs d'actions et les positions à découvert et des articles sur les sociétés dont les actions viennent d'être inscrites à la cote ainsi que des commentaires sur l'économie et le marché.

Publications des firmes de placement

La plupart des firmes de courtage canadiennes ont un service d'études finan-cières (allant d'un seul analyste à vingt ou trente dans les maisons les plus importantes) qui fait des études sur les industries, les sociétés, les municipalités et sur les valeurs qu'elles émettent. Le but de ces recherches est de sélectionner des valeurs pour les clients et de leur indiquer le moment favorable pour acheter ou vendre. Elles publient les résultats de certaines de leurs recherches sous forme de lettres mensuelles et de rapports spéciaux sur des industries et des sociétés à l'attention de leurs clients ou d'autres personnes intéressées.

On peut aussi obtenir des renseignements auprès des firmes de conseillers en placement (différentes des maisons de courtage) à condition, toutefois, d'être l'un de leurs clients.

"Surveys" du Financial Post

The Financial Post Information Service publie chaque année un rapport sur les sociétés industrielles intitulé **Survey of Industrials,** livre de référence utile qui passe en revue plus de 1 200 sociétés industrielles canadiennes. Il contient une description sommaire de l'activité de chaque société ouverte, l'adresse de son siège social, le nom de son agent des transferts, le nom de ses administrateurs, la composition de son capital et de sa dette consolidée. Le bilan et l'état des résultats simplifiés y figurent sous forme de tableaux comparatifs auxquels s'ajoutent le chiffre du fonds de roulement, le bénéfice par action et les dividendes versés. Cette publication contient aussi un tableau des cours extrêmes des actions canadiennes cotées en bourse pendant les sept dernières années.

Voir en page 21 un exemple de la présentation Du Pont Canada Inc.

Survey of Mines and Energy Resources. Publication annuelle qui analyse environ 2 600 sociétés de l'industrie canadienne des richesses naturelles.

The Survey of Predecessor and Defunct Compagnies. Cette publication fait état de tous les changements survenus dans quelque 10 000 entreprises au cours des cinquante dernières années avec des indications sur les changements de dénomination sociale, les fusions et les acquisitions. Elle fournit également des renseignements sur les sociétés en cours de liquidation ou de dissolution et sur celles dont la charte a été abolie ou rayée des registres provinciaux.

Ces trois "Surveys" forment le Canadian Corporate Directories qui traite de toutes les sociétés ouvertes canadiennes (y compris les sociétés dissoutes).

Fiches du Financial Post Information

Le Financial Post Information Service publie des fiches qui fournissent plus de renseignements sur les sociétés ouvertes canadiennes que les "Surveys". Suivant la taille et l'importance de la société, ces publications peuvent avoir de deux à dix-huit pages et plus pour la plupart des sociétés. Elles contiennent des renseignements tels qu'un historique de la société, une description de ses produits, de ses usines et de ses dépenses en immobilisations, ses dirigeants et administrateurs, ses filiales, les cours annuels extrêmes de ses actions, les dividendes versés, le bénéfice net et le fonds de roulement ainsi que des chiffres tirés du bilan et de l'état des résultats des sept derniers exercices.

On peut se procurer ces fiches auprès du Financial Post Information Service. On peut également les consulter dans les grandes bibliothèques publiques. Elles font également partie de la documentation de la plupart des firmes de placement.

En plus des fiches et des brochures sur les sociétés, il y a aussi d'autres publications comme le Dividend Record, un relevé hebdomadaire des dividendes déclarés, des rachats d'actions et d'obligations et des dates de versement des intérêts.

Du Pont Canada Inc.

Revised December 12, 1985 (IC)

Destroy all previous Basic and White cards on this Company

CUSIP Number 263525

Stock Symbol DUP

Head Office — 555 Dorchester Blvd. W., Montreal, Que. H2Z 1B1

Executive Office — Box 2200, Streetsville, Mississauga, Ont. L5M 2H3

Telephone — (416) 821-3300

THE COMPANY is primarily engaged in the manufacture, import and resale of a wide variety of chemicals, fibres, plastics and films.

Fiscal Year	Total Assets	Shldrs.' Equity	Working Capital	Net Sales	Net Inc. Oper.	Earns. Per Sh.	Divds. Paid	Price Range High	Price Range Low
	$	$	000's — $	$	$	— Common Shares▲ — $	$	$	$
1984....	666,866	310,174	155,605	1,170,597	41,181	2.60	0.25	20.50	15.50
1983....	621,032	275,476	155,646	1,116,444	35,213	2.22	0.21	20.50	8.50
1982....	576,734	243,750	107,767	980,000	d7,426	d0.48	0.28	15.00	6.75
1981....	624,388	261,410	144,484	1,139,149	33,500	2.12	0.50	19.00	12.50
1980....	634,644	274,212	121,920	995,343	42,615	2.69	0.43	17.44	12.25

▲Adjusted throughout for 2-for-1 split, May 18, 1984.

CONSOLIDATED CAPITALIZATION AS AT DECEMBER 31, 1984

	Outstanding		%
Long-term debt		$142,967,000	32
Preferred stock	46,500 shs.	2,325,000	1
Common stock	15,772,596 shs.	40,031,000	8
Retained earnings		267,818,000	59

SUMMARY STATEMENT

Interim results for the nine months ended Sept. 30, 1985, included net income, operations, which fell 62% to $13,576,000 or 85 cents per share from $36,075,000 or $2.28 per share for the similar period in 1984. Net sales rose marginally to $887,836,000 from $887,455,000. Extraordinary losses of $46,520,000 increased net loss to $32,944,000 or $2.10 per share. There were no extraordinary items for the similar period in 1984. Cash flow jumped 83% to $32,974,000. Although volumes were higher for the period than that of the previous year, intense competitive conditions in both the domestic and export markets depressed prices. In addition, the $8,400,000 charge for the company's early retirement program negatively impacted earnings.

Outlook for the blance of 1985 was that demand for most products was to remain good with a modest improvement in prices. Earnings from operations in the fourth quarter was expected to improve over both last year and the third quarter.

Financial results for the year ended Dec. 31, 1984, showed net income rose 17% on a 5% gain in revenue over results of the previous year. Cash flow had dropped 31% to $69,950,000 from $101,408,000. Return on sales for 1984 improved to 6% from 5.1% in 1983. Return on average assets was 27% in 1984 compared with 21.7% in 1983. Chemicals, and plastics and film segments had improved performances with increased volumes and strong growth in sales and earnings. The fibres segment experienced lower sales volumes in 1984, for almost all fibre product lines with the exception of industrial yarn, than in 1983. After the 1983 recovery in consumer spending and the rebuilding of customer inventories the carpet and apparel markets weakened progressively throughout 1984, softening the demand for the company's fibre products.

Sale of the company's investment in Petrosar Limited, including shares and advances, was completed in mid-1985. As part of this transaction, the company received $78 million in Polysar Limited floating rate redeemable preferred shares for its investment and purchased $93.6 million in floating rate redeemable preferred shares of Canada Development Corporation.

N.B.—For quick reference data, see page 2.

THE FINANCIAL POST CORPORATION SERVICE

Maclean Hunter Building, 777 Bay Street, Toronto M5W 1A7 Telephone (416) 596-5585
1001 Boul. de Maisonneuve ouest, Montréal H3A 3E1 Téléphone (514) 845-5141
Copyright © 1985—Maclean Hunter Limited

Source: Le Financial Post Information Service

21

Il existe aussi un supplément intitulé Record of New Issues qui traite des nouvelles émissions de titres des sociétés et donne le nom du preneur ferme, le prix de vente au public ainsi qu'une description de l'émission et de la société émettrice.

Le Dividend Record et le Record of New Issues sont publiés dans le courant de l'année sous une forme cumulative. Le Dividend Record paraît tous les mois avec des suppléments hebdomadaires; New Issues paraît à intervalles irréguliers en fonction du volume des nouvelles émissions offertes.

Il y a d'autres publications dont **Preferred Shares and Warrants** qui contiennent une liste d'actions privilégiées et de bons de souscription, y compris les émissions d'actions rachetables et convertibles. Le **Governement Bond Record** fournit les cotes complètes des titres d'emprunt en circulation du gouvernement canadien et des provinces. Le **Corporate Bond Record** présente les titres d'emprunt en circulation des sociétés canadiennes et comprend des titres d'emprunt convertibles, rachetables et à échéance reportable.

Publications de l'Association canadienne des courtiers en valeurs mobilières (ACCOVAM)

L'ACCOVAM fait paraître diverses publications dont un Répertoire des membres ainsi qu'un rapport trimestriel et un communiqué mensuel qui donnent un compte rendu des faits nouveaux dans le commerce des valeurs mobilières, des activités de l'Association et diverses données statistiques. L'Association publie aussi un rapport périodique sur les perspectives économiques et des évaluations de placements ainsi qu'une brochure d'information sur les possibilités de carrière et un film sur le placement.

Canadian Mines Handbook

La Northern Miner Press Limited de Toronto publie annuellement The Canadian Mines Handbook. C'est un ouvrage de référence pratique et souvent consulté sur les sociétés minières canadiennes; il contient des renseignements sur les biens miniers, les travaux en cours, la situation financière des sociétés, etc. On y trouve également les cours maxima et minima des actions minières des six ou sept dernières années, des cartes des régions minières et d'autres détails sur les mines et les installations minières en exploitation.

Canadian Mines Register

La Northern Miner Press publie également le Canadian Mines Register qui contient des renseignements sur les sociétés minières inactives ou dissoutes.

Canadien Oil and Gas Handbook

La Northern Mines Press publie aussi le Canadian Oil and Gas Handbook qui contient des renseignements sur la mise en valeur des biens, sur la situation financière des sociétés, sur les cours maxima et minima des actions et d'autres renseignements au sujet des sociétés pétrolières et gazières au Canada.

RAPPORT ANNUEL

Importance des états financiers

L'investisseur moyen qui n'a pas ou presque pas de formation comptable éprouve généralement de la difficulté à comprendre les états financiers d'une société. Cependant, s'il prend un peu de temps à étudier leur présentation et leur rôle et s'il apprend la signification de quelques termes comptables, il trouvera qu'ils ne sont pas difficiles à comprendre et à interpréter. Il constatera aussi qu'ils présentent une image très révélatrice de la situation financière d'une société.

Le sort d'un placement dans les titres d'une société est lié aux résultats futurs de cette même société. Or, il est difficile de faire des prévisions très exactes, toutefois le passé d'une société donne souvent une idée de ce que sera son avenir. Ainsi, l'investisseur qui a quelques connaissances de la situation financière actuelle d'une société et de ses bénéfices dans le passé sera plus en mesure de choisir des titres qui sauront résister à l'épreuve du temps et d'éviter ceux qui ne lui apporteraient que des déboires. De plus, s'il veut faire des choix judicieux parmi toutes les possibilités de placement, il devra aussi se renseigner sur le secteur d'activité de la société, l'économie en général ainsi que sur certains projets de la société et sur ses perspectives d'avenir.

En plus des états financiers vérifiés, le rapport annuel contient d'autres renseignements précieux pour l'investisseur. Signalons l'importance du rapport du président du conseil d'administration aux actionnaires qui fait ressortir les points saillants du dernier exercice, commente les perspectives de l'exercice en cours et aborde des questions telles que les relations avec les employés, les projets d'expansion, les changements dans la gestion et les innovations dans les produits. Parmi les autres renseignements, citons le tableau comparatif des statistiques relatives à l'exploitation et à la situation financière portant sur les 2 à 10 derniers exercices, des renseignements sur les divers secteurs d'activité de la société, ainsi que des photographies des usines, des produits et des services de la société.

Quatre états financiers du rapport annuel

L'étendue de l'information présentée dans le rapport annuel varie d'une société à l'autre. Cependant, tous les rapports annuels doivent obligatoirement contenir un bilan, un état des résultats, un état des bénéfices non répartis (certaines sociétés présentent un état combiné des résultats et des bénéfices non répartis) et un état de l'évolution de la situation financière. En ce qui concerne l'investisseur, le bilan et l'état des résultats sont les plus importants.

Bilan

Le bilan fait ressortir la situation financière d'une société à une date précise. Dans le rapport annuel d'une société, le bilan est fait normalement à la date de clôture de son exercice.

Un côté du bilan (le gauche au Canada) indique ce que la société possède et ce qui lui est dû. C'est ce qu'on appelle l'actif (partie A du schéma). L'autre côté du bilan (partie B du schéma) indique ce que la société doit (c.-à-d. le passif) et l'avoir des actionnaires c'est-à-dire la valeur comptable ou les capitaux propres de la société (partie C du schéma) qui appartiennent aux actionnaires. L'avoir des actionnaires représente l'excédent de l'actif de la société sur son passif. En conséquence, l'actif total d'une société est égal à la somme de son passif et de l'avoir des actionnaires.

```
┌─────────────────────────────────────────────────────────────────────┐
│                      DISPOSITION DU BILAN                             │
│                        (à une date précise)                          │
│                                                                       │
│  A. ACTIF                      Égale    B. PASSIF                     │
│                                                                       │
│    • Ce que la société possède          • Ce que la société doit      │
│                                                                       │
│    • Ce qui est dû à la société         Plus                          │
│                                                                       │
│                                         C. AVOIR DES ACTIONNAIRES     │
│                                                                       │
│                                         Ce que les actionnaires       │
│                                         possèdent                     │
│                                                                       │
│                                           • capital-actions émis       │
│                                                                       │
│                                           • bénéfices non répartis     │
└─────────────────────────────────────────────────────────────────────┘
```

Le bilan n'indique ni ce qu'elle reçoit au cours de l'exercice, ni ce qu'elle débourse, ni ce qui lui reste comme profit, ni la perte qu'elle a subie. Ces renseignements sont donnés dans l'état des résultats.

État des résultats

Cet état indique combien d'argent une société réalise au cours d'un exercice grâce à la vente de ses produits ou de ses services et ce qu'elle a déboursé en salaires, en matières premières, en frais d'exploitation, en impôts ainsi que d'autres postes de dépense. L'argent qui reste représente le bénéfice de l'exercice. Si la société dépense plus qu'elle ne reçoit, elle subit une perte.

```
┌─────────────────────────────────────────────────────────────────┐
│                      ÉTAT DES RÉSULTATS                           │
│                                                                   │
│              pour l'exercice clos le 31 décembre 198.             │
│                                                                   │
│   Ventes nettes                           2 000 000 $             │
│                                                                   │
│   Coût des marchandises vendues           1 600 000              │
│                                                                   │
│   Revenu brut d'exploitation                400 000 $            │
│                                                                   │
│   Frais et impôts                           300 000              │
│                                                                   │
│   Bénéfice net                              100 000 $            │
└─────────────────────────────────────────────────────────────────┘
```

État des bénéfices non répartis

La perte ou le bénéfice du dernier exercice financier d'une société est calculé dans l'état des résultats, puis reporté dans l'état des bénéfices non répartis. Les bénéfices non répartis sont les bénéfices réalisés au cours des exercices précédents et qui n'ont pas été versés aux actionnaires sous forme de dividendes.

D'après la loi, les bénéfices non répartis devraient s'accumuler à l'avantage des actionnaires ordinaires. Cependant, dans les faits, ces bénéfices sont réinvestis dans l'entreprise et ils ne constituent pas une provision pour le paiement direct de dividendes aux actionnaires.

L'état des bénéfices non répartis indique donc le montant des bénéfices qui sont conservés dans l'entreprise d'un exercice à l'autre. Au solde de l'exercice précédent s'ajoute ou se soustrait, selon le cas, le bénéfice ou la perte de l'exercice qui vient d'être clôturé. Ensuite, les dividendes payés au cours de l'année sont déduits de cet état et diverses écritures de régularisation telles que des redressements d'impôts à l'égard des bénéfices d'exercices précédents y sont parfois passées.

Un nouveau solde de bénéfices non répartis est obtenu et reporté au passif du bilan comme poste de l'avoir des actionnaires. On peut donc constater que l'état des bénéfices non répartis sert de lien entre le bilan et l'état des résultats.

État de l'évolution de la situation financière

Cet état - parfois également appelé état de la provenance et de l'utilisation des fonds - sert de lien entre le bilan de deux exercices successifs et fournit un résumé des rentrées et des sorties de fonds dans l'intervalle. Il explique essentiellement les changements qui se sont produits dans le fonds de roulement (actif à court terme moins passif à court terme) d'un exercice à l'autre.

BILAN

Nous suggérons au lecteur de placer un signet entre les pages suivantes montrant les états financiers de la Société simplifiée Ltée de façon qu'il puisse s'y reporter facilement par la suite.

Disposition générale du bilan

Les bilans sont dressés et présentés plus ou moins de la même façon, que ce soit ceux de petites entreprises ou ceux de grandes sociétés d'envergure nationale.

Dans sa forme la plus simple, le bilan se présente ainsi:

BILAN SIMPLIFIÉ				
Actif	1 000 000 $	Passif	700 000	$
		Avoir des actionnaires	300 000	
Actif total	1 000 000 $	Passif total	1 000 000	$
Ceci signifie en réalité:				
	Actif		1 000 000	$
	Moins: passif		700 000	
	Égale l'avoir des actionnaires		300 000	$

SOCIÉTÉ SIMPLIFIÉE LIMITÉE
Bilan au 31 décembre 198. (Année 2)

Actif

	Année 2		Année 1	
	(en milliers de dollars)			
Actif à court terme:				
Encaisse	350	$	282	$
Obligations du gouvernement (au plus bas du prix coûtant ou de la valeur au cours du marché)	-		30	
Comptes clients (moins provision pour créances douteuses)	2 050		1 750	
Stocks (au plus bas du coût ou de la valeur marchande)	2 400		2 100	
Frais payés d'avance	20		18	
	4 820		4 180	
Autres éléments d'actif:				
Placement dans une société affiliée	300		-	
Immobilisations, au prix coûtant:				
Bâtiments et matériel	7 300		7 000	
Moins: amortissement accumulé	5 300		4 950	
	2 000		2 050	
Terrains	1 200		1 200	
	3 200		3 250	
Autres éléments de l'actif:				
Frais reportés	50		45	
	8 370	$	7 475	$

Passif

	Année 2		Année 1	
	(en milliers de dollars)			
Passif à court terme:				
Prêts bancaires	200	$	-	$
Comptes fournisseurs	1 841		1 618	
Dividendes à payer	12		12	
Impôts à payer	115		70	
	2 168	$	1 700	$
Dette à long terme:				
Obligations 1re hypothèque 5% échéant le 1er novembre 198.	1 000		1 000	

Avoir des actionnaires

Capital-actions				
Actions privilégiées au dividende cumulatif de 6% d'une valeur nominale de 100 $ Autorisées: 10 000 actions Émises: 8 000 actions	800		800	
Actions ordinaires sans valeur nominale autorisées et émises: 80 000 actions	2 400		2 400	
Bénéfices non répartis	2 002		1 575	
Total de l'avoir des actionnaires	5 202		4 775	
	8 370	$	7 475	$

SOCIÉTÉ SIMPLIFIÉE LIMITÉE

État des résultats
pour l'exercice clos le 31 décembre 198. (Année 2)

	Année 2		Année 1	
	(en milliers de dollars)			
Ventes nettes	12 000 $		11 000 $	
Moins: coût des marchandises vendues	10 600		9 900	
Bénéfice brut d'exploitation	1 400		1 100	
Frais:				
Frais de vente et				
frais généraux	505		440	
Amortissement	350	855	300	740
Bénéfice net d'exploitation		545		360
Autre revenu				
Intérêts sur obligations		-		1
		545		361
Intérêts sur prêts bancaires	10			
Intérêts sur dette à long terme	50	60		50
Bénéfice net avant impôts				
sur le revenu		485		311
Impôts sur le revenu		230		141
Bénéfice net avant poste				
extraordinaire		255		170
Plus: poste extraordinaire		300		200
Bénéfice net de l'exercice		555 $		370 $

État des bénéfices non répartis
pour l'exercice clos le 31 décembre 198. (Année 2)

	Année 2		Année 1	
	(en milliers de dollars)			
Solde au début de l'exercice	1 575 $		1 333 $	
Plus: bénéfice net de l'exercice	555		370	
	2 130		1 703	
Moins: dividendes				
sur actions privilégiées	48 $		48 $	
sur actions ordinaires	80 $	128	80 $	128
Solde à la clôture de l'exercice	2 002 $		1 575 $	

SOCIÉTÉ SIMPLIFIÉE LIMITÉE

État de l'évolution de la situation financière
pour l'exercice clos le 31 décembre 198. (Année 2)

	Année 2		Année 1	
	(en milliers de dollars)			
Provenance des fonds				
Bénéfice net d'exploitation	555	$	370	$
Amortissement	350		300	
	905		670	
Utilisation des fonds				
Acquisition d'immobilisations	300		–	
Versement de dividendes	128		128	
Augmentation des placements à long terme	300		–	
Augmentation des frais reportés	5		–	
	733		128	
Augmentation du fonds de roulement	172		542	
Fonds de roulement au début de l'exercice	2 480		1 938	
Fonds de roulement à la clôture de l'exercice	2 652	$	2 480	$

Postes de l'actif et du passif

On peut répartir les postes d'un bilan sous les rubriques suivantes:

ACTIF	PASSIF
Actif à court terme	Passif à court terme
Autres éléments d'actif	Autres éléments de
Immobilisations	passif à court terme
Frais reportés	Passif à long terme
Actif incorporel	**AVOIR DES ACTIONNAIRES**

Souvent, l'avoir des actionnaires est désigné sous le nom de **valeur comptable** de la société. Toutefois, ce poste ne représente pas nécessairement la somme que les actionnaires recevraient pour leurs actions en cas de vente des biens et de liquidation de la société. Le montant versé dépend plus ou moins du prix de vente des biens. La valeur au cours du marché de leurs actions peut en réalité être très supérieure ou inférieure à la valeur comptable; ceci dépend surtout de la situation financière, du potentiel de gain et des perspectives d'avenir de la société.

Actif à court terme

L'actif à court terme est l'actif qui peut être immédiatement converti en argent ou qui, dans le cours normal des affaires, sera converti en argent dans un avenir rapproché, c'est-à-dire normalement dans un délai d'un an.

L'actif à court terme se divise en cinq catégories principales:

- l'**encaisse** ou l'argent en banque;

- les **titres négociables** - les obligations et les actions qui peuvent être rapidement vendues;

- les **comptes clients**, c'est-à-dire les sommes dues à la société pour des marchandises qu'elle a vendues ou pour la prestation de services et qui doivent être payées dans un délai d'un an;

- les **stocks** détenus sous forme de produits finis prêts pour la vente ou en cours de fabrication, ou simplement détenus sous forme de matières premières entrant dans la fabrication;

- les **frais payés d'avance**, qui représentent des sommes versées pour des services à recevoir dans un avenir rapproché.

Étant donné que certains clients ne paient pas leurs factures, un poste appelé **provision pour créances douteuses** vient souvent en déduction des comptes clients. Cette provision représente la somme estimative qui, selon la direction, ne pourra être recouvrée. Elle ne fait généralement pas l'objet d'un poste distinct dans le bilan mais les vérificateurs s'assurent qu'une provision a été défalquée du compte clients.

Les **stocks** se transforment en encaisse par étapes successives. Les matières premières sont transformées en produits finis qui sont vendus avec des conditions de crédit de 30, 60, 90 jours ou plus, ce qui crée les comptes clients. Une fois arrivés à échéance ces comptes sont réglés en argent. Ce processus se poursuit de jour en jour pour permettre à la société de payer les salaires, les matières premières, les impôts et autres dépenses et, finalement, de réaliser le bénéfice à même lequel les dividendes peuvent être distribués aux actionnaires.

On trouve souvent, inclus dans l'actif à court terme, un poste appelé **frais payés d'avance**. Ce sont des services ou frais payés d'avance mais dont on n'a pas encore entièrement tiré profit à la date du bilan. Comme ils ont pour résultat d'éviter des déboursés dans un avenir proche, ils équivalent à de l'argent comptant. Exemples: le loyer, les primes d'assurance, les taxes et d'autres dépenses sont quelquefois payés d'avance et, pour fins de comptabilité, leur coût est généralement réparti sur la période de temps au cours de laquelle la société bénéficie de la dépense. Les services qui n'ont pas été tout à fait utilisés à la date du bilan apparaissent comme actif qui sera épuisé dans un proche avenir.

Étant donné qu'il produit l'argent nécessaire au fonctionnement de l'entreprise au jour le jour, l'actif à court terme représente la catégorie d'actif la plus importante et détermine en grande partie la capacité d'une entreprise d'acquitter ses frais quotidiens d'exploitation. Au bilan, les éléments d'actif à court terme sont généralement inscrits suivant l'ordre de leur liquidité, c'est-à-dire, l'ordre dans lequel ils peuvent être facilement et rapidement transformés en argent comptant.

Autres éléments d'actif

Le poste **autres éléments d'actif** comprend un grand nombre d'éléments qui ne sont ni de l'actif à court terme ni des immobilisations (voir plus loin). Les autres éléments d'actif les plus courants sont:

- la valeur de rachat des polices d'assurance-vie;

- les montants dus par les administrateurs, dirigeants et employés de la société;

- les placements à long terme (par exemple les placements dans l'entreprise d'un fournisseur ou des avances à celui-ci);

- les placements dans des sociétés affiliées et dans des filiales ainsi que des avances à celles-ci.

Immobilisations

Les immobilisations représentent les terrains, les bâtiments, la machinerie, l'outillage et l'équipement. Contrairement à l'actif à court terme, qui est transformé graduellement en argent dans un délai d'un an, la valeur des immobilisations est fondée sur leur utilité pour produire des biens et des services. En principe, elles ne sont pas destinées à être vendues.

La valeur des immobilisations par rapport à l'actif total d'une société varie beaucoup selon les différentes catégories d'entreprises. Les immobilisations d'une entreprise de services publics, de chemin de fer ou de fabrication de pâtes et papiers représentent une grande partie de l'actif, alors que celles des compagnies d'assurance ou des sociétés de crédit peuvent n'en représenter qu'une faible partie.

Dans le bilan, les immobilisations sont évaluées à leur coût d'origine, y compris les frais d'installation et autres frais d'acquisition. À l'exception des terrains, les immobilisations sont amorties chaque année et l'amortissement total accumulé est déduit du coût d'origine.

Amortissement

À l'exception des terrains, les immobilisations sont sujettes à l'usure ou, d'une façon ou d'une autre, perdent leur utilité pour l'entreprise. Un bien immobilier perd une partie ou la presque totalité de sa valeur entre le moment où l'on en fait l'acquisition et celui où il n'a plus ou presque plus d'utilité pratique. Cette perte de valeur d'un investissement dans des immobilisations, occasionnée par des années d'usage, s'appelle **dépréciation**.

Afin de répartir le coût des immobilisations sur la période de leur durée utile, les sociétés doivent imputer un certain montant d'amortissement aux bénéfices de l'exercice courant. On procède de cette façon parce que cette perte de valeur a lieu au cours de la production de biens ou de services et devient alors un coût de production dont on doit tenir compte au même titre que celui des salaires et des autres frais d'exploitation.

L'amortissement ne représente en aucun cas des fonds mis de côté pour assurer le remplacement d'immobilisations. S'il est vrai que la dotation aux amortissements diminue les bénéfices qui autrement devraient être distribués aux actionnaires, rien ne prouve que ces fonds seront "mis de côté" pour remplacer des immobilisations. De plus, en raison de l'évolution rapide de la technologie et des taux d'inflation élevés, il n'y a aucune raison de croire que ces fonds ainsi mis de côté seraient suffisants pour assurer le remplacement d'immobilisations acquises plusieurs années auparavant à un coût probablement plus bas. L'amortissement sert essentiellement à répartir le coût (après déduction de la valeur de récupération) de ces immobilisations en fonction de leur durée d'utilisation.

La dépréciation résulte de l'usure normale des installations. La provision constituée chaque année dans un compte spécial est fondée sur le coût d'origine de chaque élément d'actif, sur sa durée probable et sur sa valeur éventuelle de récupération ou de rebut, lorsqu'il ne peut plus servir.

Il existe plusieurs méthodes pour répartir ces montants sur chaque exercice. La méthode la plus fréquemment utilisée au Canada par les sociétés ouvertes est celle de l'amortissement constant selon laquelle le montant d'amortissement imputé chaque année est constant. On utilise aussi fréquemment la méthode de l'amortissement dégressif. Selon cette méthode, on calcule l'amortissement périodique en imputant, pour chaque période, le même taux au solde du compte. Ce montant est déduit du solde du compte immobilisations afin de déterminer le montant auquel le taux sera imputé lors de la période suivante, d'où le nom d'amortissement dégressif.

Supposons qu'une société vienne d'acquérir une machine dont la durée est estimée à dix ans et la valeur nette (c.-à-d. le prix coûtant moins la valeur résiduelle) à 100 000 $. L'amortissement de cette machine peut être calculé selon la méthode de l'amortissement constant ou linéaire (un montant égal est prélevé chaque année) ou selon la méthode de l'amortissement dégressif (un montant décroissant est prélevé chaque année).

Amortissement constant. Selon cette méthode, l'amortissement sera de 10 000 $ par année pendant dix ans.

Amortissement dégressif. Le taux d'amortissement reste constant, mais le montant en dollars diminue chaque année.

Par exemple:

Valeur nette de la machine	100 000	$	
Amortissement 20% =	20 000		(1re année)
Solde	80 000		
Amortissement 20% =	16 000		(2e année)
Solde	64 000		
Amortissement 20% =	12 800		(3e année)
Solde	51 200		etc.

Désuétude

Par suite de nouvelles inventions, de changements de modèles et d'autres facteurs du même genre, le matériel et l'outillage deviennent parfois désuets avant même d'être usés; ils doivent alors être remplacés. C'est ce qu'on appelle la désuétude. Afin de compenser cette perte, une certaine somme est prévue dans la provision pour amortissement. Ce terme n'apparaît ni dans l'état des résultats, ni dans le bilan.

Épuisement

L'épuisement est semblable à la dépréciation et se rencontre surtout dans les grandes entreprises minières, pétrolières, gazières, d'exploitation forestière et d'autres industries extractives. Les richesses naturelles, telles que le minerai, le pétrole, le gaz naturel et le bois en forêt forment la majeure partie de leur actif. Elles sont appelées biens consomptibles et leur réduction graduelle s'appelle épuisement. Pour compenser l'épuisement de ces richesses, on fait une provision qui tient compte du fait que l'entreprise doit récupérer non seulement le coût d'exploitation de ces richesses naturelles mais aussi leur coût initial d'acquisition avant de pouvoir comptabiliser des bénéfices.

L'amortissement est une source interne de fonds

En examinant l'état des résultats de la Société simplifiée, on voit que si un montant de 350 000 $ n'avait pas été mis de côté pour l'amortissement, le bénéfice net avant l'impôt sur le revenu aurait été augmenté de 350 000 $ et d'à peu près la moitié de ce montant, soit 175 000 $, après l'impôt. Ainsi, l'amortissement réduit le montant du bénéfice net figurant à l'état des résultats.

Les provisions annuelles d'amortissement pour la dépréciation et l'épuisement apparaissent à l'état des résultats comme des frais ne donnant lieu à aucun déboursé (élément hors-caisse) et non seulement elles reflètent l'épuisement de cette partie de l'actif mais elles permettent d'effectuer un rapprochement approprié des dépenses et du revenu correspondant. Ces frais sont imputés aux bénéfices avant les frais d'intérêt, les impôts et les dividendes. On peut donc les considérer comme des montants retenus sur ce qui peut revenir au fisc et aux actionnaires. Ainsi, il est fort possible que le bilan d'une société fasse ressortir qu'elle n'a fait que peu ou pas de profits si d'importantes provisions pour amortissement ont été faites.

Au bilan, les provisions accumulées pour dépréciation et épuisement sont habituellement groupées dans un poste désigné par l'un des titres suivants: **amortissement accumulé, réserve pour amortissement** ou tout simplement **amortissement** qui apparaît habituellement au bilan du côté de l'actif et qui est soustrait directement du montant des immobilisations auquel ces provisions s'appliquent.

On pense souvent que l'amortissement accumulé représente de l'argent dans un compte en banque. Ceci est faux. Bien que l'encaisse de la société soit augmentée des provisions pour amortissement, ces ressources ne doivent pas rester inemployées. La société peut employer ces bénéfices non répartis aux fins qui lui semblent les plus appropriées. Elle peut s'en servir pour augmenter ses stocks, les investir dans des titres, acquérir de nouvelles immobilisations ou s'en servir pour effectuer des versements au fonds d'amortissement de ses obligations ou encore pour acquitter d'autres dettes.

Les contrats de location-acquisition

Normalement, seules sont les comptabilisées dans les états financiers les immobilisations qui appartiennent réellement à une société. Toutefois, on considère que certains contrats de location sont de véritables moyens de financer l'acquisition d'un élément d'actif. Dans de tels cas, le preneur (la société) jouit pratiquement de tous les avantages et court la plupart des risques inhérents à la propriété du bien loué. Les baux de ce genre (appelés contrats de location-acquisition) sont comptabilisés comme si le preneur avait réellement fait l'acquisition de l'élément d'actif et en assumait la responsabilité. L'élément d'actif est comptabilisé à sa juste valeur marchande et l'élément de passif est comptabilisé à la valeur actuelle des versements à effectuer en vertu du bail.

Intérêts capitalisés

Des sociétés telles que les sociétés pétrolières et gazières engagées dans l'exploration capitalisent une grande partie de leurs frais d'intérêt au lieu de les imputer lorsqu'elles les occasionnent. Elles justifient cette méthode par le fait qu'elles ne produisent aucun bénéfice pendant la phase de prospection et qu'un report de ces frais d'intérêt à une date ultérieure leur permet de mieux équilibrer leurs revenus et leurs dépenses.

Les sociétés de services publics ont aussi recours à la capitalisation de l'intérêt pendant les périodes de construction. Les frais d'intérêt sont ajoutés aux coûts de construction des éléments d'actif et influent sur la base utilisée pour calculer les frais de service facturés aux abonnés.

Frais reportés

Les frais reportés sont une autre catégorie d'éléments d'actif qui figurent fréquemment au bilan. Ces frais représentent des paiements effectués par la société et dont elle bénéficiera pendant un certain nombre d'années. Aux fins de comptabilité, le coût de ces postes est réparti (ou amorti) sur plusieurs années au moyen de radiations annuelles. Les frais reportés peuvent représenter des dépenses engagées pour émettre des obligations, payer une commission lors de la vente d'actions, payer des frais de premier établissement ou de recherche et de développement.

Actif incorporel

L'actif incorporel, comme le terme l'indique, est quelque chose que l'on ne peut toucher, peser ni mesurer. Les éléments dont il est constitué ne peuvent servir au paiement des dettes d'une entreprise et ils ont une valeur incertaine en cas de liquidation. Les plus courants sont l'achalandage, les brevets, les droits d'auteur, les concessions, les marques de commerce, les tenures à bail, etc.

L'achalandage est un élément d'actif incorporel qui mérite qu'on s'y arrête plus longuement. Il se définit souvent comme étant la probabilité qu'un client fidèle continuera à faire des affaires avec la société. Si les gens prennent l'habitude de traiter avec une firme parce qu'elle est bien située ou parce que ses produits sont de bonne qualité et qu'elle est juste et équitable en affaires, ils ne modifieront probablement pas cette habitude, du moins dans une certaine mesure, si la firme venait à changer de mains. L'acheteur d'une entreprise est souvent disposé à verser un certain montant pour la "bonne renommée" de celle-ci, en plus de ce qu'il débourserait pour l'achat du reste de l'actif. L'achalandage peut également représenter la somme que la société demande à l'acheteur en raison de la compétence de sa direction.

En général, c'est avec beaucoup de soin que l'on doit examiner la valeur attribuée dans le bilan aux éléments d'actif incorporel. Si ces éléments ont en réalité quelque valeur, c'est beaucoup plus en raison de leur contribution au pouvoir de gain de la société que de leur valeur marchande.

PASSIF

Passif à court terme

Le passif à court terme représente en majorité des dettes contractées par une société dans le cours normal de ses affaires telles que des prêts bancaires, des factures à payer pour l'achat de matières premières, de fournitures, etc., qui doivent être réglées dans un court délai, soit un an au plus. En outre, tous les autres engagements auxquels la société doit faire face au cours de l'exercice font partie du passif à court terme. Parmi ceux-ci, il y a les salaires impayés, les intérêts sur prêts bancaires et sur obligations, les dividendes déclarés à verser, les frais de contentieux, les pensions, les taxes foncières, les taxes d'accise, les impôts sur le revenu, les emprunts bancaires et la tranche de la dette à long terme échéant dans l'année. Dans chaque cas, il s'agit d'une dette précise qui doit être acquittée.

Autres postes du passif

Impôts sur le revenu reportés

Bien souvent l'amortissement déduit par une entreprise à des fins fiscales sera supérieur à l'amortissement comptable qui apparaîtra sur ses états financiers (méthode acceptable d'étalement du revenu imposable). Dans ce cas, les réductions d'impôts courants à payer qui en résulteront apparaîtront au passif du bilan à un poste intitulé impôts sur le revenu reportés. Ces sommes sont généralement considérées comme étant une dette fiscale.

Participation minoritaire

Ce poste n'apparaît que sur les bilans consolidés, c'est-à-dire ceux où les chiffres relatifs aux filiales sont combinés avec ceux de la société mère et présentés sur un seul état financier. Même si la société mère détient moins de 100% du capital-actions d'une filiale, tous les éléments d'actif et de passif sont regroupés dans l'état financier consolidé. Pour compenser, le montant que représente la partie du capital-actions que la société mère ne détient pas figure dans le bilan consolidé au poste intitulé participation minoritaire. Cette participation minoritaire dans le bilan consolidé est considérée comme un élément étranger; on la traite comme un quasi-passif et elle est déduite en calculant la valeur nette de l'avoir des actionnaires de la société mère.

Revenu reporté

Le revenu reporté est le poste où une société porte les paiements qu'elle a reçus pour des marchandises non encore livrées ou des services non rendus. Puisque la société devra prochainement livrer ces marchandises ou rendre ces services, la tranche non gagnée du revenu représente une dette pour la société et en conséquence elle est portée au passif. On peut citer comme exemple courant de revenu reporté les abonnements à des périodiques payés d'avance pour des numéros à venir qui ne sont pas encore publiés à la date du paiement. Pour l'éditeur du périodique, ces paiements constituent un revenu reporté. Selon le cas, on fera figurer ce montant à court ou à long terme.

Dette à long terme

Contrairement au passif à court terme qui doit être acquitté dans un délai d'un an, la dette à long terme comprend les dettes de la société qui viennent à échéance soit par versements annuels échelonnés sur un certain nombre d'années, soit en une somme globale à une date déterminée. Toute partie d'une dette à long terme qui échoit au cours de l'exercice suivant apparaît au passif à court terme. Les dettes à long terme que l'on voit le plus fréquemment sont les hypothèques, les obligations, les débentures.

Habituellement, ces postes du passif sont décrits avec suffisamment de détails dans les notes afférentes aux états financiers.

Avoir des actionnaires

Les postes de cette partie du bilan représentent les sommes engagées dans l'entreprise et qui appartiennent aux actionnaires. Le poste représentant l'argent versé par les actionnaires s'appelle **capital-actions** et les bénéfices réalisés au cours des années, qui n'ont pas été distribués sous forme de dividendes, sont portés à un poste intitulé **bénéfices non répartis**. Un autre poste appelé **surplus d'apport** apparaît aussi quelquefois dans cette section du bilan; il appartient également aux actionnaires mais provient de sources autres que les bénéfices. Ainsi, la partie avoir des actionnaires du bilan se compose des deux postes suivants:

. Le capital-actions

. Les bénéfices non répartis (ou le déficit)

Capital-actions

Le montant qui apparaît à ce poste représente la somme reçue par la société pour les actions de son capital-actions au moment de leur émission. Tout montant reçu en sus de la valeur nominale des actions ou de la valeur qui leur est attribuée apparaît au poste de surplus d'apport.

Bénéfices non répartis (ou le déficit)

Comme le nom l'indique, les bénéfices non répartis représentent la partie des bénéfices annuels qui a été retenue par l'entreprise après le paiement de tous ses frais et dépenses et la distribution des dividendes. Les bénéfices non répartis de chaque exercice sont réinvestis dans l'entreprise.

Si une entreprise venait à subir une perte au cours d'un exercice quelconque, cette perte serait imputée aux bénéfices non répartis. Il en résulterait une diminution de l'avoir des actionnaires du fait qu'il y aurait moins de bénéfices non répartis d'où il serait possible de distribuer des dividendes. S'il s'accumule plus de pertes qu'il n'y a de bénéfices, il en résulte ce qu'on appelle un déficit.

ÉTAT DES RÉSULTATS

Ce qu'il fait ressortir

L'état des résultats est le rapport financier qui indique les sommes reçues par une société au cours de l'exercice pour la vente de ses produits et services et celles qui ont été dépensées pour les matières premières, les salaires et de nombreux autres frais généraux. Ce qui reste, après le paiement des impôts sur le revenu, constitue le **bénéfice net** qui peut servir à verser des dividendes aux actionnaires.

Ainsi, l'état des résultats présente les renseignements suivants:

. Il indique la provenance des revenus et la nature des dépenses.

. Il fait voir si les bénéfices sont suffisants pour assurer une exploitation rentable de l'entreprise et procurer un revenu aux détenteurs de ses titres.

On doit souligner ici que dans l'analyse de la situation financière d'une société, son pouvoir de gain est de première importance. La preuve de la solidité financière d'une société et de ses titres repose sur son pouvoir de gain, c'est-à-dire quel bénéfice elle réalise et dans quelle mesure ce bénéfice est stable. C'est dans l'état des résultats que l'on trouve cette preuve.

Sources de revenu

(a) Revenu d'exploitation

En règle générale, toute société a deux sources principales de revenu. En premier lieu, le revenu d'exploitation, c'est-à-dire le revenu qu'elle tire de la vente de ses produits ou de ses services principaux. S'il s'agit d'une société de services publics, elle tire son revenu de la vente de gaz ou d'électricité. Un tel revenu est désigné sous le nom de **revenu d'exploitation,** c'est-à-dire le revenu que l'entreprise tire de son activité.

(b) Revenu hors exploitation

La seconde source de revenu ne provient pas directement de l'exploitation. Ce revenu comprend les dividendes et les intérêts sur les placements faits par la société, les loyers et les redevances sur les procédés ou les brevets qu'elle détient et quelquefois, un profit réalisé sur la vente d'immobilisations. Comme ce revenu ne provient pas directement des opérations principales de la société, on l'appelle **revenu hors exploitation.**

(c) Revenu d'exploitation et revenu hors exploitation indiqués séparément

Si le revenu d'exploitation et le revenu hors exploitation sont groupés en un seul montant, il est impossible de se faire une idée juste du pouvoir de gain de la société. Ainsi, une société peut au cours d'un exercice réaliser un profit important sur la vente de titres ou d'autres actifs. Un tel profit est exceptionnel et ne se répétera vraisemblablement pas l'année suivante. Mais si on le groupait avec le revenu d'exploitation, il serait impossible ensuite de déterminer avec exactitude le pouvoir de gain de la société en fonction de ses opérations principales. C'est pour cette raison que la bonne pratique comptable exige que les revenus d'exploitation et hors exploitation soient indiqués séparément à l'état des résultats, surtout si le revenu hors exploitation de l'exercice en question est élevé.

Ventes nettes

Tout état des résultats d'une société commerciale ou industrielle doit commencer par le poste intitulé ventes nettes.

Pour obtenir les ventes nettes, on déduit du chiffre des ventes brutes:

. les taxes d'accise - dans le cas de l'industrie pétrolière et dans celles des boissons et des tabacs;

. les rendus et les remises - redressements apportés suite à la livraison à des clients de marchandises endommagées ou n'ayant pas la qualité voulue et les renvois de contenants réutilisables;

. les remises - réduction d'un certain pourcentage consentie sur le prix de vente aux clients si ces derniers paient rapidement.

Le chiffre des ventes nettes est très important dans l'état des résultats. C'est le chiffre nécessaire au calcul de certains ratios très utiles pour déterminer la stabilité financière d'une société. On doit le connaître pour calculer la marge bénéficiaire nette et brute ainsi que la période de recouvrement des comptes clients. Ces ratios sont fort utilisés par les directeurs du crédit, les banquiers et les analystes financiers pour l'étude détaillée de la situation financière d'une société.

Dépenses engagées

Du chiffre des ventes nettes, on déduit les différents frais d'exploitation pour produire le revenu reçu de la vente des produits ou services de la société. La première de ces déductions, dans le cas d'une entreprise manufacturière ou commerciale, s'appelle le **coût des marchandises vendues.** Ce poste comprend les salaires, les matières premières, le combustible et l'électricité, les fournitures et les services et toutes sortes de frais qui entrent directement dans le coût de fabrication ou dans le cas d'une entreprise commerciale, le coût d'acquisition des marchandises qui seront revendues.

Revenu brut d'exploitation

En déduisant le coût des marchandises vendues du montant des ventes nettes, vous obtenez un autre chiffre très important qui est le revenu brut d'exploitation. Ce chiffre est très important puisqu'il mesure la marge de profit ou la différence entre le coût des marchandises produites destinées à la vente et les ventes nettes. Lorsqu'on calcule (comme marge bénéficiaire brute) le pourcentage de revenu brut d'exploitation qu'une société réalise sur ses ventes nettes et qu'on le compare à celui d'autres sociétés dans le même secteur, on peut voir si la société réussit mieux ou moins bien que ses concurrents à faire des bénéfices sur ses opérations. Si l'on compare différentes sociétés engagées dans le même genre d'activité, on constate que l'écart entre leurs marges respectives de bénéfice brut d'exploitation résulte souvent d'une inégalité dans la compétence de leur direction; cependant, cet écart peut encore s'expliquer du fait qu'une société fait entrer certains frais dans le coût des marchandises vendues alors que ses concurrents ne le font pas.

Une fois le revenu brut d'exploitation déterminé, d'autres frais d'exploitation sont déduits. Viennent en premier lieu **les frais de vente, les frais généraux et les frais d'administration.** Ce poste comprend des frais tels que les dépenses de bureau, le maintien d'un service des ventes, le personnel affecté à la comptabilité, les frais de publicité et autres dépenses du même ordre, nécessaires pour la marche d'une entreprise. Ce poste est quelquefois inclus dans le coût des marchandises vendues et, dans ce cas, le coût des marchandises vendues comprend tous ces frais directs d'exploitation. Cette méthode est de plus en plus rare à mesure que les normes de présentation des rapports financiers s'améliorent.

Amortissement

Le poste suivant à déduire pour les frais d'exploitation est la provision pour amortissement. Les biens matériels de l'entreprise tels que les automobiles, le matériel, les meubles, l'outillage et les bâtiments perdent de leur valeur avec le temps et l'usage. Étant donné que ces biens sont comptabilisés en fonction de leur coût d'origine, l'amortissement est simplement la répartition du coût sur leur durée utile estimative.

Un amortissement suffisant revêt une grande importance pour l'épargnant et, par conséquent, c'est l'un des chiffres que la Loi sur les sociétés commerciales canadiennes exige d'indiquer.

Si la provision annuelle pour amortissement est insuffisante, les bénéfices de la société sont en fait exagérés et les porteurs de ses titres pourraient avoir la désagréable surprise de constater que la société est en train d'épuiser son capital. C'est pourquoi on doit examiner attentivement la provision annuelle pour amortissement et la méthode de calcul de l'amortissement.

Autres frais d'exploitation

D'autres frais, considérés à juste titre comme des frais d'exploitation, s'ajoutent à l'énumération déjà présentée; citons, entre autres, les **cotisations au fonds de pension des employés** qui sont déduites dans la section d'exploitation. On déduit également, mais à part, les **jetons de présence des administrateurs,** la **rémunération des dirigeants** et les **frais de contentieux.**

Revenu (ou perte) net d'exploitation

En déduisant le total de tous ces frais d'exploitation du produit net des ventes, on obtient le revenu (ou la perte) net d'exploitation de la société pour l'exercice en question. Le revenu net d'exploitation fournit également des indications au sujet de la rentabilité de la société par rapport à ses concurrents.

Section hors exploitation

La section hors exploitation de l'état des résultats indique les revenus qui ne proviennent pas directement des opérations principales de la société. On y trouve les **autres sources de revenu.**

(a)   Autres sources de revenu

Ce poste peut comprendre des dividendes sur actions, des intérêts sur obligations, les loyers d'immeubles, les redevances sur les brevets, les produits financiers, etc.

À l'exception du revenu provenant de loyers ou de celui résultant d'opérations financières, il y a peu de dépenses liées au revenu hors exploitation. Ce revenu est souvent inclus dans les ventes et, par conséquent, il tend à fausser le chiffre des ventes lorsqu'on fait des études comparatives. Avant de faire le calcul des ratios servant à établir des comparaisons avec d'autres entreprises du même secteur d'activité, il faut donc exclure le revenu hors exploitation du chiffre des ventes.

(b) **Postes extraordinaires**

Au cours d'un exercice, une société peut réaliser des gains ou subir des pertes inhabituelles qui ne sont **pas caractéristiques du cours normal de ses affaires.** Une société peut réaliser un gain ou une perte en capital imprévu sur la vente de biens, d'installations ou de valeurs mobilières. Elle peut encore perdre de façon inattendue des biens et des installations à la suite d'une inondation, d'un séisme, d'une révolution, etc. Le montant de ce gain ou de cette perte est indiqué à l'état des résultats après avoir comptabilisé toutes les recettes et les dépenses.

(c) **Postes de nature inhabituelle**

Un autre poste - de nature inhabituelle - fait mention des éléments qui sont **caracatéristiques du cours normal des affaires** de la société mais qui proviennent des circonstances inhabituelles comme des créances irrécouvrables inhabituelles ou des pertes d'inventaire.

(d) **Facteurs de distorsion**

Si les postes extraordinaires et inhabituels étaient inclus dans le revenu de la société, les résultats de l'exercice seraient déformés. En conséquence, les sociétés indiquent leur bénéfice avant et après les **postes extraordinaires.** Pour que les comparaisons entre deux exercices et plus soient valables, le bénéfice net d'une société est toujours indiqué avant les postes extraordinaires.

Intérêts à payer

Ces intérêts sont des charges fixes parce qu'ils doivent être payés fidèlement. S'ils ne sont pas payés, la société est en défaut et ses créanciers ont le droit de la mettre en faillite. Dans cette éventualité, l'actif de la société est mis en vente et le produit sert à rembourser les créanciers. Par conséquent, si elle veut éviter la faillite, la société doit acquitter ses charges fixes avant de distribuer une partie quelconque du revenu net aux actionnaires.

Bénéfice net

Les actionnaires d'une société sont ses propriétaires et ils ont droit à leur part du bénéfice net de l'entreprise. Mais tout d'abord, il faut déduire l'impôt sur le revenu avant d'arriver au bénéfice net (ou au déficit), c'est-à-dire à la somme d'argent réalisée par la société sur les opérations de l'exercice; c'est grâce à cette somme qu'elle pourra distribuer des dividendes aux porteurs de ses actions.

Nous sommes arrivés au point où le montant du bénéfice net est porté à l'état des bénéfices non répartis.

ÉTAT DES BÉNÉFICES NON RÉPARTIS

L'état des bénéfices non répartis a pour objet principal de faire connaître le montant cumulatif des bénéfices conservés dans l'entreprise et réinvestis dans de nouveaux éléments d'actif. Autrement dit, il représente le surplus des bénéfices nets accumulés au cours des années, en sus des dividendes distribués aux actionnaires.

En plus de faire ressortir les bénéfices et les dividendes, l'état des bénéfices non répartis sert à comptabiliser les revenus et dépenses extraordinaires se rapportant aux bénéfices des exercices précédents. De temps à autre, on prélève certaines sommes sur le compte des bénéfices non répartis pour constituer une réserve pour certains événements tels qu'une diminution de la valeur des stocks de matières premières achetées à une époque où les prix étaient élevés.

Chaque fois que le terme "réserve" est employé au bilan d'une société à charte fédérale, la Loi sur les sociétés commerciales canadiennes exige qu'il soit utilisé pour décrire une affectation d'une partie des bénéfices non répartis à un compte particulier.

Le terme "réserve" employé dans l'état des bénéfices non répartis ne signifie pas que l'on a affecté une somme d'argent quelconque à un compte particulier. Il signifie simplement qu'une partie des bénéfices non répartis a été affectée à une fin particulière et n'est pas destinée à être versée aux actionnaires. Il revient aux membres du conseil d'administration de décider de la création d'une réserve en vue de pourvoir à des pertes éventuelles. La création d'une réserve n'a en soi qu'une utilité limitée si ce n'est d'informer les lecteurs ou les investisseurs de projets possibles ou d'éventualités qui pourraient survenir dans les affaires de la société.

Le solde de l'état des bénéfices non répartis est reporté au bilan.

ÉTAT DE L'ÉVOLUTION DE LA SITUATION FINANCIÈRE

Le bilan, l'état des résultats et l'état des bénéfices non répartis ne rendent pas compte de toutes les activités d'une société. L'état des résultats et celui des bénéfices non répartis résument les activités relatives aux opérations pendant l'exercice. Le bilan, quant à lui, fait ressortir la situation financière d'une société à une date donnée. Toutefois, ces états ne fournissent que peu de renseignements sur l'évolution de la situation financière d'une société, d'un exercice à l'autre. En fait, ils renseignent peu sur les opérations de financement et d'investissement d'une société.

Le bilan, l'état des résultats et l'état des bénéfices non répartis ne contiennent pas de renseignements de première importance permettant aux investisseurs de répondre aux questions suivantes:

. Où sont allés les bénéfices?

. Pourquoi les dividendes n'ont-ils pas été plus élevés?

. Comment la société peut-elle payer des dividendes si elle a enregistré un déficit pour l'exercice?

. Pourquoi le fonds de roulement a-t-il diminué alors que le bénéfice net s'est accru?

. Comment l'agrandissement des installations a-t-il été financé?

. Comment le remboursement de la dette a-t-il été effectué?

C'est pour répondre à ces questions et à des questions du même genre que les sociétés ajoutent depuis quelques années, dans leur rapport annuel, un nouvel état que l'on désigne sous le nom d'état de l'évolution de la situation financière. Cet état sert de trait d'union entre deux bilans successifs d'une société et explique l'évolution du fonds de roulement de la société d'un exercice à l'autre.

L'état de l'évolution de la situation financière a pour objet de faire ressortir d'autres variations que celles du fonds de roulement. Cet état devrait présenter toutes les opérations de financement et d'investissement. Par exemple, l'émission d'actions pour acheter des immobilisations est une opération de financement et d'investissement qui n'influe pas sur le fonds de roulement mais qui devrait être présentée dans cet état.

La présentation de cet état varie en fonction des activités particulières de chaque société.

Un modèle type d'un état de l'évolution de la situation financière comprendrait les éléments suivants:

Provenance des fonds	Utilisation des fonds
• Fonds provenant de l'exploitation	• Déficit d'exploitation
• Fonds provenant de l'émission de titres	• Versement de dividendes
• Fonds provenant de la vente d'immobilisations	• Acquisition de nouvelles immobilisations
	• Remboursement de dettes ou d'actions privilégiées
Ils entraînent une augmentation ou une diminution du fonds de roulement.	

Cet état est une source de renseignements sur le mode de financement des opérations de la société et sur l'importance des fonds générés par ces opérations. Il indique comment la société utilise ses ressources et gère son fonds de roulement. Il fait ressortir des tendances qui risqueraient sinon de passer inaperçues.

NOTES AFFÉRENTES AUX ÉTATS FINANCIERS

Il est évident que, dans l'intérêt des actionnaires, il faut leur révéler un nombre considérable de détails. Toutefois, si ces détails étaient donnés sur les états financiers mêmes, cela aboutirait à les surcharger au point d'en rendre la lecture impossible. D'ordinaire, on fait paraître ces renseignements dans une série de notes placées à la suite des états financiers. Il est essentiel que les investisseurs lisent ces notes et qu'ils les comprennent.

Lorsqu'ils présentent un intérêt quelconque, les renseignements suivants se trouvent généralement dans ces notes:

- les principes de consolidation
- des renseignements sur les filiales non consolidées
- le capital-actions
- les options d'achat d'actions
- les actions réservées pour la conversion d'autres titres
- la dette à long terme
- les engagements relatifs aux dépenses en capital
- les engagements relatifs aux régimes de retraite
- les immobilisations
- l'amortissement
- les postes extraordinaires
- les impôts sur le revenu reportés
- les obligations relatives aux baux
- les stocks et les comptes clients
- les restrictions relatives aux versements de dividendes
- les taux de conversion de devises
- les engagements éventuels
- les modifications apportées aux méthodes comptables
- les poursuites judiciaires en cours
- les placements

RAPPORT DU VÉRIFICATEUR

La législation canadienne sur les sociétés exige que toute société à responsabilité limitée nomme un vérificateur qui représente les actionnaires et leur présente un rapport annuel sur les états financiers de la société, exprimant un avis par écrit quant à leur fidélité et à la continuité des méthodes. Le vérificateur est nommé lors de l'assemblée annuelle des actionnaires au moyen d'une résolution adoptée par ces derniers qui ont également le pouvoir de le démettre de ses fonctions. Le vérificateur doit être membre de l'Institut des comptables agréés de la province où il exerce son activité. En Colombie-Britannique, en plus des C.A., les C.G.A. (Certified General Accountant) peuvent également agir comme vérificateurs de sociétés. Aux États-Unis, le C.P.A. (Certified Public Accountant) joue le rôle de vérificateur.

Au Canada, le rapport du vérificateur contient traditionnellement deux paragraphes. Le premier décrit l'étendue de la vérification et indique d'ordinaire qu'elle a comporté une revue générale des procédés comptables en usage ainsi que des sondages des livres et pièces comptables et autres preuves à l'appui qui ont été considérés nécessaires, conformément aux principes comptables généralement reconnus.

Le second paragraphe du rapport du vérificateur contient l'opinion du vérificateur sur les états financiers et indique que ceux-ci présentent fidèlement la situation financière de la société, les résultats d'exploitation et l'évolution de la situation financière pour l'exercice en question. En outre, ce paragraphe indique si les états financiers ont été dressés conformément aux principes comptables généralement reconnus appliqués de la même manière que pour l'exercice précédent.

S'il y a un manque de continuité dans l'application des principes comptables généralement reconnus, le vérificateur l'indique dans son rapport et renvoie à la note qui contient davantage de précisions sur ce manque d'uniformité. Il peut ajouter aussi qu'il a approuvé la nouvelle façon de procéder. En outre, la Loi sur les sociétés commerciales canadiennes exige que le vérificateur signale certaines lacunes s'il en découvre.

Voici comment le rapport des vérificateurs destiné aux actionnaires de la Société simplifiée Limitée se lirait probablement:

Nous avons examiné le bilan de la Société simplifiée Ltée à la date du 31 décembre 19**, ainsi que les états des résultats et des bénéfices non répartis pour l'exercice se terminant à cette date. Notre vérification a comporté un examen général des procédés comptables et les sondages de livres de comptabilité et autres pièces justificatives que nous avons jugés nécessaires dans les circonstances.

À notre avis, le bilan et les états financiers qui l'accompagnent présentent fidèlement la situation financière de la Société à la date du 31 décembre 19** et les résultats de ses opérations pour l'exercice se terminant à cette date, conformément aux principes comptables généralement reconnus, appliqués de la même manière que pour l'exercice précédent.

Montréal, le 1er avril 19**   Signature des vérificateurs

Rapport avec réserve

Dans certains cas, il se peut que le vérificateur découvre que l'on n'a pas appliqué les principes comptables généralement reconnus ou qu'il ne puisse pas se faire une opinion sur un ou plusieurs états financiers. Dans de tels cas, il indique qu'il lui est impossible d'exprimer une opinion, ou il peut inclure dans son rapport les réserves qu'il fait à propos des postes douteux. Un rapport qui contient des réserves doit être considéré comme un indice d'une situation financière ou de résultats d'exploitation de la société en question qui ne sont pas présentés fidèlement dans les états financiers. Si ceci se produit, les actionnaires et les investisseurs qui cherchent à se rendre compte de la situation financière de la société doivent être très circonspects.

RÉSUMÉ

Pour les épargnants, la principale source de renseignements concernant la situation d'une société est son rapport annuel. Le rapport annuel contient quatre états financiers: le bilan, l'état des résultats, l'état des bénéfices non répartis et l'état de l'évolution de la situation financière.

Le bilan indique ce que la société possède et ce qu'elle doit à une date donnée, la différence représentant l'avoir des actionnaires à cette date.

L'état des résultats indique le revenu que la société a tiré de la vente de ses produits ou services, les sommes qu'elle a déboursées pour payer son matériel, les salaires, les intérêts, les impôts, etc., et le bénéfice (ou le déficit) réalisé.

Le bénéfice appartient aux propriétaires de la société, c'est-à-dire aux actionnaires ordinaires. L'état des bénéfices non répartis indique quelle fraction du bénéfice a été versée en dividendes aux actionnaires privilégiés et ordinaires et quelle fraction a été conservée dans l'entreprise.

L'état de l'évolution de la situation financière réunit les bilans de deux exercices successifs et donne un résumé des rentrées et des sorties de fonds au cours de la période.

Les rapports financiers trimestriels destinés aux actionnaires, bien qu'ils ne soient pas aussi détaillés que le rapport annuel, donnent des renseignements sommaires sur la tendance financière et la tendance des bénéfices entre les rapports annuels. Les analystes les examinent minutieusement de façon à déceler des informations qui pourraient indiquer des changements importants dans les opérations de la société.

3   INTERPRÉTATION DES ÉTATS FINANCIERS

Nous avons vu au chapitre précédent ce que les états financiers révèlent au sujet de la situation financière d'une société. À partir des données des états financiers, une variété de calculs sont effectués de façon à déterminer des tendances dans la situation financière de la société au cours d'un certain nombre d'années et par rapport aux autres sociétés du même secteur industriel. Nous examinerons dans ce chapitre quelques techniques utilisées dans l'analyse des états financiers, et nous verrons dans les chapitres suivants comment ces techniques servent à l'évaluation des titres d'une société.

Reportez-vous aux états financiers de la Société simplifiée donnés au chapitre précédent pour vous aider à comprendre les calculs et les ratios donnés dans ce chapitre.

Emploi des ratios

L'outil le plus souvent utilisé pour analyser les états financiers est ce que l'on appelle un ratio: il s'agit d'un rapport entre deux chiffres, dont l'un se ramène d'ordinaire à l'unité, par exemple 2,2:1.

Parmi les ratios employés, il y a d'abord ceux dont on se sert pour l'analyse du bilan et au moyen desquels on exprime ou on interprète la relation entre deux postes. Tel est, par exemple, le ratio du fonds de roulement ou rapport entre l'actif à court terme et le passif à court terme. En second lieu, il y a les ratios relatifs à **l'état des résultats** et à **l'état des bénéfices non répartis** ou au rapport entre deux postes d'un de ces états ou des deux. Par exemple, le ratio de couverture de l'intérêt indique combien de fois les frais d'intérêt annuels d'une société sont couverts par les bénéfices disponibles pour les payer. Troisièmement, il y a **les ratios mixtes** servant à établir un rapport entre un poste du bilan et un poste de l'état des résultats ou des bénéfices non répartis. Par exemple, on peut établir un rapport entre le montant du bénéfice net apparaissant à l'état des résultats et la valeur nette comptable indiquée au bilan pour trouver le taux de rendement du capital investi dans l'entreprise. Enfin, on trouve les **ratios relatifs au rendement des titres,** qui établissent un rapport entre les cours des titres d'une société et certains postes de ses états financiers comme, par exemple, le ratio cours-bénéfice qui établit un rapport entre le cours du marché d'une action ordinaire et le bénéfice par action ordinaire.

Ces ratios sont très utiles, mais on doit s'en servir avec une certaine prudence. Il n'existe pas un ratio qui, à lui seul, répond à tout. Les ratios ne sont pas des preuves mais plutôt des indications dont on peut se servir pour se faire une opinion. Un rapport entre deux postes donnés qui laisse à désirer peut nous porter à soupçonner l'existence d'une situation défavorable mais cela ne constitue pas une preuve concluante de l'existence d'une telle situation. Par ailleurs, l'opinion que l'on s'est faite sur la solidité financière d'une société peut être confirmée par un rapport satisfaisant entre les différents postes de son bilan et de son état des résultats.

Il faut cependant se rappeler que l'importance d'un ratio peut varier entre différents types de sociétés. Ainsi, dans l'analyse d'une société industrielle, on attache une importance particulière au ratio du fonds de roulement. Toutefois, pour une société de services publics d'électricité il n'est pas très important, car il n'y a pas de stocks d'électricité étant donné que la production et la consommation sont simultanées. Donc, l'actif à court terme d'une société d'électricité est en conséquence peu élevé par rapport à celui d'une société industrielle de la même importance.

ANALYSE DU BILAN

Ratio du fonds de roulement ou ratio de solvabilité à court terme

Ce ratio est l'un des deux ratios les plus courants que l'on utilise pour évaluer la liquidité d'une entreprise. L'autre s'appelle ratio de trésorerie (voir plus loin). Le ratio du fonds de roulement permet d'évaluer facilement l'excédent de l'actif à court terme sur le passif à court terme.

On obtient le fonds de roulement d'une société en soustrayant le passif à court terme de l'actif à court terme. Le fonds de roulement de la Société simplifiée pour l'année n° 2 s'établit comme suit:

Actif à court terme	4 820 000 $
Moins: passif à court terme	2 168 000 $
Égale: fonds de roulement	2 652 000 $

En tant qu'instrument d'analyse, le chiffre même du fonds de roulement est peu significatif. Toutefois, ce ratio montre le rapport entre l'actif à court terme et le passif à court terme. Le calcul se fait comme suit:

$$\frac{\text{Actif à court terme}}{\text{Passif à court terme}}$$

$$\frac{4\ 820\ 000\ \$}{2\ 168\ 000\ \$} = \underline{2,22:1}$$

Ce ratio de 2,22:1 indique que la société possède 2,22 $ de disponibilités pour régler chaque dollar de dettes à court terme et révèle plus au sujet de la situation financière actuelle de la Société simplifiée que ne le fait le seul chiffre du fonds de roulement de 2 652 000 $.

Importance du fonds de roulement

La capacité d'une société de s'acquitter de ses dettes, d'augmenter son chiffre d'affaires et de profiter des occasions lorsqu'elles se présentent dépend en grande partie de l'état de son fonds de roulement. Un fonds de roulement insuffisant et l'impossibilité de réaliser promptement son actif sont souvent la cause de la faillite d'une entreprise.

On juge ordinairement de la suffisance du fonds de roulement d'une société au moyen de la règle suivante: **l'actif à court terme doit être au moins le double du passif à court terme.** Mais ce n'est là toutefois qu'une mesure approximative, car ce qui est nécessaire comme fonds de roulement peut varier d'une entreprise à l'autre. Plusieurs choses doivent être prises en considération comme le genre d'entreprise, la composition de l'actif à court terme, le ratio de rotation des stocks, les conditions de règlement. Un ratio de fonds de roulement de 2:1 est jugé bon, mais il n'a rien d'exceptionnel. Cependant, si nous comparons les disponibilités de la société A où elles sont composées de 50% en argent et celle de la société B où les stocks représentent 90% du total de l'actif à court terme, et que chacune a un ratio de fonds de roulement de 2:1, la société A serait en meilleure posture que la société B parce que ses liquidités lui permettent de régler ses dettes à court terme plus rapidement.

Si un ratio du fonds de roulement de 2:1 est jugé bon, peut-on dire qu'un ratio de 20:1 est dix fois meilleur? On doit répondre: non. Si le ratio du fonds de roulement dépasse 5:1, cet excédent d'actif à court terme peut signifier que la société éprouve des difficultés à écouler ses stocks ou qu'elle fait preuve d'une trop grande prudence dans sa gestion.

Ratio de trésorerie ou indice de liquidité

Le ratio de trésorerie (le deuxième ratio pour évaluer la liquidité d'une entreprise) est un test de liquidité plus rigoureux que le ratio du fonds de roulement. En le calculant on déduit de l'actif à court terme les stocks qui ne sont généralement pas des éléments d'actif très liquides. Aussi, le ratio de trésorerie indique si une entreprise dispose d'assez d'argent ou d'éléments d'actif facilement convertibles en argent pour couvrir son passif à court terme.

Le ratio de trésorerie de la Société simplifiée pour l'exercice n° 2 est le suivant:

$$\frac{\text{Actif à court terme - stocks}}{\text{Passif à court terme}}$$

$$\frac{4\ 820\ 000\ \$ - 2\ 400\ 000\ \$}{2\ 168\ 000\ \$}$$

$$= \frac{2\ 420\ 000\ \$}{2\ 168\ 000\ \$} = \underline{1,1:1}$$

Les stocks font partie de l'actif à court terme mais il peut être parfois difficile de les convertir rapidement en argent ou, encore, il peut arriver que par suite des fluctuations du marché la valeur des stocks indiquée au bilan soit excessive. Donc, un moyen plus prudent de mesurer la capacité de la société de régler ses engagements à court terme consiste à calculer son ratio de trésorerie. Ce ratio, dans l'exemple ci-dessus, est de 1,1:1, ce qui signifie que la société dispose, à l'exclusion des stocks, de 1,10 $ d'actif à court terme pour régler chaque dollar de passif à court terme.

Il n'existe pas de règle absolue en ce qui concerne ce ratio mais s'il est de 1:1, ou mieux, il fait ressortir une bonne liquidité. Toutefois, dans le cas de certaines sociétés, un ratio de trésorerie inférieur à 1:1 peut être tout aussi bon si, par exemple, les stocks tournent rapidement et sont convertis en argent comptant en peu de temps. Nous verrons le ratio de rotation des stocks un peu plus loin dans ce chapitre.

Actif corporel net par 1 000 $ de dette non amortie

Ce ratio permet à l'obligataire d'évaluer la garantie fournie par l'actif corporel d'une société (c'est-à-dire, l'actif total moins les éléments d'actif incorporel tels que l'achalandage et d'autres postes similaires) après que toutes les dettes prioritaires ont été acquittées.

$$\frac{\text{Total de l'actif - frais reportés - actif incorporel - passif à court terme moins les dettes à court terme telles que les prêts bancaires et la tranche de la dette à long terme échéant dans l'année}}{\text{Total de la dette non amortie (dette à court terme + dette à long terme)}} \div 1\ 000\ \$$$

$$\frac{8\ 370\ 000\ \$ - 50\ 000\ \$ - (2\ 168\ 000\ \$ - 200\ 000\ \$)}{(1\ 000\ 000\ \$ + 200\ 000\ \$) \div 1\ 000} = \underline{5\ 293\ \$}$$

Il est important pour le détenteur d'obligations ou de débentures de connaître le montant d'actif garantissant chaque tranche de 1 000 $ de dette totale non amortie. Normalement, il possède un droit sur l'ensemble de l'actif de la société après que les charges prioritaires ont été acquittées.

Les normes minimales approximatives pour les sociétés industrielles veulent qu'au moins 2 000 $ d'actif corporel garantissent chaque tranche de 1 000 $ de dette totale non amortie. Dans notre exemple, la Société simplifiée dispose de 5 293 $ d'actif pour garantir chaque tranche de 1 000 $ de dette non amortie après avoir pourvu aux éléments de passif à court terme et aux frais reportés. En d'autres termes, chaque dollar de dette à long terme est couvert par 5,29 $ d'actif.

Valeur de l'actif corporel net et valeur des investissements

Le calcul de la valeur de l'actif corporel net a ses limites. D'une part, on fait entrer dans le calcul la valeur comptable qui, surtout pour les immobilisations, n'a habituellement rien à voir avec la valeur courante du marché. D'autre part, les immobilisations, sauf les terrains, peuvent ne pas avoir de valeur sauf dans le cas d'une entreprise permanente et il est donc difficile de déterminer leur valeur réelle ou de réalisation lors de la vente des biens. En dernière analyse, tout dépend de la capacité de la direction d'utiliser ces biens de façon à en tirer un bénéfice suffisant.

Valeur comptable par action

Il y a lieu de se rappeler ici qu'en cas de liquidation, dissolution et distribution de l'actif, les actions privilégiées prennent rang avant les actions ordinaires, après que les obligataires ont été payés.

Les deux ratios suivants servent à évaluer la couverture des actions privilégiées et ordinaires par l'actif.

(a)   Valeur comptable par action privilégiée

$$\frac{\text{Capital-actions (actions privilégiées et ordinaires) + surplus d'apport + bénéfices non répartis}}{\text{Nombre d'actions privilégiées en circulation}}$$

$$\frac{800\ 000\ \$ + 2\ 400\ 000\ \$ + 2\ 002\ 000\ \$}{8\ 000\ \text{actions}} = \underline{650,25\ \$}$$

Ce résultat signifie que chaque tranche de 100 $ de valeur nominale des actions privilégiées en circulation est couverte par 650,25 $ d'actif.

(b)   Valeur comptable par action ordinaire

$$\frac{\text{Capital-actions (actions ordinaires seulement) + bénéfices non répartis}}{\text{(moins, le cas échéant, les arrérages de dividendes privilégiés)}} {\text{Nombre d'actions ordinaires en circulation}}$$

$$\frac{2\ 400\ 000\ \$ + 2\ 002\ 000\ \$}{80\ 000\ \text{actions}} = \underline{55,03\ \$}$$

Valeur comptable et valeur au cours du marché

Quelle est la valeur comptable adéquate d'une action? Bien que l'on utilise parfois la valeur comptable d'une action (ou avoir des actionnaires), dans la pratique il peut y avoir très peu de ressemblance entre cette valeur comptable et la valeur au cours du marché. La valeur comptable d'une action n'est qu'un des nombreux facteurs à prendre en considération lorsque l'on cherche à estimer la valeur d'une action ordinaire quelconque. Beaucoup d'actions se vendent à un prix bien inférieur à leur valeur comptable tandis que d'autres se vendent à un prix bien supérieur à cette valeur.

Cette disparité entre la valeur comptable et la valeur au cours du marché résulte, la plupart du temps, du pouvoir de gain réel ou possible de la société. Le cours des actions d'une société dont le pouvoir de gain est élevé sera supérieur à celui des actions d'une société dont le pouvoir de gain est faible ou inexistant, même si les actions de chacune des deux sociétés ont la même valeur comptable. Ainsi, il n'existe pas de norme minimale approximative pour la valeur comptable d'une action ordinaire.

Ratios de structure financière

Ces ratios indiquent simplement le pourcentage du capital total investi provenant de sources diverses et comprenant entre autres:

- prêts bancaires
- la dette à long terme
- les actions privilégiées
- les actions ordinaires
- le surplus d'apport
- les bénéfices non répartis

Société simplifiée (pour l'exercice n° 2)

Capital provenant d'un prêt bancaire	200 000 $	3,1%
Capital fourni par les porteurs de titres d'emprunt à long terme	1 000 000 $	15,6%
Capital fourni par les actionnaires privilégiés	800 000 $	12,5%
Capital fourni par les actionnaires ordinaires	2 400 000 $	37,5%
Capital provenant des bénéfices non répartis	2 002 000 $	31,3%
Total	6 402 000 $	100,0%

Étant donné que les bénéfices non répartis appartiennent aux actionnaires ordinaires, ils peuvent être ajoutés au capital fourni par les actionnaires ordinaires, ce qui donne la structure du capital suivante:

Capital provenant d'un prêt bancaire	200 000 $	3,1%
Capital fourni par les porteurs de titres d'emprunt à long terme	1 000 000 $	15,6%
Capital fourni par les actionnaires privilégiés	800 000 $	12,5%
Capital fourni par les actionnaires ordinaires	4 402 000 $	68,8%
Total	6 402 000 $	100,0%

Ces rapports sont utiles pour déterminer si la structure du capital d'une société repose sur des bases solides. Dans notre exemple, la structure du capital se compose d'une dette à court et à long terme de 18,7%, d'actions privilégiées dans une proportion de 12,5% et le reste, soit 68,8%, représente l'avoir des actionnaires ordinaires. Une proportion de dette élevée dans la structure du capital peut signifier que la société aura des difficultés à s'acquitter de ses charges fixes (comme les dépenses d'intérêt) durant les périodes de faibles bénéfices. Par ailleurs, si une société peut obtenir un taux de rendement sur son capital investi plus élevé que le coût des fonds empruntés, c'est de la bonne gestion financière que d'avoir un certain pourcentage de dette dans la structure du capital. Cette dette facilite l'expansion de la société avec les bénéfices qui en découlent.

Ratio d'endettement ou ratio de solvabilité à long terme

Ce ratio se calcule aussi à partir des postes de la structure du capital. C'est un ratio clé qui fait ressortir le rapport du passif à l'avoir des actionnaires et qui peut servir de signal lorsque les emprunts d'une société sont excessifs. Si le fardeau de la dette est trop lourd, il réduira la cote de solvabilité, augmentera les charges fixes de la société, réduira les bénéfices disponibles pour les dividendes et, en temps de récession ou de taux d'intérêt élevés, pourrait provoquer une crise financière.

$$\frac{\text{Prêts bancaires et encours de la dette à long terme}}{\text{Valeur comptable de l'avoir des actionnaires (privilégiés et ordinaires)}}$$

$$\frac{200\ 000\ \$ + 1\ 000\ 000\ \$}{800\ 000\ \$ + 2\ 400\ 000\ \$ + 2\ 002\ 000\ \$} = 0,23{:}1$$

La norme minimale approximative pour les sociétés industrielles demande que l'encours de la dette totale ne dépasse pas 50% (0,50:1) de la valeur comptable de l'avoir des actionnaires. Dans cet exemple, l'encours de la dette totale n'est que de 23% (0,23:1) de la valeur comptable de l'avoir des actionnaires de la Société simplifiée.

ANALYSE DE L'ÉTAT DES RÉSULTATS

Couverture de l'intérêt

Ce ratio détermine la capacité d'une société de payer les frais d'intérêt sur sa dette et indique combien de fois ces frais sont couverts par les bénéfices disponibles pour les acquitter.

Il est essentiel de prendre en considération tous les frais d'intérêt, qu'ils soient sur des prêts bancaires, la dette à court terme ou sur des emprunts de premier ou de second rang, car le défaut de paiement de l'intérêt sur l'une de ces dettes compromet immédiatement la solvabilité de l'émetteur et la possibilité de respecter ses engagements relatifs aux autres dettes.

$$\frac{\text{Bénéfice net (avant postes extraordinaires) + participation minoritaire +}}{\text{total des impôts courants et reportés + total des frais d'intérêt}}$$
$$\text{Total des frais d'intérêt}$$

Société simplifiée (pour l'exercice n° 2)

$$\frac{255\ 000\ \$ + 230\ 000\ \$ + 60\ 000\ \$}{60\ 000\ \$} = 9,1\ \text{fois}$$

La norme minimale approximative pour les sociétés industrielles exige que le bénéfice disponible couvre au moins 3 fois le total des frais d'intérêt annuels. Les calculs effectués ci-dessus indiquent que, dans le cas de la Société simplifiée, les frais d'intérêt étaient couverts 9,1 fois par le bénéfice disponible.

Couverture des dividendes privilégiés

Semblable à celui de la couverture de l'intérêt, ce ratio nous indique la marge de sécurité pour les dividendes sur les actions privilégiées. La méthode de calcul est la même que celle de la couverture de l'intérêt, car on doit inclure les dividendes privilégiés. La méthode de calcul est la suivante:

$$\frac{\text{Bénéfice net avant postes extraordinaires + participation minoritaire +}}{\text{impôts sur le revenu courants et reportés + total des frais d'intérêt}}$$
$$\text{Total des frais d'intérêt + dividendes privilégiés redressés pour impôt*}$$

$$\frac{255\ 000\ \$ + 230\ 000\ \$ + 60\ 000\ \$}{60\ 000\ \$ + (48\ 000\ \$ \times \frac{100}{100 - 47})} = 3,6\ \text{fois}$$

* Étant donné que les dividendes privilégiés sont distribués après le paiement de l'impôt sur le revenu, la couverture se calcule avant l'impôt sur le revenu en redressant les dividendes privilégiés pour tenir compte de l'impôt. Pour ce faire, le montant des dividendes privilégiés est redressé par le pourcentage approximatif d'impôt sur le revenu, appelé **taux d'imposition apparent**, qu'une société a payé pour l'année.

Le calcul du dividende privilégié "avant impôt" rajusté se fait en deux étapes.

Étape n° 1:

$$\frac{\text{Impôt sur le revenu}}{\text{Bénéfice net avant postes extraordinaires}} = \text{Taux d'imposition apparent}$$
$$+ \text{impôt sur le revenu}$$

$$\frac{230\ 000\ \$}{485\ 000\ \$} \times \frac{100}{1} = 47\%\ \text{(taux d'imposition apparent)}$$

Étape n° 2:

$$\text{Dividendes après impôt} \times \frac{100}{100 - \text{taux d'imposition apparent}} = \begin{array}{l}\text{dividendes privilégiés}\\ \text{avant impôt}\end{array}$$

$$48\,000\,\$ \times \frac{100}{100 - 47} = 48\,000\,\$ \times \frac{100}{53} = 90\,600\,\$ \text{ environ}$$

D'après la norme minimale approximative pour les sociétés industrielles, le bénéfice disponible devrait couvrir au moins 3 fois le total de l'intérêt et des dividendes privilégiés. Dans le cas de la Société simplifiée, les actions privilégiées sont couvertes 3,6 fois par les bénéfices disponibles.

Ratios des dividendes au bénéfice ou ratios de distribution

Ces ratios s'expliquent d'eux-mêmes, mais il est bon d'attirer votre attention sur le fait qu'on calcule le pourcentage de deux façons: (a) sur l'ensemble des actions privilégiées et ordinaires et (b) sur les actions ordinaires seulement. Vous remarquerez que dans les deux cas le diviseur n'est pas le même.

(a) Pourcentage du bénéfice net distribué en dividendes

$$\frac{\begin{array}{c}\text{Ensemble des dividendes distribués}\\ \text{(actions privilégiées et actions ordinaires)}\end{array}}{\text{Bénéfice net (avant postes extraordinaires)}} \times 100$$

$$\frac{48\,000\,\$ + 80\,000\,\$}{255\,000\,\$} \times 100 = \frac{128\,000\,\$}{255\,000\,\$} \times 100 = \underline{50,2\%}$$

(b) Pourcentage du bénéfice net distribué en dividendes ordinaires

$$\frac{\text{Dividendes sur les actions ordinaires}}{\text{Bénéfice net (avant postes extraordinaires)} - \text{dividendes privilégiés}} \times 100$$

$$\frac{80\,000\,\$}{255\,000\,\$ - 48\,000\,\$} \times 100 = \underline{38,6\%}$$

Le premier de ces ratios indique le pourcentage du bénéfice net qui est distribué pour l'ensemble des dividendes. Si l'on soustrait ce pourcentage de 100, on obtient le pourcentage du bénéfice net qui est réinvesti dans l'entreprise en vue de financer son exploitation dans l'avenir. Dans le premier exemple, 50,2% du bénéfice disponible ont été distribués en dividendes au cours de l'exercice et 49,8% ont été réinvestis dans l'entreprise.

Un ratio de distribution qui n'est pas constant au cours des années résulte d'ordinaire de bénéfices instables. Néanmoins, il arrive que les administrateurs de certaines sociétés essaient de maintenir le dividende à un taux constant tant au cours des mauvaises que des bonnes années afin que les actions de leur société conservent leur réputation de bon placement.

Ratios de rendement ou de rentabilité

(a)   Marge bénéficiaire brute

$$\frac{\text{Ventes nettes - coût des marchandises vendues}}{\text{ventes nettes}} \times 100$$

$$\frac{12\ 000\ 000\ \$ - 10\ 600\ 000\ \$}{12\ 000\ 000\ \$} \times 100 = \underline{11,7\%}$$

Dans le calcul de ce ratio pour les sociétés percevant elles-mêmes les taxes d'accise (par exemple les sociétés de tabac), il importe que le chiffre des ventes nettes utilisé dans le calcul soit celui des ventes nettes _après_ déduction des taxes d'accise.

Le pourcentage de la marge bénéficiaire brute est une indication de l'efficacité de la direction à tirer profit de la rotation des stocks.

(b)   Marge bénéficiaire d'exploitation

$$\frac{\text{Ventes nettes - (coût des marchandises vendues + frais de vente, frais d'administration et frais généraux)}}{\text{Ventes nettes}} \times 100$$

$$\frac{12\ 000\ 000\ \$ - (10\ 600\ 000\ \$ + 505\ 000)}{12\ 000\ 000\ \$} \times 100 = \underline{7,5\%}$$

Les calculs ci-dessus ont l'avantage de rendre possible la comparaison de la marge bénéficiaire de plusieurs sociétés qui n'ont pas de poste distinct pour le coût des marchandises vendues, ce qui empêche de calculer la marge bénéficiaire brute.

(c)   Marge bénéficiaire nette

$$\frac{\text{Bénéfice net (avant postes extraordinaires) + participation minoritaire}}{\text{ventes nettes}} \times 100$$

$$\frac{255\ 000\ \$}{12\ 000\ 000\ \$} \times 100 = \underline{2,1\%}$$

Pour pouvoir faire une comparaison entre plusieurs sociétés, d'un exercice à l'autre, le bénéfice net doit être indiqué avant la participation minoritaire car certaines sociétés n'ont pas de participation minoritaire.

Étant donné que ce rapport représente en somme les résultats de l'exercice, il est un bon indicateur de l'efficacité de la direction.

Marge d'autofinancement

La marge d'autofinancement correspond au bénéfice net d'une société auquel on ajoute toutes les déductions qui n'entraînent pas un décaissement, à savoir l'amortissement et les impôts sur le revenu reportés.

Comme l'on relève dans l'état des résultats de certaines sociétés des sommes importantes qui ne représentent pas des décaissements, on considère le plus souvent que le montant de la marge d'autofinancement donne un meilleur aperçu du potentiel de gain d'une entreprise que le montant du bénéfice net à lui seul. Par conséquent, on trouve qu'il est un meilleur indicateur de la capacité d'une société de payer des dividendes à des actionnaires et de financer son expansion et il est particulièrement utile pour comparer les sociétés d'un même secteur industriel. Il peut faire ressortir la capacité d'une société ayant peu ou pas de bénéfice net après amortissement et radiations de payer ses dettes.

Pour bien se servir de ce que nous indique la marge d'autofinancement, il faut considérer le rapport entre son montant et l'ensemble des besoins financiers de la société que l'on trouve dans ses états financiers, y compris dans l'état de l'évolution de la situation financière qui nous fait voir la marge d'autofinancement sous son vrai jour, c'est-à-dire comme une source de fonds disponibles pour faire face aux divers besoins d'ordre financier de la société.

Bénéfice net (avant postes extraordinaires) + participation minoritaire + impôts sur le revenu reportés + amortissement + toutes les autres déductions qui ne sont pas des déboursés réels en espèces (c.-à-d., l'épuisement, l'amortissement financier, etc.)

$$255\,000\,\$ + 350\,000\,\$ = 605\,000\,\$$$

Nous verrons, dans le prochain chapitre - Obligations et débentures - un exemple de la façon dont on utilise la marge d'autofinancement pour évaluer la capacité d'une société de rembourser sa dette.

RATIOS MIXTES

Étant donné que ces ratios sont calculés au moyen de chiffres tirés à la fois du bilan, de l'état des résultats et parfois de l'état des bénéfices non répartis, on les appelle ratios mixtes. Ces ratios servent, entre autres, aux analystes qui évaluent si une société utilise ses éléments d'actif de façon efficace et si elle est capable de rembourser sa dette.

Rendement brut (avant impôt) du capital investi

Ce ratio sert à établir la corrélation entre le revenu de la société et le capital investi qui a servi à produire ce revenu, mais sans tenir compte de son origine - prêteurs ou actionnaires. En d'autres termes, il démontre jusqu'à quel point la direction a bien utilisé les ressources à sa disposition.

$$\frac{\text{Bénéfice net (avant postes extraordinaires)} + \text{impôts sur le revenu} + \text{total des frais d'intérêt}}{\text{Capital investi*}} \times 100$$

* Nous avons vu plus tôt de quoi se composait le capital investi.

La Société simplifiée (année n° 2):

$$\frac{255\,000\,\$ + 230\,000\,\$ + 60\,000\,\$}{6\,402\,000\,\$} \times 100 = \underline{8,51\%}$$

Rendement net (après impôt) du capital investi

Ce calcul donne le taux de rendement après impôt que la direction a obtenu sur le capital investi dans la société.

La Société simplifiée (exercice n° 2):

$$\frac{\text{Bénéfice net (avant postes extraordinaires)} + \text{ total des frais d'intérêt}}{\text{Capital investi}} \times 100$$

$$\frac{255\ 000\ \$ + 60\ 000\ \$}{6\ 402\ 000\ \$} \times 100 = \underline{4,92\%}$$

Rendement net (après impôt) de l'avoir des actionnaires ordinaires

Ce ratio peut être comparé au précédent car ils sont tous deux calculés après déduction du montant des impôts. Ce ratio est très important pour les actionnaires ordinaires étant donné qu'il indique le rendement de leur capital dans l'entreprise.

$$\frac{\text{Bénéfice net (avant postes extraordinaires)} - \text{dividende privilégié}}{\text{avoir des actionnaires ordinaires}} \times 100$$

$$\frac{255\ 000\ \$ - 48\ 000\ \$}{4\ 402\ 000\ \$} \times 100 = \underline{4,70\%}$$

Bénéfice par action ordinaire

Ce ratio est probablement l'un des plus utilisés. Le calcul du bénéfice par action de la Société simplifiée pour l'exercice n° 2 se fait de la façon suivante:

$$\frac{\text{Bénéfice net (avant postes extraordinaires)} - \text{dividendes privilégiés}}{\text{Nombre d'actions ordinaires en circulation}}$$

$$\frac{255\ 000\ \$ - 48\ 000\ \$}{80\ 000} = \underline{2,59\ \$ \text{ par action}}$$

Pour ce calcul, le montant du bénéfice net est tiré de l'état des résultats, celui du dividende privilégié est tiré de l'état des bénéfices non répartis et le nombre d'actions ordinaires est tiré du bilan.

Étant donné que les bénéfices restant après que les créanciers, les porteurs de titres d'emprunt et les actionnaires privilégiés ont été satisfaits "appartiennent" aux actionnaires ordinaires, ceux-ci sont vivement intéressés à savoir ce que leurs actions ont rapporté. Si le bénéfice net est élevé, le conseil d'administration peut déclarer et verser une partie importante en dividendes. Par contre, si le bénéfice net est faible ou si une perte a été enregistrée, il se peut qu'aucun dividende ne soit versé.

Le fait de ramener le bénéfice net global au bénéfice par action ordinaire permet à l'actionnaire d'évaluer la rentabilité de sa participation à la propriété de la société et de déterminer la possibilité de recevoir des dividendes. Dans l'exemple ci-dessus, le bénéfice net par action ordinaire en circulation est égal à 2,59 $ pour la Société simplifiée. Étant donné qu'un dividende annuel de 1,00 $ par action est versé sur les actions ordinaires, le calcul indique que le dividende est bien protégé par les bénéfices. En d'autres termes, le bénéfice par action ordinaire excède le dividende versé de 1,59 $.

Les dividendes sur les actions ordinaires étant déclarés et versés au gré du conseil d'administration, il n'existe pas de règles précises qui permettent de déterminer le dividende qui pourrait être distribué pour un montant donné de bénéfice. La pratique en ce qui concerne le versement de dividendes varie d'une industrie à l'autre et d'une société à l'autre.

Ratio ou coefficient de rotation des stocks

Ce ratio est important pour les sociétés qui ont des stocks considérables (c.-à-d. les manufacturiers et les marchands).

Il évalue la fréquence de la rotation des stocks d'une société au cours d'un exercice. On peut également l'exprimer en nombre de jours comme nous allons le voir dans l'exemple suivant. Il est bon que le ratio de rotation des stocks soit élevé. Aussi, du point de vue du fonds de roulement, une société qui a une rotation des stocks rapide n'a pas besoin d'investir autant dans ses stocks qu'une société qui a un chiffre de ventes semblable avec une rotation plus lente.

$$\frac{\text{Coût des marchandises vendues}}{\text{Stocks}} = \text{nombre de fois}$$

Ce rapport s'exprime aussi en nombre de jours nécessaires pour vendre les stocks courants en divisant tout simplement 365 jours par le rapport obtenu.

$$\frac{10\ 600\ 000\ \$}{2\ 400\ 000\ \$} = \underline{4,4\ \text{fois}}$$

$$\text{ou}\ \frac{365}{4,4} = \underline{83\ \text{jours}}$$

Si l'on veut que le ratio de la rotation des stocks soit significatif, il faut utiliser dans le calcul le coût des marchandises vendues. Puisque ce renseignement n'est pas toujours fourni, le chiffre des ventes nettes doit parfois être utilisé à la place:

$$\frac{12\ 000\ 000\ \$}{2\ 400\ 000\ \$} = \underline{5\ \text{fois}}$$

$$\text{ou}\ \frac{365}{5} = \underline{73\ \text{jours}}$$

Ce ratio démontre l'efficacité dont la direction d'une société fait preuve pour écouler ses stocks, comparativement aux résultats qu'obtiennent d'autres entreprises dans le même secteur d'activité. Il indique de plus, jusqu'à un certain point, si le montant des stocks d'une société est suffisant compte tenu de son chiffre d'affaires.

Il n'existe aucune norme pour ce ratio puisque le coefficient de rotation des stocks varie d'un secteur d'activités à l'autre. Ainsi, par exemple, les sociétés engagées dans la fabrication ou le commerce des produits alimentaires ont un taux de rotation beaucoup plus rapide que celles du secteur de l'industrie lourde où il s'écoule beaucoup plus de temps entre la transformation de la matière première, le procédé de fabrication et la vente du produit fini.

Lorsque le coefficient de rotation des stocks d'une société est plus élevé que la moyenne dans son secteur, c'est généralement une indication que l'on maintient un meilleur équilibre entre les stocks et le volume des ventes. Ceci a pour résultat de diminuer pour elle les risques (1) de se trouver prise avec des stocks trop élevés s'il survient une baisse du prix des matières premières ou si la demande pour le produit fini venait à diminuer et (2) de subir des pertes du fait que les matières premières et les produits finis restent là inutilisés plus longtemps qu'on ne le prévoyait avec la possibilité que leur qualité se détériore et qu'ils deviennent plus difficilement vendables. Par ailleurs, si la rotation des stocks est trop élevée par rapport aux normes du secteur, la société pourrait se trouver confrontée à des problèmes de pénurie de stocks qui entraîneraient des ventes perdues.

Lorsque le coefficient de rotation des stocks d'une société est au-dessous de la moyenne, ceci peut résulter (1) d'une proportion anormale de produits ou d'articles inutilisables ou invendables, (2) d'une situation résultant d'achats excessifs ou (3) d'une surévaluation des stocks.

Lors qu'une bonne partie du fonds de roulement d'une société est immobilisée dans ses stocks, on se rend compte que la façon de gérer ceux-ci a une influence directe et considérable sur le bénéfice et, par contrecoup, sur le taux de rendement de l'avoir des actionnaires dans l'entreprise.

RATIOS RELATIFS AU RENDEMENT DES TITRES

Les ratios de ce groupe, aussi appelés ratios boursiers, renseignent sur le cours en bourse des actions d'une société en établissant un rapport entre le cours du marché de ses actions et certains chiffres tirés de ses états financiers. Le cours d'une action n'a pas à lui seul une grande signification, à moins de le mettre en rapport avec les dividendes et le bénéfice. Les ratios relatifs au rendement des titres le font.

Rendement des actions ou rendement boursier

Le rendement d'une action ordinaire ou privilégiée est le taux du dividende annuel indiqué, exprimé en pourcentage du cours du marché de l'action; il représente le taux de rendement que l'investisseur obtient sur son placement, en fonction du cours du marché de ce dernier.

$$\frac{\text{Dividende annuel indiqué par action}}{\text{Cours du marché de l'action}} \times 100$$

Pour la Société simplifiée, le rendement est de 6,7% pour les actions privilégiées dont le cours est de 90 $ à un taux cumulatif de 6% par 100 $ de valeur nominale.

$$\frac{6,00\ \$}{90,00\ \$} \times 100 = \underline{6,7\%}$$

Pour la Société simplifiée, le rendement à un cours de 40 $ par action ordinaire est de 2,5%.

$$\frac{1,00\ \$}{40,00\ \$} \times 100 = \underline{2,5\%}$$

Ratio cours-bénéfice ou taux de capitalisation des bénéfices

Ce rapport, qui est largement utilisé, s'obtient en divisant le cours du marché de l'action ordinaire par le bénéfice par action ordinaire, pour les derniers 12 mois. En supposant un cours du marché des actions ordinaires de 40 $ au 31 décembre de l'exercice n° 2 pour la Société simplifiée, on obtient:

$$\frac{\text{Cours du marché de l'action ordinaire}}{\substack{\text{Bénéfice par action ordinaire} \\ \text{(pour les derniers 12 mois)}}}$$

$$\frac{40,00\ \$}{2,59\ \$} = \underline{15,4}$$

Ce résultat indique qu'au 31 décembre, l'action ordinaire de la Société simplifiée se négocie à un cours 15,4 fois supérieur au bénéfice par action de l'exercice n° 2.

La principale raison pour laquelle on calcule le bénéfice par action, mis à part la protection du dividende, est qu'il permet de comparer les bénéfices d'une société avec le cours du marché de ses actions. Le ratio cours-bénéfice est un chiffre simple et pratique qui indique le nombre de fois que le bénéfice annuel, actuel ou prévu, est compris dans le cours de l'action. Les ratios cours-bénéfice permettent de comparer une action avec une autre.

Exemple:

Société A - Bénéfice par action: 2 $; Cours: 20 $
Société B - Bénéfice par action: 1 $; Cours: 10 $

Bien que le bénéfice par action de la Société A (2 $) soit le double de celui de la Société B (1 $), les actions de chaque société ont une valeur équivalente car les actions de la Société A, dont le cours est de 20 $, coûtent deux fois plus cher que les actions de la Société B. En d'autres termes, les deux sociétés ont un ratio cours-bénéfice de 10:1 (leur prix de vente équivaut à dix fois leur bénéfice) - Société A, 20 $/2 $; Société B, 10 $/1 $.

RÉSUMÉ

On analyse les états financiers pour vérifier la solidité financière et la rentabilité actuelles et passées de la société.

En analysant l'état des résultats, il peut être nécessaire de faire certains ajustements pour faire ressortir la rentabilité réelle de l'entreprise en excluant les postes extraordinaires et pour tenir compte des modifications comptables.

Pour les analystes expérimentés, les états financiers fournissent une grande quantité de renseignements au sujet d'une société. Les analystes effectuent toute une variété de calculs à partir des données financières contenues dans les états pour analyser la solidité financière et la rentabilité d'une société. Les renseignements obtenus grâce à cette analyse sont importants dans l'évaluation de la qualité des titres d'une société. Pour être vraiment significatifs, ces ratios devraient être comparés à ceux d'autres sociétés engagées dans le même secteur industriel.

La tendance et les fluctuations des bénéfices sont importantes. Les analystes recherchent les sociétés dont les bénéfices sont à la hausse plutôt qu'à la baisse. Aussi, il est plus facile de prévoir qu'une société continuera à verser des dividendes et à faire face à ses obligations lorsque la croissance de ses bénéfices est stable. Des bénéfices instables invitent à la prudence et peuvent provoquer des variations marquées des cours des actions ordinaires d'une société.

Il est nécessaire d'utiliser des techniques spéciales pour analyser les états financiers de sociétés engagées dans différents secteurs industriels. Par exemple, la façon d'analyser les états d'une banque à charte sera différente de celle que l'on utilisera pour analyser une société minière ou une société immobilière.

Toutefois, l'un des principaux objectifs de l'analyse est de projeter dans le futur les tendances fondamentales découvertes en analysant les états financiers. Des variations importantes de ces tendances influeront éventuellement sur les cours du marché des titres d'une société. Si ces changements sont décelés à l'avance, on peut alors entreprendre un programme de placement approprié.

On recommande aux personnes intéressées à étudier ce sujet plus en profondeur de lire le fascicule intitulé "Comment lire les états financiers" publié par l'Institut canadien des valeurs mobilières.

4   OBLIGATIONS ET DÉBENTURES

Lorsque vous achetez une obligation ou une débenture, vous faites un prêt à l'entreprise ou à l'organisme gouvernemental qui a émis cette obligation ou cette débenture. L'émetteur s'engage à vous rembourser cette somme d'argent à l'échéance et à vous verser jusqu'à cette date un intérêt, à un taux annuel déterminé, qui est le plus souvent payé semestriellement. Au Canada, les obligations et les débentures sont émises par le gouvernement fédéral, les dix provinces, des milliers de municipalités, des organismes créés par chacun des gouvernements, des centaines d'entreprises et, à l'occasion, des institutions religieuses.

En termes juridiques, une **obligation** est une dette garantie par des biens précis. Par contre, une **débenture** est une promesse de payer qui n'est pas garantie, c'est-à-dire qu'aucun bien n'est donné en garantie du prêt.

À proprement parler, les obligations du gouvernement du Canada sont des débentures; toutefois, la coutume veut que l'on parle d'**obligations** du gouvernement du Canada et non pas de débentures. Les émissions provinciales peuvent être indifféremment appelées obligations ou débentures. Cependant, les obligations émises par les municipalités et les sociétés, qui ne sont pas spécifiquement garanties par certains biens, sont appelées débentures, bien que là encore on emploie parfois le terme générique d'obligations.

Pour faciliter la lecture de ce chapitre, nous utiliserons le plus souvent le terme "obligation" dans son sens générique (plutôt que dans son sens juridique). Sauf indication contraire, ce qui vaut pour une obligation vaut également pour une débenture.

Bien qu'une grande variété d'obligations et de débentures aient été émises, nous nous limiterons ici à la description des catégories les plus importantes d'obligations et de débentures émises par les gouvernements et les sociétés.

CERTIFICAT D'OBLIGATION

Vous trouverez aux pages suivantes une reproduction d'un certificat d'une obligation de 1 000 $ émise par Hydro-Québec, que les courtiers en valeurs mobilières désignent par l'appellation "Hydro-Québec 12 1/2% 1993". C'est le document que l'on remet comme preuve concrète d'un placement.

Ce certificat est un contrat par lequel Hydro-Québec s'engage à verser un intérêt de 12 1/2% (125 $ d'intérêt sur l'obligation de 1 000 $) payable (en deux versements de 62,50 $) les 30 mars et 30 septembre de chaque année, et à rembourser le capital de 1 000 $ le 30 septembre 1993. Les obligations de cette émission ne sont pas rachetables par anticipation.

Vous noterez également que le remboursement du capital et le paiement des intérêts sont garantis sans réserve par la province de Québec. De ce fait, l'on dira de cette émission qu'elle porte la **garantie provinciale**. Toutes les émissions ne portent pas cette garantie.

Protection contre la contrefaçon

Les motifs compliqués qui apparaissent au recto du certificat d'obligation et des coupons sont destinés à empêcher toute contrefaçon (cette technique s'apparente à celle utilisée pour les billets de banque). De plus, l'obligation porte un numéro ainsi qu'une ou plusieurs signatures officielles qui en attestent l'authenticité. Un certificat d'obligation est imprimé sur du papier de haute qualité.

Le véritable certificat d'obligation Hydro-Québec 12 1/2% 1993 était accompagné de 20 coupons portant chacun un numéro d'ordre ainsi que la date à partir de laquelle chaque coupon pouvait être encaissé. Le dixième de ces 20 coupons est illustré ci-dessous. Certaines obligations sont dépourvues de tels coupons; l'intérêt est alors versé directement au propriétaire inscrit, par chèque, en deux versements semestriels.

Exemple d'un des 20 coupons initialement attachés au certificat d'obligation de 1 000 $, Hydro-Québec 12 1/2% le 30 septembre 1993. Illustration de gauche: le recto du dixième coupon, valant 62,50 $ le 30 septembre 1988. Illustration de droite: le verso du même coupon. Les autres coupons attachés au certificat étaient numérotés jusqu'à 20 et payables jusqu'au 30 septembre 1993.

Date d'émission

La date d'émission d'une obligation est celle à laquelle l'engagement (généralement sous la forme d'un acte de fiducie) a été signé. Les intérêts commencent à courir à compter de cette date. La date d'émission de l'obligation Hydro Québec donnée en exemple était le 30 septembre 1983.

Date d'échéance

La date d'échéance d'une obligation est la date à laquelle l'émetteur rembourse le capital emprunté et cesse de verser les intérêts. Les obligations ont une échéance de un à trente ans et parfois plus. Il n'y a aucune règle fixe qui détermine la durée d'une émission. La date d'échéance est établie lors de l'émission de l'obligation et cette date est alors irrévocable. Selon le temps qui reste à courir jusqu'à échéance, les obligations sont classées comme suit:

Obligations échéant	Terme
jusqu'à 3 ans	court terme
de 3 à 10 ans	moyen terme
à partir de 10 ans	long terme

Le terme d'une obligation ou d'une débenture se définit par rapport au temps qui reste à courir jusqu'à son échéance, aussi, l'émission changera de désignation à mesure que son échéance approche. Par exemple, lorsque les obligations 15 1/2% du gouvernement du Canada, échéant en 2002, ont été émises en 1982, il s'agissait d'une émission à long terme échéant dans 20 ans. En 1992, il restera 10 ans avant son échéance et l'émission deviendra à moyen terme; en 1999, quand il ne restera que 3 ans, l'émission sera alors à court terme.

Droit de rachat ou de remboursement par anticipation

Les emprunteurs se réservent souvent le droit de rembourser une émission d'obligations avant l'échéance, afin de profiter d'un taux d'intérêt avantageux pour faire un refinancement ou afin d'utiliser des fonds accumulés pour éliminer les frais d'intérêt. Ce privilège s'appelle **le droit de rachat ou de remboursement par anticipation** et l'obligation qui comporte cette clause est dite obligation rachetable ou remboursable par anticipation. Il est de règle que l'émetteur s'engage à donner un préavis d'au moins trente jours à l'obligataire l'informant que son obligation est appelée au remboursement.

La plupart des obligations qui comportent un droit de remboursement par anticipation sont généralement rachetables à "100 plus l'intérêt couru". Par intérêt couru, on entend l'intérêt accumulé depuis le dernier versement d'intérêts.

Une obligation qui ne peut être rachetée avant son échéance est dite **non rachetable ou non remboursable par anticipation.**

Coupures disponibles

Le montant que l'émetteur d'une obligation s'engage à rembourser à l'échéance est indiqué au recto de l'obligation. On utilise les expressions **coupure, valeur nominale** ou **montant en capital** pour désigner ce montant. Les coupures les plus fréquemment émises sont celles de 1 000 $ ou de 10 000 $. Des coupures de montants plus élevés sont aussi émises à l'intention des investisseurs institutionnels tels que les banques et les compagnies d'assurance-vie. En général, une émission destinée à un vaste marché de détail sera composée de petites coupures, tandis qu'une émission qui sera placée auprès d'investisseurs institutionnels offrira des coupures atteignant des millions de dollars pour convenir aux besoins des acheteurs.

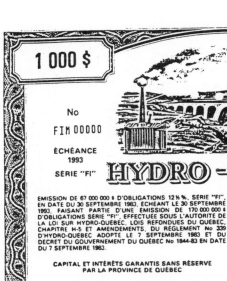

1 000 $ $1,000

No   **FIM 00000**

ÉCHÉANCE
1993
SÉRIE "FI"

No.   **FIM 00000**

MATURITY
1993
SERIES "FI"

HYDRO - QUÉBEC

ÉMISSION DE 67 000 000 $ D'OBLIGATIONS 12½%, SÉRIE "FI", EN DATE DU 30 SEPTEMBRE 1983, ÉCHÉANT LE 30 SEPTEMBRE 1993, FAISANT PARTIE D'UNE ÉMISSION DE 170 000 000 $ D'OBLIGATIONS SÉRIE "FI", EFFECTUÉE SOUS L'AUTORITÉ DE LA LOI SUR HYDRO-QUÉBEC, LOIS REFONDUES DU QUÉBEC, CHAPITRE H-5 ET AMENDEMENTS, DU RÈGLEMENT No 339 D'HYDRO-QUÉBEC ADOPTÉ LE 7 SEPTEMBRE 1983 ET DU DÉCRET DU GOUVERNEMENT DU QUÉBEC No 1844-83 EN DATE DU 7 SEPTEMBRE 1983.

ISSUE OF $67,000,000 12½% DEBENTURES, SERIES "FI", DATED SEPTEMBER 30, 1983, MATURING SEPTEMBER 30, 1993, FORMING PART OF AN ISSUE OF $170,000,000 SERIES "FI" DEBENTURES, UNDER THE AUTHORITY OF THE HYDRO-QUÉBEC ACT, REVISED STATUTES OF QUEBEC, CHAPTER H-5, AS AMENDED, OF BY-LAW No. 339 OF HYDRO-QUÉBEC ENACTED ON SEPTEMBER 7, 1983 AND OF ORDER IN COUNCIL No. 1844-83 OF THE GOUVERNEMENT DU QUÉBEC DATED SEPTEMBER 7, 1983.

CAPITAL ET INTÉRÊTS GARANTIS SANS RÉSERVE PAR LA PROVINCE DE QUÉBEC

UNCONDITIONALLY GUARANTEED AS TO PRINCIPAL AND INTEREST BY THE PROVINCE DE QUÉBEC

HYDRO-QUÉBEC, pour valeur reçue, promet, par les présentes, de payer au porteur de cette obligation ou, si elle est immatriculée, à son détenteur immatriculé, sur présentation et remise de cette obligation, la somme de

HYDRO-QUÉBEC, for value received, hereby promises to pay to the bearer or, if registered, to the registered holder hereof, upon presentation and surrender of this Debenture, the sum of

MILLE DOLLARS

le 30 septembre 1993, en monnaie ayant cours légal au Canada, à toute succursale au Canada de n'importe quelle banque à charte régie par la Loi sur les banques (Canada) ou à toute caisse populaire ou d'économie affiliée à une fédération membre de la Confédération des caisses populaires et d'économie Desjardins du Québec ("Caisse populaire ou d'économie Desjardins"), au choix du détenteur, et de payer l'intérêt sur ladite somme à compter du 30 septembre 1983, en même monnaie, aux mêmes endroits, au taux de 12½% par année, semestriellement le 30 mars et le 30 septembre de chaque année, jusqu'au paiement intégral du capital, sur présentation et remise des coupons ci-annexés au fur et à mesure de leur échéance respective.

Les obligations peuvent être émises sous forme d'obligations à coupons, en coupures de 1 000 $, 5 000 $, 25 000 $ et 100 000 $, avec privilège d'immatriculation quant au capital seulement, et sous forme d'obligations entièrement nominatives, en coupures de multiples de 1 000 $, mais ne devant pas être inférieures à 5 000 $. Les obligations à coupons, munies de tous les coupons non échus, et les obligations entièrement nominatives peuvent être échangées, sans frais, pour des obligations d'une valeur nominale globale égale de cette émission et de la même échéance, en toute forme et coupure autorisées, sur remise au bureau de Trust Général du Canada, à Montréal.

Cette obligation est cessible par tradition, sauf lorsqu'elle est immatriculée quant au capital dans un registre tenu au bureau du registraire, Trust Général du Canada, à Montréal, et que cette immatriculation est notée sur l'obligation. Tant que cette obligation est ainsi immatriculée, aucune cession n'en est valide à moins qu'elle ne soit effectuée au moyen d'une formule de transfert dont la teneur et la signature sont acceptables au registraire et à moins d'être inscrite audit registre et notée sur cette obligation. Cette obligation peut être libérée de l'immatriculation et rendue payable au porteur ; elle redevient alors cessible par tradition, mais elle peut encore, de temps à autre, être immatriculée de nouveau et être libérée de l'immatriculation. Nonobstant l'immatriculation, les coupons d'intérêt continuent d'être cessibles par tradition.

Le registraire ne sera pas tenu de procéder à des échanges, immatriculations ou transferts d'obligations entièrement nominatives pendant la période de 15 jours précédant immédiatement une date de paiement d'intérêt.

Les obligations de cette émission ne sont pas rachetables par anticipation.

Cette obligation ne sera valide que lorsqu'elle aura été signée et contresignée au nom d'Hydro-Québec par les personnes autorisées à cette fin.

Datée à Montréal du 30 septembre 1983.

ONE THOUSAND DOLLARS

on September 30, 1993, in lawful money of Canada, at any branch in Canada of any chartered bank governed by the Bank Act (Canada) or at any caisse populaire or d'économie affiliated with a member federation of the Confédération des caisses populaires et d'économie Desjardins du Québec ("Caisse populaire ou d'économie Desjardins"), at the holder's option, and to pay interest thereon from September 30, 1983, in like money, at the same places, at the rate of 12½% per annum, semi-annually on March 30 and September 30 in each year, until payment in full of such principal sum, upon presentation and surrender of the respective interest coupons hereto annexed as they severally become due.

The Debentures are issuable in the form of coupon Debentures, in denominations of $1,000, $5,000, $25,000 and $100,000, registrable as to principal only, and in the form of fully registered Debentures in denominations of multiples of $1,000, but not less than $5,000. The coupon Debentures, with all unmatured coupons attached, and the fully registered Debentures may be exchanged, free of charge, for an equal aggregate principal amount of Debentures of this issue and of the same maturity, in any authorized forms and denominations on surrender at the office of Trust Général du Canada, in Montréal.

This Debenture is transferable by delivery, except when it is registered as to principal in a register kept at the office of the Registrar, Trust Général du Canada, in Montréal, and such registration is noted hereon. While this Debenture is so registered, no transfer shall be valid unless made by an instrument of transfer in form and as to execution satisfactory to the Registrar and unless entered in the said register and noted hereon. This Debenture, after registration, may be discharged from registry and made payable to bearer, after which it shall again be transferable by delivery but may again, from time to time, be registered and discharged from registry. Notwithstanding registration, the interest coupons shall continue to be transferable by delivery.

The Registrar shall not be required to make exchanges, registrations or transfers of fully registered Debentures during a period of 15 days next preceding an interest payment date.

The Debentures of this issue are not redeemable prior to maturity.

This Debenture shall be valid only when it shall have been signed and countersigned on behalf of Hydro-Québec by the persons so authorized.

Dated at Montréal as of September 30, 1983.

SIGNÉE ET CONTRESIGNÉE
AU NOM D'HYDRO-QUÉBEC

SIGNED AND COUNTERSIGNED
ON BEHALF OF HYDRO-QUÉBEC

SPECIMEN

Pour le Trésorier - Per Treasurer

Président directeur général - President and managing director

H709-341

DATE DE L'IMMATRICULATION DATE OF REGISTRATION	TITULAIRE IN WHOSE NAME REGISTERED	REGISTRAIRE REGISTRAR

Les obligations d'épargne du Canada sont émises en coupures de 100 $ pour attirer les petits épargnants. Dans le cas d'obligations de sociétés, le montant minimal des coupures est rarement inférieur à 500 $, et les plus courantes sont celles de 1 000 $.

Taux d'intérêt

Le taux d'intérêt d'une obligation est toujours indiqué au recto du certificat. L'intérêt est toujours versé deux fois l'an à l'exception des OEC, dont l'intérêt est versé annuellement. On établit le jour et le mois d'un des versements semestriels à partir du jour et du mois de la date d'échéance de l'obligation. Le second versement est fixé six mois plus tard. Ainsi, Hydro-Québec 12 1/2% 1993 verse des intérêts tous les ans le 30 septembre (jour et mois de la date d'échéance de l'obligation) et, six mois plus tard, le 30 mars.

Les coupons attachés à un certificat d'obligation indiquent où l'intérêt peut être encaissé à compter de la date de paiement des intérêts. Ainsi, les coupons des obligations Hydro-Québec 12 1/2% peuvent être encaissés dans toute succursale au Canada de n'importe quelle banque à charte régie par la Loi sur les banques (Canada) ou à toute caisse populaire ou d'économie affiliée à une fédération membre de la Confédération des caisses populaires et d'économie Desjardins du Québec (Caisse populaire ou d'économie Desjardins). Si vous encaissez votre obligation ailleurs, la banque ou le courtier en valeurs mobilières ne vous comptera habituellement aucuns frais si le produit est réinvesti. Dans le cas contraire, vous devrez acquitter des frais d'encaissement minimes.

Obligations libellées en monnaie étrangère et en deux monnaies

L'intérêt versé sur la majorité des obligations canadiennes n'est payable qu'en dollars canadiens. Toutefois, l'intérêt de certaines émissions est payable en devises bien spécifiques (obligations libellées en monnaie étrangère).

Il y a eu également des émissions d'obligations **libellées en deux monnaies** qui, au choix du détenteur, peuvent être encaissées en dollars canadiens ou en une autre monnaie étrangère.

Obligations au porteur et coupons

Une obligation au porteur est accompagnée de coupons portant chacun, au recto, un numéro et une date avant laquelle ils ne peuvent pas être encaissés. Les coupons sont disposés de façon à pouvoir être détachés facilement, le premier étant générale-ment placé en bas à droite et le dernier en haut à gauche.

Les obligations au porteur sont comparables aux billets de banque: à moins que l'on ne puisse prouver qu'il y a eu vol, le détenteur d'un billet de banque en est le propriétaire. De la même façon, le détenteur d'une obligation au porteur est présumé en être le propriétaire. Les obligations au porteur devraient donc être placées, soit dans un coffret à la banque ou auprès d'une compagnie de fidéicommis, soit être déposées en garde chez un courtier en valeurs mobilières. On ne doit jamais garder d'obligations ou autres titres au porteur à son domicile. En plus des riques de vol, le feu et les dommages par eau constituent des dangers éventuels.

Obligations nominatives

Les obligations peuvent **être entièrement** nominatives ou nominatives quant au capital seulement. Une obligation **entièrement nominative** est émise sous la forme d'un certificat immatriculé au nom du propriétaire et l'émetteur de l'obligation lui verse l'intérêt par chèque, aux dates prescrites. Une obligation **nominative quant au capital seulement** porte le nom du propriétaire au recto du certificat, mais les coupons qui y sont attachés sont identiques à ceux d'une obligation au porteur. Dans les deux cas, il est extrêmement difficile qu'une personne autre que le détenteur inscrit encaisse ces obligations si elles sont perdues ou volées. Cependant, quiconque met la main sur les coupons d'obligations nominatives quant au capital seulement peut les encaisser aux dates de versement de l'intérêt.

Au moment de la vente d'obligations nominatives, le détenteur doit signer un formulaire de transfert (c'est-à-dire une procuration) qui doit être contresigné. Ce formulaire est généralement imprimé sur l'obligation entièrement nominative. Les obligations nominatives quant au capital seulement ne comportent pas de procuration; on l'obtient auprès des courtiers en valeurs mobilières, des banques et des compagnies de fidéicommis.

Exemple de formulaire de procuration pour le transfert d'obligations.

<u>PROCURATION POUR TRANSFERT D'OBLIGATION</u>

Je sousigné, --

-- , de ---------------------------

pour valeur reçue, ai vendu, cédé et transféré et par les présentes,

vends, cède et transfère à --- ,

de -------------------------------- , obligations de -------------

----

se montant en tout à la somme de $ --------------------- à savoir:

----------------------- obligations de 100 $ chacune -- N° --------

----------------------- obligations de 500 $ chacune -- N° --------

----------------------- obligations de 1 000 $ chacune -- N° ------

inscrites en mon nom dans les livres de ----------------------------

et, par les présentes, je constitue et nomme irrévocablement comme

mon mandataire ---------------------------- , de ------------------

--------------------- lequel j'autorise à faire et signer pour moi

et en mon nom tous les actes nécessaires pour effectuer le transfert

desdites obligations, et au besoin se substituer une ou plusieurs

personnes, avec les mêmes pouvoirs.

Je ratifie et confirme d'avance tout ce que mondit mandataire ou son

délégué fera légalement en vertu des présentes.

EN FOI DE QUOI, j'ai signé à ------------------------------

ce ------------------------ jour de---------------------- - 198 --

------------------------------   ------------------------------
        Témoin

(1) Inscrire au long les noms, prénoms et adresse du constituant.

(2) Dans le cas d'une succession, produire les pièces, documents et

     autorisations nécessaires.

Certificats provisoires

Dans le cadre de nouvelles émissions, il arrive souvent que les certificats définitifs, gravés, imprimés ou lithographiés et portant les signatures officielles de la société émettrice, ne soient disponibles que quelque temps après l'offre de l'émission. Afin que les acheteurs aient une preuve de leur acquisition, le fiduciaire ou la société peut alors émettre des certificats provisoires qui seront échangés contre des certificats définitifs lorsque ces derniers seront prêts. Les certificats provisoires sont généralement émis sans coupon, bien que l'intérêt continue à courir en faveur du porteur, et ils sont habituellement échangés contre les obligations définitives avant la date du premier versement de l'intérêt.

Quatre précautions à prendre

Toute personne qui détient des titres devrait:

. placer ses titres dans un coffret à la banque ou auprès d'une compagnie de fidéicommis, ou les déposer en garde chez un courtier en valeurs mobilières;

. ne jamais endosser un certificat nominatif avant que les titres qu'il représente ne soient vendus et qu'elle soit prête à les livrer, car un certificat endossé devient négociable;

. garder constamment **à jour** une liste de tous ses titres avec le nom de l'émetteur, le numéro de série de tous les certificats, le nombre d'actions ou le montant en capital d'obligations qu'ils représentent ainsi que le prix d'achat. Dans le cas des obligations, il faut aussi porter une attention spéciale aux coupons, aux dates d'échéance et de versements de l'intérêt, et à toute autre particularité (par exemple, obligations encaissables par anticipation ou convertibles). Dans le cas des actions, il faut surveiller le taux de dividende, les dates de versement des dividendes, le prix de conversion et les détails relatifs aux droits et aux bons de souscription;

. garder cette liste dans un lieu sûr et facile d'accès, mais non pas avec les titres mêmes. Il est recommandé d'indiquer sur cette liste l'endroit où se trouvent les titres.

CATÉGORIES D'OBLIGATIONS GOUVERNEMENTALES

Il y a trois principaux émetteurs d'obligations gouvernementales:

. **Le gouvernement du Canada** - Le gouvernement fédéral émet pour son propre compte: des bons du Trésor chaque semaine, des obligations d'épargne du Canada chaque année et des obligations négociables lorsqu'il a besoin de fonds ou lorsque la conjoncture du marché est favorable. Le gouvernement fédéral garantit aussi sans réserve les obligations émises par les sociétés de la Couronne.

. **Les provinces** - Les dix provinces émettent également des obligations et des débentures et garantissent les émissions d'organismes qui relèvent de leur compétence tels que les commissions hydro-électriques, les commissions de finances municipales, les commissions de réseaux téléphoniques et les commissions scolaires. Quelques provinces émettent aussi leurs propres bons du Trésor et leurs propres obligations d'épargne.

. **Les municipalités** - Les municipalités émettent leurs propres débentures. Quelques-unes des villes les plus importantes ont aussi émis des bons du Trésor ou des billets à ordre.

Pourquoi les gouvernements empruntent-ils?

Les gouvernements doivent emprunter parce que les recettes courantes provenant des impôts ne sont pas suffisantes pour couvrir toutes les dépenses auxquelles ils ont à faire face. En effet, des sommes considérables doivent être affectées annuellement à la construction d'écoles, d'hôpitaux, de routes, de centrales hydro-électriques, etc. Les gouvernements empruntent donc des capitaux nécessaires à l'exécution de ces projets et perçoivent par la suite des impôts des générations successives de contribuables afin de pourvoir à l'amortissement du capital et au paiement des intérêts de ces emprunts. On prévoit que les futurs contribuables bénéficieront de ces réalisations, aussi, leur coût doit être réparti sur le nombre d'années de leur durée probable et assumé par tous ceux qui en profiteront au cours de cette période.

De plus, lorsque les recettes provenant de la perception des impôts sont insuffisantes, le gouvernement fédéral emprunte de façon massive pour faire face aux dépenses courantes d'aide sociale telles les allocations familiales et les prestations d'assurance-chômage. Les provinces ont elles aussi émis des titres d'emprunt à long terme pour combler leurs déficits courants et pour financer des projets d'envergure.

Contrairement à nombre d'obligations émises par les sociétés, les obligations des gouvernements ne sont jamais garanties par une hypothèque sur des immobilisations, car il est difficile d'engager en faveur des prêteurs des biens qui appartiennent à la collectivité. Par contre, un gouvernement peut garantir ses émissions de titres d'emprunt grâce à son droit de percevoir des impôts et à la capacité et au bon gré des contribuables et des sociétés de les payer.

OBLIGATIONS DU GOUVERNEMENT DU CANADA

Le gouvernement fédéral a des pouvoirs de taxation très étendus. C'est pourquoi ses titres d'emprunt ont la meilleure cote de crédit au pays. Ainsi, les obligations du gouvernement du Canada constituent un critère de comparaison pour toutes les autres obligations. Le gouvernement fédéral est l'émetteur le plus important sur le marché obligataire canadien.

Pouvoirs du gouvernement fédéral

Les pouvoirs qu'a le gouvernement fédéral de lever des impôts et d'emprunter grâce à son crédit découle du pouvoir législatif du Parlement du Canada qu'a confirmé la Loi constitutionnelle de 1982. La constitution du Canada se trouve dans l'Acte de l'Amérique du Nord britannique de 1867 et de nombreuses modifications y ont été apportées entre 1867 et 1982, année où elle a été rapatriée de l'Angleterre.

Bons du Trésor du gouvernement du Canada

Les bons du Trésor sont des engagements à court terme qui intéressent surtout les gros investisseurs institutionnels tels que les banques, les compagnies d'assurance, les compagnies de fidéicommis et de prêts, ainsi que les entreprises importantes qui ne sont pas imposables, comme les organismes de charité. Émis en petites coupures de 1 000 $ (mais également en coupures plus importantes), les bons du Trésor sont de nature à intéresser aussi les épargnants.

Habituellement, les bons du Trésor ne rapportent pas d'intérêt, ils sont vendus à escompte (au-dessous du pair) et remboursés au pair. La différence entre le prix d'émission et le prix de remboursement représente la somme qui revient au prêteur à la place de l'intérêt. En vertu de la Loi de l'impôt sur le revenu, ce gain est imposable comme revenu.

Les bons du Trésor les mieux connus sont ceux du gouvernement du Canada; ils sont offerts avec des échéances de 91 jours ou de 182 jours (ou d'un an parfois) et sont vendus par adjudication tous les jeudis. Certaines provinces et quelques municipalités ont aussi, quelquefois, émis des bons du Trésor ou des titres d'emprunt du même genre.

Obligations négociables du gouvernement du Canada

Le gouvernement du Canada émet des obligations négociables pour son propre compte et garantit celles qui sont émises par les sociétés de la Couronne. Ces titres sont appelés **obligations négociables** parce qu'ils ont une date d'échéance et un taux d'intérêt déterminés, et qu'ils peuvent se négocier sur le marché avant leur date d'échéance.

Émissions non remboursables par anticipation

Les récentes émissions du gouvernement du Canada ne sont **pas remboursables par anticipation,** c'est-à-dire que le gouvernement ne peut pas les racheter avant leur date d'échéance. Les obligations 3 3/4% échéant le 15 mars 1998 et rachetables à partir du 15 mars 1996 sur préavis de 60 jours constituent la seule émission remboursable par anticipation en circulation. Par ailleurs, certaines émissions fédérales ont un **fonds de rachat** qui oblige le gouvernement à rembourser, par des achats sur le marché, un certain montant nominal d'obligations si ces achats peuvent être effectués à un prix égal ou inférieur à un prix fixé d'avance.

OBLIGATIONS D'ÉPARGNE DU CANADA

Historique

La première série d'obligations d'épargne du Canada (OEC) a été mise en vente à l'automne 1946; depuis cette première émission jusqu'à la fin de 1985, un total de 40 séries ont été émises. D'un peu moins de 500 millions de dollars mobilisés au cours de la première campagne de souscription d'obligations d'épargne du Canada en 1946, l'encours de ces obligations a augmenté de façon continue à quelques exceptions près.

Bien que le modèle de base des obligations soit resté le même au fil des ans, de nombreuses séries ont présenté des caractéristiques uniques, voire novatrices, dans certains cas. La limite d'achat pour chaque série a varié entre 1 000 $ et 75 000 $. Les conditions d'admissibilité des acheteurs ont également évolué. Au cours des dernières années, seuls les résidents canadiens, leurs successions et les fiducies régies par certaines catégories de régimes d'épargne et de revenu différés ont été autorisés à acheter les obligations d'épargne du Canada. En 1977, les coupons détachables ont été supprimés et les deux formules (intérêts régulier ou composé) se sont généralisées.

Caractéristiques fondamentales

Contrairement à la plupart des autres obligations, les OEC peuvent être encaissées par leur propriétaire, en tout temps, dans n'importe quelle banque au Canada. De plus, leur prix ne fluctue pas et elles conservent toujours leur valeur nominale.

Les OEC ne se vendent pas au porteur et doivent être immatriculées quant au capital au nom d'une personne (adulte ou mineure), de la succession d'une personne décédée ou au nom d'une fiducie constituée en faveur d'un particulier. Cette immatriculation protège les détenteurs en cas de perte, de vol ou de destruction des certificats d'obligation, et permet aussi de s'assurer qu'ils ne dépassent pas la limite d'achat permise. Les détenteurs d'OEC doivent être des résidents bona fide du Canada et y être domiciliés. La propriété d'une OEC ne pouvant être transférée ou cédée, il est impossible de les vendre. On possède les OEC en tant qu'investissement ou on les encaisse à valeur nominale plus l'intérêt couru.

Achat des OEC

Les OEC sont vendues le premier novembre de chaque année par les firmes de courtage, les banques et d'autres agents autorisés. Le Ministre des Finances a le pouvoir d'arrêter la vente de la série de l'année courante. Depuis la première émission d'OEC, en 1946, la période de vente la plus courte a été de 5 jours, alors que la plus longue s'est prolongée jusqu'à l'été de l'année suivante. La vente de l'émission de 1985 a cessé le 8 novembre 1985.

Remboursement des OEC

Le détenteur qui encaisse une obligation le 31 décembre de l'année même de son émission, ou avant, n'a droit à aucun intérêt et ne reçoit que la valeur nominale. Après cette date, le détenteur qui encaisse son obligation a droit à l'intérêt couru pour chaque mois écoulé à compter du 1er novembre de l'année d'émission. Dans le cas d'une obligation à intérêt régulier (voir ci-après) sur laquelle l'intérêt s'accroît mensuellement au taux annuel correspondant, le détenteur reçoit l'intérêt couru depuis le dernier versement d'intérêt (sauf si le remboursement a lieu au mois de septembre ou au mois d'octobre, car alors l'intérêt comptabilisé d'avance est déduit puisque l'intérêt pour toute l'année sera versé le 15 novembre). Dans le cas d'une obligation à intérêt composé, l'intérêt est calculé au 1er novembre de chaque année et s'accumule en montants mensuels égaux au cours de la période suivante de douze mois. Au moment du remboursement d'une obligation à intérêt composé, le propriétaire reçoit la valeur nominale plus l'intérêt couru. Il est préférable d'encaisser une OEC en début de mois pour éviter les pertes d'intérêt.

Pourquoi acheter des OEC?

Jusqu'à récemment, les OEC étaient destinées à rapporter le meilleur rendement possible lorsque le détenteur les conservait jusqu'à l'échéance, mais ce n'est plus le cas, car le taux d'intérêt pourrait être moindre au cours des dernières années. De nombreux investisseurs achètent des OEC comme refuge temporaire pour leurs fonds lorsque les marchés sont incertains.

En octobre 1985, le taux d'intérêt des obligations 1985 (série 40) a été fixé à 8 1/2% pour la première année et à un minimum de 6 1/2% pour toutes les années suivantes, jusqu'à leur échéance en 1992. En même temps, le taux d'intérêt pour l'année commençant le 1er novembre 1985 des trois séries précédentes d'OEC (série 37, 38 et 39) a été fixé à 8 1/2% et au taux minimum de 10 1/2% pour toutes les autres séries précédentes d'OEC. Au début de 1986, toutes les séries d'OEC en circulation, émises après 1981, ont vu leur taux d'intérêt s'élever à 10% pour une période de quatre mois commençant le 1er mars 1986.

Catégories d'OEC

Dans le cas des obligations à intérêt régulier, l'intérêt annuel est soit payé par chèque envoyé au détenteur ou déposé directement dans son compte bancaire le premier novembre de chaque année. Dans le cas des obligations à intérêt composé, l'intérêt n'est pas payé annuellement; il est réinvesti automatiquement et n'est versé qu'à l'échéance ou au remboursement.

Obligations à intérêt régulier

L'obligation à intérêt régulier ne peut être achetée qu'au comptant. Cette obligation est émise en coupures de 300 $, 500 $, 1 000 $, 5 000 $ et 10 000 $. Les obligations à intérêt régulier peuvent être échangées contre des obligations à intérêt composé de la même série jusqu'au 31 août suivant leur date d'émission (par exemple, les obligations de 1985 peuvent être échangées contre des obligations à intérêt composé jusqu'au 31 août 1986).

Obligations à intérêt composé

Cette option s'est généralisée depuis l'émission de la série 1977. L'obligataire qui choisit cette formule ne reçoit pas d'intérêt chaque année; cet intérêt est composé annuellement et rapporte ainsi un intérêt sur l'intérêt couru.

Pour illustrer cette formule, prenons une obligation de 1 000 $ de la série 1982 (au taux d'intérêt annoncé à l'origine). La première année, le taux d'intérêt de 12% rapportait 120 $ à l'obligataire et la valeur totale de son obligation (capital plus intérêt) était de 1 120 $ le 1er novembre 1983. Après cette date, l'intérêt sur l'obligation se composait automatiquement. La valeur totale de cette obligation de la série 1982 était de 1 223,60 $ le 1er novembre 1984. Ce montant représente la valeur de l'obligation le 1er novembre 1983 (1 120 $) plus l'intérêt annuel de 9 1/4% sur 1 000 $ (soit 92,50 $) plus l'intérêt composé sur 120 $ à 9 1/4% (soit 11,10 $), ce qui donne une valeur totale de 1 223,60 $. La même procédure est suivie chaque année jusqu'à l'échéance de l'obligation. Après 1984, le taux minimum annuel garanti de l'obligation de cette série 1982 était de 8 1/2%, jusqu'à l'échéance, mais il pourra être majoré si des séries suivantes d'OEC sont offertes à des taux supérieurs à 8 1/2%.

Aux fins de l'impôt sur le revenu, les détenteurs d'OEC peuvent déclarer l'intérêt composé comme revenu imposable, soit l'année où il est acquis, soit l'année où ils reçoivent cet intérêt, pourvu que l'intérêt acquis mais non reçu soit inclus dans le revenu imposable au moins tous les trois ans. Une fois ce choix retenu, le contribuable doit toujours suivre la même méthode pour déclarer l'intérêt sur d'autres titres semblables.

OBLIGATIONS D'ÉPARGNE DU CANADA
Intérêt par tranche de 1 000 $ pour toutes les séries d'OEC en circulation en décembre 1984 (1)

Numéro de série	Année d'émission	Date d'échéance	Intérêt %	Jusqu'en	1986 $	1987 $	1988 $	1989 $	1990 $	1991 $	1992 $	Limite (en milliers de dollars)
32	1977	1 nov. 1986*	7 8 1/4 12 13,85 19 1/2 12 10 1/2	1978 1979 1980 1981 1982 1983 1986	105,00							15
34	1979	1 nov. 1986*	12 13,85 19 1/2 12 10 1/2	1980 1981 1982 1983 1986	105,00							25
35	1980	1 nov. 1987*	13,85 19 1/2 12 10 1/2	1981 1982 1983 1987	105,00	105,00						35
36	1981	1 nov. 1988*	19 1/2 12 10 1/2	1982 1983 1988	105,00	105,00	105,00					15
37	1982	1 nov. 1989*	12 8 1/2	1983 1989	85,00	85,00	85,00	85,00				35
38	1983	1 nov. 1990*	9 1/4 7	1984 1990	70,00	70,00	70,00	70,00	70,00			50
39	1984	1 nov. 1991*	11 1/4 7	1985 1991	70,00	70,00	70,00	70,00	70,00	70,00		75
40	1985	1 nov. 1992*	8 1/2 6 1/2	1986 1992	85,00	65,00	65,00	65,00	65,00	65,00	65,00	75

(1) Les taux d'intérêt annuels qui figurent sur ce tableau sont ceux qui ont été offerts au moment de la mise en vente; les taux sont toutefois souvent majorés pour encourager les obligataires à conserver leurs titres.

* Obligations à intérêt composé.

L'obligation à intérêt composé, qui est immatriculée au nom du propriétaire, peut s'acheter au comptant ou selon un plan de versements mensuels par l'intermédiaire de firmes de courtage, de banques et d'autres institutions financières ou dans le cadre de programmes de souscription sur le salaire que proposent de nombreuses sociétés au Canada. Émises en coupures de 100 $, 300 $, 500 $, 1 000 $, 5 000 $ et 10 000 $, ces obligations peuvent être échangées en tout temps, jusqu'à l'échéance, contre des obligations à intérêt régulier de la même série.

OBLIGATIONS PROVINCIALES

Tout comme le gouvernement fédéral, les dix provinces émettent directement des titres d'emprunt et peuvent garantir sans réserve l'intérêt et le capital des titres émis par des sociétés d'État telles que l'Alberta Municipal Financing Corporation, l'Hydro-Québec, et la Commission d'énergie électrique du Nouveau-Bruswick.

Pourquoi les provinces empruntent-elles?

L'Acte de l'Amérique du Nord britannique de 1867 attribuait certains pouvoirs et certains revenus aux provinces. Ces attributions ont été confirmées d'une façon générale par la Loi constitutionnelle de 1982. Voici quelques-unes des responsabilités les plus importantes des provinces: la construction et l'entretien des routes, l'éducation publique, la construction et l'entretien des hôpitaux et autres services de santé, le contrôle et l'exploitation des richesses naturelles, l'aide à l'agriculture et à la foresterie et la distribution d'hydro-électricité.

Bien souvent, ces responsabilités ne relèvent pas uniquement des provinces mais sont partagées avec le gouvernement fédéral et avec les municipalités, ou avec un de ces deux paliers de gouvernement. Évidemment, beaucoup de fonds sont nécessaires pour financer ces dépenses et bien d'autres encore.

Sources des recettes provinciales

Afin de satisfaire aux demandes qu'elles reçoivent et de s'acquitter de leurs responsabilités, les provinces doivent avoir d'importantes sources de recettes. En voici quelques-unes:

. les droits d'immatriculation des véhicules automobiles et les taxes sur l'essence;

. les taxes sur les boissons alcoolisées et la vente de ces boissons;

. les permis et les droits des entreprises de la province;

. les taxes de vente au détail (toutes les provinces sauf l'Alberta);

. les droits et les redevances perçus des sociétés qui extraient des richesses naturelles;

. l'impôt sur les sociétés basé sur le capital libéré (certaines provinces);

. les profits provenant de services publics administrés par les provinces tels que la production et la distribution d'hydro-électricité et les réseaux téléphoniques;

- les paiements de péréquation du gouvernement fédéral à certaines provinces;

- l'impôt sur les bénéfices des sociétés et sur le revenu des particuliers qui, dans la plupart des cas, est perçu pour le compte des provinces par le gouvernement fédéral.

Caractéristiques des émissions provinciales

Une province émet des obligations ou des débentures lorsqu'elle doit réunir les fonds nécessaires à l'exécution de travaux publics qui exigent d'importantes mises de fonds. Le coût de ces travaux peut être réparti sur plusieurs années et sera assumé par les contribuables qui bénéficieront de ces réalisations pendant toutes ces années. Une province émet aussi des obligations pour faire face à ses dépenses courantes d'aide sociale. Toutes les provinces ont adopté des lois régissant l'utilisation des fonds réunis par l'émission d'obligations.

Plusieurs provinces garantissent également les émissions d'obligations des organismes et des commissions qu'elles ont constitués. En outre, il existe un grand nombre de garanties qui s'étendent aux emprunts municipaux et aux émissions de commissions scolaires. Dans certains cas, les provinces étendent leur garantie à des entreprises industrielles, généralement pour les inciter à venir s'établir sur leur territoire.

D'une façon générale, presque toutes les provinces émettent des obligations en coupures qui vont de 500 $ à des centaines de milliers de dollars; les plus courantes sont celles de 500 $, 1 000 $, 5 000 $, 10 000 $ et 25 000 $.

L'échéance des émissions d'obligations provinciales varie en fonction de l'utilisation prévue des capitaux et des fonds pouvant être réunis pour les différentes échéances.

Évaluation des obligations provinciales

Les "obligations" provinciales, tout comme les "obligations" du gouvernement du Canada, sont en fait des débentures, puisqu'elles ne sont qu'une promesse de paiement et que leur valeur dépend de la capacité de la province de payer l'intérêt et de rembourser le capital. Aucun actif provincial n'est grevé à titre de garantie.

Quant à la qualité, les obligations provinciales prennent rang après les obligations émises et garanties par le gouvernement du Canada étant donné que les pouvoirs d'imposition de la plupart des provinces viennent juste après ceux du gouvernement fédéral. Toutefois, les obligations émises et garanties par les provinces se négocient à des prix et des rendements différents, car leur cote de solvabilité varie. L'encours de la dette, la cote de développement industriel, commercial et agricole, ainsi que la courbe démographique sont quelques-uns des facteurs déterminant le degré de solvabilité d'une province.

DÉBENTURES MUNICIPALES

Pourquoi les municipalités empruntent-elles?

Les municipalités sont responsables des rues, des égouts, des systèmes de canalisation des eaux, de la police, du service d'incendie, des écoles, du bien-être, des transports publics, de la distribution d'électricité et, dans certains cas, de divers autres services.

Afin de fournir ces installations et ces services essentiels, une municipalité doit dépenser de fortes sommes d'argent. Étant donné que la plupart de ces services peuvent durer vingt ans ou plus, on considère qu'ils profiteront aussi bien aux futurs résidents qu'aux résidents actuels de la communauté.

Restrictions relatives aux emprunts municipaux

Les pouvoirs d'emprunt des municipalités sont régis et limités par des lois provinciales. Dans certains cas, ces pouvoirs sont définis par la loi sur les cités et villes de la province à laquelle appartient une municipalité. Dans d'autres cas, des pouvoirs d'emprunt spéciaux sont accordés en vertu de lois sur l'éducation, les écoles, les hôpitaux ou d'autres lois spécifiques. Les pouvoirs sont non seulement limités quant à l'objet de l'emprunt mais, de plus, toutes les provinces imposent diverses restrictions, soit en fixant un montant maximum donné par rapport à l'assiette d'imposition ou selon une autre règle empirique, soit en exigeant que chaque emprunt soit approuvé par une autorité provinciale quelconque.

Description des débentures municipales

Tout comme les titres d'emprunt fédéraux et provinciaux, les titres municipaux canadiens constituent des obligations qui ont été contractées en engageant le crédit général d'une municipalité; ils ne sont en aucune façon garantis par des biens.

Les titres municipaux sont essentiellement des obligations contractuelles qui ne sont garanties que par la bonne volonté de l'emprunteur de prévoir suffisamment de revenus pour assurer le service de sa dette. **Assurer le service de la dette** signifie payer l'intérêt pendant la durée des débentures et rembourser le capital à l'échéance. Prenons l'exemple d'une ville qui a fait une dépense pour la construction d'une centrale de distribution d'eau. L'installation, une fois terminée, peut fournir un revenu suffisant pour assurer le service des débentures qui ont été émises pour financer sa construction; cependant, la véritable garantie de cette émission n'est pas la rentabilité de l'installation mais le crédit général de la ville. Bien avant n'importe quelle source de revenu qu'une municipalité peut avoir (comme les revenus provenant des services), celle-ci doit pouvoir percevoir des impôts fonciers.

Débentures à remboursements échelonnés et débentures à échéance unique

De nos jours, le mode d'emprunt auquel la plupart des municipalités ont recours pour réunir des capitaux est l'émission de **débentures à remboursements échelonnés**. Il s'agit d'une émission dont une partie vient à échéance chaque année. Par exemple, une émission de débentures de 1 000 000 $ peut être conçue de façon qu'un montant de 100 000 $ arrive à échéance chaque année, durant une période de dix ans. Bien entendu, à la fin de cette période de dix ans, l'émission tout entière aura été remboursée.

Les débentures à remboursements échelonnés sont habituellement non rachetables de façon que l'investisseur sache à l'avance pour quelle durée ses fonds resteront placés. De plus, s'il sait qu'il aura besoin de son argent à certaines dates précises, il peut investir dans une débenture à remboursements échelonnés qui lui permettra de récupérer ses fonds au moment où il en aura besoin.

Quelques municipalités émettent des **débentures à échéance unique**; toutefois, ce sont généralement les villes les plus importantes comme Montréal, Toronto et Vancouver qui émettent ces débentures. Actuellement, on a l'habitude de fixer l'échéance d'une émission et le calendrier de remboursement en fonction des préférences du marché.

Rang des débentures municipales

Les émissions municipales occupent le troisième rang parmi les emprunts publics, venant après les émissions fédérales et provinciales. Toutefois, on ne peut pas dire que la cote de solvabilité de toutes les municipalités est inférieure à celle de toutes les provinces. Dans le cas des grandes municipalités telles que Montréal et Toronto, il n'est pas rare qu'une émission de débentures municipales, répondant à toutes les exigences d'un bon placement, soit préférée à une émission provinciale.

Généralement parlant, la cote de solvabilité d'une municipalité dépend de ses recettes en matière d'impôts fonciers. Toutes choses étant égales par ailleurs, une ville qui compte différents genres d'industries présente moins de risques en termes de placement qu'une autre qui gravite autour d'une seule grosse industrie. De même, une municipalité qui jouit de bons moyens de transport est préférable à celle qui en manque. Les villes plus anciennes, qui ont respecté leurs engagements dans le passé, peuvent emprunter des fonds à des conditions plus avantageuses que celles qui sont plus jeunes et situées dans des régions récemment développées.

OBLIGATIONS ET DÉBENTURES DE SOCIÉTÉS

Lorsqu'une société a besoin de fonds pour financer ses opérations au jour le jour, elle les emprunte généralement auprès d'une banque à charte, pour une période allant ordinairement jusqu'à un an.

Lorsqu'elle a besoin de fonds pour plus d'un an, une société utilise normalement un autre mode d'emprunt. Dans ce cas, on appelle l'emprunt (ou la dette) une dette **consolidée**, c'est-à-dire que dans le cours normal des activités de l'entreprise, la dette ne sera pas liquidée dans l'année. À l'heure actuelle, l'échéance de la dette à long terme des sociétés est, d'une façon générale, de 5 à 10 ans et parfois plus longue. Une société a généralement besoin de fonds pour acheter des terrains, des immeubles, du matériel ou d'autres immobilisations qui, de nature, durent longtemps, et parfois pour financer des emprunts bancaires à court terme contractés à des fins de fonds de roulement et autres.

Un courtier en valeurs mobilières ou, d'une façon plus générale, un syndicat de courtiers en valeurs mobilières, est l'intermédiaire qui procure des fonds à une société en créant pour elle et en lui achetant une nouvelle émission d'obligations ou de débentures qu'il vend par la suite aux investisseurs institutionnels et aux particuliers.

Il en coûte moins cher à une société d'émettre des titres d'emprunt que des actions privilégiées et des actions ordinaires qui rapportent des dividendes parce que, en vertu de la Loi de l'impôt sur le revenu canadienne, l'intérêt sur les titres d'emprunt est versé sur le revenu avant impôt de la société (c.-à-d. qu'il est déductible d'impôt) alors que les dividendes privilégiés et ordinaires sont versés sur le revenu après impôt de la société (c.-à-d. qu'ils ne sont pas déductibles d'impôt).

CATÉGORIES D'OBLIGATIONS ET DE DÉBENTURES

Parmi les différentes catégories d'obligations et de débentures qu'une société peut émettre, on trouve les suivantes:

- **obligations de première hypothèque** - lorsque la société dispose d'immobilisations suffisantes pouvant être données en garantie;

- **obligations deuxième hypothèque ou hypothèque générale** - lorsqu'une émission d'obligations de première hypothèque est déjà en circulation;

- **débentures** - lorsque la cote de solvabilité de l'émetteur est suffisamment élevée pour lui permettre d'emprunter sans engager de biens;

- **obligations garanties par nantissement de titres** - lorsque la société ne possède pas d'immobilisations ou ne désire pas les engager, préférant plutôt engager des titres qu'elle possède. Quand les immobilisations sont insuffisantes pour être données en garantie, on peut recourir à l'émission d'obligations première hypothèque garanties par nantissement de titres;

- **débentures convertibles** - qui permettent au porteur de convertir le titre de placement en actions;

- **obligations et débentures à échéance prorogeable ou encaissables par anticipation** - qui permettent au porteur de prolonger l'échéance ou de demander le remboursement avant l'échéance;

- **débentures à taux flottant ou à taux variable** - sur lesquelles l'intérêt n'est pas fixe mais fluctuant;

- **billets de société;**

- **obligations ou débentures à intérêt conditionnel** - qui versent un intérêt lorsque les bénéfices de la société le permettent.

Les facteurs qui détermineront le choix du genre de titres à émettre sont, entre autres, la préférence qui peut exister sur le marché pour un genre de titre en particulier plutôt qu'un autre, certaines considérations d'ordre technique relatives à la structure du capital de la société et à ses projets de financement.

OBLIGATIONS CLASSIFIÉES SELON LA GARANTIE QU'ELLES COMPORTENT

Obligations hypothécaires

Une hypothèque est un acte par lequel on s'engage à grever des terrains, des immeubles ou du matériel en garantie d'un prêt et qui confère au prêteur un droit de propriété sur ces biens si l'emprunteur ne paie pas l'intérêt ou ne rembourse pas le capital à l'échéance. L'hypothèque est détenue par le prêteur jusqu'à ce que l'emprunt soit remboursé, et est ensuite radiée. Le prêteur n'exerce pas son droit de saisie à moins que l'emprunteur ne respecte pas les modalités de l'emprunt.

Il n'y a pas de différence essentielle entre une hypothèque et une obligation hypothécaire si ce n'est dans la forme. En effet, les deux sont émises en vue de donner au prêteur un gage sur des biens immobiliers en garantie du remboursement de son prêt.

L'obligation hypothécaire a été créée lorsque la demande de capitaux des sociétés devint trop considérable par rapport aux ressources de leurs propriétaires et qu'il fallut solliciter des prêts de plusieurs personnes. Comme une société ne peut pas contracter des hypothèques distinctes en vue de gager une partie de ses biens immobiliers en faveur de chaque prêteur, on peut arriver au même résultat en contractant une seule hypothèque sur les biens immobiliers. L'hypothèque est alors déposée auprès d'un fiduciaire, généralement une compagnie de fidéicommis qui représente les prêteurs ou porteurs d'obligations, en vue d'assurer la sauvegarde de leurs intérêts selon les termes du contrat de prêt décrits dans l'acte d'hypothèque. Le montant du prêt est divisé en tranches commodes d'habituellement 1 000 $ ou d'un multiple de ce montant, et chaque investisseur reçoit un certificat d'obligation hypothécaire attestant sa participation proportionnelle au prêt consenti à la société et ses droits en vertu de l'hypothèque.

Obligations de première hypothèque

Les obligations de première hypothèque représentent les valeurs de premier rang d'une société parce qu'elles constituent une charge prioritaire sur l'actif, les bénéfices et les entreprises de la société et qu'elles doivent être remboursées avant le passif à court terme non garanti. Il est nécessaire de bien étudier toute émission d'obligations de première hypothèque afin de savoir exactement quelles sont les propriétés grevées par l'hypothèque. La plupart des obligations de première hypothèque canadiennes représentent une charge prioritaire grevant spécifiquement les immobilisations de la société et une "charge flottante" sur tous les autres biens. Elles sont généralement considérées comme les meilleurs titres qu'une société puisse émettre, particulièrement si l'hypothèque porte sur "tous les biens que la société possède actuellement ou qu'elle acquerra par la suite". C'est ce qu'on appelle la **clause relative aux acquisitions ultérieures.**

Obligations deuxième hypothèque ou hypothèque générale

Les obligations deuxième hypothèque, qui sont aussi appelées obligations hypothèque générale, prennent rang immédiatement après les obligations de première hypothèque pour ce qui est de leur droit sur l'actif et les bénéfices de la société. Il s'ensuit que les droits des porteurs d'obligations de première hypothèque doivent être satisfaits avant qu'un paiement quelconque ne soit fait sur les obligations hypothèque générale. En raison de leur rang inférieur, les obligations hypothèque générale rapportent habituellement un rendement plus élevé. Il y a eu très peu d'émissions de ce genre ces dernières années.

Qu'arrive-t-il en cas de difficultés?

Lorsqu'une société a placé des obligations hypothécaires dans le public et que, par la suite, ses bénéfices diminuent au point qu'elle ne peut plus verser l'intérêt sur ces obligations, la compagnie de fidéicommis a le pouvoir d'agir au nom des obligataires et de prendre les mesures voulues afin de saisir les biens grevés. En théorie, on peut demander au tribunal de nommer un syndic qui aura la garde des biens de la société jusqu'à ce que ceux-ci soient liquidés, mais l'expérience a démontré que les usines et le matériel que possède une société ont très peu de valeur intrinsèque, leur valeur résidant plutôt dans leur pouvoir de gain. Dans le passé, lorsqu'un risque de pertes importantes menaçait des obligataires, le courtier en valeurs mobilières qui avait créé et lancé l'émission formait un **comité de protection.** Ce comité avait pour objet d'étudier la situation de la société et, par des changements judicieux, il tentait de rétablir le pouvoir de gain de la société et d'asseoir sa situation financière sur une base plus solide.

Fusions

Lorsque les actionnaires approuvent une fusion avec une autre société, les porteurs d'obligations de première hypothèque et hypothèque générale sont habituellement bien protégés. Ils ont un droit prioritaire, par rapport aux actionnaires, sur l'actif de la société et, par conséquent, il n'est pas possible de disposer de ces biens sans les consulter. Dans le cas d'une fusion, il est d'usage, soit d'appeler les obligations au remboursement, soit de soumettre aux porteurs de celles-ci une proposition intéressante pour l'échange de leurs obligations contre celles de la nouvelle société.

Débentures

En termes simples, les débentures sont des obligations non garanties. Elles sont un engagement direct (c.-à-d. une promesse de payer) de la société émettrice mais elles ne sont pas garanties par le nantissement ou la cession de biens ou d'autres avoirs. En cas de liquidation, les débentures prennent rang après le passif à court terme s'il y a une stipulation à cet effet, et après les obligations de première hypothèque et les obligations hypothèque générale. En fait, la garantie d'une débenture repose sur la cote de solvabilité de la société qui l'émet. Quelquefois, ces titres sont partiellement garantis par certains biens dont la valeur n'est pas suffisante pour garantir la totalité de l'emprunt (tels que les biens d'une filiale ou d'une exploitation régionale). En de pareils cas, ces titres sont désignés par l'appellation **débentures garanties.**

Débentures de sociétés

Les sociétés émettent des débentures pour plusieurs raisons. Dans un cas, il peut s'agir d'une entreprise commerciale qui n'a que peu de biens qui puissent être hypothéqués. Dans un autre cas, ce sera parce que les immobilisations sont déjà grevées par une hypothèque plafonnée, ce qui ne permet pas l'émission d'autres obligations. Un troisième cas est celui de certaines sociétés qui sont tellement solides qu'elles peuvent emprunter à des conditions favorables sans avoir à engager leurs biens. Finalement, il peut être impossible de déterminer clairement qui est le propriétaire de certains terrains ou immeubles.

Débentures subordonnées

Les débentures subordonnées sont des titres qui prennent rang après d'autres valeurs émises par une société ou après certaines autres dettes contractées par celle-ci.

Vous pouvez connaître les caractéristiques précises d'une émission de débentures subordonnées en lisant le prospectus ou études, pour en connaître les caractéristiques générales, en lisant les fiches ou les "études" du Financial Post Information Service.

Obligations garanties par nantissement de titres

La garantie de ces obligations n'est pas constituée par des immobilisations, comme dans le cas des obligations hypothécaires, mais par le dépôt de titres donnés en nantissement.

Pour renforcer la garantie d'une obligation hypothécaire, on peut y ajouter le nantissement d'obligations ou d'actions. Ces titres sont alors appelés **obligations** le **première hypothèque garanties par nantissement de titres.** Ces obligations sont garanties par une première hypothèque et par le dépôt en nantissement, auprès du fiduciaire, de valeurs mobilières telles que des obligations ou des actions de filiales.

TITRES D'EMPRUNT CLASSIFIÉS SELON LEURS CARACTÉRISTIQUES

Débentures convertibles

Les débentures convertibles allient les avantages d'un titre d'emprunt avec l'option de le convertir en actions ordinaires.

Les débentures convertibles ont un taux d'intérêt fixe et une date bien définie pour le remboursement du capital. Elles donnent également au porteur le droit, qu'il peut exercer à son gré, de les convertir en un nombre donné d'actions ordinaires à un prix et dans un délai fixés d'avance. Si les actions ordinaires se comportent bien, ce choix offre donc la possibilité d'une plus-value du capital.

Comme exemple d'émission de débentures convertibles, prenons les débentures convertibles 10% de la Banque de Nouvelle-Écosse, échéant le 1er avril 2001; chaque débenture de 1 000 $ de valeur nominale est convertible, au gré du porteur, en 85,11 actions ordinaires (soit 11,75 $ par action) jusqu'au 1er avril 2001 inclusivement.

Dans cet exemple le prix de conversion reste le même durant toute la période de conversion, mais dans certains cas, il est majoré graduellement.

Afin de dissuader les porteurs de débentures convertibles de se prévaloir de leur droit de conversion peu après l'achat de leurs titres, le prix de conversion est normalement fixé légèrement au-dessus (10 à 15% peut-être) du cours des actions ordinaires à ce moment-là. En pratique, tous les privilèges de conversion expirent après un certain temps, habituellement cinq à douze ans après la date d'émission. Normalement, les débentures convertibles peuvent être converties en actions à n'importe quel moment jusqu'à ce que le privilège ou droit de conversion expire. Une fois ce droit exercé, il n'est plus possible de procéder à une reconversion. Aucun courtage n'est perçu pour la conversion.

Dans l'acte de fiducie d'une émission de débentures convertibles, la clause désignée **"Aucun ajustement pour l'intérêt ou le dividende"** vise à éviter à la société émettrice d'avoir à payer l'intérêt couru sur les débentures convertibles qui s'est accumulé depuis la dernière date fixée pour le paiement de l'intérêt jusqu'à la date de conversion des débentures. De même, toutes les actions ordinaires qui reviennent au porteur de débentures à la suite de leur conversion ne donnent droit qu'aux dividendes déclarés et payés après la conversion.

Si les actions ordinaires visées sont **divisées** (le terme est expliqué plus loin), les modalités de conversion sont rajustées automatiquement en fonction du nombre plus élevé des nouvelles actions visées. C'est ce qu'on appelle la protection contre la dilution.

Pourquoi émet-on des débentures convertibles?

L'addition d'un privilège de conversion rend la débenture plus attrayante aux yeux des épargnants; elle est donc plus facile à vendre. L'épargnant bénéficie de la sécurité offerte par la débenture à laquelle s'ajoute la possibilité d'une plus-value si le cours des actions ordinaires monte suffisamment. D'autre part, le privilège a pour effet de réduire le coût de l'argent emprunté et peut permettre à la société d'augmenter son capital-actions, de façon indirecte, à des conditions plus favorables que par la vente d'actions ordinaires, étant donné que le prix de conversion (c.-à-d. le prix des actions achetées en exerçant le privilège de conversion) est fixé au-dessus du cours des actions ordinaires au moment où la débenture est émise. Pour certaines sociétés, par exemple celles dont les actions offrent un rendement peu élevé ou ne rapportent pas de dividendes, les titres convertibles peuvent être le seul moyen possible de financement à certains moments.

Primes de conversion

Quand le cours de l'action se rapproche du prix de conversion, il y a une **prime de conversion**. Prenons l'exemple d'une débenture de 1 000 $ convertible en 40 actions (25 $ par action). Cette débenture se vendra quelque peu au-dessus de 1 000 $, peut-être à 1 100 $. Cette prime de conversion reflète l'espoir qu'ont les investisseurs de voir leur capital augmenter si le prix des actions ordinaires augmente.

Quand le cours de l'action ordinaire dépasse le prix de conversion, le cours de la débenture montera en conséquence, et l'on dira alors qu'elle **réalise les actions ordinaires.** Si, dans notre exemple, l'action ordinaire monte à 30 $, le cours de la débenture convertible atteindra 40 fois 30 $, soit 1 200 $, plus une certaine prime.

Période de récupération

La **période de récupération** d'une débenture convertible constitue un outil important dans l'évaluation de ces titres. La période de récupération est le temps qu'il faut à la débenture convertible pour récupérer sa prime grâce à son rendement plus élevé par rapport au dividende qui est versé sur l'action. On considère normalement des périodes de récupération de deux ans ou moins comme intéressantes.

Clause de "conversion forcée"

Cette clause est une innovation que l'on a ajoutée à certaines émissions de titres convertibles dans le but de donner à la société émettrice une plus grande liberté d'action pour appeler au remboursement des titres dans des circonstances particulières. Une telle clause stipule d'habitude que dès que le cours du marché des actions ordinaires concernées dépasse un niveau donné et qu'il se maintient à ce niveau ou au-dessus pendant un nombre donné de séances consécutives de bourse, la société peut appeler les débentures au remboursement à un prix déterminé. Bien entendu, ce prix de remboursement serait bien inférieur au cours atteint par les titres convertibles par suite de la hausse du cours des actions ordinaires.

Cette disposition représente plus un avantage pour la société émettrice que pour le porteur des titres en ce sens que la conversion forcée peut améliorer le ratio d'endettement de la société et permet d'effectuer un nouveau financement par emprunt. Néanmoins, elle n'est pas désavantageuse pour le porteur au point de nuire à l'intérêt que peut présenter une nouvelle émission au moment où elle est placée. Une fois que le cours des titres convertibles a dépassé le pair, les acheteurs qui s'y intéressent par la suite doivent prendre la précaution de vérifier l'écart entre le cours actuel des titres et le prix possible de la conversion forcée.

Comment choisir des débentures convertibles

Points importants à considérer:

. l'idéal serait que la débenture convertible réponde à tous les critères de placement d'une débenture classique de bonne qualité. Ces critères sont examinés plus loin;

. l'évolution probable des taux d'intérêt, bien qu'elle ne soit pas facile à prévoir, peut avoir des conséquences considérables sur le cours des débentures et des actions;

. il est important d'évaluer la performance probable de l'action ordinaire en question et celle du marché boursier au cours de la période de conversion. Un privilège de conversion n'a de valeur que si le cours des actions ordinaires dépasse le prix d'exercice pendant la durée de validité du privilège de conversion;

. la durée de validité du privilège de conversion devrait être assez longue pour s'assurer qu'il sera éventuellement avantageux. Plus longue sera la durée du privilège de conversion, plus grandes seront les chances d'une performance favorable de l'action ordinaire et de la débenture;

DÉBENTURES CONVERTIBLES - PRIMES ET PÉRIODES DE RÉCUPÉRATION

Émission	Débentures Molson				Actions de la classe A				Période de récupération
	Valeur nominale	Intérêt	Cours du marché	Rendement	Taux de dividende	Cours du marché	Rendement	Prime de conversion	
Les Compagnies Molson Ltée* Débentures convertibles 8 1/2% échéant le 1er octobre 2000	100 $	8,5%	105 $	7,92%	0,80 $	19 1/2 $	4,10%	2,6%	0,68 an

* Convertibles au gré du porteur en tout temps jusqu'au 30 septembre 1990 inclusivement, ou le dernier jour ouvrable fixé pour le rachat, selon la date qui est la plus proche, en actions ordinaires de la classe A à un prix de conversion de 19,06525 $ par action, soit environ 52,46 actions de la classe A pour chaque tranche de 1 000 $ du montant en capital converti.

CALCUL DE LA PRIME ET DE LA PÉRIODE DE RÉCUPÉRATION

1. L'achat d'une débenture de 1 000 $ de Molson pouvant être convertie en 52,46 actions de la classe A coûterait 1 050 $.

2. L'achat de 52,46 actions de la classe A de Molson coûterait 52,46 x 19 1/2 $ = $\underline{1\,022,97\ \$}$.

3. La prime de conversion d'une débenture de 1 000 $ en 52,46 actions ordinaires serait donc de:

$$\frac{1\,050 - 1\,022,97}{1\,022,97\ \$\$} = 27,03\ \$$$

OU

$$\frac{1\,050\ \$ - 1\,022,97\ \$}{1\,022,97\ \$\$} \times \frac{100}{1} = \text{prime de } 2,6\%$$

4. Période de récupération $= \dfrac{2,6\%}{7,92\ \% - 4,10\%} = \underline{0,68\ \text{an}}$

N.B. La période de récupération ci-dessus ne tient pas compte des rendements nets plus élevés des actions de la classe A résultant de la majoration et du dégrèvement fiscal pour dividendes (pour plus de détails, voir le chapitre suivant).

- la prime de conversion et d'autres facteurs tels que le rendement, etc. devraient être raisonnables par rapport à d'autres débentures convertibles comparables;

- la probabilité d'un rachat augmente au fur et à mesure que le cours de l'action ordinaire commence à dépasser le prix de conversion;

- il est important de remarquer qu'au moment où le cours de l'action ordinaire dépasse le prix de conversion, la débenture convertible commence à perdre les caractéristiques d'un titre à revenu fixe et fait preuve de la même volatilité que l'action ordinaire. Par exemple, une débenture convertible de 1 000 $ de valeur nominale peut monter jusqu'à 1 500 $ en raison d'une très forte hausse de l'action ordinaire. Si le cours de l'action dégringole lors d'un marché baissier, le cours de la débenture convertible tombera également. Toutefois, étant donné qu'il s'agit d'une débenture, la baisse s'arrêtera habituellement au moment où elle commencera à se négocier au même niveau que les autres débentures de qualité, d'échéance et de rendement comparables. Les épargnants recommencent alors à l'évaluer comme une débenture classique, assurant ainsi un plancher de soutien au cours à la baisse de la débenture convertible. Toutefois, avant que cela ne se produise, la baisse de la débenture convertible peut être considérable.

Débentures échangeables

On appelle normalement des débentures échangeables les titres qui peuvent être échangés contre les actions ordinaires d'une société autre que la société émettrice. Cela peut se produire lorsqu'une société détient des actions d'une autre société, qu'elle donne alors au fiduciaire en garantie des droits du porteur des débentures échangeables. Ces débentures sont relativement rares.

La prime et la période de récupération de ces titres se calculent comme pour les débentures convertibles, sauf que l'évaluation des actions est celle des actions contre lesquelles les débentures sont échangeables.

Obligations et débentures à échéance prorogeable ou encaissables par anticipation (échéance variable)

Les émissions de titres d'emprunt à long terme à échéance prorogeable ou encaissables par anticipation sont apparues au début des années 1960. Étant donné que cette période a été marquée par une inflation sans cesse croissante, la demande de titres d'emprunt à long terme a sensiblement baissé. Il devint de plus en plus difficile de vendre des émissions de titres d'emprunt à long terme en dépit du niveau sans précédent atteint par les taux d'intérêt.

Comme la plus grande partie du financement des gouvernements et des sociétés se fait au moyen d'emprunts à long terme, il fallut inventer de nouveaux titres d'emprunt à long terme que les investisseurs accepteraient d'acheter. En conséquence, les gouvernements et les sociétés ont commencé à émettre des titres d'emprunt à échéance prorogeable et encaissables par anticipation.

Obligations à échéance prorogeable

Les obligations et débentures à échéance prorogeable sont normalement émises à court terme (souvent 5 ans), mais le porteur a le droit d'échanger ses titres contre un montant équivalent de titres à plus long terme (souvent 10 ans) au même taux d'intérêt ou à un taux légèrement supérieur. Le porteur d'une obligation à échéance prorogeable peut donc proroger l'échéance de son titre du court au plus long terme.

Obligations encaissables par anticipation

Les obligations encaissables par anticipation sont l'opposé des obligations à échéance prorogeable. Elles sont émises à long terme (souvent dix ans) mais le porteur a le droit d'en demander le remboursement au pair plusieurs années avant l'échéance (souvent après cinq ans). Ainsi, le porteur d'obligations encaissables par anticipation peut rapprocher ou ramener l'échéance de son titre du long terme à un terme plus court.

Les acheteurs sont attirés par ces privilèges de prorogation de l'échéance et d'encaissement par anticipation. Les émetteurs peuvent donc vendre ces émissions à des taux d'intérêt plus faibles que ne l'exigeraient les émissions classiques. Cependant, l'émetteur de titres à échéance prorogeable ou encaissables par anticipation ne peut savoir à l'avance si les porteurs choisiront ou non de ramener l'échéance au plus court terme possible.

Période d'option

Qu'il s'agisse d'obligations à échéance prorogeable ou d'obligations encaissables par anticipation, la décision du porteur de fixer une nouvelle échéance à une obligation doit être prise au cours de la **période d'option**, qui est généralement de six mois.

Dans le cas d'obligations à échéance prorogeable, la période d'option court généralement de un an à six mois avant la date d'échéance à court terme. Au cours de cette période, l'obligataire doit aviser le fiduciaire ou le mandataire de l'émetteur qu'il a intention de proroger l'échéance de son obligation ou de la laisser arriver à échéance à la date la plus proche. Si l'obligataire n'exerce pas son option, son obligation vient automatiquement à échéance à la date la plus proche et le paiement des intérêts cesse.

Dans le cas d'obligations encaissables par anticipation, la période d'option est généralement de un an à six mois avant la date d'échéance la plus proche. Si le porteur d'obligations encaissables par anticipation n'avise pas le fiduciaire ou le mandataire concerné de l'émetteur de son intention d'exercer son option d'échéance anticipée durant cette période, le titre demeure automatiquement un titre à long terme avec une échéance à long terme.

Obligations et débentures avec bons de souscriptions

Un bon de souscription est un certificat délivré à un porteur de titre attestant que celui-ci a le droit d'acheter des actions (habituellement une action ordinaire par bon de souscription) à un ou des prix déterminés durant une ou des périodes déterminées. (Certaines caractéristiques des bons de souscription sont données au chapitre sur les actions ordinaires.) Les bons de souscription sont attachés aux débentures ou aux actions privilégiées ou ordinaires afin d'en faciliter la vente.

Unités

Une **unité** est un ensemble de deux ou plusieurs valeurs différentes émises par une même société et qu'un courtier en valeurs mobilières offre en vente au public à un prix global. Jusqu'à tout récemment, la plupart des unités comprenaient une obligation ou une débenture et un nombre déterminé d'actions ordinaires. Cette méthode de vente des nouvelles émissions fut populaire dans les années 1960.

Ces dernières années, toutefois, on a émis des unités comprenant des actions privilégiées avec bons de souscription et des unités comprenant des actions ordinaires avec bons de souscription. Nous les étudierons plus loin, aux chapitres traitant des actions privilégiées et ordinaires.

Débentures à taux flottant ou variable

Le taux d'intérêt qui est payé sur les débentures à taux flottant n'est pas fixe mais calculé en fonction d'un taux d'intérêt clé (par exemple, le taux d'intérêt des bons du Trésor à 91 jours du gouvernement canadien). Ainsi, en juillet 1979, la Banque de Montréal a émis 125 millions de dollars de débentures échéant en 1991, dont le taux d'intérêt initial était de 11 1/4% pour les 6 premiers mois. Par la suite, pour chacune des périodes de 6 mois subséquentes, le taux d'intérêt a été fixé d'avance - à la séance d'adjudication appropriée - à 1/2% de plus que le rendement des bons du Trésor à 91 jours, sous réserve d'un taux minimal de 7%

Les débentures à taux flottant fournissent une protection aux épargnants au cours de périodes de taux d'intérêt très instables. Lorsque les taux d'intérêt montent, l'intérêt qui est payé sur les débentures à taux flottant est rajusté à la hausse tous les six mois, ce qui a un effet favorable sur le cours et le rendement des débentures. L'inconvénient de ces débentures est que lorsque les taux d'intérêt baissent, l'intérêt payé sur celles-ci est rajusté à la baisse à des intervalles de six mois et alors leur prix et leur rendement tendent à baisser plus vite que ceux de la plupart des obligations. Le taux d'intérêt minimum des débentures procure une certaine protection, bien que, normalement, le taux minimum soit relativement bas (7% dans l'exemple ci-dessus).

Billets de sociétés

Un billet de société est une simple promesse faite par l'emprunteur de payer l'intérêt et de rembourser le capital emprunté à une ou plusieurs dates précises.

Les sociétés de crédit ont souvent recours à une catégorie de billets appelés **billets garantis** ou **billets garantis par nantissement.** Lorsqu'il achète une automobile à crédit, l'acheteur verse un acompte et signe une série de billets où il s'engage à faire les autres paiements à des dates déterminées. Le concessionnaire d'automobiles remet ces billets à une société de crédit qui les escompte et paie le marchand au comptant. Les sociétés de crédit transportent des billets comme ceux-ci en garantie de billets garantis par nantissement. Ces billets ont généralement diverses échéances et sont vendus à des épargnants qui possèdent des portefeuilles importants et aux institutions financières.

Un autre genre de billet garanti est le **billet à terme garanti.** Ces billets sont garantis par les promesses de payer signées par les acheteurs d'automobiles et d'appareils ménagers qui ont recours au crédit à tempérament.

Obligations et débentures échéant en série

Les émissions échéant en série ont été émises fréquemment durant les années 1950 et 1960. Plus récemment, les sociétés emprunteuses ont eu de plus en plus recours aux débentures à fonds d'amortissement; ces débentures permettent en effet plus de flexibilité que les émissions échéant en série qui ont des échéances impératives.

Dans le cas d'une émission d'obligations échéant en série, une partie de la dette arrive à échéance et est remboursée chaque année. Ainsi, les paiements d'intérêt diminuent chaque année et la qualité des obligations restant en circulation tend à s'améliorer au fur et à mesure que le fardeau de la dette s'allège.

Les titres à court terme d'une émission échéant en série sont de nature à intéresser les banques et les compagnies de fidéicommis qui désirent placer leurs fonds pour de courtes périodes. Les titres à moyen et à long terme seront plutôt achetés par les investisseurs institutionnels, tels que les compagnies d'assurance-vie, et par les épargnants.

Les obligations échéant en série sont quelquefois combinées avec des obligations à fonds d'amortissement. Par exemple, une émission d'obligations d'un montant d'un million de dollars, datée du 1er septembre de l'année n° I, pourra comprendre des tranches de 50 000 $ d'obligations échéant en série le 1er septembre de chacune des années II à VI inclusivement. Le solde de 750 000 $ pourra être constitué d'obligations à fonds d'amortissement échéant, par exemple, le 1er septembre de l'année XX.

Obligations et débentures à intérêt conditionnel

Rarement émises aujourd'hui, les obligations à intérêt conditionnel sont des obligations sur lesquelles l'intérêt n'est versé que si les bénéfices de la société émettrice le permettent. Dans certains cas, l'intérêt sur ces obligations est cumulatif et, s'il n'est pas payé, il s'ajoutera au capital des porteurs d'obligation au remboursement des obligations, à la liquidation de la société, etc. La situation d'une obligation à intérêt conditionnel émise avant le 17 novembre 1978 ressemble à celle d'une action privilégiée sauf que la première représente une dette remboursable à un taux fixe, et que son porteur possède les droits d'un créancier.

En vertu de la Loi de l'impôt sur le revenu, l'intérêt sur ces obligations (si elles ont été émises avant le 17 novembre 1978) bénéficie du dégrèvement fiscal applicable aux dividendes de sociétés commerciales canadiennes imposables (expliqué plus loin) si l'obligataire est un particulier, mais non s'il s'agit d'une institution. Toutefois, toutes les obligations à intérêt conditionnel émises depuis le 17 novembre 1978 reçoivent généralement le même traitement fiscal que les obligations ordinaires. Ceci a eu pour résultat de réduire le nombre d'émissions de ce genre.

Obligations et débentures à fonds d'amortissement

Lorsqu'une émission comporte une disposition de fonds d'amortissement, l'émetteur doit mettre de côté, chaque année, des sommes d'argent tirées à même les bénéfices; ces sommes lui permettront de pourvoir au remboursement de la totalité ou d'une partie de l'émission avant l'échéance. La plupart des émissions de titres d'emprunt de sociétés comportent une disposition de fonds d'amortissement qui constitue, pour l'émetteur, un engagement aussi strict qu'une garantie hypothécaire. On trouve généralement l'indication d'une disposition de fonds d'amortissement dans l'intitulé du titre.

Exemple: Dofasco Inc.
Débentures 13 1/2% à fonds d'amortissement, échéant le 1er novembre 2000.

Le fonds d'amortissement convient à l'émetteur étant donné qu'une partie de l'émission est remboursée avant l'échéance, ce qui réduit le montant à rembourser à l'échéance. Il ne convient pas réellement au porteur qui avait peut-être l'intention de conserver ses obligations jusqu'à l'échéance, alors qu'elles seront éventuellement rachetées à des fins de fonds d'amortissement sans qu'il ne reçoive une prime.

Dans le cas d'obligations et de débentures émises par des sociétés, on désigne une compagnie de fidéicommis comme fiduciaire pour administrer le fonds d'amortissement et la société doit verser chaque année, à une date précise, le montant voulu au fiduciaire. Toutefois, la société peut, au lieu de faire un versement en espèces, acheter des obligations de l'émission concernée et les remettre au fiduciaire pour s'acquitter en totalité ou en partie de ses engagements relatifs au fonds d'amortissement. Le fiduciaire détient ces fonds en fidéicommis en vue du remboursement de l'émission et la société n'a aucun contrôle sur ces fonds.

Voici les dispositions du fonds d'amortissement d'une émission de 60 000 000 $ de débentures à fonds d'amortissement 13 1/2% de Dofasco Inc. émise le 4 novembre 1980:

> "La société s'engage par l'acte de fiducie à opérer un fonds d'amortissement pour pourvoir au remboursement d'au moins 43 320 000 millions de dollars du montant en capital (72,2%) des débentures avant l'échéance et de racheter, conformément et en vertu des dispositions de l'acte de fiducie, 2 280 000 $ du montant en capital des débentures le 1er novembre de chacune des années 1981 à 1999 inclusivement. La société aura également, à son gré, le droit d'augmenter sans cumul le montant du remboursement aux fins du fonds d'amortissement, le 1er novembre de chacune des années 1981 à 1999 inclusivement, d'une somme n'excédant pas 600 000 $ du montant en capital des débentures. Grâce aux opérations du fonds d'amortissement, la durée moyenne des débentures sera de 12,8 ans (10,9 ans si les remboursements facultatifs sont effectués).
>
> Toutes débentures achetées ou rachetées par la société autrement qu'au moyen des disponibilités du fonds d'amortissement peuvent être remises au fiduciaire pour faire face, jusqu'à concurrence de leur montant en capital, en totalité ou en partie aux engagements du fonds d'amortissement.
>
> Les débentures sont rachetables aux fins du fonds d'amortissement à leur valeur nominale plus l'intérêt couru aux dates de rachat déterminées."

Les émissions d'obligations et de débentures de sociétés qui comportent une clause de rachat obligatoire à des fins de fonds d'amortissement comportent généralement une autre clause de rachat à laquelle la société peut recourir à son gré. Dans ce dernier cas, le prix de rachat est normalement fixé au-dessus de la valeur nominale de l'obligation, ce qui constitue une prime pour le porteur. On fait ceci parce que l'on considère qu'il est assez injuste de retirer à l'épargnant un moyen de placement dont il espérait un revenu précis pendant un certain nombre d'années. Plus l'obligation approche de son échéance avant qu'elle ne soit rachetée, moins la perte est grande pour l'épargnant. Selon ce principe, le prix de rachat est fonction d'une échelle graduée et la prime diminue au fur et à mesure que l'obligation approche de son échéance.

La clause de rachat facultatif (à des fins autres que le fonds d'amortissement) de Dofasco Inc. apparaît au tableau ci-dessous. Dans cet exemple, si vous aviez détenu une débenture de 1 000 $ de cette émission et que votre débenture ait été appelée au rachat en octobre 1982, vous auriez reçu 1 121 $ plus l'intérêt à la date de rachat. Si elle avait été rachetée après novembre 1982 mais avant novembre 1983, vous auriez reçu 1 112 $ plus l'intérêt couru; si elle avait été rachetée entre novembre 1983 et novembre 1984, vous recevriez 1 103 $ plus l'intérêt couru, et ainsi de suite, la prime diminuant graduellement selon le tableau.

EXEMPLE D'UNE CLAUSE DE RACHAT D'UNE ÉMISSION DE SOCIÉTÉ

En 1980, Dofasco Inc. a émis 60 millions de dollars de débentures à fonds d'amortissement à 20 ans, portant intérêt à 13 1/2%. La clause de rachat de cette émission se lit comme suit:

Les débentures pourront être rachetées, au gré de la société, avant l'échéance, en totalité ou en partie, sur préavis d'au moins 30 jours aux pourcentages du montant en capital suivants:

Rachetées au cours des 12 mois commençant le 1er novembre	%	Rachetées au cours des 12 mois commençant le 1er novembre	%	Rachetées au cours des 12 mois commençant le 1er novembre	%
1980	113,00	1987	106,70	1994	100,80
1981	112,10	1988	105,80	1995	100,00
1982	111,20	1989	104,90	1996	100,00
1983	110,30	1990	104,00	1997	100,00
1984	109,40	1991	103,20	1998	100,00
1985	108,50	1992	102,40	1999	100,00
1986	107,60	1993	101,60		

plus, dans chaque cas, l'intérêt couru à la date de rachat fixée, étant entendu que, sauf s'il s'agit d'opérations du fonds d'amortissement, la société ne puisse racheter de débentures avant le 1er novembre 1995, pour ou en prévision d'une opération de refinancement entraînant directement ou indirectement l'affectation des fonds obtenus au moyen d'un emprunt ayant un taux d'intérêt réel (déterminé selon les normes financières reconnues) de moins de 13,57% par année. Si seule une partie des débentures en circulation doit être rachetée, cela s'effectuera par voie de tirage.

La société aura le droit en tout temps de racheter ses débentures sur le marché public ou de gré à gré à des prix n'excédant pas le prix de rachat applicable au moment du rachat plus l'intérêt couru à la date de rachat et des frais raisonnables de rachat.

Titres d'emprunt avec fonds de rachat

Certaines sociétés préfèrent un fonds de rachat à un fonds d'amortissement. Il s'agit d'un fonds constitué pour racheter sur le marché un montant déterminé d'obligations ou de débentures en circulation si cela peut être fait à un prix déterminé ou à un prix inférieur à celui-ci.

Exemple: Les débentures 8 3/4% du groupe Traders Ltée, échéant le 15 octobre 1992, ont un fonds de rachat pouvant racheter chaque année, de 1983 à 1991 inclusivement, 2 1/2% du montant total des débentures en circulation au 15 octobre 1982. La société ne manquera pas à ses engagements si elle ne rachète pas 2 1/2% du montant chaque année.

Le fonds de rachat retire normalement un montant moindre d'une émission qu'un fonds d'amortissement, vu qu'il ne comporte pas de clause de rachat des obligations, et qu'il prévoit normalement moins de dispositions obligatoires qu'un fonds d'amortissement.

CLAUSES PROTECTRICES

En plus de conseiller une société sur le genre de nouveaux titres à émettre, le preneur ferme donnera son avis sur les modalités de l'émission, y compris le taux d'intérêt ou de dividende, les dispositions de remboursement et de rachat, ainsi que sur un certain nombre de dispositions destinées à protéger l'investisseur.

Ces dispositions sont appelées **clauses protectrices, clauses restrictives de l'acte de fiducie,** ou **engagements de la société.** Elles sont contenues dans un acte authentique appelé **acte de fiducie** ou **acte de fiducie et d'hypothèque** dans le cas d'obligations hypothécaires garanties par des biens immobiliers, ou simplement **acte de fiducie** dans le cas de débentures de sociétés. Ces dispositions sont essentiellement des garanties contre toute mesure qui pourrait affaiblir la situation du porteur des titres. Leur but est de créer un titre fort sans pour autant imposer des contraintes financières indues à la société.

Voici quelques-unes des dispositions que l'on rencontre le plus souvent dans les émissions d'obligations et des débentures au Canada.

Prohibition de privilège prioritaire

Lorsqu'une société a des obligations de première hypothèque en circulation, aucune émission subséquente de titres ne peut avoir priorité sur ces obligations, quant aux biens hypothéqués, tant que celles-ci sont en circulation.

Clause "pari passu"

Lorsqu'une société émet des débentures, il est souvent stipulé qu'aucune émission subséquente d'obligations hypothécaires, garanties en totalité ou en partie par les biens de la société, ne pourra être faite, à moins que les débentures ne soient en même temps garanties par la même hypothèque.

Prenons comme exemple l'acte de fiducie de débentures à fonds d'amortissement d'une société canadienne qui comportait la clause "pari passu" suivante.

"La société s'engage également par l'acte de fiducie, tant et aussi longtemps que des débentures seront en circulation, à ne pas affecter en garantie, que ce soit par hypothèque, gage, nantissement, charge hypothécaire, cautionnement ou autre engagement - qu'il soit fixe ou flottant - son entreprise, ses biens ou son actif ou l'un quelconque de ceux-ci pour garantir une dette, à moins que toutes les débentures alors en circulation aient été garanties également, de l'avis des avocats, et classées au même rang ou au-dessus de cet engagement; toutefois, cette interdiction ne s'applique pas à la dation en paiement, à la prise en charge, au remplacement ou au remboursement d'une hypothèque garantissant le montant non liquidé du prix d'achat d'un bien, ou à une garantie (sauf sur des immobilisations) donnée dans le cours normal des activités à une ou plusieurs banques ou à d'autres pour garantir une dette remboursable sur demande ou échéant dans les deux ans après la date à laquelle la dette a été contractée et elle ne s'applique pas à des gages et autres charges qui ne sont pas rattachés à l'emprunt contracté qui découlent de l'effet d'une loi ou qui se présentent dans le cours normal des activités."

Restrictions relatives aux emprunts additionnels

On a l'habitude d'insérer dans l'acte de fiducie d'une émission d'obligations hypothécaires certaines restrictions relatives à l'emprunt de sommes supplémentaires garanties par le même bien. Normalement ceci est réalisé par:

- un emprunt hypothécaire plafonné;

- un emprunt hypothécaire non plafonné, sous réserve de certaines clauses restrictives.

Emprunt hypothécaire plafonné

Lorsqu'une hypothèque est plafonnée, aucune obligation additionnelle garantie par les biens déjà grevés d'hypothèque ne peut être émise. Cette clause protège les obligataires contre un affaiblissement de leur position que causerait l'émission d'obligations additionnelles jouissant d'un droit égal sur les biens. L'obligataire est encore mieux protégé si l'hypothèque comporte également une **clause relative aux acquisitions ultérieures.**

Clause relative aux acquisitions ultérieures

La clause relative aux acquisitions ultérieures stipule que, outre tous les biens détenus au moment d'une émission, tous les autres biens que la société pourra acquérir pendant que les obligations seront en circulation feront automatiquement partie de l'hypothèque afin d'assurer une garantie additionnelle aux porteurs des obligations.

Exemple: L'acte de fiducie des obligations de première hypothèque à fonds d'amortissement 8%, Série D, échéant le 1er juin 1988 de Genstar Limited, contient une clause stipulant que certains biens, éléments d'actif et droits acquis ultérieurement seront grevés par cette première hypothèque.

Hypothèque garantissant le montant non liquidé du prix d'achat d'un bien ou hypothèque en garantie du prix

Il est courant de permettre des hypothèques garantissant le montant non liquidé du prix d'achat d'un bien. Il s'agit d'une hypothèque grevant de nouveaux biens acquis ultérieurement et ne modifiant pas la situation des porteurs d'obligations hypothécaires déjà en circulation.

Emprunt hypothécaire non plafonné

Un emprunt hypothécaire non plafonné permet à une société d'émettre, sous la garantie de l'hypothèque, une quantité indéterminée d'obligations. Toutefois, pour préserver la garantie des obligataires, on y ajoute généralement certaines dispositions qui ont pour but de limiter le montant d'obligations que la société peut émettre sans dépasser ses moyens financiers. De telles dispositions peuvent se traduire par une clause limitant l'émission d'obligations additionnelles à un montant n'excédant pas un certain pourcentage de la valeur des nouveaux biens ou par une clause stipulant que les frais d'intérêt, y compris ceux de l'émission proposée, doivent être suffisamment couverts.

Ainsi, les obligations à fonds d'amortissement d'une société canadienne ont été émises en vertu d'une hypothèque non plafonnée, aux conditions suivantes:

"Des obligations supplémentaires peuvent être émises dès réception par le fiduciaire d'une attestation des vérificateurs de la société selon laquelle au moment de l'émission de ces obligations:

(i) le montant en capital total des obligations de première hypothèque de la société qui sera en circulation après l'émission de ces obligations supplémentaires ne dépassera pas la moitié de la valeur (au prix coûtant moins l'amortissement telle qu'elle apparaît dans les livres de la société) des biens hypothéqués établie à une date qui précédera de 120 jours au maximum la date de ladite émission, et

(ii) la moyenne annuelle des bénéfices de la société pour les deux exercices précédents n'a pas été inférieure à trois fois le montant nécessaire pour payer l'intérêt annuel sur toutes les obligations à long terme de la société qui seront en circulation après l'émission desdites obligations supplémentaires."

L'emprunt hypothécaire non plafonné convient parfaitement aux besoins des entreprises en pleine croissance puisque le financement est beaucoup plus facile si toutes les immobilisations sont grevées par la même hypothèque. L'existence de plusieurs hypothèques peut causer des difficultés d'ordre juridique et rendre difficile le transfert du matériel et de l'outillage d'une usine grevée par une hypothèque à une usine grevée par une autre hypothèque. Si les clauses protectrices sont satisfaisantes, ce genre d'émission n'est pas inacceptable.

Exigences relatives au fonds de roulement

Certaines émissions canadiennes, plus particulièrement les émissions de débentures, contiennent une clause restrictive dont le but est de maintenir le fonds de roulement de la société émettrice à un niveau satisfaisant. Cette clause stipule habituellement qu'aucun dividende ne peut être versé sur les actions ordinaires s'il s'ensuit une réduction du fonds de roulement en dessous d'un montant déterminé.

Par exemple, l'émission de débentures à fonds d'amortissement d'une société canadienne comportait la clause relative au fonds de roulement suivante:

"La société (i) ne déclarera ni ne versera de dividende (autre que des dividendes en actions du capital-actions de la société) sur aucune de ses actions en circulation en tout temps, ni (ii) ne rachètera ou remboursera autrement aucune de ses actions en circulation et n'en réduira le nombre à aucun moment (sauf à même le produit d'une émission d'actions faite à quelque moment que ce soit après le 31 décembre 19.. et avant ou en même temps que ce rachat, remboursement, réduction ou paiement), à moins qu'immédiatement après avoir donné effet à cette opération... le fonds de roulement consolidé de la société et de ses filiales ne soit pas inférieur à la somme de 5 000 000 $."

La société définit donc le fonds de roulement consolidé comme le total de l'actif à court terme moins le total du passif à court terme.

Clause relative au fonds d'amortissement

L'objet d'un fonds d'amortissement est de pourvoir au remboursement de la totalité ou d'une partie de la dette à long terme d'une société, avant sa date d'échéance. Les fonds d'amortissement ont déjà été étudiés dans ce chapitre.

Clause relative aux contrats de cession-bail

On peut parfois insérer dans l'acte de fiducie d'une émission de titres une clause interdisant la cession-bail de certains biens faisant partie de la garantie couvrant l'émission. La cession-bail n'est alors permise que si elle est effectuée à la juste valeur du bien et que si le produit net est utilisé pour rembourser l'émission en question.

Ainsi, une émission de débentures à fonds d'amortissement d'une société canadienne comportait la clause suivante:

"La société ne conclura (ni ne permettra à aucune filiale désignée de conclure) un contrat de cession-bail engageant une usine de fabrication à moins que la vente ne soit effectuée à la juste valeur de ladite usine et à moins que le produit net de cette vente (sur toute hypothèque assumée par l'acheteur ou remboursée au moyen de ce produit) ne soit déposé auprès du fiduciaire et utilisé pour rembourser les débentures émises en vertu de l'acte de fiducie à la date la plus proche à laquelle lesdites débentures peuvent être rachetées, au gré de la société, sous réserve que la société puisse porter lesdites débentures rachetées ou remboursées, autrement qu'au moyen de versements au fonds d'amortissement, au crédit dudit dépôt."

Vente de biens et fusions

On prévoit parfois dans l'acte de fiducie d'une émission de titres une clause qui interdit la vente de biens (que ce soit au moyen d'une fusion ou d'une absorption) faisant partie de la garantie couvrant cette émission. Toutefois, la disposition de biens est permise à condition que la société acheteuse ou survivante assume toutes les obligations de la société émettrice et qu'elle satisfasse à toutes les exigences telles qu'elles sont définies dans l'acte de fiducie.

FACTEURS DÉTERMINANT LE TAUX D'INTÉRÊT DES OBLIGATIONS

Taux d'intérêt des nouvelles émissions d'obligations

Nous passons maintenant à une étude rapide des facteurs importants qui déterminent le taux d'intérêt à verser sur de nouvelles émission d'obligations.

- **La cote de solvabilité de l'emprunteur.** Dans l'ensemble, la cote de solvabilité d'un émetteur reflète la solidité et l'ampleur de ses revenus.

Par la même occasion, il faudrait remarquer que le taux d'intérêt versé sur les émissions provinciales varie d'une province à l'autre en fonction de la cote de solvabilité de chaque province. Il en est de même des municipalités et sociétés emprunteuses: le coût de l'argent emprunté variera, traduisant manifestement des cotes de solvabilité différentes. Un taux d'intérêt plus élevé sur une émission de société, bien qu'il attire certains épargnants, peut constituer une compensation pour un risque considérablement plus grand.

- **Le terme de l'émission d'obligations.** L'argent emprunté à long terme coûte normalement plus cher que celui emprunté pour de courtes périodes.

- **Le niveau général des taux d'intérêt au Canada.** Si les taux d'intérêt sont relativement élevés, le taux d'intérêt sur les nouvelles obligations devra également être relativement élevé afin de pouvoir concurrencer d'autres moyens de placement à la disposition des épargnants. Lorsque le niveau des taux d'intérêt est bas, c'est le contraire qui se passe.

Dans une très large mesure, le niveau général des taux d'intérêt au Canada est fixé par le gouvernement fédéral dont c'est la responsabilité. Ces dernières années on a eu recours à des taux d'intérêt élevés pour combattre l'inflation en ralentissant l'activité économique et, en conséquence, la demande de biens et de services. Bien que la politique du gouvernement fédéral quant aux taux d'intérêt soit énormément influencée par la situation économique au Canada, elle peut aussi être le reflet de facteurs étrangers tels que la politique des taux d'intérêt dans d'autres pays, en particulier aux États-Unis, et la valeur du dollar canadien sur le marché des changes.

Variations des taux d'intérêt et leur effet sur le cours des obligations

Dans l'ensemble, les épargnants achètent les obligations d'une nouvelle émission à leur valeur nominale. Ainsi une obligation de 1 000 $ est en principe vendue à un prix proche de 1 000 $.

Après le placement initial de l'émission, les obligations sont achetées et vendues sur le marché secondaire. Leurs cours sur ce marché augmentent et baissent par contrecoup du niveau général des taux d'intérêt au Canada (qui sont influencés par la situation nationale et internationale).

Si les taux d'intérêt montent, le prix des obligations en circulation doit baisser, de sorte que le taux de rendement qu'elles offrent augmente afin de rester concurrentiel par rapport aux taux de rendement plus élevés que donnent d'autres moyens de placement. Par contre, si les taux baissent, le prix des obligations augmentera et leur rendement baissera. Des taux d'intérêt qui varient énormément peuvent donner lieu à des fluctuations considérables du cours des obligations en circulation. Pour l'épargnant astucieux, ces variations peuvent offrir des occasions de négociation lucratives. En règle générale, les fluctuations de cours sont plus prononcées pour les obligations à long terme et plus petites pour les obligations à court terme.

Mis à part le cycle des taux d'intérêt, d'autres facteurs peuvent influer sur le cours des obligations en circulation. Une société qui éprouve de graves problèmes financiers verra le cours de ses obligations chuter, étant donné que les investisseurs appréhendent qu'elle ne soit plus en mesure de continuer ses versements d'intérêt et de rembourser les fonds empruntés.

Comme les cours et les rendements changent, il y a souvent de nombreuses occasions de procéder à des arbitrages d'obligations dans un portefeuille.

Comportement sur le marché des obligations convertibles

Quelques principes généraux:

- quand l'action se négocie à un cours bien inférieur au prix de conversion, l'obligation convertible se comporte comme une obligation classique et se négocie à un cours qui offre un rendement comparable aux obligations classiques ayant une qualité, un taux et une échéance comparables;

- quand le cours de l'action se rapproche du prix de conversion, une prime apparaît (comme nous l'avons déjà vu);

- quand le cours de l'action ordinaire dépasse le prix de conversion, le cours de l'obligation convertible montera en conséquence et on dira qu'elle réalise l'action ordinaire. À ce niveau, le cours de l'obligation convertible a tendance à manifester la volatilité du cours de l'action ordinaire. La prime de conversion a tendance à disparaître au fur et à mesure que le cours de l'obligation convertible est de plus en plus conditionné par une hausse du cours de l'action ordinaire et que la date d'expiration du privilège de conversion approche.

Comportement sur le marché des titres d'emprunt à échéance prorogeable ou encaissables par anticipation

Sur le marché, les titres d'emprunt à échéance prorogeable ou encaissables par anticipation se négocient à un prix plus élevé que les émissions comparables à court et à long terme qui n'ont pas ces caractéristiques. Leurs cours s'alignent sur ceux de la catégorie de titres (à court ou à plus long terme) dont le cours est le plus élevé sur le marché obligataire.

Lorsque le cours des obligations baisse (et que les rendements augmentent), les titres d'emprunt à échéance prorogeable ou encaissables par anticipation se négocient comme des obligations à court terme. Dans ce cas, leur cours ne baisse pas de beaucoup (par exemple bien au-dessous de 100 ou du pair) du fait que ces titres peuvent être remboursés, au gré du porteur, dans cinq ans (ou moins selon le terme qu'il reste à courir).

D'autre part, lorsque le cours des obligations monte (et que les rendements baissent), les titres à échéance variable deviennent intéressants comme placements à long terme à cause de leur taux d'intérêt élevé et parce que, dans la majorité des cas, l'émetteur ne peut les appeler au remboursement par anticipation avant un certain nombre d'années à compter de leur date d'émission.

Rendement des obligations

Dans le commerce des valeurs mobilières, le "rendement" est le revenu annuel d'un placement exprimé en pourcentage de son coût ou de son cours. Dans le cas des actions, le rendement est simplement le dividende annuel indiqué et exprimé en pourcentage du cours du marché. Pour la plupart des obligations, ce rapport se complique, car on suppose qu'à l'échéance, l'épargnant se fera rembourser la valeur nominale de son placement.

À la différence du rendement d'une action, le rendement d'une obligation représente non seulement le revenu que reçoit l'épargnant sous forme d'intérêt mais tient compte également de tout gain (ou perte) en capital réalisé à l'échéance de l'obligation. Par conséquent, le rendement d'une obligation (à l'échéance) est constitué en partie d'un revenu d'intérêt et en partie d'un gain (ou perte) en capital.

Lorsqu'une obligation de 1 000 $ est achetée à 1 000 $ (plus l'intérêt couru), on dit qu'elle a été achetée "au pair". Lorsqu'une obligation est achetée à un prix inférieur au pair, on dit qu'elle a été achetée "au-dessous du pair" et si, par contre, son prix est supérieur au pair, on dit qu'elle a été achetée "au-dessus du pair".

Les principes suivants peuvent servir de guide en ce qui concerne le rendement des obligations:

. une obligation achetée au pair donne un taux de rendement identique au taux d'intérêt sur le titre;

. une obligation achetée au-dessous du pair donne un taux de rendement supérieur au taux d'intérêt;

. une obligation achetée au-dessus du pair donne un taux de rendement inférieur au taux d'intérêt.

Exemple: Supposons qu'un épargnant ait acheté au pair (100% de la valeur nominale) une obligation 8% de 100 $ échéant dans cinq ans. Cette obligation ne donnera lieu ni à un gain, ni à une perte en capital parce qu'elle a été achetée au pair et qu'elle sera remboursée au pair à son échéance. (Les obligations sont presque toutes remboursées au pair à leur échéance.) Le rendement annuel avant impôt sera donc calculé comme suit:

$$\frac{8\ \$\ (\text{revenu annuel})}{100\ \$\ (\text{prix d'achat})} \times 100 = \underline{8\%}$$

Supposons maintenant que cette même obligation ait été achetée au-dessous du pair, disons à 95, plutôt qu'au pair; un gain en capital de 5 $ sera enregistré lorsque l'obligation sera remboursée au pair à son échéance. Ce gain en capital, réparti sur la période de cinq ans qui précède l'échéance, représente un gain en capital théorique avant impôt de 1 $ par année. Dans ce cas, le rendement annuel avant impôt se calculerait comme suit:

$$\frac{8\ \$\ (\text{revenu annuel}) + 1\ \$\ (\text{gain en capital annuel théorique})}{95\ \$\ (\text{prix d'achat})} \times 100 = \underline{9,47\%}^*$$

* Ce rendement est approximatif; on doit se servir d'un livre de rendements ou d'un ordinateur si on veut obtenir le rendement exact. Dans cet exemple, le rendement annuel avant impôt précis est de 9,27%.

Ces méthodes de calcul pour trouver le rendement des obligations ne sont pas tout à fait justes. On ne les utilise que si l'on peut se satisfaire d'une réponse approximative. Les méthodes de calcul pour obtenir le rendement exact des obligations sont compliquées; toutefois, l'épargnant n'est pas obligé de calculer lui-même ces rendements puisque les firmes de placement et la rubrique de la cote des obligations des journaux financiers fournissent ces renseignements.

TITRES D'EMPRUNT ET IMPÔT

Imposition du revenu

De façon générale, la législation fiscale canadienne prévoit l'imposition du revenu d'intérêt provenant de titres d'emprunt au taux d'imposition personnel du contribuable. Cependant, les contribuables peuvent déduire de leur revenu la première tranche de 1 000 $ d'intérêts provenant de titres d'emprunt canadiens en vertu de l'exemption fédérale de 1 000 $ relative aux dividendes et aux intérêts. Le montant d'intérêt couru payé à l'achat d'obligations ou de débentures devrait être déduit du montant total de l'intérêt reçu lors du calcul du revenu d'intérêt imposable. Dans le cas du revenu d'intérêt, il n'existe pas de mesure fiscale qui soit équivalente au crédit d'impôt fédéral pour dividendes; nous traiterons de cette mesure au chapitre suivant.

Exemption de 1 000 $ relative aux dividendes et aux intérêts

La Loi de l'impôt sur le revenu permet à l'épargnant de demander plusieurs déductions de son revenu de placement et de réduire ainsi le montant total de l'impôt qu'il doit verser.

Pour chaque année d'imposition, un particulier peut déduire de son revenu la première tranche de 1 000 $ de l'une des deux sources de revenu suivantes:

. revenu majoré de dividendes versés par des sociétés canadiennes imposables;

. revenu d'intérêt sur des titres d'emprunt canadiens y compris l'intérêt gagné sur des dépôts bancaires, des hypothèques admissibles, des billets à ordre, etc.;

. ou une combinaison de ces deux sources de revenu jusqu'à concurrence de 1 000 $.

Afin d'éviter une double déduction sur les déclarations d'impôt, le revenu d'intérêt et de dividende qui entre dans l'exemption de 1 000 $ doit être indiqué net de frais, c'est-à-dire l'intérêt payé sur des fonds empruntés pour acheter des valeurs mobilières et l'intérêt couru payé à l'achat d'une obligation ou d'une débenture.

Imposition des gains en capital

Les obligations d'épargne du Canada sont achetées et remboursées à leur valeur nominale si bien qu'il n'y a ni gain ni perte sur ce genre de placement. Toutefois, en ce qui concerne la plupart des titres d'emprunt, un épargnant peut réaliser un gain ou une perte en capital puisque le cours de ces titres fluctue sans cesse. Une obligation peut être achetée à un certain prix et être vendue, remboursée ou arriver à échéance à un prix supérieur ou inférieur.

Au Canada, les contribuables qui réalisent des gains ou des pertes en capital sur des titres d'emprunt (ainsi que sur des actions et sur la plupart des autres biens) doivent inclure, dans leur déclaration d'impôt de l'année où ces gains ou ces pertes été réalisés, la moitié de leurs gains en capital ou la moitié de leurs pertes en capital.

À des fins fiscales, le coût d'un titre d'emprunt correspond au prix payé à l'achat du titre, sauf s'il s'agit d'un achat effectué avant 1972. L'évaluation du coût des titres achetés avant 1972 entraîne des calculs compliqués qui n'entrent pas dans le cadre de ce cours. Vous trouverez plus de détails sur l'imposition des gains en capital au chapitre sur les actions privilégiées.

Régime fiscal lors de l'exercice d'une débenture convertible

Les débentures convertibles bénéficient d'un régime fiscal spécial. Un épargnant ne réalise aucun gain ou perte en capital lorsqu'il exerce son droit de conversion. À des fins fiscales, le gain en capital (ou la perte en capital déductible) s'applique l'année où les actions acquises par l'exercice du privilège de conversion sont effectivement vendues.

> **Exemple:** Chaque tranche de 1 000 $ de débentures ABC est convertible en 100 actions ordinaires ABC. Une débenture ABC de 1 000 $ est achetée à 900 $ puis convertie en 100 actions ordinaires ABC. À des fins fiscales, le prix de base rajusté de chaque action ordinaire ABC est de 9 $; on le calcule de la façon suivante:
>
> Prix de base rajusté de la débenture   = 900 $
>
> Nombre d'actions ordinaires acquises   = 100
>
> Prix de base rajusté de chaque action
> ordinaire: 900 $ ÷ 100   = 9 $

Avertissement

La fiscalité est un sujet complexe et les règlements fiscaux sont susceptibles d'être modifiés par le Ministre des Finances fédéral. Les explications sur la fiscalité qui précèdent (ainsi que celles qui apparaissent ailleurs dans ce livre) se rapportent à la législation fiscale en vigueur au moment de la rédaction de ce texte.

APPRÉCIATION DE LA QUALITÉ COMME PLACEMENT DES OBLIGATIONS ET DÉBENTURES ÉMISES PAR LES SOCIÉTÉS

Vous trouverez dans ce chapitre quelques notions essentielles pour évaluer les obligations et débentures émises par les sociétés. L'évaluation de la qualité comme placement de ces titres s'appuie en partie sur un certain nombre de calculs quantitatifs destinés à analyser la capacité d'une société à faire face aux dettes qu'elle contracte. Ces calculs s'effectuent à partir des données que la société publie dans ses états financiers et visent à faire ressortir les points forts ou faibles de la situation financière de cette société.

NOTIONS ESSENTIELLES

- Les bénéfices de la société sont-ils suffisants pour payer l'intérêt sur les dettes contractées?

- La société dispose-t-elle d'une marge d'autofinancement suffisante pour rembourser ses emprunts?

- La dette de la société est-elle raisonnable par rapport à l'avoir de ses actionnaires?

- La société dispose-t-elle d'éléments d'actif suffisants pour garantir la couverture de sa dette?

- Comment les agences indépendantes d'évaluation du crédit évaluent-elles les obligations et les débentures émises par la société?

Les tests qui suivent vous permettront de répondre à toutes ces questions. Les normes minimales que nous suggérons vous donneront une image assez fidèle des critères utilisés par les analystes afin de fixer les conditions minimales qu'un titre d'emprunt doit remplir pour être qualifié de bon placement. Dans la pratique, les analystes font appel à des normes plus strictes pour classer une obligation parmi les titres de premier ordre. Une évaluation approfondie entraîne l'analyse d'un nombre plus considérable de ratios ainsi que l'évaluation de nombreux autres facteurs dont nous parlerons plus loin dans ce chapitre.

Les normes minimales que nous donnons ne visent qu'à déterminer une marge de sécurité et, par le fait même, la probabilité qu'une société continuera de faire face à ses engagements; toutefois, elles ne constituent pas une garantie qu'elle le fera.

COUVERTURE DE L'INTÉRÊT

On considère généralement la couverture de l'intérêt comme le test quantitatif le plus important. En effet, le niveau des bénéfices d'une société doit dépasser de beaucoup celui des intérêts à verser pour constituer une protection au cas où la situation financière de la société se détériorerait. Plus la couverture de l'intérêt est satisfaisante, plus la marge de sécurité est grande.

Pour évaluer la qualité de la couverture, on fixe généralement des critères minima; par exemple, l'intérêt annuel que doit verser une société industrielle pour chacun des cinq derniers exercices doit être couvert au moins trois fois par le bénéfice disponible pour payer l'intérêt au cours de chacun de ces exercices. Si la société satisfait à cette norme, ses titres d'emprunt seront considérés comme des titres de placement de qualité acceptable.

Toutefois, il se peut qu'une société ne réponde pas aux normes minimales pour la couverture de l'intérêt mais qu'elle n'éprouve aucune difficulté à faire face à ses engagements. On jugera alors que les titres de cette société présentent un risque plus élevé en raison de la marge de sécurité inférieure à la norme. Les normes pour la couverture de l'intérêt ne sont qu'un indice de la possibilité pour une société de verser ou non les intérêts sur sa dette.

Voici les normes minimales suggérées pour la couverture de l'intérêt.

Normes minimales approximatives pour la couverture de l'intérêt

- **Entreprises de services publics**
Le total des intérêts annuels à payer pour chacun des 5 derniers exercices financiers devrait être couvert au moins 2 fois par le bénéfice disponible de chaque exercice.

- **Sociétés industrielles**
Le total des intérêts annuels à payer pour chacun des 5 derniers exercices financiers devrait être couvert au moins 3 fois par le bénéfice disponible de chaque exercice.

Il est important aussi de calculer la tendance de la couverture de l'intérêt d'un exercice à l'autre. L'idéal serait d'avoir une société qui non seulement réponde aux normes minimales de couverture pour chaque exercice mais qui dispose d'une couverture croissante au cours de cette période. On considère aussi comme acceptable une tendance stable qui satisfait aux normes minimales mais qui ne montre que peu de variations au cours d'une période donnée. Par contre, une tendance décroissante nécessitera une analyse plus poussée pour que l'on puisse déterminer si la situation financière de la société s'est vraiment détériorée. Il se peut qu'une tendance connaisse une irrégularité subite, suite à une grève prolongée par exemple, qui a pu occasionner une baisse importante des bénéfices au cours d'un seul exercice mais qui n'ébranlera probablement pas sérieusement la solidité financière de la société les années suivantes.

L'exemple de la page suivante montre le calcul de la couverture de l'intérêt de Dofasco Inc. pour les 5 derniers exercices.

La couverture de l'intérêt dont dispose Dofasco Inc. dépasse très largement la norme minimale suggérée (3 fois) pour tous les exercices sauf en 1982. La grave récession économique de 1982 a en effet causé une diminution considérable de la demande pour les produits de l'acier, ce qui a entraîné une chute importante des bénéfices de la société. Reflétant ce déclin, la couverture de l'intérêt est tombée à 3,3, mais restait cependant supérieure à la norme minimale suggérée. L'année 1984 a été excellente pour Dofasco. Les ventes, qui se sont élevées à 1,9 milliard de dollars, dépassaient de plus de 320 millions celles de 1983, alors que les bénéfices nets ont atteint 181 millions de dollars, comparativement à 120 millions en 1983, malgré la forte concurrence sur le marché. La couverture de l'intérêt s'est également améliorée.

REMBOURSEMENT DE LA DETTE

Autre test important: la société est-elle en mesure de rembourser les fonds qu'elle a empruntés? Les émissions d'obligations et de débentures comportent généralement des clauses qui obligent les sociétés à rembourser leur dette à long terme au moyen de versements annuels à un fonds d'amortissement. Une société doit aussi être en mesure de rembourser ses dettes à court terme (prêts bancaires ou billets à ordre).

100

DOFASCO INC.

Couverture de l'intérêt
(en milliers de dollars)

Exercice	Bénéfice net avant postes extraordinaires		Participation minoritaire		Total des impôts sur le revenu		Total des frais d'intérêt		Bénéfices disponibles pour la couverture de l'intérêt
1980	122 244	+	néant	+	71 600	+	32 339	=	226 183
1981	169 274	+	néant	+	99 500	+	33 721	=	302 495
1982	63 811	+	néant	+	29 100	+	39 584	=	132 495
1983	120 482	+	néant	+	81 500	+	42 575	=	244 557
1984	180 605	+	néant	+	103 900	+	37 486	=	321 991

CALCUL DE LA COUVERTURE DE L'INTÉRÊT
(en milliers de dollars)

	1980	1981	1982	1983	1984
Bénéfices disponibles pour la couverture de l'intérêt (A)	226 183	302 495	132 495	244 557	321 991
Total des frais d'intérêt (B)	32 339	33 721	39 584	42 575	37 486
Couverture de l'intérêt (A ÷ B)	7,0 fois	9,0 fois	3,3 fois	5,7 fois	8,6 fois
Tendance de la couverture	100	129	47	81	123

Les analystes essaient d'évaluer la capacité d'une société à rembourser sa dette en établissant un rapport entre ses fonds autogénérés et sa dette totale. On considère un ratio " fonds autogénérés ÷ dette totale" relativement élevé comme un élément positif et un ratio faible comme un élément négatif. Les normes minimales fixées par les analystes pour déterminer la capacité de remboursement ajoutent de nouveaux éléments pour l'évaluation des titres d'emprunt.

Voici les normes minimales suggérées pour évaluer la capacité d'une société à rembourser sa dette.

Normes minimales approximatives pour évaluer la capacité de rembourser la dette

- **Entreprises de services publics** — La marge d'autofinancement annuelle devrait représenter au moins 20% (0,20:1) de la dette totale pour chacun des 5 derniers exercices financiers.

- **Sociétés industrielles** — La marge d'autofinancement annuelle devrait représenter au moins 30% (0,30:1) de la dette totale pour chacun des 5 derniers exercices.

On calcule habituellement ce ratio pour les 5 derniers exercices au moins, de façon à déterminer une tendance. Il est tout à fait souhaitable que cette tendance soit croissante; tout déclin devrait inciter l'épargnant à la prudence.

L'exemple qui suit illustre ces calculs.

DOFASCO INC.

RATIO DE LA MARGE D'AUTOFINANCEMENT À LA DETTE TOTALE
(en milliers de dollars)

Exercice	Bénéfice net avant postes extraordi- naires		Partici- pation minori- taire		Impôts annuels sur le revenu reportés		Amortis- sement		Marge d'auto- financement	Dette totale
1980	122 244	+	néant	+	24 500	+	65 634	=	212 378	371 798
1981	169 274	+	néant	+	37 600	+	74 003	=	280 877	351 679
1982	63 811	+	néant	+	23 400	+	79 089	=	166 300	394 331
1983	120 482	+	néant	+	37 100	+	37 100	=	235 903	348 073
1984	180 605	+	néant	+	*(14 900)	+	89 613	=	255 318	332 345

CALCUL DU RATIO
(en milliers de dollars)

	1980	1981	1982	1983	1984
Marge d'auto- financement (A)	212 378	280 877	166 300	235 903	255 318
Dette totale (B)	371 798	351 679	394 331	348 073	332 345
Ratio (A ÷ B)	0,57:1	0,80:1	0,42:1	0,68:1	0,77:1
Tendance du ratio	100	140	74	119	135

* crédit

La capacité de la société de rembourser sa dette au cours de chacun des 5 derniers exercices a dépassé les normes minimales suggérées (0,30:1). Le ratio "marge d'autofinancement ÷ dette totale" a fluctué d'une année à l'autre; en outre, le déclin notable enregistré en 1982 reflétait les bénéfices moins élevés dus à la grave récession économique d'alors. Il y a eu une amélioration évidente en 1983, grâce à de meilleures conditions économiques et au redressement des bénéfices de la société, et cette amélioration s'est poursuivie en 1984 avec une nouvelle hausse des bénéfices.

RATIO D'ENDETTEMENT

Le ratio d'endettement détermine l'importance du financement par emprunt d'une société par rapport à l'avoir de ses actionnaires. Si une dette importante peut ne poser aucun problème pendant une période de prospérité, elle peut par contre grever les ressources financières d'une entreprise pendant une période difficile. Pour cette raison, une politique de financement prudente exige que la dette reste raisonnable par rapport à l'avoir des actionnaires afin qu'une marge de protection soit assurée. Il est également préférable que l'avoir des actionnaires soit constitué d'une forte proportion d'actions ordinaires plutôt que d'actions privilégiées.

Cette analyse quantitative, comme toutes les autres, comprend des normes à respecter:

Normes minimales approximatives pour le ratio d'endettement

- **Entreprises de services publics**   La dette totale ne devrait pas dépasser 150% (1,50:1) de la valeur comptable de l'avoir des actionnaires.

- **Sociétés industrielles**   La dette totale ne devrait pas dépasser 50% (0,50:1) de la valeur comptable de l'avoir des actionnaires.

Vous trouverez ci-dessous les calculs du ratio d'endettement de la société Dofasco Inc. pour les cinq derniers exercices.

DOFASCO INC.

RATIO D'ENDETTEMENT
(en milliers de dollars)

Exercice	Avoir des act. priv.		Avoir des act. ord.		Bénéfices non répartis		Total de l'avoir des act.	Dette totale
1980	228 492	+	104 102	+	636 069	=	968 663	371 798
1981	226 717	+	106 811	+	743 191	=	1 076 719	351 679
1982	225 332	+	108 431	+	749 797	=	1 083 560	394 331
1983	73 832	+	120 049	+	819 603	=	1 013 484	348 073
1984	71 565	+	136 229	+	952 084	=	1 159 878	332 345

CALCUL DU RATIO D'ENDETTEMENT
(en milliers de dollars)

	1980	1981	1982	1983	1984
Dette totale (A)	371 798	351 679	394 331	348 073	332 345
Total de l'avoir (B)	968 663	1 076 719	1 083 560	1 013 484	1 159 878
Ratio (A + B)	0,38:1	0,33:1	0,36:1	0,34:1	0,29:1
Tendance du ratio	100	87	95	89	76

Pour tous les exercices depuis 1980, Dofasco Inc. répond aux normes minimales voulant que la dette ne dépasse pas 50% de l'avoir des actionnaires. Par ailleurs, de 1980 à 1984, la dette de la société a diminué par rapport à l'avoir des actionnaires.

COUVERTURE PAR L'ACTIF

Bien que l'on considère ce test comme étant moins important que les précédents, il fait encore partie des méthodes d'analyse courantes. Il faut normalement que la valeur de l'actif d'une société dépasse de beaucoup le montant de sa dette pour qu'elle puisse produire les bénéfices nécessaires au paiement de l'intérêt et au remboursement du capital. La couverture par l'actif illustre également le montant d'actif (à la valeur comptable) couvrant les titres d'emprunt d'une société. Toutefois, en mettant les choses au mieux, la valeur de l'actif doit être considérée avec la plus grande prudence, car la valeur réalisable de l'actif en cas de liquidation peut être très inférieure à sa valeur comptable au moment où la société exerce encore ses activités.

Une fois encore, on calcule habituellement la valeur de l'actif de plusieurs exercices afin de pouvoir déterminer la tendance. Voici les normes minimales suggérées.

Normes minimales approximatives pour la couverture par l'actif

• **Entreprises de services publics**	Au moins 1 500 $ d'actif corporel net par tranche de 1 000 $ de l'encours de la dette totale.
• **Sociétés industrielles**	Au moins 2 000 $ d'actif corporel net par tranche de 1 000 $ de l'encours de la dette totale.

Les calculs sont illustrés dans l'exemple suivant.

DOFASCO INC.

ACTIF CORPOREL NET (A.C.N.)
(en milliers de dollars)

Exercice	Total de l'actif		Actif incorporel		Passif à court terme		Actif corporel net	Dette totale
1980	1 849 729	–	4 599	–	235 983	=	1 609 147	371 798
1981	2 051 554	–	4 069	–	291 013	=	1 756 472	351 679
1982	2 022 688	–	4 977	–	174 258	=	1 843 453	394 331
1983	2 175 145	–	4 453	–	388 042	=	1 782 650	348 073
1984	2 204 277	–	3 948	–	307 028	=	1 893 301	332 345

Calcul de la couverture par l'actif corporel net
(en milliers de dollars)

	1980	1981	1982	1983	1984
Actif corporel net (A)	1 609 147	1 756 472	1 843 453	1 782 650	1 893 301
Dette totale (B)	371 798	351 679	394 331	348 073	332 345
Couverture par l'actif corporel net (A ÷ B)	4 328	4 995	4 675	5 121	5 697
Tendance du ratio	100	115	108	118	132

Dofasco Inc. a dépassé les normes minimales suggérées d'au moins 2 000 $ d'actif corporel net pour chaque tranche de 1 000 $ de dette. La couverture est passée de 4 328 $ en 1980 à 5 697 $ en 1984.

UNE ÉVALUATION DE CRÉDIT INDÉPENDANTE

Au Canada, le Dominion Bond Rating Service de Toronto et la Société canadienne d'évaluation du crédit de Montréal offrent à leurs abonnés des services d'évaluation indépendante pour de nombreux titres d'emprunt. Ces services peuvent aider les investisseurs à évaluer la qualité de leurs titres d'emprunt et leur permettre de confronter leurs propres conclusions avec celles d'analystes professionnels.

Il existe aussi des services de ce genre aux États-Unis. Citons, par exemple, Moody's et Standard and Poor's qui, depuis de nombreuses années, fournissent des évaluations d'après une échelle graduée. Les investisseurs surveillent de près ces évaluations, et tout changement - surtout à la baisse - peut avoir une répercussion directe sur le cours des titres. Par ailleurs, une bonne cote de crédit permet à une société d'émettre des titres d'emprunt portant un intérêt moins élevé.

Les services d'évaluation canadiens se spécialisent dans les analyses de crédit et fournissent des références objectives et indépendantes pour évaluer la qualité des titres de placement. En s'appuyant sur les résultats d'analyses approfondies, ces agences assignent une cote à chaque titre, qui indique s'il s'agit d'un placement à risque modéré ou élevé. Cette cote est en fait un indicateur de la probabilité qu'une société procédera sans interruption au paiement de l'intérêt et au remboursement du capital. Ces évaluations classent les titres sur une échelle allant de "bon placement" à "placement spéculatif", et comparent l'aptitude d'une société à faire face à ses engagements à celle d'autres sociétés. Les services d'évaluation ne gèrent pas de fonds pour les investisseurs, ne négocient pas de titres et ne font aucune recommandation de placement.

Vous trouverez ci-dessous les différentes cotes attribuées par la Société canadienne d'évaluation du crédit et leur signification.

Cotes de la Société canadienne d'évaluation du crédit

Vous trouverez ci-après une définition des caractéristiques générales de protection des titres d'emprunt qui ont ces cotes. Elles sont d'ordre général et ne donnent pas une description complète de toutes les caractéristiques de protection que regroupe chacune de ces catégories.

A + + Excellente qualité - Cette catégorie regroupe les obligations de qualité exceptionnelle. Elles présentent le plus haut degré de protection du capital et de l'intérêt. Les sociétés qui sont classées A + + sont généralement de grandes sociétés nationales ou multinationales dont les produits ou les services sont essentiels à l'économie canadienne.

Ces sociétés sont les chefs de file reconnus dans leurs secteurs respectifs et ont clairement prouvé qu'elles sont capables d'affronter des conditions économiques ou commerciales difficiles aussi bien au niveau national qu'international.

Ces sociétés se caractérisent également par une solvabilité reconnue de longue date, par la supériorité de la protection de leur dette, par la capacité d'avoir constamment maintenu ou amélioré la qualité de leur actif et de leurs bénéfices; de plus, elles offrent toutes les preuves que leur situation financière continuera de rester très solide.

A + Très bonne qualité - Les obligations classées A + ont des caractéristiques très similaires à celles classées A + + et peuvent aussi être considérées comme étant de qualité supérieure. Ces sociétés connaissent depuis longtemps une croissance satisfaisante accompagnée d'une protection du capital et de l'intérêt de leurs titres d'emprunt qui est supérieure à la moyenne.

Ces obligations sont généralement classées à un niveau de qualité moins élevé, car la marge de protection constituée par leur actif ou leurs bénéfices peut ne pas être aussi grande ni aussi stable que celle des obligations classées A + +. Dans ces deux catégories, la nature et la qualité de la couverture constituée par l'actif et les bénéfices sont plus importantes que la valeur numérique des ratios.

A Bonne qualité - Les obligations classées A sont considérées comme étant des titres de bonne qualité qui présentent les caractéristiques nécessaires pour constituer des bons titres de placement à long terme. Elles se distinguent principalement des titres mieux classés par le fait que les sociétés qui les émettent sont plus sensibles aux conditions économiques et commerciales difficiles. Par conséquent, la protection est moins grande que pour les catégories A + + et A +.

Dans tous les cas, la protection constituée par l'actif et les bénéfices des sociétés classées A a toujours été satisfaisante. Toutefois certains éléments pourraient, à un moment donné, venir diminuer cette protection. La certitude que leur situation financière globale actuelle sera maintenue ou améliorée est légèrement moins forte que pour les titres mieux classés.

B + + Qualité moyenne - La qualité du crédit des sociétés classées B + + est jugée moyenne; leurs titres sont considérés comme des titres de placement. Ces sociétés sont généralement plus sensibles que les sociétés mieux classées aux fluctuations économiques et commerciales qui altéreraient leur protection si elles devaient connaître des difficultés d'exploitation pendant un certain temps.

Il peut y avoir des facteurs internes ou externes à ces sociétés qui sont susceptibles de nuire à la durabilité de la protection de la dette. Ces sociétés exigent un examen plus rigoureux mais, dans tous les cas, l'intérêt et le capital sont actuellement protégés de façon satisfaisante.

B + Qualité passable - Les obligations classées B + sont considérées comme des titres de qualité passable et présentent une garantie limitée de protection à long terme pour un placement. La couverture constituée par l'actif et les revenus peut être modeste ou instable.

Une détérioration considérable de la protection du capital et de l'intérêt risque de se produire pendant des périodes où les conditions économiques et commerciales sont difficiles. En temps normal ou pendant des périodes de reprise économique, la protection constituée par l'actif et les bénéfices est satisfaisante; toutefois, ces sociétés ont actuellement des chances limitées de pouvoir améliorer de façon continue leur situation financière et le niveau de la protection de leur dette.

B Qualité médiocre - Les titres classés B ne présentent pas la plupart des qualités exigées pour un placement immobilisé à long terme. Les sociétés de cette catégorie ont généralement eu des résultats d'exploitation instables et suscité des doutes quant à leur capacité de maintenir la protection de l'intérêt et du capital à un niveau satisfaisant. Les couvertures peuvent être actuellement au-dessous des normes du secteur et il y a peu de chance que la protection de la dette s'améliore considérablement.

C Spéculatives - Les titres classés dans cette catégorie sont tout à fait spéculatifs. Les sociétés sont de rang inférieur à bien des égards et il y a peu de chance qu'une couverture adéquate du capital et de l'intérêt soit maintenue de façon ininterrompue pendant une période donnée.

D Défaillance - Les obligations de cette catégorie sont en défaut; les sociétés qui les ont émises n'ont pas respecté certaines clauses de leur acte de fiducie et peuvent être en voie de liquidation.

Cote de crédit suspendue - Une société qui fait l'objet d'une suspension d'évaluation éprouve de sérieux problèmes financiers et d'exploitation, dont l'issue est incertaine. La société peut ou non avoir manqué à ses engagements, mais pour l'instant rien ne permet d'assurer qu'elle est en mesure de rembourser ses dettes.

Cotes du Dominion Bond Rating Service

Voici les cotes qu'attribue le Dominion Bond Rating Service.

AAA Excellente qualité - La protection du capital et de l'intérêt est de tout premier ordre.

AA Qualité supérieure - La protection de l'intérêt et du capital est élevée.

A Qualité moyenne - La protection de l'intérêt et du capital est valable mais inférieure à celle que procure la catégorie AA.

BBB Qualité moyenne - La protection de l'intérêt et du capital est satisfaisante avec toutefois certaines faiblesses latentes.

BB Qualité passable - Les titres de cette catégorie sont modérément spéculatifs. La protection de l'intérêt et du capital est incertaine.

B Titres semi-spéculatifs - La capacité de ces sociétés à faire face, de façon continue, à leurs engagements relatifs à l'intérêt et au capital est incertaine.

CCC Titres hautement spéculatifs - Ces titres risquent d'être en défaut.

CC Titres en défaut - Les sociétés de cette catégorie n'ont pas versé l'intérêt ou remboursé le capital d'une dette, ou connaissent d'autres problèmes sérieux.

C Titres identiques aux CC - Ces titres ont cependant des valeurs de liquidation différentes de ceux de la catégorie CC.

Fort ou faible

Les deux services d'évaluation dont nous venons de parler peuvent aussi nuancer leurs évaluations en y ajoutant les mentions "fort" ou "faible" pour indiquer la position relative d'un titre à l'intérieur d'une catégorie et toute tendance croissante ou décroissante à l'intérieur de cette catégorie.

À la rédaction de ces lignes, les débentures de Dofasco Inc. étaient cotées "A+" par la Société canadienne d'évaluation du crédit et "A" par le Dominion Bond Rating Service.

AUTRES FACTEURS D'ÉVALUATION

Tests quantitatifs détaillés

Lorsque l'on procède à une analyse approfondie, on a recours à de nombreux autres tests quantitatifs pour dresser un profil financier complet de la société. Ces tests se regroupent en deux catégories:

. **Les tests de liquidité** tels que les tendances du fonds de roulement, du ratio de trésorerie, du coefficient de rotation des stocks, etc., qui examinent tout déclin ou toute amélioration dans la situation financière fondamentale de la société, pendant une période donnée.

. **Les tests de rentabilité** tels que les tendances du rendement des capitaux propres, de la marge bénéficiaire, de la marge brute d'autofinancement, etc. pour déceler tout changement dans la rentabilité d'une société, pendant une période donnée.

Analyse qualitative

L'approche quantitative se trouve limitée du fait qu'elle recourt à des résultats passés. L'analyse "qualitative" a pour objet d'évaluer certains des aspects conjecturaux de l'exploitation d'une société. Dans cette approche, l'analyste va au-delà des faits et des chiffres pour évaluer la compétence de la direction, les perspectives du secteur, toute diversification importante dans des secteurs nouveaux et encore inexplorés, les conventions comptables libérales par rapport à celles qui sont prudentes, tout changement dans les lois, etc. Ce n'est que dans les années à venir que ces facteurs deviendront des données quantitatives qui auront un effet soit positif soit négatif sur une société et sur les détenteurs de ses titres. Dans certains cas, il arrive que les facteurs subjectifs et qualitatifs soient au moins aussi importants que l'analyse quantitative dans l'évaluation d'un titre d'emprunt.

La Société canadienne d'évaluation du crédit déclare à ce sujet:

"Il n'y a pas de règles absolues pour évaluer la solvabilité d'une société. Une société qui dispose d'un actif total de 300 millions de dollars n'est pas nécessairement supérieure à celle qui dispose d'un actif de 150 millions de dollars. L'obligation d'une société dont l'actif couvre quatre fois sa dette et dont la couverture de l'intérêt est de cinq fois n'offre pas nécessairement plus de garantie que celle dont l'actif couvre deux fois la dette et qui peut couvrir trois fois son intérêt. Il faut aussi considérer la nature et la diversification des produits, la part du marché que détient la société, le degré de maturité que la société a atteint par rapport à ses concurrents, les possibilités du marché, les résultats obtenus par la direction ainsi que les autres facteurs concrets et conjecturaux qui permettent de faire une analyse approfondie de la solidité financière de l'émetteur."

Clauses protectrices

L'analyste évalue aussi soigneusement:

- les clauses de l'acte de fiducie pour s'assurer qu'elles protègent convenablement les détenteurs du titre d'emprunt sans nuire à la bonne marche des affaires de la société;

- les conditions relatives au fonds d'amortissement telles que le montant d'une émission qui devra être remboursé avant l'échéance et la possibilité d'acheter des titres sur le marché libre afin de pourvoir au fonds d'amortissement (une société y gagne lorsque le cours du marché est inférieur au prix fixé pour les titres qu'elle est tenue de racheter pour son fonds d'amortissement);

- l'existence de privilèges de conversion, d'échéance prorogeable, d'encaissement par anticipation et l'intérêt qu'ils présentent.

Courtier qui a pris ferme l'émission

En prenant ferme une nouvelle émission, un courtier doit, notamment, s'assurer que la société est en mesure de respecter tous ses engagements. Comme nous l'avons déjà mentionné, le courtier s'assure, avec l'émetteur, que les clauses protectrices de l'acte de fiducie sont dans l'intérêt des investisseurs sans imposer de contraintes excessives à la société émettrice. La bonne réputation du courtier est aussi synonyme de liquidité sur le marché secondaire.

Placement admissible pour les investisseurs institutionnels

Si un titre est conforme à certaines exigences de la loi, il devient un placement admissible pour les institutions financières telles les compagnies d'assurance-vie, les compagnies d'assurance générale, les compagnies de fidéicommis, etc. En raison de la nature de leurs obligations, la loi exige que ces institutions limitent leurs placements à des sociétés qui ont toujours eu des résultats financiers stables. Lorsqu'un titre constitue un placement admissible, la société émettrice le mentionne dans son prospectus.

Considérations finales

Après avoir déterminé la qualité d'une émission comme placement, un épargnant devrait aussi passer en revue des facteurs tels que les cours et les rendements comparatifs, le prix sur le marché et le prix de remboursement si le titre se vend à prime, la pertinence de ce titre par rapport à l'ensemble de son portefeuille; les avantages du titre (convertible, encaissable par anticipation, à échéance prorogeable, etc.), l'aspect fiscal, les possibilités de variations importantes des taux d'intérêt qui peuvent influer sur le cours des titres, etc.

Après avoir acheté un titre, il faut surveiller constamment la société émettrice et sa situation financière générale, la conjoncture économique et l'orientation des taux d'intérêt pour être certain que le titre répond toujours aux objectifs de placement.

RÉSUMÉ

Les obligations et les débentures sont les titres qui offrent le plus de sécurité. Ces titres ont un droit sur l'actif et les bénéfices d'une société avant les autres titres qu'elle a émis.

En dépit de leur forte situation juridique, les épargnants doivent vérifier si l'émetteur a les moyens financiers de continuer le paiement des intérêts et de rembourser le capital à l'échéance.

Nous avons expliqué précédemment à l'aide d'un exemple de quelle façon on utilise les tests statistiques et certains autres tests pour évaluer la qualité comme placement - ou la marge de sécurité - d'une émission de société. Dans chaque cas, le but est d'évaluer le degré de risques que présente une société et la capacité de celle-ci de faire face à ses engagements à l'avenir.

Bien que les obligations et les débentures offrent au sens juridique la plus grande protection, le cours des obligations et des débentures en circulation peut subir d'importantes fluctuations si le niveau général des taux d'intérêt s'élève ou fléchit.

L'épargnant débutant devrait demander conseil à un courtier ou à un conseiller en valeurs mobilières expérimenté.

5   ACTIONS PRIVILÉGIÉES

Situation du porteur d'actions privilégiées

Les porteurs d'obligations et de débentures sont des créanciers de la société, et leurs droits prennent rang avant ceux des actionnaires privilégiés qui sont copropriétaires de la société avec les actionnaires ordinaires. Autrement dit, l'actionnaire privilégié se trouve dans une situation intermédiaire, c'est-à-dire qu'il est mieux protégé que les actionnaires ordinaires mais moins bien que les porteurs de titres d'emprunt. En outre, les actionnaires privilégiés ont généralement droit à un dividende fixe, au gré du conseil d'administration.

Si les sociétés émettent plus d'une classe d'actions privilégiées, chaque classe d'actions est identifiée distinctement.

Exemple: Argus Corporation Limited a en circulation quatre émissions d'actions privilégiées: deux séries d'actions de priorité de classe A, l'une dont le dividende est de 2,50 $ et l'autre de 2,60 $, des actions de priorité de classe B et des actions de priorité de classe C.

Lorsque plusieurs émissions d'actions privilégiées en circulation ont les mêmes droits et privilèges, on dit qu'elles prennent rang "pari passu".

Exemple: British Columbia Telephone Company a en circulation une classe d'actions de priorité 6% et 15 classes d'actions privilégiées. Les actions de priorité 6% ont un droit prioritaire sur l'actif et les dividendes par rapport aux 15 classes d'actions privilégiées. Toutefois, 14 des 15 classes d'actions privilégiées prennent rang pari passu en ce qui concerne l'actif et les dividendes mais après les actions de priorité 6%.

Droit prioritaire sur l'actif

Les actions privilégiées ont, par rapport aux actions ordinaires, un droit prioritaire sur l'actif en cas de liquidation ou de dissolution de la société. Le droit des créanciers et des porteurs de titres d'emprunt a préséance sur celui des actionnaires privilégiés, et les actionnaires ordinaires doivent se contenter de ce qui reste après que tous les droits des créanciers, des porteurs de titres d'emprunt et des actionnaires privilégiés ont été satisfaits.

Cette clause des "droits de priorité sur l'actif" se rencontre dans la plupart des émissions d'actions privilégiées. Puisque l'actionnaire privilégié a renoncé à son droit de participation aux bénéfices au-delà du dividende fixé, il est logique que sa situation soit renforcée par un droit prioritaire sur l'actif.

En cas de liquidation ou de dissolution de la société émettrice, les actionnaires privilégiés ont droit à une partie de l'actif jusqu'à concurrence d'un montant déterminé, une fois que les créanciers et les porteurs de titres d'emprunt ont été entièrement payés.

Exemple: les porteurs des actions privilégiées 2,20 $, Série A, de Carling O'Keefe Ltée ont droit à 50 $ par action en cas de liquidation involontaire et à 53 $ plus les dividendes accumulés en cas de liquidation volontaire.

Droit prioritaire sur les dividendes

Les actions privilégiées ont droit à un dividende généralement fixe, exprimé soit en pourcentage de la valeur nominale de l'action ou de sa valeur attribuée, soit en un montant précis de dollars et de cents.

Exemples: les actions privilégiées 8% de Algoma Steel Corporation Ltd. reçoivent un dividende annuel de 2 $ par action (8% des 25 $ de valeur nominale). Les actions privilégiées 2,20 $, Série A, de Carling O'Keefe Ltée reçoivent un dividende annuel de 2,20 $ par action.

Les dividendes sont tirés à même les bénéfices, présents ou passés, de la société. Toutefois, le paiement des dividendes n'est pas obligatoire comme celui de l'intérêt sur la dette et il ne peut être versé que s'il est déclaré par le conseil d'administration. Si le conseil d'administration décide d'omettre le paiement d'un dividende privilégié, les actionnaires privilégiés ont peu de recours. Toutefois, ils sont protégés par la condition qui interdit de payer des dividendes sur les actions ordinaires tant que les actionnaires privilégiés n'ont pas reçu tous les dividendes qui leur sont dus.

Bien que, légalement, les administrateurs peuvent différer indéfiniment le paiement des dividendes privilégiés, en pratique les dividendes sont versés si les bénéfices de la société le permettent. Le fait de ne pas déclarer un dividende privilégié prévu a des répercussions défavorables. En plus d'ébranler la confiance des épargnants, la cote de crédit de la société et son pouvoir d'emprunt à l'avenir s'en ressentiront.

Importance des dividendes

Bien que le placement en actions privilégiées et ordinaires comporte plus de risques que le placement en titres d'emprunt, le rendement brut des actions privilégiées et ordinaires des sociétés commerciales canadiennes imposables est bien inférieur au rendement des titres d'emprunt. La raison de ce paradoxe repose sur le traitement fiscal des intérêts par rapport à celui des dividendes.

Exemple de certificat d'actions privilégiées (recto)

Source: Ontario Banknote Ltd.

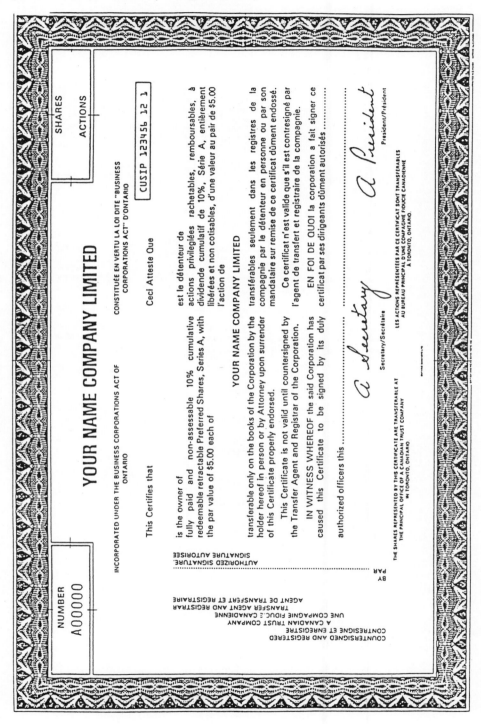

113

Exemple de certificat d'actions privilégiées (verso)

There are preferences, rights, conditions, restrictions, prohibitions and limitations attaching to the Preferred Shares, Series A. A copy of the full text thereof is obtainable on demand, and without fee, from the Corporation.

Il y a des préférences, droits, conditions, restrictions, prohibitions et limitations afférents aux actions privilégiées, Série A. Une copie du texte intégral peut être obtenu, sans frais, sur demande adressée à la compagnie.

For value received, the undersigned hereby sell(s), assign(s) and transfer(s) unto

Pour valeur reçue, le(s) soussigné(s) par les présentes vend(ent), cède(nt) et transporte(nt) à

_____

_____

_____ { Shares / actions

of the Capital Stock represented by the within Certificate, and do(es) hereby irrevocably constitute and appoint

du capital-actions que représente le présent certificat et constitue(nt) par les présentes

_____

Attorney to transfer the said Stock on the Books of the within-named Corporation with full power of substitution in the premises.

son (leur) fondé de pouvoir irrévocable avec plein pouvoir de substitution, aux fins de transférer lesdites actions dans les registres de la compagnie.

Date _____

Signature _____

In the presence of / En présence de } _____

THIS SPACE MUST NOT BE COVERED IN ANY WAY
ON NE DOIT REMPLIR CET ESPACE D'AUCUNE FAÇON

Lorsqu'une société paie de l'intérêt sur sa dette, l'intérêt est versé en dollars avant impôt puisqu'il est considéré comme des frais d'exploitation déductibles d'impôt. Lorsque le porteur d'obligations ou de débentures reçoit de l'intérêt, son revenu est traité comme un revenu imposable.

Lorsqu'une société verse des dividendes sur ses actions, les dividendes sont payés en dollars après impôt puisqu'ils ne sont pas considérés comme des frais d'exploitation déductibles d'impôt. Lorsque l'actionnaire reçoit des dividendes de sociétés commerciales canadiennes imposables, les dollars en question ont été imposés à la société avant qu'ils soient versés. Afin de réduire la double imposition, les actionnaires bénéficient d'un crédit d'impôt pour dividendes grâce à une mesure que l'on appelle "système de majoration et de dégrèvement fiscal pour dividendes" (voir plus loin).

Le fait que les contribuables peuvent se prévaloir d'une déduction de 1 000 $ au fédéral relative aux dividendes et aux intérêts (expliquée au chapitre précédent) pour les dividendes provenant de sociétés commerciales canadiennes imposables constitue un autre avantage fiscal (cette déduction a été portée à 500 $ au Québec lors du budget de mai 1986).

Étant donné que la plupart des actions privilégiées sont des titres à revenu fixe, elles n'offrent pas la même possibilité de gains en capital qu'offrent les actions ordinaires. Ainsi, le dividende fixe est d'une importance primordiale pour l'actionnaire privilégié.

POURQUOI LES SOCIÉTÉS ÉMETTENT-ELLES DES ACTIONS PRIVILÉGIÉES?

Il en coûte généralement plus cher à une société d'émettre des actions privilégiées que des titres d'emprunt parce que le paiement des dividendes n'est pas une dépense déductible de l'impôt. Toutefois, après avoir pesé le pour et le contre, il peut y avoir suffisamment d'avantages pour justifier une nouvelle émission d'actions privilégiées plutôt qu'une nouvelle émission de titres d'emprunt ou d'actions ordinaires.

Actions privilégiées contre titres d'emprunt

Du point de vue d'une société, les actions privilégiées classiques ne l'engagent pas autant que les titres d'emprunt car elles n'ont pas de date d'échéance qui pourrait tomber à un moment inopportun. Si la société omet de verser un dividende, les créanciers ne saisissent aucun bien.

En raison des obligations strictes que cela comporte, une société fera tout son possible pour éviter qu'un paiement d'intérêt ou un remboursement de capital soit en défaut. Toutefois, la société peut décider librement de déclarer ou non un dividende privilégié. On n'omet jamais le paiement d'un dividende sans bonne raison. Mais afin de conserver le fonds de roulement en cas d'urgence, les dirigeants de la société peuvent décider d'omettre le paiement d'un dividende privilégié sans pour cela compromettre la solvabilité de la société.

Dans les situations suivantes, une société peut choisir d'émettre de nouvelles actions privilégiées plutôt que de nouveaux titres d'emprunt ou de nouvelles actions ordinaires:

. la société ne peut pas émettre une obligation hypothécaire parce qu'elle ne dispose pas de suffisamment de biens à offrir en garantie;

- le marché n'est pas en mesure d'absorber de nouvelles émissions de titres d'emprunt ou d'actions ordinaires pour le moment;

- le ratio d'endettement de la société est déjà élevé et une émission d'actions privilégiées lui permettrait d'augmenter l'avoir de ses actionnaires;

- le conseil d'administration de la société ne veut pas assumer les obligations juridiques (c.-à-d. le paiement de l'intérêt et le remboursement du capital) que susciterait une nouvelle dette parce que la société fait partie d'une industrie cyclique où les bénéfices fluctuent;

- le conseil d'administration de la société veut éviter une plus grande dilution permanente de l'avoir des actionnaires que favoriserait une nouvelle émission d'actions ordinaires plutôt qu'une nouvelle émission d'actions privilégiées avec clause de rachat.

QUI ACHÈTE DES ACTIONS PRIVILÉGIÉES?

Lorsque les taux d'imposition sur le revenu des particuliers étaient faibles, les actions privilégiées étaient surtout achetées par les épargnants intéressés par le revenu. Aujourd'hui, les épargnants prudents qui recherchent le revenu achètent des actions privilégiées pour profiter du dégrèvement fiscal pour dividendes ou de la déduction de 1 000 $ relative aux dividendes et aux intérêts du gouvernement canadien ou des deux.

Certains épargnants sont également attirés par des catégories particulières d'actions privilégiées telles que les actions privilégiées convertibles et les actions encaissables par anticipation que nous verrons plus en détail un peu plus loin dans ce chapitre.

Les actions privilégiées sont également achetées en tant que placement à revenu par les sociétés canadiennes parce que les dividendes versés par une société canadienne imposable à une société semblable ne sont pas imposables pour la société qui les reçoit, ce qui n'est pas le cas de l'intérêt sur la dette. Lorsque la société canadienne A achète une émission de titres d'emprunt de la société canadienne B, l'intérêt que reçoit la Société A est entièrement imposable pour cette société.

CARACTÉRISTIQUES POSSIBLES DES ACTIONS PRIVILÉGIÉES

Alors que la description des droits des porteurs de titres d'emprunt se trouve dans l'acte de fiducie, celle des droits des actionnaires privilégiés se trouve dans la charte de la société. Une société qui désire émettre des actions privilégiées doit faire une demande afin de modifier sa charte, à moins qu'en vertu de cette charte l'émission d'actions privilégiées ne soit laissée à la discrétion du conseil d'administration.

Après avoir décidé d'émettre des actions privilégiées, le conseil d'administration rencontre les preneurs ferme de la société afin de déterminer la catégorie d'actions privilégiées à émettre ainsi que les modalités précises de l'émission. Les différentes caractéristiques que nous verrons ici peuvent s'appliquer à toutes les catégories d'actions privilégiées. Certaines d'entre elles renforcent la situation de l'émetteur, d'autres protègent la situation des acheteurs. La décision finale représente un compromis de manière à protéger raisonnablement les acheteurs sans pour cela imposer trop de restrictions à l'émetteur.

Les investisseurs qui désirent connaître les caractéristiques d'une émission d'actions privilégiées particulière devraient consulter la brochure du Financial Post relative à la société en question ou "Can-Pref" (une étude sur les actions privilégiées) publiées par le Financial Post Information Service à Toronto.

Actions privilégiées au dividende cumulatif

La plupart des actions privilégiées canadiennes sont à dividende cumulatif.

Exemple: C-I-L Inc.
actions privilégiées 7 1/2%
à dividende cumulatif de premier rang
d'une valeur nominale de 50 $

Lorsque le conseil d'administration de la société décide d'omettre le paiement d'un ou de plusieurs dividendes exigibles, ceux-ci s'accumulent et on dit qu'il y a "arriérés" de dividendes. Tous les dividendes privilégiés accumulés doivent être payés avant que les actionnaires ordinaires puissent recevoir des dividendes ou avant que la société puisse racheter ses actions privilégiées.

Si la situation financière de la société se détériore en raison d'une baisse des bénéfices, les dirigeants peuvent décider à contrecoeur d'omettre le paiement d'un dividende privilégié. Si cela arrive à l'improviste, le cours du marché des actions privilégiées fléchira. Si le dividende est cumulatif, les actions acquièrent un caractère spéculatif qui devient de plus en plus prononcé à mesure que d'autres dividendes impayés s'accumulent. Si par la suite les bénéfices de la société augmentent ou si une perte se change en profit, certains investisseurs achèteront les actions privilégiées croyant que les dividendes seront enfin payés. Si, en effet, les dividendes arriérés sont payés en partie ou en totalité, le paiement est effectué aux actionnaires privilégiés qui détiennent les actions au moment du paiement. Les actionnaires privilégiés qui ont vendu leurs actions précédemment ne reçoivent pas les dividendes. Aucun intérêt n'est versé sur les arriérés.

Actions privilégiées au dividende non cumulatif

Le porteur d'actions privilégiées dont le dividende est "non cumulatif" a droit à un dividende déterminé, mais seulement l'année où un tel dividende est déclaré.

Exemple: actions privilégiées à dividende non cumulatif
de la classe C, de Argus Corporation Limited

Lorsque le paiement d'un dividende privilégié non cumulatif est omis, ce dividende ne s'accumule pas et l'actionnaire ne peut le réclamer plus tard. Pour cette raison, les moyens du porteur d'actions privilégiées dont le dividende est non cumulatif sont très faibles en ce qui a trait au dividende.

Bien que très peu d'actions privilégiées canadiennes soient à dividende non cumulatif, les investisseurs devraient déterminer si une action privilégiée est à dividende cumulatif avant de l'acheter.

Actions privilégiées rachetables

Les émetteurs d'actions privilégiées se réservent souvent le droit de racheter leurs émissions. Une clause de rachat constitue un avantage pour l'émetteur mais ne l'est normalement pas pour l'acheteur.

Tout comme les titres d'emprunt rachetables, les actions privilégiées rachetables bénéficient généralement d'une petite prime qui s'ajoute au montant d'actif par action fixé dans la charte, normalement la valeur nominale, et qui est payée à titre de compensation pour les investisseurs dont les actions sont rachetées. En pratique, l'émetteur donne généralement un préavis de 30 jours avant de racheter ses actions privilégiées.

Par exemple, les actions privilégiées d'une société canadienne ont cette clause de rachat:

"Les actions sont rachetables au gré de la société, en totalité en tout temps ou en partie de temps à autre, sur préavis d'au moins 30 jours, à leur valeur nominale plus une prime de 2% sur ladite valeur nominale si elles sont rachetées au plus tard le 1er février 19..; ensuite avec une prime de 1% plus, dans chaque cas, un montant égal aux dividendes privilégiés accumulés et impayés jusqu'à la date de rachat inclusivement."

Les mêmes primes seraient normalement payables en cas de liquidation volontaire qu'en cas d'un rachat. Toutefois, aucune prime n'est normalement payée en cas de liquidation involontaire.

Aux fins d'annulation, la société émettrice a habituellement le privilège de racheter ses actions privilégiées sur le marché public ou de faire un appel aux porteurs de ses actions. Dans ces circonstances, le prix payé ne doit généralement pas dépasser la valeur nominale des actions privilégiées plus la prime stipulée pour le rachat.

Actions privilégiées non rachetables

Les actions privilégiées non rachetables ne peuvent être rachetées tant et aussi longtemps que la société existe. Cette disposition est restrictive du point de vue de l'émetteur, en ce sens qu'elle bloque une partie de la structure du capital pendant toute l'existence de la société. Par conséquent, cette disposition se rencontre très rarement aujourd'hui dans les émissions d'actions privilégiées canadiennes. Par contre, elle est avantageuse pour l'acheteur puisque ses actions ne peuvent être appelées au rachat.

Exemple: C-I-L Inc.
actions privilégiées 7 1/2% de premier rang non rachetables
d'une valeur nominale de 50 $

Droit de vote

Presque toutes les actions privilégiées ne comportent pas de droits de vote tant et aussi longtemps que les dividendes privilégiés sont payés à la date prévue. Toutefois, dès qu'un nombre déterminé de dividendes privilégiés a été omis, on accorde généralement des droits de vote aux actionnaires privilégiés.

Les sociétés émettrices peuvent trouver qu'il est avantageux de ne pas accorder de droit de vote aux actions privilégiées puisqu'ainsi les actionnaires privilégiés n'ont pas droit de parole quant aux affaires de la société tant que les dividendes sont versés.

Toutefois, les actionnaires privilégiés ont normalement le droit de voter sur des questions pouvant affecter la qualité de leurs titres, par exemple si l'on désire augmenter le nombre d'actions privilégiées autorisées. Parfois également, on devra obtenir le consentement des porteurs d'un pourcentage déterminé d'actions privilégiées en circulation avant de pouvoir contracter une nouvelle dette à long terme.

Fonds de rachat

Un bon nombre d'actions privilégiées canadiennes rachetables comportent une disposition de "fonds de rachat". En vertu de cette disposition, la société s'engage à rembourser, au moyen d'achats sur le marché public, un montant déterminé d'actions privilégiées chaque année si ces actions sont disponibles à un prix stipulé ou à un prix inférieur à celui-ci (normalement la valeur nominale de l'action privilégiée). Toutefois, si le fonds de rachat ne peut racheter suffisamment d'actions sur le marché public, aucun rachat n'est effectué.

Par exemple, les actions privilégiées d'une certaine société canadienne ont le fonds de rachat suivant:

Le 1er juin de chaque année, des fonds sont mis de côté pour pourvoir au remboursement de 2% du nombre d'actions privilégiées en circulation au 1er mai précédent à un prix par action ne dépassant pas le prix de rachat en vigueur à ce moment-là plus les frais d'acquisition (c.-à-d. les frais de courtage).

Le fonds de rachat est avantageux pour les actionnaires privilégiés en ce sens que si le cours des actions baisse sur le marché jusqu'à un prix stipulé ou à un prix inférieur à celui-ci, le fonds fera tous les efforts nécessaires pour racheter un nombre déterminé d'actions. Par conséquent, une émission d'actions privilégiées à fonds de rachat a automatiquement un soutien possible du cours grâce aux efforts que fait le fonds de rachat pour racheter des actions chaque année.

Fonds d'amortissement

Bien qu'une disposition de fonds d'amortissement soit très courante dans les nouvelles émissions de titres d'emprunt, on la retrouve beaucoup moins fréquemment dans le cas d'émissions d'actions privilégiées. En vertu de la disposition du fonds d'amortissement, la société met de côté, chaque année, un pourcentage déterminé du bénéfice net, ou un montant fixe, pour pourvoir au remboursement graduel de la totalité de l'émission pendant un certain nombre d'années. Le fonds d'amortissement rachète des actions sur le marché si les actions se vendent à un prix stipulé ou à un prix inférieur. Toutefois, si le fonds ne parvient pas à racheter un nombre suffisant d'actions de cette façon, il peut racheter par voie de tirage les actions nécessaires. Les actionnaires dont les actions sont appelées au rachat remettent un nombre précis d'actions et reçoivent en contrepartie un prix fixe par action, normalement la valeur nominale des actions plus les dividendes accumulés et impayés.

Exemple: Les actions privilégiées 9,76% rachetables, sans droit de vote de Nova, An Alberta Corporation ont un fonds d'amortissement en vertu duquel 96 000 actions sont rachetées à 25 $ par action, le 15 novembre de chaque année.

Du point de vue de l'acheteur, le fonds d'amortissement a l'avantage de soutenir automatiquement le cours des actions si celui-ci baisse au-dessous du prix de rachat aux fins du fonds d'amortissement.

Toutefois, il y a un inconvénient possible si les actions se négocient au-dessus du prix du rachat par le fonds d'amortissement pendant une partie ou toute l'année. Si le fonds d'amortissement ne peut racheter un nombre suffisant d'actions sur le marché public, la société peut racheter les actions nécessaires par voie de tirage au prix du fonds d'amortissement plus les dividendes accumulés et impayés.

Effets des fonds de rachat et d'amortissement

Au fur et à mesure que le fonds de rachat ou le fonds d'amortissement rachète des actions privilégiées, le total des actions privilégiées d'une émission particulière en circulation diminue graduellement. Moins il y a d'actions en circulation, moins celles-ci sont facilement négociables. Toutefois, le cours des actions privilégiées augmentera ou se raffermira étant donné que le fonds fait une offre pour les actions jusqu'à concurrence de la valeur de rachat. Avec le temps, les fonds de rachat et d'amortissement réduisent graduellement le nombre total d'actions privilégiées en circulation, ce qui améliore la situation des actionnaires restants. Les paiements annuels des dividendes privilégiés diminuent, ce qui augmente le bénéfice net pouvant être distribué aux actionnaires ordinaires.

CLAUSES VISANT À PROTÉGER LES ACTIONNAIRES PRIVILÉGIÉS

Les preneurs ferme encouragent les sociétés qui émettent de nouvelles actions privilégiées à insérer des clauses protectrices précises afin de protéger la situation des actionnaires privilégiés et de faire en sorte que l'émission puisse se vendre plus facilement. Voici une description de certaines clauses protectrices:

Restrictions relatives aux dividendes ordinaires

Afin de protéger les actionnaires privilégiés, il est possible d'insérer des dispositions précises de manière à limiter dans certains cas le versement des dividendes ordinaires.

(a)   Maintien du fonds de roulement

Une "clause relative au fonds de roulement" est destinée à faire en sorte que la situation financière de la société ne soit pas gravement affaiblie si des dividendes sont versés sur les actions ordinaires. Par exemple, la clause relative au fonds de roulement d'une société stipule ce qui suit:

> "Aucun dividende ne pourra, à quelque moment que ce soit, être déclaré ou payé ou mis de côté pour les actions ordinaires ou pour toutes autres actions ou partie des actions si le paiement d'un tel dividende réduisait le fonds de roulement de la société, tel qu'il a été défini par les présentes, à un montant inférieur à cinq cent mille dollars (500 000 $)."

(b)   Conditions relatives au fonds de rachat ou au fonds d'amortissement

La disposition peut stipuler qu'aucun dividende ne pourra être versé aux actionnaires ordinaires si le fonds accuse un retard dans le rachat des actions privilégiées.

Droit de vote en cas d'arriérés de dividendes

Beaucoup d'émissions canadiennes d'actions privilégiées comportent une clause protectrice en vertu de laquelle les actionnaires privilégiés ont droit de vote lorsqu'il y a arriéré d'un nombre déterminé de dividendes privilégiés ou de versements au fonds de rachat ou au fonds d'amortissement.

Étant donné que le nombre d'actions privilégiées en circulation est généralement beaucoup moins élevé que le nombre d'actions ordinaires en circulation, les droits de vote que l'on accorde aux actionnaires privilégiés affectent rarement le contrôle de la société. Afin de s'assurer que les actionnaires privilégiés aient au moins un siège au conseil d'administration, certaines sociétés précisent le nombre d'administrateurs qui doivent être élus par l'ensemble des actionnaires privilégiés. Par exemple, une société canadienne prévoit ceci pour ses actionnaires privilégiés:

> Les porteurs des actions privilégiées 4 1/2% et 6% de premier rang ont le droit, lorsqu'il y a arriéré de 6 dividendes privilégiés trimestriels, d'élire 2 administrateurs sur 7, ou 3 administrateurs s'il y en a plus de 7.

Restrictions relatives aux émissions subséquentes d'actions privilégiées

Certaines émissions d'actions privilégiées comportent une clause restrictive destinée à contrôler les émissions futures d'actions privilégiées qui auraient un rang supérieur ou égal à celui des actions privilégiées en circulation. L'émission de telles actions est normalement interdite sans le consentement préalable des actionnaires privilégiés. Toutefois, dans la plupart des cas, ce consentement n'est pas exigé si certaines conditions sont observées. La condition que l'on retrouve le plus souvent est que les bénéfices nets réalisés au cours d'une période déterminée (ordinairement les 12 mois précédant l'émission proposée) doivent couvrir (d'habitude au moins 2 fois) le paiement annuel des dividendes sur les actions privilégiées en circulation et sur celles que l'on se propose d'émettre.

Restrictions relatives à la vente de biens

Parfois, le vote affirmatif des porteurs des deux tiers des actions privilégiées en circulation est nécessaire avant que la société ne soit autorisée à vendre, à céder ou à louer des biens qui lui appartiennent ou à fusionner avec une autre société dont les titres prendraient rang avant les actions privilégiées de la société existante ou auraient un rang égal à celles-ci.

Restrictions relatives à la modification des dispositions

Bien que les dispositions et les modalités des actions privilégiées existantes ne soient pas irrévocables, on a fait en sorte que la société puisse difficilement les changer. Habituellement, le consentement des actionnaires privilégiés est nécessaire avant qu'une modification proposée puisse être adoptée. Le consentement des actionnaires peut être obtenu de l'une des façons suivantes:

- par un document signé par les porteurs de la majorité des actions privilégiées en circulation;

- par un compromis ou un accord en vertu de la Loi sur les sociétés commerciales canadiennes (dans le cas des sociétés à charte fédérale);

- par une résolution adoptée par la majorité (habituellement les deux tiers) à une assemblée à laquelle la majorité des porteurs d'actions privilégiées sont présents.

CATÉGORIES D'ACTIONS PRIVILÉGIÉES

Actions privilégiées classiques

Il s'agit d'actions privilégiées qui ont un droit prioritaire normal quant à l'actif et aux dividendes par rapport aux actions ordinaires. Les actions privilégiées classiques peuvent avoir une ou toutes les caractéristiques décrites précédemment. Étant donné que les actions privilégiées classiques reçoivent un taux de dividende fixe, les actions se négocient sur le marché en fonction du rendement. Tout comme pour le cours du marché des obligations et des débentures, si les taux d'intérêt montent, le cours des actions privilégiées baissera et, si les taux d'intérêt baissent, le cours des actions privilégiées montera.

Comment choisir une action privilégiée classique?

Avant d'acheter une action privilégiée classique, il serait bon de se poser les questions suivantes:

- Quelle est la qualité comme placement des actions privilégiées? Nous verrons comment on évalue la qualité des actions privilégiées plus loin dans ce chapitre.

- Leur dividende est-il cumulatif?

- Comportent-elles des clauses protectrices adéquates?

- Y a-t-il un fonds de rachat ou un fonds d'amortissement qui pourra soutenir le marché au cours des périodes où les actions privilégiées se négocieront au-dessous de leur valeur nominale?

- Quelle est le rapport entre le prix de rachat et le cours du marché des actions privilégiées? Si le cours du marché est supérieur au prix de rachat, quelles sont les possibilités que les actions privilégiées soient rachetées?

- Le dividende est-il admissible au dégrèvement fiscal pour dividendes?

- Compte tenu de sa situation, l'acheteur peut-il tirer parti du dégrèvement fiscal pour dividendes? Si non, l'épargnant pourrait peut-être acheter un titre d'emprunt pour obtenir un revenu avant impôt plus élevé et une plus grande sécurité.

- Le rendement des actions privilégiées est-il acceptable par rapport à celui d'autres placements comparables?

- Les actions privilégiées sont-elles inscrites à la cote d'une bourse reconnue? Si non, pour quelle raison?

- Sont-elles facilement négociables? Quel est le volume mensuel moyen des opérations sur ces actions?

- Comment le service de recherche de votre courtier ou un service indépendant d'évaluation du crédit cote-t-il l'action privilégiée en question?

Avantages et inconvénients

Du point de vue de l'acheteur, les avantages et les inconvénients de l'action privilégiée classique sont:

- une plus grande sécurité que les actions ordinaires grâce au droit prioritaire sur les dividendes et l'actif;

- des avantages fiscaux pour les contribuables grâce au dégrèvement fiscal pour dividendes et à la déduction de 1 000 $ au fédéral (500 $ au Québec) relative aux dividendes et aux intérêts, et pour les sociétés ouvertes qui reçoivent de sociétés canadiennes imposables des dividendes privilégiés exemptés d'impôt;

- moins de sécurité que des titres d'emprunt puisque les dividendes ne sont pas une obligation légale;

- un dividende fixe qui ne sera pas augmenté;

- pas de droits de vote (à moins qu'il n'y ait arriéré d'un nombre déterminé de dividendes);

- pas de date d'échéance, contrairement à un titre d'emprunt;

- moins de négociabilité que les actions ordinaires parce qu'il y a généralement moins d'actions privilégiées que d'actions ordinaires en circulation;

- ne procure au porteur que la valeur nominale plus, peut-être, une petite prime et les dividendes accumulés et impayés en cas de liquidation volontaire. En cas de liquidation involontaire, les actionnaires privilégiés ne reçoivent que la valeur nominale de leurs actions plus les dividendes accumulés et impayés.

Actions privilégiées convertibles

Ces actions privilégiées sont semblables aux obligations convertibles, car elles donnent au porteur le droit de convertir ses actions privilégiées en une autre classe d'actions (habituellement des actions ordinaires) à un prix fixé à l'avance et pendant une période déterminée.

Les caractéristiques générales des obligations convertibles que nous avons décrites au chapitre précédent s'appliquent également aux actions privilégiées convertibles.

Nous verrons à la page suivante des exemples de trois actions privilégiées convertibles et leurs différentes primes de conversion.

VARIATIONS DE LA PRIME DE CONVERSION SUR LES ÉMISSIONS D'ACTIONS PRIVILÉGIÉES

Voici trois émissions d'actions privilégiées convertibles en actions ordinaires. Les cours du marché sont ceux du mois de novembre 1985.

Émission	Cours du marché privilégiée	ordinaire	Rendement avant impôt privilégiée	ordinaire	Différence	Prime de conversion*
Bell Canada priv. 2,05 $, 20 $ v.n.	41 7/8 $	42 1/8 $	4,90%	5,41% (div. 2,05 $)	0,51%	néant

(Chaque action privilégiée 2,05 $ est convertible en une action ordinaire jusqu'au 15 avril 1992)

Bow Valley priv. 2,05 $ classe D, 25 $ v.n.	27,00 $	14,875 $	7,59%	1,34% (div. 0,20 $)	+6,25%	56,1%

(Chaque action privilégiée 2,05 $ de la classe D est convertible en 11 628 actions ordinaires jusqu'au 30 novembre 1989)

Stelco priv. 1,94 $ série C, 25 $ v.n.	24 7/8 $	20 1/2 $	7,80%	4,88% (div. 1,00 $)	+2,92%	63,8%

(Chaque action privilégiée 1,94 $ de la série C est convertible en 0,741 action ordinaire de la classe A jusqu'au 30 avril 1990)

* Exemple de calcul (courtage non compris) de la prime de conversion sur l'action privilégiée 1,94 $ de la série B de Stelco (au mois de novembre 1985).

1. L'achat d'une action privilégiée de Stelco sur le marché, convertible en 0,741 actions ordinaires coûterait 24 7/8 $.

2. L'achat de 0,741 actions ordinaires de Stelco (cours du marché: 20 1/2 $ l'action) coûterait théoriquement 0,741 x 20 1/2 $ = 15,19 $.

3. Par conséquent, la prime de conversion serait de 24 7/8 $ - 15,19 $ = 9,69 $

$$\frac{9,69\ \$}{15,19\ \$} \times 100 = 63,8\%$$

Actions privilégiées encaissables par anticipation ou rachetables au gré du détenteur

Bien que la plupart des actions privilégiées soient rachetables, il n'est pas certain qu'il y aura effectivement un rachat puisque la décision de racheter les actions appartient à la société. Par contre, le porteur d'une action privilégiée encaissable par anticipation peut forcer la société à racheter les actions à une date précise et à un prix déterminé. Le principe de l'encaissement par anticipation est identique à celui que l'on a décrit précédemment pour les obligations et débentures encaissables par anticipation. Le porteur d'une action privilégiée encaissable par anticipation peut établir une date d'échéance pour l'action privilégiée en exerçant son droit d'encaissement par anticipation et en offrant ses actions à l'émetteur pour que celui-ci les rachète.

Tout comme pour les titres d'emprunt encaissables par anticipation, les dispositions relatives aux actions privilégiées encaissables par anticipation prévoient une période d'option pendant laquelle le porteur doit aviser la société de son intention d'encaisser ses actions par anticipation. L'encaissement par anticipation ne se fait pas automatiquement. Il appartient donc au porteur d'aviser la société de son intention de le faire.

> **Exemple:** Les actions privilégiées encaissables par anticipation de classe A, Série 1, de la Banque de Commerce Canadienne Impériale (d'une valeur nominale de 25 $) peuvent être encaissées par anticipation le 20 août 1987 à 25 $ l'action plus les dividendes accumulés. Les porteurs doivent aviser la société de leur intention d'encaisser leurs actions par anticipation au plus tard le 20 juillet 1987.

Pour la société émettrice le choix ou la combinaison des modalités d'une nouvelle émission d'actions privilégiées afin d'en faciliter la vente est illimité. Certaines actions privilégiées encaissables par anticipation ont deux dates d'encaissement par anticipation ou comportent un privilège de conversion, ou les deux à la fois.

> **Exemple:** Chaque action privilégiée convertible et encaissable par anticipation de classe A, Série D (d'une valeur nominale de 25 $) de Hees International Corporation est convertible en une action privilégiée de classe A, Série E (d'une valeur nominale de 25 $) à compter du 1er juillet 1986. Le 15 avril 1986, et par la suite le premier jour de juillet, d'octobre de janvier et d'avril, les actions de Série D sont encaissables par anticipation à 25 $ l'action plus les dividendes accumulés.

Comment choisir les actions privilégiées encaissables par anticipation

Avant d'acheter une action privilégiée encaissable par anticipation, il serait bon de savoir si l'action comporte les caractéristiques suivantes ainsi que celles mentionnées précédemment pour les actions privilégiées classiques.

. La durée du privilège d'encaissement par anticipation est-elle suffisamment longue pour en valoir la peine?

. Quel est le rapport entre le cours du marché de l'action et le prix d'encaissement par anticipation de l'action?

Avantages

Du point de vue de l'acheteur, les actions privilégiées encaissables par anticipation:

. peuvent être encaissées par anticipation à des dates et à des prix déterminés à l'avance. Plus la date d'encaissement par anticipation est proche, moins le cours du marché de l'action est vulnérable aux hausses des taux d'intérêt;

. procurent un gain en capital si elles ont été achetées à escompte par rapport au prix d'encaissement par anticipation et qu'elles sont ensuite offertes au moins au prix d'encaissement par anticipation;

. se négocieront au-dessus du prix d'encaissement par anticipation et à un prix au moins égal au prix de rachat si les taux d'intérêt baissent suffisamment;

. ne peuvent être automatiquement encaissées par anticipation. Si le porteur n'exerce pas son droit durant la période d'option, le privilège d'encaissement par anticipation expirera;

. deviennent des actions privilégiées classiques si elles n'ont pas été encaissées durant la période d'option. Si cela se produit durant une période de taux d'intérêt élevés ou à la hausse, la valeur au cours du marché de l'action diminuera. Les actions se négocieront en fonction du rendement normal après l'expiration du privilège d'encaissement par anticipation.

Actions privilégiées émises avec bons de souscription

Le fait d'attacher des bons de souscription à une nouvelle émission d'actions privilégiées est une autre façon d'en faciliter la vente. Dans certains cas, les bons de souscription peuvent être immédiatement détachés de manière que l'actionnaire privilégié puisse vendre une partie ou la totalité des bons de souscription et conserver ses actions privilégiées. Une autre façon consiste à différer l'émission des bons de souscription jusqu'à une date ultérieure précise. Ceci, à son tour, encourage les actionnaires privilégiés à conserver leurs actions. (Certaines caractéristiques des bons de souscription sont expliquées dans le chapitre sur les actions ordinaires.)

> **Exemple:** En 1984, Selbirk Communications Limited a émis 1 500 000 unités, à 15 $ l'unité. Chaque unité comprenait une action de la Classe A et un demi bon de souscription pour l'achat d'actions de la classe A. Chaque bon de souscription entier donne au porteur le droit d'acheter une action de la classe A à 16,75 $ jusqu'au 15 février 1988.

On émettra parfois deux séries différentes de bons de souscription aux actionnaires privilégiés à deux dates très éloignées l'une de l'autre. Cette variation est destinée à encourager les actionnaires privilégiés à conserver leurs actions au moins jusqu'à la deuxième émission de bons de souscription. Étant donné que ces actions privilégiées se négocient bon attaché, elles sont considérées, du moins en partie, comme des actions privilégiées convertibles. Si le cours de l'action ordinaire visée par le bon de souscription augmente suffisamment pour donner une valeur intrinsèque au bon de souscription, le cours de l'action privilégiée montera de concert avec celui de l'action ordinaire.

Exemple: En 1982, les porteurs d'actions privilégiées 2,50 $ de la classe A, Série 2, de la Banque de Montréal ont reçu un bon de souscription Série A pour chaque action privilégiée détenue. Chaque bon de souscription Série A donne le droit d'acheter une action ordinaire BMO à 29,50 $ jusqu'au 15 juin 1985; par la suite, à 33 $ l'action jusqu'au 15 décembre 1988, date à laquelle les bons de souscription expireront. En 1985, les porteurs d'actions privilégiées de la classe A, Série 2, ont reçu un bon de souscription Série B pour chaque action privilégiée détenue. Chaque bon de souscription Série B donne le droit d'acheter une action ordinaire BMO à 33 $ jusqu'à l'expiration des bons le 15 décembre 1988.

En plus des caractéristiques essentielles que l'on doit considérer lorsque l'on choisit des actions privilégiées classiques, il faudrait se poser les questions suivantes:

- Les perspectives pour les actions ordinaires sont-elles bonnes?

- La durée de validité des bons de souscription est-elle satisfaisante?

- Y a-t-il un rapport raisonnable entre le prix d'exercice du bon de souscription et le cours du marché de l'action ordinaire? La prime de conversion est-elle raisonnable?

- S'il s'agit d'un lot irrégulier de bons de souscription, l'acheteur est-il prêt à acheter par la suite des bons de souscription supplémentaires, sur le marché, de façon à détenir un lot régulier?

- Les dispositions relatives aux bons de souscription comportent-elles une protection contre une dilution en cas d'une division des actions ou de dividendes en actions?

- Combien de bons de souscription seront en circulation? Y aura-t-il suffisamment d'acheteurs et de vendeurs pour que les bons de souscription soient raisonnablement négociables une fois qu'ils se négocieront séparément?

- Les bons de souscription sont-ils inscrits à la cote d'une bourse? Sinon, pourquoi?

Du point de vue de l'acheteur, les actions privilégiées avec bons de souscription:

- fournissent deux titres différents une fois que les bons de souscription sont détachés des actions privilégiées. Chaque titre peut être détenu ou vendu séparément;

- fournissent l'occasion d'acheter des actions ordinaires grâce à l'exercice des bons de souscription sans avoir à payer des frais de courtage;

- procurent habituellement un rendement inférieur à celui des actions privilégiées classiques;

- deviennent des actions privilégiées classiques une fois qu'elles se négocient bons de souscription détachés;

- exigent deux opérations différentes (et deux versements de courtage) si l'on veut disposer des deux titres une fois que les bons de souscription et les actions privilégiées se négocient séparément;

- donnent parfois à l'actionnaire privilégié un lot irrégulier de bons de souscription qui est plus difficile à vendre qu'un lot régulier.

Actions privilégiées à taux variable ou flottant

Les actions privilégiées à taux variable viennent du même concept que les obligations à taux flottant (que l'on a étudiées plus tôt). Elles paient des dividendes dont les montants varient selon les fluctuations des taux d'intérêt. Si les taux d'intérêt montent, les dividendes augmentent également et vice versa.

> **Exemple:** Les actions privilégiées de premier rang à taux variable de la classe A, Série C, (d'une valeur nominale de 25 $) de la Banque Toronto-Dominion paient un dividende trimestriel calculé à un taux variable, sur une base annuelle, égal à la moitié du taux préférentiel quotidien moyen de la banque pour les trois mois précédents, plus 1 3/4%. Le taux annuel minimum est de 9%.

Les actions privilégiées à taux variable sont émises lorsque les actions privilégiées classiques se vendent difficilement et que l'émetteur a décidé de ne pas émettre des actions privilégiées convertibles (en raison d'une dilution possible de l'avoir des actionnaires) ou encaissables par anticipation (parce que les porteurs pourraient exiger le remboursement à une date fixe). L'émetteur croit que les taux d'intérêt ne monteront pas très au-dessus de ce qu'ils sont à la date d'émission des nouvelles actions privilégiées. Toutefois, l'émetteur est prêt à payer en tout temps un dividende plus élevé si les taux d'intérêt montent. Bien entendu, si les taux d'intérêt baissent, l'émetteur versera un dividende moins élevé (sous réserve d'un taux minimum garanti dans la plupart des cas) et ne sera pas obligé de verser un dividende élevé.

En plus des caractéristiques essentielles que l'on doit considérer lorsque l'on choisit des actions privilégiées classiques, il faudrait se poser les questions suivantes:

. Un dividende moins élevé sera-t-il acceptable si les taux d'intérêt baissent?

. La société verse-t-elle un dividende minimum acceptable sans tenir compte des fluctuations des taux d'intérêt?

. Les modalités de l'émission sont-elles aussi avantageuses que celles des émissions d'actions privilégiées à taux variable comparables?

Du point de vue de l'acheteur, les actions privilégiées à taux variable procurent:

. un revenu supérieur si les taux d'intérêt montent, mais un revenu inférieur si les taux d'intérêt baissent;

. un revenu annuel variable qui est difficile à prévoir de façon précise mais qui reflète les taux d'intérêt en vigueur;

. un placement dont le cours est moins sensible aux variations des taux d'intérêt que le cours des actions privilégiées classiques. Le paiement des dividendes des actions privilégiées à taux variable est lié d'avance aux variations des taux d'intérêt. C'est pourquoi leur cours n'est pas vraiment affecté par les fluctuations de taux d'intérêt.

Actions privilégiées participantes

En plus de leur droit à un taux de dividende fixe, les actions privilégiées "participantes" ont le droit de participer aux bénéfices de la société.

> **Exemple:** Les actions privilégiées de la classe C de Argus Corporation Limited reçoivent le même dividende que les actions ordinaires après que 30¢ ont été versés sur chaque action ordinaire.

On émet parfois des actions privilégiées dont le droit de participation aux bénéfices est limité.

> **Exemple:** Les actions de la classe A de Renold Chains Canada Limited ont droit à un dividende privilégié cumulatif de 1,10 $ par action par année, après quoi les actions de la classe B ont droit à un dividende non cumulatif de 1,10 $. Par la suite, les deux classes d'actions participent également aux bénéfices jusqu'à concurrence de 0,20 $ additionnels par action sur chaque classe d'actions durant l'année. Après cela, les actions de la classe A n'ont plus droit à un dividende durant l'année.

Étant donné que les actions privilégiées participantes ne sont qu'une version légèrement modifiée des actions privilégiées classiques, on doit considérer les mêmes caractéristiques que celles qui ont été mentionnées précédemment. Les autres facteurs à considérer sont les suivants:

. Le droit de participation est-il limité?

. Le droit de participation est-il avantageux en termes de rendement actuel par rapport aux rendements des actions privilégiées comparables?

. L'analyse de la société laisse-t-elle supposer que celle-ci pourrait verser des dividendes plus élevés? Si tel est le cas, quand pourra-t-elle le faire et de combien seront-ils?

Du point de vue de l'acheteur, les actions privilégiées participantes procurent:

- la possibilité d'un revenu de dividendes plus élevé lorsque les bénéfices de la société le permettent;

- seulement un avantage marginal par rapport aux actions ordinaires si la participation aux bénéfices est limitée.

Actions privilégiées dont le dividende est payable en monnaie étrangère

La plupart des dividendes privilégiés canadiens sont payables en dollars canadiens. Toutefois, une société a la possibilité de créer et d'émettre des actions privilégiées dont les dividendes sont payables en monnaie étrangère et dont certaines autres caractéristiques sont reliées à la monnaie étrangère.

> **Exemple:** Les actions privilégiées 3,22 $US, Série D, de Seco Cemp Limited paient des dividendes trimestriels totalisant 3,22 $US (ou l'équivalent en dollars canadiens) chaque année. Les actions peuvent être encaissées par anticipation à 25,00 $US plus les dividendes accumulés et impayés le 15 novembre 1988. Les actions sont non rachetables jusqu'au 15 novembre 1988; par la suite, elles sont rachetables à 26,25 $US l'action, le prix de rachat diminuant de 0,25 $US chaque année jusqu'au 15 novembre 1993; ensuite, à 25,00 $US plus les dividendes accumulés et impayés dans chaque cas.

La première question à laquelle il faut répondre lorsqu'on choisit une action privilégiée dont le dividende est payable en monnaie étrangère est si l'on désire recevoir des dividendes dans une autre monnaie que des dollars canadiens. Si la monnaie étrangère augmente par rapport au dollar canadien, l'investisseur est en bonne position. Par contre, si la monnaie étrangère baisse par rapport au dollar canadien, l'investisseur est en moins bonne position.

Les investisseurs avertis qui désirent diversifier les monnaies qu'ils reçoivent achètent bien entendu des actions privilégiées dont le dividende est payable en monnaie étrangère.

Actions de la classe A

L'expression "actions de la classe A" porte à confusion parce qu'elle est utilisée pour désigner plusieurs genres (ou classes) d'actions différents. En fait, cette expression ne renseigne pas vraiment sur les caractéristiques des actions.

(a) Une classe spéciale d'actions privilégiées

Dans certains cas, on utilise l'expression "actions de la classe A" pour désigner une classe spéciale d'actions privilégiées ayant des caractéristiques différentes de celles d'autres actions privilégiées en circulation du même émetteur.

Par exemple, les actions privilégiées de la classe A de Dofasco Inc. ne comportent pas de droit de vote, mais elles ont un droit prioritaire sur l'actif et les dividendes par rapport à toutes les autres classes d'actions privilégiées en circulation ne comportant pas de droit de vote.

(b) Une action ordinaire qui n'a droit qu'à des dividendes en espèces

On utilise également cette expression pour désigner une classe d'actions ordinaires comportant droit de vote qui ont le droit de recevoir un dividende en espèces mais pas un dividende-actions (expliqué au chapitre suivant).

Par exemple, les actions ordinaires de la classe A de Dofasco Inc. prennent rang pari passu avec les actions ordinaires de la classe B à tous les égards sauf en ce qui concerne le droit aux dividendes-actions. Les deux classes d'actions ordinaires ont un droit de vote par action. Les dividendes sur les actions ordinaires de la classe A sont payables en espèces. Les dividendes sur les actions ordinaires de la classe B sont payables en actions de la classe B. Les actions de la classe A et de la classe B sont interchangeables, action pour action, au gré du porteur.

(c) Actions subalternes

On utilise aussi parfois l'expression "actions de la classe A" pour désigner une émission particulière d'actions subalternes (expliquées au chapitre suivant).

Résumé

Au cours des dernières années, l'expression "de la classe A" a été utilisée pour:

. décrire une catégorie d'actions privilégiées;

. distinguer les actions donnant droit à un dividende en espèces des actions "de la classe B" donnant droit à un dividende-actions;

. désigner les actions subalternes (expliquées au chapitre suivant).

Bien que nous utilisions dans ces exemples les expressions "actions de la classe A" et "actions de la classe B", certaines sociétés peuvent aussi bien utiliser les expressions "actions de la classe X" et "actions de la classe Y".

130

Pour éviter que les épargnants soient embrouillés et surtout en raison de l'importance des droits de vote, les règlements sur les valeurs mobilières ont introduit certaines politiques que nous examinerons plus en profondeur sous le titre "droits de vote" au chapitre suivant.

Il faut absolument analyser chacun des titres séparément pour connaître ses caractéristiques.

FISCALITÉ ET ACTIONS PRIVILÉGIÉES

Dividendes en espèces

Dans la plupart des cas, les dividendes en espèces sont des dividendes réinvestis (voir au prochain chapitre), reçus sur les actions privilégiées et ordinaires canadiennes; ils offrent deux avantages fiscaux:

. ils peuvent être inclus dans la déduction fédérale de 1 000 $ relative aux intérêts et aux dividendes (expliquée plus tôt);

. ils sont admissibles au crédit d'impôt pour dividendes créé pour encourager les Canadiens à investir dans des actions de sociétés canadiennes imposables.

Ce régime fiscal privilégié prend la forme d'un **système de majoration et de dégrèvement**. Le montant de dividendes réellement reçu est majoré de 50% (par exemple, un revenu de 100 $ en dividendes est majoré de 50 $ et devient ainsi 150 $). L'impôt fédéral est calculé sur le montant majoré et **non** sur les dividendes réellement reçus. Un crédit fiscal fédéral égal à 68% de la majoration (c.-à-d. 68% de 50 $ dans notre cas) s'applique ensuite à l'impôt fédéral.

Le budget fédéral du 26 février 1986 propose de réduire la majoration du dividende de 50% à 33 1/3% et le crédit d'impôt à 16 2/3% du revenu de dividende **majoré** pour les revenus de dividendes imposables reçus après 1986.

À l'exclusion des résidents du Québec, les épargnants font le calcul de l'impôt provincial à payer sur le revenu de dividende en appliquant le taux d'imposition provincial voulu à l'impôt fédéral net sur le revenu de dividende, après avoir déduit le crédit d'impôt fédéral pour dividendes. Pour les résidents du Québec, le calcul du crédit d'impôt pour dividende diffère de celui qui est utilisé dans le reste du Canada. Le budget du Québec de mai 1986 propose d'harmoniser le traitement fiscal des dividendes reçus par les contribuables du Québec à celui des autres provinces. À compter de l'année d'imposition 1987, les taux de majoration et de crédit d'impôt passeront respectivement de 50% à 33 1/3% et de 16 2/3% à 11,08%.

EXEMPLE DE CALCUL DU CRÉDIT D'IMPÔT FÉDÉRAL POUR DIVIDENDES

Un résident canadien dont la tranche d'imposition fédérale est de 34%, reçoit 600 $*
de revenu de dividendes d'une société canadienne imposable.

Le tableau suivant indique l'impôt fédéral que l'épargnant doit payer sur ce revenu de
dividendes, mais il ne tient pas compte des surtaxes fédérale et provinciale ni de
l'impôt sur le revenu provincial qui varie et qui était en voie de révision au moment où
ce tableau a été fait au début de 1986.

Pour l'année d'imposition 1986:

Revenu de dividendes	600	$
Revenu de dividendes majoré (1/2 de 600 $)	300	
Montant imposable	900	$
Impôt fédéral (34% de 900 $)	306	$
Crédit d'impôt fédéral (68% de 300 $)	204	
Impôt fédéral à payer	102	$

(Proposé) En vigueur à partir du 1er janvier 1987:

Revenu de dividendes	600	$
Revenu de dividendes majoré (1/3 de 600 $)	200	
Montant imposable	800	$
Impôt fédéral (34% de 800 $)	272	$
Crédit d'impôt fédéral (16 2/3% de 800 $)	133	
Impôt fédéral à payer	139	$

* En sus de la déduction de 1 000 $ pour dividendes et intérêts.

Imposition lors de la vente d'actions privilégiées (et ordinaires)

Le traitement fiscal des gains et des pertes en capital réalisés sur les actions
ordinaires et privilégiées est le même. Lors de la vente d'actions, le porteur peut
réaliser un profit (qu'on appelle un gain en capital) ou une perte (qu'on appelle une
perte en capital). Aux fins de l'impôt sur le revenu, seulement la moitié du gain en
capital est imposable et on l'appelle "gain en capital imposable". De même, on ne peut
déduire que la moitié d'une perte en capital du revenu imposable, c'est-ce qu'on appelle
la "perte en capital déductible". Les gains en capital moins les pertes en capital
donnent les gains en capital nets.

Les contribuables doivent déclarer la moitié de leurs gains en capital nets dans
leurs déclarations d'impôt. La moitié de ces gains en capital nets est imposable.
Toutefois, depuis le budget fédéral de mai 1985, les contribuables ont droit à une
exonération à vie des gains en capital à concurren ce de 500 000 $ (c.-à-d. 250 000 $ de
gains en capital imposables). Si l'on s'en prévaut, cette exonération doit être
échelonnée sur six ans comme suit: 10 000 $ de gains en capital imposables en 1985,
25 000 $ en 1986, 50 000 $ en 1987, 100 000 $ en 1988, 150 000 $ en 1989 et 250 000 $
à partir de 1990.

Par la suite, les gains en capital imposables en sus l'exonération l'exemption de base moins les pertes en capital déductibles (le cas échéant) sont imposés au taux d'imposition personnel du contribuable.

Imposition lors de la conversion d'actions privilégiées convertibles

Un épargnant qui achète des actions privilégiées convertibles et qui les convertit par la suite en actions ordinaires ne réalise pas un gain ou une perte en capital au moment de la conversion. Plutôt, le coût des actions convertibles devient le coût équivalent des actions ordinaires nouvellement acquises. Un gain ou une perte en capital sera réalisé seulement lors de la vente ou de la disposition des actions ordinaires.

Avertissement

L'imposition est un sujet compliqué et les règlements fiscaux peuvent être modifiés par le Ministre fédéral des Finances. Les explications fiscales qui précèdent (ainsi que celles qui sont données ailleurs dans le texte) reflètent la législation fiscale en vigueur à la rédaction de ce texte.

ÉVALUATION DE LA QUALITÉ COMME PLACEMENT DES ACTIONS PRIVILÉGIÉES

Nous verrons ci-après quelques notions essentielles pour évaluer les actions privilégiées. L'évaluation de la qualité comme placement de ces titres s'appuie en partie sur un certain nombre de calculs quantitatifs destinés à tester la capacité d'une société à faire face à ses obligations. Ces calculs s'effectuent à partir des données que la société publie dans ses états financiers vérifiés et sont destinés à faire ressortir les points forts ou faibles de la situation financière de cette société.

Notions essentielles

. Les bénéfices de la société couvrent-ils amplement les dividendes privilégiés?

. Depuis combien d'années la société verse-t-elle régulièrement des dividendes?

. Les actions privilégiées sont-elles protégées par une valeur comptable suffisante?

. Comment les agences indépendantes d'évaluation du crédit évaluent-elles les actions privilégiées émises par la société?

APPLICATION DES NOTIONS

Couverture adéquate de dividendes privilégiés

Exemple: Au 31 décembre 1984, Dofasco Inc. avait en circulation 168 374 actions privilégiées de la classe A et 2 189 100 actions privilégiées de la classe B. Les dividendes privilégiés versés en 1984 ont totalisé 6 012 000 $. Les actions privilégiées de la classe A sont les actions privilégiées de premier rang. Elles prennent rang avant toutes les autres actions privilégiées et ordinaires quant à l'actif et aux dividendes.

Calcul de la couverture des dividendes privilégiés

Formule:

$$\frac{\text{Bénéfice net avant postes extraordinaires + Participation minoritaire + Impôts sur le revenu courants et reportés + Total des frais d'intérêt}}{\text{Total des frais d'intérêt + Dividendes privilégiés redressés pour tenir compte des impôts}}$$

Étant donné que les dividendes sont distribués aux actionnaires après le paiement de l'impôt sur le revenu (c.-à-d. qu'ils sont tirés à même le bénéfice net) et que les intérêts sont payés avant impôt, il est nécessaire de "majorer" le montant des dividendes privilégiés à son équivalent avant impôt en utilisant la méthode exposée dans un chapitre précédent.

Afin de déterminer si la couverture des dividendes est adéquate, on calcule la couverture des cinq derniers exercices et on en étudie la tendance. Bien que la couverture des dividendes pour le dernier exercice soit importante, il ne faut pas la considérer isolément.

Le tableau sur la page suivante donne la couverture des dividendes privilégiés de Dofasco Inc. pour les cinq exercices de 1980 à 1984.

Qu'est-ce qu'une couverture adéquate des dividendes privilégiés?

Il est difficile d'en donner une définition exacte, car elle varie d'une industrie à l'autre et d'une société à l'autre. Nous ne pouvons que suggérer les couvertures minimales acceptables suivantes pour les sociétés de services publics et les sociétés industrielles:

Couverture minimale acceptable des dividendes privilégiés pour chacun des cinq derniers exercices	
Genre de société	**Couverture minimale des dividendes privilégiés**
Services publics	2 fois
Industrielles	3 fois

DOFASCO INC.

COUVERTURE DES DIVIDENDES PRIVILÉGIÉS
(en milliers de dollars)

Année	Bénéfice net avant postes extraordinaires		Participation minoritaire		Impôts sur le revenu		Frais d'intérêt		Bénéfices disponibles pour les dividendes privilégiés de la classe A
1980	122 244	+	néant	+	71 600	+	32 339	=	226 183
1981	169 274	+	néant	+	99 500	+	33 721	=	302 495
1982	63 811	+	néant	+	29 100	+	39 584	=	132 495
1983	120 482	+	néant	+	81 500	+	42 575	=	244 557
1984	180 605	+	néant	+	103 900	+	37 486	=	321 991

EXPLICATION DE LA COUVERTURE DES DIVIDENDES PRIVILÉGIÉS
(en milliers de dollars)

	1980	1981	1982	1983	1984
Bénéfices disponibles	226 183 (A)*	302 495 (E)*	132 495 (I)*	244 557 (M)*	321 991 (Q)*
Frais d'intérêt	32 339 (B)*	33 721 (F)*	39 584 (J)*	42 575 (N)*	37 486 (R)*
Total des dividendes privilégiés	14 940 (C)*	22 204 (G)*	21 044 (K)*	16 874 (O)*	6 012 (S)*
Taux d'imposition apparent	36,9% (D)*	37,0% (H)*	31,3% (L)*	40,4% (P)*	36,5% (T)*
Calcul de la couverture des dividendes privilégiés*	$\dfrac{A}{B + C \times \dfrac{100}{100 - D}}$	$\dfrac{E}{F + G \times \dfrac{100}{100 - H}}$	$\dfrac{I}{J + K \times \dfrac{100}{100 - L}}$	$\dfrac{M}{N + O \times \dfrac{100}{100 - P}}$	$\dfrac{Q}{R + S \times \dfrac{100}{100 - T}}$
Couverture des dividendes privilégiés	4,0 fois	4,4 fois	1,9 fois	3,4 fois	6,9 fois
Tendance	100 (année de base)	110	48	85	173

* Les majuscules remplacent les chiffres réels ou les pourcentages dans la formule de calcul de la couverture des dividendes privilégiés. Les parenthèses ont été supprimées dans les formules de calcul.

Une fois que la couverture des dividendes privilégiés a été calculée pour chacun des cinq derniers exercices, on calcule la tendance des cinq exercices. Idéalement, la tendance devrait être stable ou croissante. Toutefois, même d'importantes sociétés solides auront une tendance à la baisse après un ou deux "mauvais" exercices. Des grèves, des exigences de capital exceptionnellement importantes, une industrie cyclique ou un revirement économique sont tous des exemples de facteurs pouvant faire baisser la tendance. Les analystes tiennent compte de distorsions temporaires et considèrent plutôt la tendance générale au cours des cinq exercices. Ils vérifient si la couverture dépasse la norme minimale pour chacun des cinq exercices. Si tel est le cas, il est très probable que les paiements de dividendes se feront continuellement sans grever indûment le budget de la société.

Une nette détérioration de la tendance de la couverture des dividendes d'une société pendant trois exercices ou plus serait grave. Cette société devrait faire l'objet d'une réévaluation de sa solidité financière et de ses possibilités de satisfaire aux exigences des charges fixes.

D'une façon générale, plus la couverture des dividendes privilégiés est voisine du minimum, plus il faut surveiller cette valeur pour déceler les signes d'amélioration ou de détérioration. Il faut choisir très soigneusement les actions privilégiées d'industries cycliques, comme l'industrie lourde et les textiles, si la couverture de leurs dividendes est voisine du minimum.

Est-ce à dire que l'on ne doit jamais acheter une action privilégiée dont la couverture du dividende est inférieure au minimum? Pas du tout. La couverture minimum que nous suggérons ici n'est qu'empirique. Dans la mesure où la couverture commence à dépasser le minimum, le risque d'une interruption du paiement des dividendes s'amenuise et, inversement, lorsque la couverture baisse au-dessous de ce minimum, le risque d'une interruption du paiement des dividendes augmente. Les investisseurs avertis achèteront des actions privilégiées dont les dividendes sont peu couverts si le cours ou le rendement ou d'autres facteurs (par exemple, un privilège de conversion ou d'encaissement par anticipation) sont assez intéressants pour pouvoir contrebalancer le risque.

Dans le cas de Dofasco, la couverture des dividendes des actions privilégiées a été à la hausse en 1983 et en 1984 après avoir été insuffisante en 1982. La couverture totale pour quatre des cinq exercices de 1980 à 1984 inclusivement a dépassé la norme minimale et elle était assez importante à la fin de 1984.

PAIEMENT RÉGULIER DES DIVIDENDES DANS LE PASSÉ

On peut obtenir facilement ces renseignements en consultant la brochure sur chaque société publiée par le Financial Post Information Service à Toronto. Les rapports annuels des sociétés et les études faites par les firmes de courtage sont d'autres sources de renseignements concernant les paiements des dividendes.

Dofasco Inc. a versé régulièrement des dividendes sur ses actions privilégiées depuis qu'elles ont été émises en 1965.

PROTECTION REPRÉSENTÉE PAR LA VALEUR COMPTABLE
DE L'ACTION PRIVILÉGIÉE

Valeur comptable minimum par action privilégiée

(i) La valeur comptable minimum par action privilégiée pour chacun des cinq derniers exercices devrait être au moins deux fois plus élevée que la valeur d'actif que chaque action privilégiée serait en droit de recevoir en cas de liquidation.

(ii) La valeur comptable annuelle par action privilégiée devrait montrer une tendance stable ou croissante au cours des cinq derniers exercices.

En cas de liquidation, chaque action privilégiée de la classe A de Dofasco Inc. a droit à 100 $ plus les dividendes accumulés et impayés et chaque action privilégiée de la classe B a droit à 25 $ plus les dividendes accumulés. Le tableau ci-après montre qu'au cours des cinq derniers exercices la valeur comptable par action privilégiée de la classe A a été bien supérieure à deux fois la valeur de liquidation.

DOFASCO INC.

Valeur comptable des actions privilégiées au 31 décembre:

	1980	1981	1982	1983	1984
Actions privilégiées de la classe A	5 238 $	6 010 $	6 111 $	5 914 $	6 889 $
Tendance	100	115	117	113	132
Actions privilégiées de la classe B	113 $	127 $	128 $	439 $	522 $
Tendance	100	112	113	388	462

Lorsqu'une société a émis à la fois des actions privilégiées de premier rang et des actions privilégiées de second rang, la formule pour calculer la valeur comptable par action peut être modifiée. Cette modification dans le calcul de la valeur comptable de l'action privilégiée de second rang se fait en n'incluant pas dans le numérateur le capital-actions de l'émission de premier rang.

UNE ÉVALUATION DU CRÉDIT INDÉPENDANTE

Au Canada, les deux services indépendants d'évaluation du crédit dont nous avons parlé au chapitre précédent - le Dominion Bond Rating Service à Toronto et la Société canadienne d'évaluation du crédit à Montréal - évaluent également un certain nombre d'actions privilégiées canadiennes.

La Société canadienne d'évaluation du crédit accorde les rangs suivants:

P1 - Meilleure qualité - Les actions privilégiées sont très protégées par l'actif et ont une très grande capacité de paiement des dividendes.

P2 - Très bonne qualité - Les actions privilégiées sont assurées d'une bonne protection par l'actif et les bénéfices.

P3 - Bonne qualité - Les actions privilégiées sont bien protégées, mais leur qualité risque de s'affaiblir durant les périodes économiques difficiles ou sur les marchés défavorables.

P4 - Qualité moyenne - Les actions privilégiées sont protégées adéquatement par l'actif et les bénéfices. Toutefois, certains facteurs, dans des conditions normales ou défavorables, peuvent affaiblir la capacité de la société de payer les dividendes aux dates prévues.

P5 - Spéculative - La capacité de la société de maintenir une couverture adéquate des dividendes dans le futur n'est pas assurée.

Comme il le fait pour les titres d'emprunt, le Dominion Bond Rating Service classe les actions privilégiées d'après une échelle graduée de AAA (actions privilégiées de la meilleure qualité) à C (le dernier rang).

Afin de donner un rang aux actions privilégiées, les services d'évaluation du crédit examinent très rigoureusement les résultats de la société. Un rang acceptable vient confirmer les conclusions des tests n° 1 à 3. À la rédaction de ces lignes, les actions privilégiées de Dofasco Inc. étaient classées "P1" par la Société canadienne d'évaluation du crédit et "A (inférieur)" par le Dominion Bond Rating Service.

Un brusque changement dans la classification d'une action privilégiée affectera généralement le cours du marché de l'action. Si l'on donne un rang inférieur à l'action, cela aura un effet défavorable et vice versa.

Il est difficile de répondre en termes généraux à la question "Un placement en actions privilégiées est-il oui ou non garanti en raison du rang donné aux actions?". L'émission ainsi que son évaluation doivent être compatibles avec les objectifs de placement de l'épargnant avant d'effectuer tout achat.

Conclusion

D'après les résultats des quatre tests de base mentionnés précédemment, les actions privilégiées de Dofasco Inc. peuvent être considérées comme une valeur ayant la qualité d'un bon placement.

AUTRES FACTEURS D'ÉVALUATION

Une analyse complète devrait également comprendre les éléments suivants:

. des tests qualitatifs détaillés (voir chapitre précédent);

. une analyse qualitative (voir chapitre précédent);

- les clauses protectrices des actions privilégiées (expliquées plus haut);

- la confirmation que les actions ont été prises ferme par une firme de valeurs mobilières solide (voir chapitre précédent);

- la confirmation que les actions sont un placement approuvé pour les investisseurs institutionnels (voir chapitre précédent).

Après avoir déterminé la qualité comme placement d'une émission, un épargnant devrait revoir également certains facteurs tels les cours du marché et les rendements de titres comparables; le cours du marché par rapport au prix de rachat si les actions se vendent au-dessus de leur valeur nominale; voir si les actions conviennent au portefeuille; les avantages, le cas échéant, des privilèges de conversion et d'encaissement par anticipation, etc.; l'incidence fiscale; la possibilité d'un changement important des taux d'intérêt qui, en conséquence, influera sur le cours du marché des actions; etc.

Une fois l'émission achetée, il est nécessaire de continuer à surveiller la société émettrice et sa situation financière, la conjoncture économique générale et la tendance des taux d'intérêt de façon à s'assurer que les actions conviennent toujours aux objectifs de placement.

RÉSUMÉ

Les actionnaires privilégiés prennent rang après les créanciers et les porteurs de titres d'emprunt en ce qui a trait à l'actif et aux bénéfices d'une société, mais ils sont mieux protégés que les actionnaires ordinaires.

Les actions privilégiées ont droit à un dividende annuel fixe qui, toutefois, ne comporte pas les obligations contractuelles de l'intérêt sur un titre d'emprunt.

Lorsqu'il choisit d'acheter des actions privilégiées, l'épargnant devrait s'assurer que la tendance et les perspectives des bénéfices indiquent en toute certitude que la société sera en mesure de continuer à verser des dividendes, surtout lorsque les conditions économiques sont défavorables. Un examen des clauses de l'émission indiquera également à quel point les actions privilégiées seront protégées en cas de difficultés.

Puisqu'elles sont admissibles au dégrèvement fiscal pour dividendes, les actions privilégiées de sociétés canadiennes imposables offrent souvent des rendements après impôts supérieurs à ceux des titres d'emprunt.

Les cours du marché des actions privilégiées classiques ont tendance à suivre le mouvement général des taux d'intérêt; ils augmentent lorsque les taux d'intérêt tombent et baissent lorsque les taux d'intérêt montent.

6   ACTIONS ORDINAIRES

LES ACTIONS ORDINAIRES REPRÉSENTENT DES TITRES DE PROPRIÉTÉ

Les actionnaires ordinaires sont les propriétaires d'une société. Ce sont eux qui apportent les capitaux nécessaires à son démarrage.

Si l'entreprise prospère, ils bénéficient de la plus-value de leur placement initial et d'une série de dividendes. La perspective de voir un petit placement croître et se multiplier plusieurs fois attire un grand nombre d'épargnants.

En revanche, si l'entreprise fait faillite, les actionnaires ordinaires perdent leur mise de fonds entière. C'est pourquoi on appelle souvent les actions ordinaires **capital de risque** ou **capital-risque**.

Bien qu'ils soient copropriétaires de la société, les actionnaires ordinaires sont dans une position relativement faible car les créanciers (les banques, par exemple), les porteurs d'obligations, de débentures et d'actions privilégiées ont priorité sur les bénéfices et sur l'actif de la société. En effet, contrairement aux intérêts sur la dette, les dividendes ne sont payables qu'au gré des administrateurs. Cependant, pour un grand nombre de sociétés, le paiement des dividendes est une question de routine et les actionnaires peuvent généralement les espérer. Mais cela est moins certain pour les sociétés dont les activités sont cycliques. Certaines réinvestissent tous leurs bénéfices dans l'entreprise, d'autres n'en ont pas suffisamment pour verser des dividendes.

Actions autorisées, émises, en circulation

Actions autorisées - Il s'agit du nombre maximum d'actions ordinaires (ou privilégiées) qu'une société peut émettre en vertu de sa charte. Habituellement le nombre d'actions autorisées est supérieur au nombre d'actions émises, de façon à permettre à la société de réunir ultérieurement des capitaux supplémentaires en procédant à de nouvelles émissions d'actions. Une société peut amender sa charte de façon à augmenter ou à diminuer le nombre d'actions autorisées. Au cours des dernières années, certaines lois sur les sociétés commerciales ont été modifiées pour permettre aux sociétés d'avoir un capital-actions illimité.

Actions émises - Il s'agit de la partie des actions autorisées qui ont été émises par une société. Une société n'est pas tenue d'émettre toutes ses actions autorisées.

Actions en circulation - Ce sont les actions émises par une société et détenues par ses actionnaires. À l'occasion, il arrive qu'une société rembourse ou rachète une partie ou la totalité de diverses catégories d'actions qu'elle a émises, ce qui, dans des conditions normales, a pour effet de réduire le nombre des actions en circulation. Si la société ne procède à aucun remboursement ou à aucun rachat d'actions, le nombre total d'actions émises sera égal au nombre total d'actions en circulation.

Valeur nominale

Certaines lois sur les sociétés commerciales exigent que la charte d'une société précise si ses actions sont **"avec"** ou **"sans valeur nominale"**. Toutefois, en vertu de la Loi sur les sociétés commerciales canadiennes et de celle de certaines provinces, les actions ne doivent pas avoir de valeur nominale.

La valeur nominale d'une action est une valeur qui lui est attribuée et qui apparaît sur le titre même. On l'exprime habituellement en dollars (5 $, 10 $ 25 $, 50 $ ou 100 $ par action, par exemple). Les actions sans valeur nominale (s.v.n.), quant à elles, n'ont aucune valeur déterminée d'avance.

Une action avec valeur nominale peut porter à confusion car elle ne donne droit à aucun montant fixe d'actif. De plus, il n'y a aucun rapport entre la valeur nominale d'une action ordinaire et sa valeur au cours du marché. Ainsi, l'épargnant débutant risque d'être surpris en voyant qu'une action ordinaire d'une valeur nominale de 10 $ se vend à 40 $ ou à 60 $ à la bourse. Les actions sans valeur nominale permettent d'éviter ce genre de confusion.

Les actions sans valeur nominale sont toujours entièrement libérées et non susceptibles d'appels de fonds subséquents. Les actions sans valeur nominale confèrent les mêmes droits à tous leurs détenteurs, même si ces derniers les ont acquises à des prix différents lors de différentes émissions d'une société.

Certificats d'actions et certificats de courtier

On trouvera, à la page suivante, un modèle de certificat d'actions ordinaires.

Le certificat d'actions prend généralement la forme d'une feuille gravée, sur laquelle on laisse au recto un espace pour inscrire le nom du propriétaire et le nombre d'actions de l'émission qu'il détient. Après chaque achat d'actions, un agent des transferts de la société (généralement une compagnie de fidéicommis) transfère la propriété à l'acheteur et émet un nouveau certificat immatriculé au nom de ce dernier. Le certificat d'actions est un document gravé sur du papier de haute qualité pour éviter tout risque de contrefaçon.

Un "certificat de courtier" est un certificat immatriculé au nom d'une firme de courtage plutôt qu'au nom du propriétaire des actions. On a souvent recours à ce procédé car, comme une obligation au porteur, le certificat de courtier est négociable, c'est-à-dire qu'on peut facilement l'échanger.

La Société de dépôt et de compensation (CDS) est en train de mettre sur pied un système informatisé visant à remplacer les certificats dans les négociations de valeurs mobilières. Une fois établi, ce système éliminera presque complètement la manipulation des titres. La CDS a été constituée en organisme sans but lucratif en 1970, son système informatisé enregistre la propriété des titres et les transferts de propriété, comme sont enregistrés les transferts de fonds à la banque.

YOUR NAME COMPANY LIMITED - LE NOM DE VOTRE COMPAGNIE LIMITÉE

Incorporé en vertu des lois de la Province de Québec
Incorporated under the laws of the Province of Quebec

AUTHORIZED SHARE CAPITAL
CAPITAL AUTORISÉ

NUMBER OF NO PAR VALUE SHARES AUTHORIZED 300,000 NOMBRE AUTORISÉ D'ACTIONS SANS VALEUR AU PAIR

CUSIP 123456 12 1

SHARES
ACTIONS

NUMBER
NUMÉRO
B 00000

REGISTERED   ENREGISTRE
THE NONAME TRUST COMPANY LIMITED, QUEBEC MONTREAL
REGISTRAR   REGISTRAIRE
PER
PAR
REGISTERING OFFICER   OFFICIER D'ENREGISTREMENT

THIS CERTIFIES that
CE CERTIFICAT atteste que

is the registered owner of
est le propriétaire enregistré de

Common Shares fully paid and non-assessable without nominal or par value of the capital stock of

Your Name Company Limited

These shares are transferable on the books of the Company by the holder in person or by Attorney on surrender of this Certificate properly endorsed. This Certificate is not valid until countersigned by the Transfer Agent and registered by the Registrar. Each common share entitles the holder to one vote.
IN WITNESS WHEREOF the Company has caused this Certificate to be signed by its duly authorized Officers
this   This Certificate is transferable in Quebec or Montreal.

actions ordinaires sans valeur au pair ou nominale entièrement libérées, du capital-actions de

Le Nom de Votre Compagnie Limitée

Le détenteur, ou son mandataire, a le droit, sur remise du présent certificat dûment endossé, de faire inscrire au registre officiel tout transfert de ces actions. Ce titre est sans valeur à moins d'être contresigné par le préposé aux transferts et enregistré par le Régistraire. Chaque action ordinaire donne droit au détenteur à un vote.
EN FOI DE QUOI les officiers dûment autorisés de la compagnie ont signé le présent certificat ce jour.
Ce certificat est transférable à Québec ou Montréal.

Secretary   Secrétaire
President   Président

COUNTERSIGNED   CONTRESIGNE
BLANK TRUST COMPANY LIMITED, MONTREAL, QUEBEC
TRANSFER AGENT   AGENT DE TRANSFERT
PER
PAR
TRANSFER OFFICER   PRÉPOSÉ AUX TRANSFERTS

For value received, the undersigned hereby sells, assigns and transfers unto

....

....

Shares

of the Capital Stock represented by the within Certificate, and does hereby irrevocably constitute and appoint

Attorney to transfer the said Shares on the Books of the within named Company with full power of substitution in the premises.

Date. ....

Signature. ....

Witness ....
Témoin

Pour valeur recue, le soussigne vend, cède et transporte, par les présentes, à

....

Actions

du Capital-actions représentées par ce titre et constitue par les présentes:

....

son mandataire irrévocable, avec plein droit de délégation des pouvoirs conférés, pour le transfert du présent titre au registre officiel des actions.

THIS SPACE MUST NOT BE COVERED IN ANY WAY
CET ESPACE NE DOIT ÊTRE EMPLOYÉ EN AUCUNE MANIÈRE

Dans un premier temps, on a identifié la plupart des titres à l'aide d'un numéro CUSIP (Committee on Uniform Security Identification Procedures). Ce numéro de neuf chiffres est permanent; il figure au recto du modèle de certificat d'actions (CUSIP 123456 121). Les six premiers chiffres d'un numéro CUSIP identifient l'émetteur et les trois derniers, l'émission. CUSIP est la marque de commerce d'un système uniforme d'identification et de désignation de valeurs mobilières qui sera éventuellement utilisé dans le traitement et l'enregistrement de la plupart des opérations sur titres.

AVANTAGES DES ACTIONNAIRES ORDINAIRES

Parmi les avantages dont bénéficient les actionnaires ordinaires d'une société ouverte, nous pouvons citer:

- le droit à tout dividende sur les actions ordinaires versé par la société;

- la possibilité de plus-value du capital;

- le traitement fiscal favorable au Canada des dividendes et des gains en capital;

- la facilité de négociation: le porteur peut facilement accroître, diminuer ou même éliminer son placement dans les actions de la plupart des sociétés ouvertes;

- le droit de vote (dans nombre de cas).

DIVIDENDES

Les bénéfices nets d'une société après le versement des dividendes privilégiés sont soit distribués aux actionnaires ordinaires sous forme de dividendes, soit conservés par la société comme bénéfices non répartis et réinvestis dans l'entreprise, ou les deux.

Le pourcentage des bénéfices distribués aux actionnaires ordinaires varie considérablement d'une société à l'autre. La pratique de chacune est déterminée par le conseil d'administration qui se fonde principalement sur les objectifs de la société. Les sociétés arrivées à maturité consacrent une bonne partie de leurs bénéfices aux dividendes des actionnaires ordinaires, tandis que celles en croissance en conservent souvent une part relativement élevée pour financer leur expansion.

Cependant, l'actionnaire ordinaire n'est jamais à l'abri d'une réduction ou d'une omission des dividendes, particulièrement en période de marasme économique et, bien qu'elles soient temporaires, ces réductions et omissions n'en témoignent pas moins du risque inhérent aux placements en actions ordinaires.

Déclaration des dividendes

Les dividendes sur actions ordinaires ne constituent pas une obligation contractuelle comme l'intérêt sur la dette. Le conseil d'administration décide si un dividende sera payé, quand il le sera et à combien il s'élèvera. Tous ces détails sont annoncés bien avant les dates de paiement de dividendes. Cette mesure est nécessaire, car le montant de dividendes et les dates de paiement sont susceptibles de changer d'une année à l'autre, contrairement à l'intérêt sur les obligations et les débentures, qui est versé tous les six mois, jusqu'à l'échéance d'un titre, et ce à des dates et taux établis à l'avance. Le caractère facultatif des dividendes rend impossible un calendrier des versements de dividendes sur les actions ordinaires et privilégiées.

Dividendes réguliers et supplémentaires

Certaines sociétés déterminent un montant précis de dividendes réguliers, payables chaque année. Le terme **régulier** indique aux actionnaires que les dividendes seront versés régulièrement à moins d'une chute brutale des bénéfices.

Il peut également arriver qu'une société verse un dividende supplémentaire sur ses actions ordinaires, généralement en fin d'exercice. Il s'agit d'une prime qui s'ajoute au dividende ordinaire, mais le terme **supplémentaire** prévient les actionnaires que ce versement peut ne pas être renouvelé les années suivantes.

Les dividendes annuels et les dividendes supplémentaires sont publiés dans les journaux financiers au bulletin de la cote.

Il est d'usage d'inclure les dividendes supplémentaires dans le calcul du rendement annuel d'une action ordinaire, si tout indique qu'ils seront renouvelés. Cependant, s'il existe une incertitude quant au versement futur de ces dividendes, on n'inclut que les dividendes ordinaires dans ce calcul.

Versement de dividendes aux actionnaires

Si des actions sont immatriculées au nom de leur propriétaire, les dividendes lui sont envoyés directement par la poste. Cependant, comme nous l'avons expliqué précédemment, certaines actions sont immatriculées au nom du courtier; dans ce cas, les dividendes parviennent à la firme de courtage dont le nom apparaît sur le certificat de courtier. Il incombe alors au propriétaire des actions de s'entendre avec la firme de courtage pour recevoir ses dividendes. Autrement la firme de courtage créditera le compte du propriétaire du montant des dividendes.

Actions ex-dividende et avec dividende

Un grand nombre de sociétés annoncent leurs versements de dividendes sur les actions ordinaires ou privilégiées (ou sur les deux) dans la presse financière. Voici un exemple d'avis de dividende sur les actions ordinaires.

TOUTE SOCIÉTÉ LIMITÉE

AVIS DE DIVIDENDE

AVIS est par les présentes donné qu'un dividende trimestriel d'un dollar cinquante (1,50 $) par action sur les actions ordinaires de la société a été déclaré, payable le 1er juillet 19 . . aux actionnaires inscrits à la fermeture des bureaux le 16 juin 19 . .

Le Conseil d'administration

Le secrétaire,

JEAN LAFORTUNE

Montréal, le 9 juin 19 . .

Lorsque les actions d'une société sont activement négociées, la propriété des actions change constamment. C'est pourquoi, lorsqu'il déclare un versement de dividendes, le conseil d'administration annonce également une date à laquelle le registre des actionnaires sera fermé. Tous les actionnaires ordinaires inscrits à cette date ont droit au dividende. Cette date est appelée **date de clôture des registres;** elle est fixée environ deux semaines avant la date de paiement des dividendes.

Comme on le voit dans l'exemple d'avis de dividende de Toute société Limitée, l'intervalle entre la date de clôture des registres, le 16 juin, et la date de paiement des dividendes, le 1er juillet, donne à l'agent des transferts de la société le temps de préparer et de poster les chèques-dividendes (datés du 1er juillet) aux actionnaires ordinaires qui y ont droit.

Pour éviter toute confusion résultant d'opérations effectuées peu avant ou à la date de clôture des registres, on fixe également une **date ex-dividende** lors de la déclaration de dividendes. **La date ex-dividende est fixée au quatrième jour ouvrable précédant la date de clôture des registres pour le dividende.**

Un acheteur qui négocie une action avant la date ex-dividende a droit aux dividendes déclarés. On dit alors de l'action qu'elle est **avec dividende.**

Après la date ex-dividende, l'acheteur de l'action ne reçoit pas les dividendes déclarés; il recevra cependant les dividendes subséquents tant qu'il sera porteur de l'action.

À partir de la date ex-dividende, les actions qui deviennent ex-dividende voient habituellement leurs cours réduit du montant exact des dividendes déclarés. En effet, les épargnants, qui se rendent compte qu'ils ne toucheront pas de dividendes, ajustent leurs ordres d'achat concernant ces actions.

Les principales bourses canadiennes publient les avis de dividende à l'intention des firmes de courtage dans la documentation quotidienne qu'elles leur envoient.

	Montant	Date de paiement	Actionnaires inscrits*	Date ex-div.
Société A	0,25 $	30 juin	14 mai	10 mai
Société B	0,50 $	25 août	15 juillet	11 juillet
* ou date de clôture des registres pour le dividende..				

Plans de réinvestissement de dividendes

Certaines grandes sociétés donnent à leurs actionnaires ordinaires et privilégiés la possibilité de participer à un **plan de réinvestissement de dividendes** par lequel la société affecte automatiquement les dividendes de chaque actionnaire à l'achat d'actions additionnelles de la société. Ces dividendes réinvestis sont imposables comme les dividendes en espèces, même si l'actionnaire ne les touche pas réellement.

Les achats d'actions dans le cadre de la plupart de ces plans se font sur le marché ouvert, sous les auspices d'un fiduciaire. Les actionnaires qui y participent reçoivent périodiquement un relevé indiquant le nombre d'actions et, s'il y a lieu, de fractions d'actions acheté pour leur compte, de même que le prix d'achat de ces actions. Les Entreprises Bell Canada Inc., la Corporation de développement du Canada et la Compagnie du Trust National Ltée sont, notamment, des sociétés qui proposent des plans de réinvestissement de dividendes.

Les sociétés achètent en gros, avec les dividendes des actionnaires participant aux plans de réinvestissement, les actions additionnelles de ces derniers. Ces achats en gros permettent de réaliser une économie de frais de courtage. Ainsi, un épargnant qui voudrait acheter le même petit nombre d'actions qu'il retire d'un plan de réinvestissement aurait à payer une commission bien plus élevée sur ces actions que ce qu'il paie dans le cadre du plan, particulièrement s'il s'agissait de lots irréguliers.

En définitive, un plan de réinvestissement de dividendes est un programme d'épargne automatique qui facilite le réinvestissement de petites sommes d'argent. Les actionnaires qui y participent acquièrent progressivement un plus gros volume d'actions de la société et, comme les achats sont faits régulièrement, ils profitent de la **moyenne d'achat** (voir le lexique). La possibilité offerte par certains plans de créditer des fractions d'actions aux comptes des actionnaires est exceptionnelle. Un actionnaire ne peut habituellement pas acquérir de fractions d'actions.

Certaines sociétés ajoutent des avantages à ce type de plan de réinvestissement. Elles permettent à leurs actionnaires de déposer au plan de réinvestissement des sommes supplémentaires, en espèces, jusqu'à concurrence d'un montant fixe (par exemple, de 1 000 $ à 3 000 $ par trimestre).

Dividende-actions

Les dividendes peuvent parfois être distribués sous forme d'actions additionnelles, plutôt qu'en espèces. L'avantage, pour une société, de verser un dividende-actions est qu'elle peut conserver ses fonds tout en permettant aux actionnaires qui reçoivent des dividendes sous cette forme de les revendre s'ils ont besoin d'argent liquide.

Certaines sociétés donnent à leurs actionnaires ordinaires le choix entre un dividende en actions ou en espèces. C'est le cas de la société Noranda Inc. Par ailleurs, Consolidated-Bathurst Inc. a deux séries d'actions ordinaires avec droit de vote, l'une donnant droit à des dividendes en espèces, l'autre à des dividendes actions.

Jusqu'au budget fédéral du 23 mai 1985, les dividendes-actions déclarés et versés n'étaient pas imposés à la réception mais seulement lors de la revente. Toutefois, les dividendes-actions déclarés et versés après le 23 mai 1985 sont considérés comme des dividendes réguliers, c'est-à-dire imposés au moment de leur réception.

Étant donné que les dividendes-actions n'offrent plus un avantage fiscal, il est probable que de nombreux épargnants, s'ils en ont la possibilité, choisiront de recevoir leurs prochains dividendes en espèces.

PLUS-VALUE DU CAPITAL

Pour un plus grand nombre d'épargnants, la perspective d'une plus-value du capital est le principal attrait des actions ordinaires. Cependant, toutes les actions ordinaires ne répondent pas à cette attente; il est donc indispensable d'effectuer une analyse et une sélection prudente pour s'assurer de la qualité d'un placement.

Divisions d'actions

Le cours des actions d'une société prospère peut parfois atteindre un niveau très élevé avec le temps. La plupart des entreprises pensent qu'il est préférable de maintenir le cours de leurs actions à un niveau qui soit à la portée de toutes les bourses, soit entre 10 $ et 20 $; elles pratiquent donc la division d'actions pour ramener le cours d'une action à ce niveau lorsque cela est nécessaire.

Le mécanisme de la division d'actions est très simple. Premièrement, les administrateurs de la société adoptent un règlement qu'ils soumettent à l'approbation des actionnaires ayant droit de vote, à l'occasion d'une assemblée extraordinaire. Selon le cours de l'action sur le marché, la division peut équivaloir à deux, trois, ou même dix actions pour une.

Supposons que la division soit de quatre pour une. La société peut alors émettre des certificats pour le nombre d'actions supplémentaires qui résulte de la division d'actions; ainsi, un actionnaire possédant 100 actions recevrait un certificat de 300 actions, portant le volume total en sa possession à 400 actions. C'est ce qu'on appelle une **division d'actions sans échange de certificats.** La société peut aussi récupérer l'ancien certificat et en émettre un nouveau pour 400 actions. Le résultat est évidemment le même. La valeur nominale des actions, s'il y en a une, est rajustée en conséquence. Par exemple, dans notre cas, la valeur nominale serait de 25 $ si elle était de 100 $ au départ.

Au moment où elle se produit, une division se répercute exactement sur le cours du marché de l'action visée, à savoir qu'une action de 100 $ se vend 25 $ environ après une division de quatre pour une.

L'annonce d'une division d'actions peut d'abord avoir un effet à la hausse sur le cours du marché de l'action. Le prix de l'action peut enregistrer une légère montée. Un avis d'augmentation des dividendes, qui survient souvent en même temps que l'annonce de la division d'actions, contribue à cet effet haussier. Après ce premier bond, l'effet secondaire dépend de plusieurs facteurs importants tels que la tendance des bénéfices de la société et l'orientation du marché boursier.

On invoque souvent comme raison des divisions d'actions l'aversion des épargnants devant l'obligation d'acheter des lots irréguliers d'actions à cours élevé, mais les courtages élevés y sont aussi pour quelque chose. Les résultats à long terme d'une division d'actions peuvent être une plus grande diffusion des actions de la société, une meilleure facilité de négociation et, par le fait même, de meilleures possibilités de financement par actions si besoin est.

Les divisions d'actions surviennent souvent dans des marchés actifs et soutenus. Par exemple, en 1982, alors que l'activité boursière était faible, seulement huit sociétés inscrites à la Bourse de Toronto ont effectué des divisions d'actions. Il y en a eu toutefois cinquante-deux en 1983 et quarante-cinq en 1984, années où les marchés ont été plus actifs.

Regroupements d'actions

Il peut arriver qu'une société ait recours au **regroupement d'actions**; elle réduit ainsi le nombre d'actions détenues par ses actionnaires. Si on opère un regroupement équivalant à 1 nouvelle action pour 4 anciennes, l'actionnaire porteur de 100 actions ne se retrouve qu'avec 25 nouvelles actions. La valeur de son avoir ne devrait cependant pas être touchée. Si les actions se négociaient à 0,25 $ avant le regroupement, elles devraient valoir 1 $ après.

Ce sont, la plupart du temps, les sociétés minières et pétrolières de second rang qui ont recours au regroupement d'actions. En effet, lorsqu'une telle société a dépensé tous ses fonds dans des explorations infructueuses, elle doit, soit réunir de nouveaux capitaux, soit rester inactive. Or, ces sociétés ne disposent généralement ni de garanties, ni de possibilités de générer des bénéfices, et ne peuvent donc pas emprunter. Elles doivent par conséquent vendre de nouvelles actions de trésorerie pour réunir du nouveau capital de risque, et il est possible que cela ne soit pas faisable si le cours de l'action est trop bas.

Le regroupement d'actions augmente le cours du marché des nouvelles actions et facilite ainsi la mobilisation de nouveaux capitaux d'exploration pour la société.

AVANTAGES FISCAUX RELATIFS AUX ACTIONS ORDINAIRES

Le système d'imposition canadien offre certains avantages aux porteurs d'actions ordinaires.

. Les dividendes sont, dans la plupart des cas, admissibles à la déduction de 1 000 $ relative aux dividendes et aux intérêts (expliquée dans un chapitre précédent).

. Le dégrèvement pour dividendes offert par le gouvernement fédéral (expliqué également plus tôt) ajoute un certain attrait à l'achat d'actions de sociétés canadiennes imposables pour les contribuables dont la fourchette d'imposition est moins élevé.

. Depuis le budget fédéral de mai 1985, il y a exonération des gains en capital à concurrence de 500 000 $ sur la durée de vie du contribuable, ce qui équivaut à 250 000 $ de gains en capital imposables. Cette exonération sera mise en vigueur progressivement sur six ans. Les montants cumulatifs de gains en capital imposables nets qui seront exonérés sont les suivants:

Année	Montant cumulatif net	Gains en capital imposables nets cumulatifs
1985	20 000 $	10 000 $
1986	50 000	25 000
1987	100 000	50 000
1988	200 000	100 000
1989	300 000	150 000
à partir de 1990	500 000	250 000

. Le régime d'épargne-actions (REA) permet aux résidents du Québec de déduire de leur revenu imposable au Québec un montant égal au coût de certaines actions récemment émises par des sociétés québécoises et achetées pendant l'année, jusqu'à concurrence de 10 000 $ en 1986.

FACILITÉ DE NÉGOCIATION

Le droit d'acheter et de vendre des actions ordinaires sur le marché ouvert à tout moment représente un avantage attrayant. C'est une opération relativement simple qui ne comporte que peu de formalités juridiques.

Lorsqu'une société vend ses actions au public pour la première fois, les fonds générés par cette opération lui reviennent. Mais lorsque ces actions en circulation sont revendues, le produit de la vente va au vendeur et non à la société. Par conséquent, les actions peuvent changer de main sans que cela ne gêne la marche de la société ou ses finances. La seule conséquence est qu'un nouveau nom figure sur la liste des actionnaires de la société.

Une société peut également racheter une partie ou la totalité de ses propres actions ordinaires, soit par une offre publique, soit sur le marché ouvert, pour les annuler, les revendre ou pour les besoins de son plan de réinvestissement des dividendes. Cette pratique est communément appelée **rachat**.

Cependant, il peut arriver, dans certaines circonstances, que l'on restreigne la facilité de négociation d'une action.

Les bourses et les commissions des valeurs mobilières ont le pouvoir de suspendre les opérations sur les actions d'une société en attendant un événement ou un avis important ou le résultat d'une enquête sur les affaires de cette dernière.

D'autre part, lorsqu'il y a prise de contrôle d'une société par une autre, les actionnaires qui ne répondent pas à l'offre publique d'achat peuvent être contraints, par la loi, à vendre leurs actions à la demande de la société acheteuse, si une proportion très importante des actions en circulation a déjà été librement vendue à cette société. Cette clause de "vente forcée" permet d'éliminer les reliquats d'actions en circulation.

Il peut également arriver que l'on interdise la vente des actions d'une société donnée à des personnes qui ne sont pas domiciliées au Canada. Parmi ces sociétés, appelées **sociétés par actions à participation restreinte**, on compte notamment les banques, les compagnies de fidéicommis, les compagnies d'assurance et les sociétés de radiodiffusion et de télécommunications.

DROIT DE VOTE ET CONTRÔLE

Grâce à son droit de vote à l'assemblée annuelle et aux assemblées générales et extraordinaires, l'actionnaire ordinaire, à titre de propriétaire, exerce ses droits pour contrôler la destinée de la société. Il élit les administrateurs qui dirigent et surveillent les opérations commerciales de la société par l'intermédiaire de ses dirigeants. Dans le cas de questions importantes et exceptionnelles telles que la vente, la fusion, la liquidation de la société ou la modification de la charte, les administrateurs doivent avoir l'approbation des actionnaires avant de pouvoir agir.

Habituellement, chaque actionnaire ordinaire a droit à un vote pour chaque action qu'il détient. Ainsi, compte tenu du fait que les actions sont réparties entre un grand nombre d'actionnaires, de nombreuses sociétés sont contrôlées par un actionnaire ou par un groupe d'actionnaires possédant beaucoup moins de 50% des actions avec droit de vote. De plus, lorsque plusieurs catégories d'actions sont émises, il peut arriver que la charte d'une société autorise les porteurs de chaque catégorie d'actions à voter séparément pour l'élection d'un certain nombre d'administrateurs. Certaines catégories d'actions ne donnent toutefois pas le droit de vote (ou des droits limités). Ce sont les **actions subalternes;** nous en reparlerons plus en détail dans ce chapitre.

Assemblées des actionnaires

D'habitude, les actionnaires ne peuvent agir collectivement qu'aux assemblées de la société, tenues après convocation en bonne et due forme et conformément aux statuts. Toutefois, certaines juridictions permettent aux actionnaires de prendre des mesures au moyen d'une résolution signée par chacun d'eux. Dans le cas d'une assemblée ordinaire, la liste des actionnaires admissibles est dressée à une date déterminée et ils sont convoqués dans le délai fixé. À l'assemblée annuelle, les actionnaires élisent les administrateurs, nomment des vérificateurs indépendants, reçoivent les états financiers et le rapport du vérificateur pour l'exercice précédent, et abordent également diverses autres questions relatives aux activités de la société. Pour toute question qui doit être réglée avant l'assemblée annuelle suivante, il arrive que l'on convoque des assemblées générales ou extraordinaires.

Vote par procuration

Une procuration est un mandat donné par un actionnaire à un tiers afin que ce dernier vote au nom de l'actionnaire à l'assemblée annuelle. En Ontario et dans les provinces qui ont promulgué des lois identiques, il n'est pas nécessaire que le mandataire soit un actionnaire de la société. On donne généralement une procuration pour une seule assemblée et pour tous les ajournements de celle-ci. On demande parfois aux actionnaires d'accorder un mandat plus étendu afin que leurs mandataires puissent voter à toutes les assemblées tenues dans une période d'un an. Une procuration est toujours révocable. Vous trouverez à la page suivante un exemple de formulaire de procuration.

Les membres de la direction des sociétés ouvertes sont tenus de solliciter des procurations. L'avis de convocation envoyé à tous les actionnaires qui ont droit de vote doit être accompagné d'un formulaire de procuration à signer et d'une circulaire d'information. Cette circulaire doit contenir des renseignements sur les administrateurs proposés, sur la rémunération des administrateurs et des dirigeants, sur la participation des administrateurs et des dirigeants à des opérations importantes et sur les affaires qui seront débattues lors de l'assemblée. La circulaire d'information donne à l'actionnaire qui signe le formulaire de procuration autant de renseignements que s'il avait été en mesure d'assister à l'assemblée annuelle.

Habituellement, à l'assemblée annuelle des actionnaires d'une société ouverte, un nombre suffisant d'actionnaires ont signé une procuration nommant comme mandataire une personne choisie par la direction pour que cette dernière soit en mesure de faire adopter toutes les résolutions qu'elle désire sans qu'il y ait de véritables débats préalables. Même si, dans de telles circonstances, les actionnaires particuliers n'ont guère de chance de faire échec à des propositions de la direction, l'assemblée peut constituer une bonne occasion d'interroger les membres de la direction sur leurs activités et leurs projets.

Dans de nombreuses sociétés ouvertes, le groupe de direction ne détient pas un grand pourcentage des actions émises et dépend de l'appui de l'ensemble des actionnaires. Dans de telles circonstances, il est toujours possible qu'une lutte pour le contrôle de la société s'engage entre le groupe de la direction et un groupe d'actionnaires rival; les deux parties se mettent alors activement à la recherche d'appuis par procuration parmi l'ensemble des actionnaires, avant l'assemblée. De telles "courses aux procurations" sont peu fréquentes mais apportent souvent de la couleur et de l'animation à ces assemblées annuelles tellement sérieuses.

À titre d'information

MAGASINS DE DÉTAIL TRANS-CANADA LTÉE

PROCURATION

Assemblée annuelle des actionnaires

Le soussigné, étant actionnaire des Magasins de détail Trans-Canada Ltée, nomme et constitue, par les présentes, Pierre Durant, président du Conseil, ou à son défaut Paul Dupont, président, ou à son défaut Jean Lavoie, secrétaire, ou .... comme son mandataire afin d'assister et d'agir au nom du soussigné à l'assemblée annuelle des actionnaires de la Société, qui aura lieu le 28e jour d'août 19.., et à tout ajournement de celle-ci, avec tous les pouvoirs que le soussigné pourrait exercer s'il était présent à cette assemblée ainsi que le droit de voter ou de s'abstenir comme indiqué ci-après.

1.   Élection des administrateurs

POUR tous les candidats dont les noms apparaissent ci-dessous, à moins d'indications contraires.

S'ABSTENIR à propos de tous les candidats dont les noms apparaissent ci-dessous.

Noms

2.   Nomination de ABC et Cie comme vérificateurs.

POUR   CONTRE   ABSTENTION

De plus, cette procuration confère des pouvoirs discrétionnaires au mandataire lui permettant de voter sur toute question dûment soumise avant l'assemblée.

Daté ce .... jour d............................. 19..

....
Signature de l'actionnaire

Cette procuration doit être datée et signée par l'actionnaire ou par son fondé de pouvoir dûment autorisé par écrit ou, si l'actionnaire est une société, elle doit être revêtue du sceau de la société.

Conventions de vote

La convention de vote est un moyen employé pour confier le contrôle d'une société à un groupe de gestionnaires, pendant une période déterminée, ou jusqu'à ce que certains objectifs aient été atteints.

Pour ce faire, les actionnaires sont invités à déposer leurs actions entre les mains d'un fiduciaire (généralement une compagnie de fidéicommis) aux termes d'une convention de vote. En échange, le fiduciaire émet des certificats de convention de vote qui rendent aux actionnaires les mêmes droits que leur conféraient leurs actions d'origine, à l'exception du droit de vote, que garde le fiduciaire.

On a habituellement recours à une convention de vote lors de la restructuration d'une société qui connaît des difficultés financières. Il arrive, en effet, que des financiers soient disposés à investir des fonds dans une société à condition qu'ils soient assurés du contrôle de la direction. Cette mesure vise à protéger leur placement jusqu'à ce que la société soit remise sur pied.

Actions subalternes

Comme nous l'expliquions plus tôt, le droit de vote est l'une des principales caractéristiques de l'action ordinaire. Cependant, bon nombre de sociétés ont aujourd'hui deux ou même trois catégories d'actions différentes qu'elles divisent généralement en classes A ou B. Il est important de connaître les caractéristiques précises de chaque classe d'actions car celles-ci peuvent différer non seulement quant au droit de vote, mais également quant aux dividendes et autres avantages.

Les actions subalternes donnent un droit de participation illimitée aux bénéfices d'une société et à son actif en cas de liquidation. Elles ne confèrent cependant qu'un droit de vote limité. Il y a trois catégories d'actions subalternes.

. **sans droit de vote** - excepté dans certaines circonstances déterminées;

. **avec droit de vote subordonné** - à celui d'autres actions de la société;

. **avec droit de vote inégal** - (ou "actions subalternes" selon les règlements de la Bourse de Montréal) le droit de vote étant limité à un certain nombre ou pourcentage d'actions.

Au cours des dernières années, le nombre de sociétés qui émettent des actions subalternes a augmenté considérablement. Certains épargnants s'en sont inquiétés et se sont opposés aux réorganisations qui entraînent la création d'actions subalternes.

Droits et avantages

Comme les actions ordinaires, les actions subalternes confèrent un droit sur les bénéfices de la société et sur son actif en cas de liquidation. Cependant, bien qu'ils prennent les mêmes risques que les actionnaires ordinaires, les porteurs d'actions subalternes n'ont que peu de droits, s'il en est, sur les affaires de la société. En effet, un grand nombre des droits et recours conférés aux porteurs d'actions par les lois sur les valeurs mobilières ou sur les sociétés commerciales sont liés au droit de vote. En vertu des lois sur les sociétés commerciales, ces droits comprennent la convocation à l'assemblée des actionnaires et l'examen des propositions de ces derniers, l'élection des administrateurs, l'approbation des états financiers et des modifications aux statuts et l'accord préalable aux changements fondamentaux dans les affaires, l'exploitation ou le capital de la société. Par changements fondamentaux, on entend notamment la vente de la plus grande partie des biens ou une augmentation du capital autorisé.

On doit se référer à la charte d'une société, aux notes afférentes aux états financiers de son rapport annuel et à la loi sur les sociétés appropriée pour détermin - les droits et avantages que confèrent certaines catégories d'actions subalternes.

Réglementation

Les bourses ont incité les sociétés émettrices d'actions subalternes à prévoir des clauses visant à assurer que les porteurs de ces actions soient traités équitablement.

Voici certains des règlements publiés par les bourses et les commissions des valeurs mobilières:

. les actions subalternes doivent être identifiées par le terme d'actions subalternes;

. les actions subalternes doivent être accompagnées d'un code permettant de les reconnaître facilement dans la presse financière;

. tous les documents d'information, à savoir les circulaires d'information, les rapports annuels et les états financiers qui sont envoyés aux actionnaires ayant droit de vote doivent aussi être envoyés aux détenteurs d'actions subalternes. Ils doivent inclure une description des restrictions concernant les droits de vote des actions subalternes;

. la documentation fournie par les courtiers et par les conseillers doit donner une description exacte des actions subalternes;

. les actions subalternes doivent être signalées clairement dans les avis d'exécution;

. les porteurs d'actions subalternes doivent recevoir l'avis de convocation aux assemblées d'actionnaires, ils doivent être invités à y assister et y avoir un droit de parole;

. les règlements relatifs aux offres publiques d'achat s'appliquent aux offres d'achat d'actions subalternes ne comportant pas de droits de vote lorsque les actions qui font l'objet de l'offre jointes aux actions de la même classe que détient l'initiateur excèdent, dans l'ensemble, 20% des actions en circulation de la même classe;

. toute décision de la société susceptible d'entraîner la création de nouvelles actions subalternes doit être approuvée par les actionnaires minoritaires subalternes.

Autres droits conférés par les actions ordinaires

Voici certains autres avantages conférés par les actions ordinaires:

. le droit de recevoir des exemplaires des rapports annuels et trimestriels ainsi que de tout document d'information obligatoire sur les affaires de la société;

. le droit d'examiner certains documents de la société tels que les statuts et le registre des actionnaires à certaines dates;

. le droit de questionner les administrateurs à l'assemblée des actionnaires;

. la responsabilité limitée.

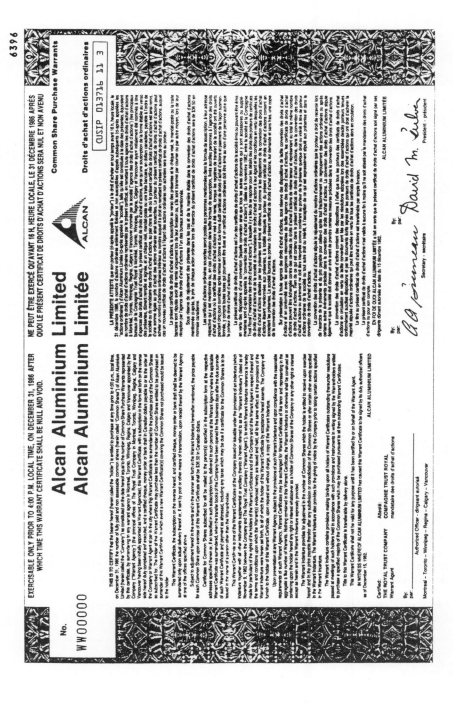

SUBSCRIPTION FORM

To: ALCAN ALUMINIUM LIMITED

(a) The undersigned holder of this Warrant Certificate hereby subscribes for

_____ Common Shares of Alcan Aluminium Limited at $36.50 per share (or such number of Common Shares or other securities or property to which such subscription entitles the undersigned in lieu thereof or in addition thereto under the provisions of the Warrant Indenture mentioned in this Warrant Certificate) on the terms specified in the Warrant Indenture and delivers herewith a certified cheque, money order, or bank draft in Canadian dollars payable to the order of Alcan Aluminium Limited or The Royal Trust Company in payment of the subscription price.

(b) The undersigned hereby directs that the said Common Shares be registered as follows:

FORMULE DE SOUSCRIPTION

Dest.: ALCAN ALUMINIUM LIMITÉE

a) Le porteur soussigné du présent certificat de droits d'achat d'actions souscrit par les présentes

_____ actions ordinaires d'Alcan Aluminium Limitée à raison de $36.50 l'action (ou le nombre d'actions ordinaires ou d'autres valeurs mobilières ou biens auxquels le soussigné a droit en vertu de la souscription, en remplacement ou en supplément, aux termes des dispositions de la convention des droits d'achat d'actions mentionnée au présent certificat de droits d'achat d'actions) suivant les conditions stipulées dans la convention des droits d'achat d'actions et remet avec les présentes un chèque visé, un mandat-poste ou une traite bancaire, en dollars canadiens, payable à l'ordre d'Alcan Aluminium Limitée ou de la Compagnie Trust Royal en paiement du prix de souscription.

b) Le soussigné demande par les présentes que lesdites actions ordinaires soient immatriculées comme suit:

Name(s) Nom	Address(es) (Include Postal Code) Adresse (y compris le code postal)	Number of Common Shares Nombre d'actions ordinaires
	TOTAL	

(Please print full name in which share certificate(s) are to be issued. If any of the shares are to be issued to a person other than the Warrantholder, the Warrantholder must pay to the Warrant Agency all requisite taxes or other government charges.)

(Veuillez inscrire en majuscules le nom entier auquel le ou les certificats d'actions doivent être émis. Si l'une ou l'autre des actions doivent être émises à une autre personne que le porteur du droit d'achat d'actions, ce dernier doit verser à l'agence des droits d'achat d'actions la totalité des taxes ou autres frais gouvernementaux exigés.)

DATED this _____ day of _____ ,19 _____

EN DATE DU _____ jour d _____ 19 _____

_____
Signature of holder

Please check box to the right if certificates representing these shares are to be delivered at the office of the Warrant Agency where this Warrant Certificate is surrendered, failing which the certificates will be mailed to the address(es) set forth in the box in (b) above.

_____
Signature du porteur

Veuillez cocher à gauche si les certificats représentant ces actions doivent être livrés au bureau de l'agence des droits d'achat d'actions où le présent certificat de droits d'achat d'actions est remis, faute de quoi les certificats seront postés à l'adresse ou aux adresses inscrites au tableau, en (b) ci-dessus.

Print name and address of holder in full below - Inscrire en majuscules le nom et l'adresse du porteur en entier ci-après

Name
Nom _____

Address, including Postal Code:
Adresse, y compris le code postal: _____

156

DROITS ET BONS DE SOUSCRIPTION

Droits de souscription

Un **droit de souscription** est un avantage accordé à un actionnaire ordinaire, grâce auquel il peut acheter des actions additionnelles directement de la société émettrice. Cette dernière peut, pour augmenter son capital, offrir à chaque actionnaire le droit d'acheter un nombre d'actions proportionnel à celui qu'il possède déjà (par exemple, une action supplémentaire pour dix actions détenues). Le prix de souscription des nouvelles actions est généralement inférieur au cours du marché, ce qui donne une valeur propre au droit de souscription. Cette valeur est voisine de la différence entre le cours du marché et le prix de souscription des actions. Nous verrons cela plus loin.

Lorsqu'on accorde des droits de souscription, il est d'usage d'émettre un droit pour chaque action ordinaire en circulation. Il revient ensuite à l'actionnaire de regrouper ses droits de façon à souscrire à une ou plusieurs actions. L'exercice d'un droit de souscription ne donne lieu à aucun frais de courtage et on n'émet généralement pas de rompus (fractions d'action). Il se crée d'autre part un marché pour les droits de souscription permettant soit de vendre les droits en surplus, soit d'en acheter d'autres.

La période pendant laquelle on peut négocier ou exercer les droits de souscription dure environ de quatre à six semaines, à partir de la date ex-droits (voir plus loin). Une fois qu'ils ont expiré, les droits ne valent plus rien.

L'émission de droits de souscription se fait exactement de la même manière que la distribution des dividendes. Les détails concernant une émission de droits de souscription sont publiés bien avant la date même d'émission. Les livres de la société sont clos à une certaine date et les droits reviennent aux actionnaires ordinaires inscrits à cette **date de clôture des registres.** Si, comme c'est généralement le cas, les droits sont transférables, chaque actionnaire reçoit un certificat visant le nombre de droits qui lui revient.

Il arrive pourtant que ces droits ne soient pas transférables. Dans ce cas, seul l'actionnaire inscrit est autorisé à les exercer.

Les actions se négocient ex-droits **quatre** jours ouvrables avant la date de clôture des registres. Cela signifie que tout acheteur des actions, à compter de la date ex-droits, n'est pas autorisé à recevoir les droits de souscription. Le délai qui s'écoule entre la date de l'avis de l'émission prochaine des droits et la date ex-droits est appelé période **avec droits;** toute personne qui achète des actions au cours de cette période recevra les droits annoncés.

L'acheteur de droits sur le marché est autorisé à les exercer exactement de la même façon que l'actionnaire initial. D'autre part, il n'est pas nécessaire d'être déjà actionnaire pour souscrire à de nouvelles actions au moyen de droits de souscription.

Le prix de souscription tend à suivre les fluctuations du cours de l'action, toutefois pas forcément dans les mêmes proportions.

Exemple d'offre de droits de souscription

La Société Z a accordé à ses actionnaires inscrits à la clôture des bureaux, le 29 octobre, des droits les autorisant à souscrire à une nouvelle action de la classe A pour sept actions de la classe A ou de la classe B détenues. On a émis un droit pour chaque action en circulation et il fallait sept droits pour souscrire à une action à 9,25 $. Les droits expiraient à la clôture des bureaux le 19 novembre et devenaient donc sans valeur après cette date.

Calcul de la valeur intrinsèque d'un droit pendant la période avec droits

Les actions de la classe A de la Société Z se sont négociées avec droits jusqu'à la clôture des bureaux, le vendredi 22 octobre (quatre jours ouvrables avant le 29 octobre, date de clôture des registres). La valeur intrinsèque des droits se calculait donc comme suit jusqu'à la clôture des bureaux le 22 octobre.

Supposons que le cours du marché de l'action de la classe A était de 10,50 $ en octobre. Il fallait sept droits pour acheter une nouvelle action à 9,25 $. Donc, si un épargnant avait acheté sept actions ordinaires au cours du marché en octobre, il aurait reçu sept droits de souscription qui lui auraient permis de souscrire à une action à 9,25 $.

Par conséquent, il aurait pu acheter huit actions au total, pour sept fois 10,50 $ plus 9,25 $ (courtage non compris).

Coût total des huit actions: 73,50 $ + 9,25 $ = 82,75 $

Coût d'une action: $\dfrac{82,75 \$}{8} = 10,34 \$$

Valeur intrinsèque d'un droit: 10,50 $ moins 10,34 $ = 0,16 $

On peut utiliser la formule suivante pour calculer la valeur intrinsèque (théorique) d'un droit pendant la période avec droits:

$$\dfrac{\text{Cours de l'action - prix de souscription}}{\text{Nombre de droits nécessaires à l'achat d'une action nouvelle + 1}} = \begin{array}{l}\text{Valeur intrinsèque} \\ \text{d'un droit pendant la} \\ \text{période avec droits}\end{array}$$

Nous aurions donc dans notre exemple:

$$\dfrac{10,50 \$ - 9,25 \$}{7 + 1} = \dfrac{1,25 \$}{8} = 0,16 \$$$

Cette valeur intrinsèque théorique peut être légèrement différente du cours exact des droits en bourse.

Calcul de la valeur intrinsèque d'un droit pendant la période ex-droits

Le lundi 25 octobre, les actions de la classe A de la Société Z ont commencé à se négocier ex-droits et les droits ont constitué un titre distinct. Jusqu'à la date d'expiration du droit de souscription, soit le 19 novembre, la valeur intrinsèque d'un droit se calculait comme suit:

$$\frac{\text{Cours de l'action - prix de souscription}}{\substack{\text{Nombre de droits nécessaires à} \\ \text{l'achat d'une action nouvelle}}} = \substack{\text{Valeur intrinsèque} \\ \text{d'un droit pendant la} \\ \text{période ex-droits}}$$

soit:

$$\frac{10,375\ \$^* - 9,25\ \$}{7} = \frac{1,125\ \$}{7} = \underline{0,16\ \$}$$

* Le cours de clôture du dernier jour de la période avec droits est habituellement différent de celui du premier jour de la période ex-droits. La différence équivaut approximativement à la valeur d'un droit négocié séparément à la date ex-droits.

Négociation des droits de souscription

Si les actions ordinaires d'une société sont cotées à une bourse, les droits y sont automatiquement cotés à cette bourse et font l'objet d'un marché actif jusqu'à leur expiration.

À noter qu'il est rare que les droits de souscription se négocient exactement à leur valeur intrinsèque, en raison de l'influence des frais d'achat et de vente et du déséquilibre temporaire entre l'offre et la demande.

Il est d'usage, au Canada, que le règlement ait lieu cinq jours ouvrables après le jour de l'opération. Il s'agit de la **livraison régulière.** C'est la raison pour laquelle l'action se négocie ex-droits à partir du **quatrième** jour précédant la date de clôture des registres.

Procédures de règlement spéciales

À la Bourse de Vancouver et à celle de l'Alberta, les droits de souscription se négocient habituellement au comptant le jour où ils expirent et les cinq jours ouvrables précédents. L'expression **se négocier au comptant** signifie que l'acheteur doit payer les droits en espèces et en prendre livraison le jour même de l'opération.

Au printemps 1984, la Bourse de Toronto et celle de Montréal ont révisé les procédures de règlement pour les droits de souscription afin d'en faciliter la négociation lorsque leur date d'expiration est proche. Les opérations effectuées les septième, sixième et cinquième jours ouvrables avant la date d'expiration demandant un règlement spécial le troisième jour ouvrable avant la date d'expiration.

Les opérations effectuées les quatrième, troisième, deuxième jours ouvrables avant la date d'expiration, de même que celles effectuées la veille sont réglées le jour ouvrable suivant.

Étant donné que les conditions de négociation peuvent varier selon les différentes inscriptions de droits à la cote et que les bourses peuvent également modifier les règles de négociation ou en adopter de nouvelles, les épargnants devraient toujours vérifier auprès de leur courtier les procédures qui s'appliquent à l'émission qu'ils négocient.

En raison de leur courte durée, les droits se négocient souvent **sous les réserves d'usage,** entre la date à laquelle ils sont annoncés par d'une société et la date à laquelle les certificats sont postés aux actionnaires. Autrement dit, le vendeur s'engage à livrer les droits quand lui-même les recevra. Le courtier en valeurs mobilières est en droit d'exiger du vendeur qu'il dépose une somme ou des titres en garantie de la livraison, car lui aussi (le courtier) s'est engagé à livrer les droits au courtier de l'acheteur. De même, l'acheteur de droits sous les réserves d'usage peut être tenu de les payer au moment de la passation de l'ordre.

Le règlement de tous les contrats établis sous les réserves d'usage a lieu dès que les droits sont disponibles et les opérations subséquentes se font avec livraison régulière ou au comptant.

Que peut-on faire avec des droits de souscription?

Le porteur de droits de souscription a quatre choix:

.   exercer la totalité ou une partie de ses droits;

.   vendre la totalité ou une partie de ses droits;

.   acheter des droits supplémentaires pour les négocier ou les exercer;

.   ne rien faire et laisser ses droits expirer. Ce choix n'offre toutefois aucun avantage. En effet, les droits de souscription ne sont pas automatiquement exercés au nom de leur porteur; ce dernier doit opter pour la solution qui lui convient le mieux.

Bons de souscription (warrants*)

Un bon de souscription est un certificat attestant que le porteur d'un titre a l'option d'acheter des actions de la société émettrice, à un prix déterminé et durant une période de temps déterminée. Les bons sont souvent attachés à de nouvelles émissions de titres d'emprunt ou d'actions privilégiées afin d'en faciliter le placement initial. On détache habituellement les bons de souscription, soit immédiatement, soit après un certain délai, et ils se négocient alors séparément. Exception faite des bons de souscription perpétuels (qui sont rares), les bons expirent généralement après un certain délai. Cependant, un bon de souscription dure plus longtemps qu'un droit de souscription et est généralement valable pour plusieurs années à partir de sa date d'émission. Les bons de souscription attachés aux nouveaux titres des sociétés d'exploitation de second rang de l'Ouest canadien constituent une catégorie spéciale; ils expirent généralement au bout de 12 mois.

Vous trouverez un exemple d'un bon de souscription au chapitre précédent.

*n. du t.: En anglais, le terme "warrant" désigne également le certificat attestant qu'une personne est propriétaire de droits de souscription. La société qui fait une offre des droits de souscription à ses actionnaires établit d'habitude des "warrants" ou certificats représentant le nombre total de droits de souscription revenant à chaque actionnaire. À l'occasion, les sociétés émettent des certificats précisant le nombre d'actions que l'actionnaire peut souscrire, plutôt que le nombre de droits de souscription qui lui revient.

Facteurs influant sur le prix des bons de souscription

Le prix d'un bon de souscription peut refléter trois facteurs:

.   la valeur intrinsèque;

.   la valeur-temps;

.   la surévaluation.

Valeur intrinsèque

La valeur intrinsèque d'un bon de souscription est le montant par lequel le cours de l'action ordinaire dépasse le prix d'exercice du bon. Un bon n'a pas de valeur intrinsèque si son prix d'exercice est supérieur au cours de l'action sur le marché.

valeur intrinsèque	= cours de l'action ordinaire sur le marché	moins	prix d'exercice du bon de souscription

Valeur-temps

La valeur-temps d'un bon de souscription est le montant par lequel le prix du bon dépasse sa valeur intrinsèque. Lorsque le cours de l'action sur le marché est inférieur au prix d'exercice du bon, la valeur marchande du bon est sa valeur-temps. En effet, même si un bon n'a pas de valeur intrinsèque, il conserve une valeur (sa valeur-temps), et ce en raison de son caractère spéculatif présumé jusqu'à sa date d'expiration. Ainsi, un bon de souscription permettant l'achat d'une action à 40 $ (alors que le cours de cette action est de 30 $) pourrait se négocier à 5 $. La valeur marchande de 5 $ du bon de souscription reflète sa valeur-temps jusqu'à expiration. La valeur-temps d'un bon diminue au fur et à mesure que sa date d'expiration approche et qu'il y a moins de temps pour que le cours de l'action ordinaire augmente. À son expiration, un bon de souscription qui n'a pas été exercé n'a aucune valeur.

Lorsque le prix d'exercice d'un bon de souscription est inférieur au cours de l'action ordinaire visée, le prix du bon peut représenter à la fois la valeur intrinsèque et la valeur-temps, suivant le temps qui reste à courir jusqu'à son expiration et le montant attribuable à l'effet de levier (expliqué plus loin).

valeur-temps =	prix du bon de souscription	moins	valeur intrinsèque du bon

Surévaluation

La surévaluation d'un bon de souscription est le montant par lequel le cours du bon plus son prix d'exercice dépasse le cours de l'action sur le marché. D'après l'exemple précédent, le prix d'une action acquise au moyen d'un bon de souscription acheté à 5 $ sera de 45 $, puisque le prix d'exercice du bon était de 40 $. Cette opération représente une surévaluation de 15 $ du cours de l'action sur le marché (c.-à-d. 45 $ - 30 $). En pourcentage, la surévaluation du bon de souscription représente 50% du cours de l'action sur le marché (c.-à-d. 15 $ divisé par 30 $ multiplié par 100).

surévaluation=	prix du bon de souscription	plus	prix d'exercice du bon	moins	cours de l'action ordinaire sur le marché

Les facteurs dont il faut tenir compte afin de déterminer si la surévaluation est juste sont les suivants:

. la surévaluation devrait être raisonnable par rapport aux perspectives des actions concernées et au temps à courir jusqu'à l'expiration. Un montant élevé de surévaluation pour un bon de souscription expirant dans quelques mois ne serait pas raisonnable étant donné que le cours de l'action concernée n'a pas beaucoup le temps d'augmenter;

. la surévaluation tend à être plus élevée pour les bons de souscription à des actions dont le cours est très instable;

- la surévaluation est souvent plus élevée pour les bons de souscription à des actions dont le ratio cours-bénéfice est élevé (étant les favorites du marché);

- comme les bons de souscription ne rapportent aucun revenu, si l'action visée offre un rendement élevé, la surévaluation sera relativement plus petite afin de compenser la perte de revenu.

Effet de levier

La principale caractéristique spéculative des bons de souscription est la possibilité d'augmentation qu'ils ont jusqu'à ce qu'ils expirent. Si le cours de l'action ordinaire visée augmente, la plus-value du bon peut dépasser considérablement celle de l'action ordinaire.

Prenons par exemple un bon de souscription dont la valeur est de 4 $ et le prix d'exercice de 12 $, le cours de l'action ordinaire visée étant de 15 $. Si ce cours monte à 23 $ avant que le bon expire, il est probable que le prix du bon atteigne au moins sa valeur intrinsèque de 11 $, soit une augmentation de 175% du prix initial payé. L'acheteur de l'action ordinaire ne réaliserait qu'un bénéfice de 8 $ (23 $ - 15 $), soit 53%.

Évidemment, l'inverse est également vrai. Une chute du cours de l'action ordinaire de 23 $ à 15 $ donne une baisse de 35%, par rapport à une perte de 64% pour le bon qui passe de 11 $ à 4 $. Nous devons souligner que la négociation des bons de souscription ne s'adresse pas aux amateurs. En effet, si l'effet de levier peut avoir une plus-value, il peut également avoir l'effet contraire.

Une évaluation comparative de l'effet de levier permet de déterminer quels bons ont le plus de chances de réaliser une plus-value.

Autres facteurs d'évaluation des bons de souscription

- La facilité de négociation est importante, particulièrement s'il y a peu de bons en circulation;

- les modalités des bons de souscription prévoient-elles une protection contre la dilution en cas de divisions d'actions, de dividendes en actions, etc.? C'est généralement le cas, mais il vaut toujours mieux le vérifier.

Bons de souscription séquentiels (Piggy Back Warrants)

Certains bons permettent à leur détenteur d'acquérir des bons supplémentaires à une date ultérieure. Les bons acquis lors de l'exercice des bons initiaux sont appelés **bons de souscription séquentiels.** Le prix d'exercice de ces bons est souvent supérieur au prix d'exercice des bons de souscription initiaux. Les bons de souscription séquentiels constituent une clause attrayante qui facilite la vente d'une nouvelle émission de titres et la mobilisation éventuelle de capitaux à une date ultérieure.

Exemple: Un bon de souscription de la série 1 de Métaux précieux BGR Inc. permet au détenteur d'acheter une action de la classe A, à 10 $ l'action, jusqu'au 31 octobre 1986. À l'achat d'une action ordinaire, le détenteur recevra un bon de souscription de la série 2. Un bon de la série 2 permet au détenteur d'acheter une action de la classe A, à 12,50 $, jusqu'au 31 octobre 1989.

TRAITEMENT FISCAL DES DROITS ET DES BONS DE SOUSCRIPTION

Les épargnants acquièrent des droits et des bons de souscription de l'une des trois façons suivantes:

- en les achetant directement sur le marché;

- en détenant des actions sur lesquelles une offre de droits a été faite;

- en achetant une unité de titres (par exemple, une obligation avec bons de souscription attachés).

La méthode d'acquisition des droits et des bons de souscription a de l'importance car, selon la méthode utilisée, le traitement fiscal des actions diffère.

Actions acquises au moyen de l'exercice de droits ou de bons de souscription achetés directement

L'épargnant qui achète des droits et des bons de souscription directement sur le marché, et qui les exerce par la suite pour acquérir des actions, n'est pas réputé réaliser un gain ou une perte en capital. Le prix des droits ou des bons de souscription entre dans le prix des actions ainsi acquises; il n'y a de gain ou de perte en capital que lors de la vente ultérieure de ces actions.

Actions acquises au moyen de l'exercice de droits de souscription obtenus grâce à la propriété d'actions

L'épargnant qui détient des actions sur lesquelles une offre de droits de souscription est faite ne réalise pas de gain ni de perte en capital lorsqu'il exerce ces droits. Le prix d'exercice des droits entre dans le coût moyen de toutes les actions identiques détenues par l'épargnant (c.-à-d. celles qu'il détenait à l'origine et celles qu'il a acquises par l'exercice de ses droits). L'épargnant réalise un gain ou une perte en capital lorsqu'il vend une partie ou la totalité de ses actions identiques. Le prix de base rajusté est alors calculé d'après le coût moyen par action.

Actions acquises au moyen de l'exercice de bons de souscription achetés faisant partie d'une unité

Lorsqu'un épargnant achète une unité dans laquelle il y a un bon de souscription, le prix du bon est réputé être nul. Aux fins de l'impôt, le prix de chaque action acquise par l'exercice de bons de souscription est le prix d'exercice de cette action.

Que se passe-t-il lorsque des droits et des bons de souscription ne sont pas exercés?

Les droits et les bons de souscription ne sont pas toujours exercés. L'épargnant peut par exemple les vendre sur le marché libre ou les laisser expirer. Le tableau ci-après illustre la façon dont les droits et les bons de souscription qui ne sont pas exercés sont imposés.

IMPOSITION DES DROITS ET DES BONS DE SOUSCRIPTION NON EXERCÉS

Méthode d'acquisition	S'ils sont vendus	Si on les laisse expirer
Achat direct sur le marché	Gain ou perte en capital = différence entre le prix d'achat et le produit de la vente	Perte en capital = prix d'achat
Acquis sans frais (a) Droits de souscription - par émission de droits (b) Bons de souscription - partie d'une unité	Gain en capital = produit de la vente (le prix de base est nul)	Ni gain ni perte en capital (le prix de base et le produit de la vente sont nuls)

SÉLECTION DES ACTIONS ORDINAIRES

La section qui suit est une introduction à l'analyse fondamentale (ou analyse des titres) et à son utilisation. Elle s'appuie sur une bonne connaissance de l'industrie et des sociétés dans ce secteur afin de procéder à une sélection rigoureuse.

ANALYSE DE L'INDUSTRIE

Classement des industries par services ou produits

On peut identifier la plupart des industries par les services ou les produits qu'elles offrent. Par exemple, l'indice composé TSE 300 compte plus de 40 groupes représentant des secteurs d'activités distincts. Dans le marché plus étendu des États-Unis, les services de conseils en placement ont répertorié près de 70 groupes industriels fournissant chacun un produit ou un service principal différent.

La première étape de l'analyse fondamentale consiste habituellement à choisir des industries qui, selon les probabilités, auront les meilleurs résultats pendant une certaine période (disons 12 à 24 mois) et, ensuite, à sélectionner les sociétés qui ont des chances d'être en tête dans ces industries.

Classement des industries selon leur stade de développement

Il est utile, pour l'épargnant, d'identifier les diverses industries selon leur stade de développement. Les catégories suivantes vous donneront un aperçu de cette classification, mais il faut les utiliser avec réserve étant donné que certaines industries ou sociétés ne peuvent être rangées systématiquement dans une catégorie ou dans une autre.

Industries nouvelles

On invente toujours de nouveaux produits et services pour satisfaire les besoins et la demande de la société. Un simple coup d'oeil en arrière sur l'industrie des transports donne un excellent exemple des diverses phases de l'évolution d'une industrie. Au début, le cheval était le principal moyen de transport. Il a été supplanté par le train qui, à son tour, a dû faire face d'abord à la concurrence de l'automobile, du camion et de l'autobus, puis à celle de l'avion. La rapidité de l'innovation est particulièrement évidente de nos jours avec les diverses applications électroniques telles que les ordinateurs personnels, les réseaux téléphoniques très perfectionnés et les magnétoscopes.

Les industries nouvelles ne sont pas toujours accessibles à l'épargnant, particulièrement si l'industrie est dominée par des sociétés fermées ou si le nouveau produit ou service n'est qu'une des activités d'une société diversifiée. Par ailleurs, une industrie nouvelle peut ensuite évoluer vers n'importe quelle autre catégorie parmi les suivantes.

Industries de croissance

Dans une industrie de croissance, le chiffre d'affaires et les bénéfices augmentent régulièrement à un rythme plus rapide que celui de la plupart des autres industries. Les sociétés faisant partie des industries de croissance sont appelées sociétés de croissance et leurs actions ordinaires, actions ou valeurs d'avenir. Souvent, les actions d'avenir ont conservé depuis plusieurs années (généralement une période de plus de cinq ans) un taux de croissance marqué, considérablement supérieur à la moyenne, et on prévoit qu'elles continueront ainsi. Une action dont le cours augmente n'est pas automatiquement une action de croissance. Cette augmentation doit être basée sur des facteurs stables: marges bénéficiaires plus élevées, valeur de l'actif croissante, bénéfices croissants, fonds de roulement ainsi que rendement de la valeur nette.

On associe généralement les caractéristiques suivantes aux expressions "action d'avenir" et "société de croissance":

. un taux élevé de rendement du capital investi;

. des bénéfices non répartis et réinvestis;

. une direction compétente et dynamique;

. de bonnes possibilités de croissance des bénéfices.

On ne parle plus beaucoup des industries de croissance aujourd'hui. Cependant, au cours des années 1960, les industries de l'informatique, de l'électronique et du matériel de bureau en étaient des exemples.

Industries stables

Ce sont des industries dont le chiffre d'affaires et les bénéfices sont relativement stables et tendent à le rester, même en période de récession. Cette stabilité ne garantit pas, toutefois, que les actions résisteront à un marché baissier, quoique les fluctuations peuvent ne pas être aussi accentuées. Ces sociétés ont généralement des ressources internes qui leur permettent de résister à une conjoncture difficile.

Il est utile de classer les actions de sociétés stables en trois catégories générales:

. les valeurs de premier ordre ou valeurs vedettes;

. les valeurs de protection;

. les valeurs à fort rendement.

Encore une fois, ces catégories ne sont pas rigides. Par exemple, une action ordinaire peut à la fois être une valeur de premier ordre et présenter une certaine protection.

Valeurs de premier ordre

De façon générale, on attribue le qualificatif "de premier ordre" aux actions de très bonne qualité de sociétés dont les bénéfices et les dividendes restent stables, que la conjoncture soit bonne ou mauvaise. Ces résultats témoignent habituellement d'une position dominante sur le marché, d'une situation financière interne solide et d'une administration efficace. Les sociétés de premier ordre enregistrent souvent une forte croissance de leur chiffre d'affaires et de leurs bénéfices, mais elles sont différentes des sociétés de croissance en ce qu'elles sont plus grandes et plus stables. À noter cependant que les valeurs de premier ordre n'offrent aucune garantie quant à la durabilité de leur performance car les sociétés ne sont jamais à l'abri d'un retournement de fortune.

Valeurs de protection

Les valeurs de protection sont les actions de sociétés dont les bénéfices et les dividendes sont stables et qui présentent une certaine immunité face aux faiblesses éventuelles de l'économie. On classe souvent les sociétés de services publics dans cette catégorie en raison du caractère indispensable et constant de leurs services. Elles peuvent généralement demander des hausses de tarifs afin de réaliser les bénéfices nécessaires pour attirer les nouveaux capitaux utiles à leur expansion. Il en résulte une certaine stabilité des bénéfices qui tend à limiter les fluctuations de leurs actions.

Les autres industries dont les bénéfices résistent relativement bien aux conditions difficiles sont notamment les brasseries, les distilleries, les fabricants de produits pharmaceutiques et les grossistes en alimentation. Il est toutefois conseillé de faire preuve de discernement car les bénéfices peuvent être touchés par d'autres facteurs. Dans l'alimentation par exemple, bien que nous ayons affaire à un produit indispensable, la guerre des prix au détail peut exercer une certaine pression sur les marges bénéficiaires.

Valeurs à fort rendement

Les valeurs à fort rendement rapportent un bon revenu en dividendes qui, de plus, est relativement sûr. Cela implique par la même occasion une certaine stabilité des cours et des possibilités de plus-value limitées. Cependant, toutes les actions à revenu élevé ne peuvent pas être considérées comme des valeurs à fort rendement. Il se peut qu'un rendement élevé soit le résultat d'une baisse substantielle du cours dans l'attente d'une réduction ou d'une omission du dividende. Les actions de sociétés de services publics sont souvent classées comme des valeurs à fort rendement, de premier ordre ou de protection.

Industries cycliques

Les industries cycliques sont celles dont les bénéfices sont particulièrement sensibles aux hauts et aux bas de l'activité économique. En fait, très peu d'industries, s'il en est, résistent à une baisse généralisée de l'activité économique, mais les industries cycliques sont celles qui s'en ressentent le plus. Ainsi, lorsqu'il y a une amélioration des affaires, les bénéfices grimpent d'un coup, et ces bonds sont d'autant plus accentués par l'effet de levier (voir plus loin). On classe notamment parmi les industries cycliques l'acier, les produits forestiers, le ciment, l'automobile, les appareils ménagers et l'équipement lourd.

Certaines sociétés sont vulnérables aux facteurs saisonniers. Il ne faut pas les confondre avec les industries cycliques. L'industrie de la bière, par exemple, est stable car le chiffre d'affaires tend à suivre l'évolution démographique, mais c'est une industrie saisonnière du fait que les ventes sont plus fortes en été.

Industries spéculatives

Le placement dans des actions ordinaires comporte toujours un risque de par les fluctuations incessantes des cours. Mais on qualifie de spéculatives les industries (ou les actions) qui présentent un risque exceptionnellement élevé en raison de l'absence de données définitives.

Le terme "spéculatif" convient souvent aux industries nouvelles. En effet, les possibilités de profits sur un nouveau produit ou service suscitent la création d'un grand nombre de nouvelles sociétés et la croissance, au départ, peut être énorme. Cependant, une épuration survient inévitablement et un grand nombre des premiers participants sont obligés d'abandonner à mesure que s'opère une consolidation et qu'un petit nombre de sociétés prennent les devants. Le succès de ces dernières est souvent attribuable à une gestion, une planification financière, des produits ou des services ou encore une commercialisation de meilleure qualité. Seul l'analyste expérimenté devrait essayer de déterminer quelles sociétés s'élèveront dans une industrie naissante.

Au Canada, on qualifie souvent de spéculatives les actions cotées en cents des sociétés minières, pétrolières et gazières de second rang. Ces actions sont généralement très instables et leur cours n'est relié à aucun facteur tangible (voir plus loin dans l'analyse fondamentale).

Le terme "spéculatif" s'applique également à toute société, même très grande, dont les actions peuvent donner lieu à une spéculation. Par exemple, le cours des actions de sociétés de croissance peut être évalué à plusieurs fois le bénéfice par action prévu si les épargnants anticipent une croissance soutenue exceptionnelle. Mais si, pour une raison quelconque, le doute s'empare des épargnants, il en résultera un ratio cours-bénéfice moins élevé et le cours en fléchira d'autant. Dans ce cas, ils spéculent sur la probabilité d'une croissance future qui peut très bien ne jamais se réaliser.

Industries en déclin

Ce sont les industries qui tombent en désuétude en raison des progrès techniques et des nouveaux produits ou services. L'industrie du transport dont nous avons parlé plus haut en est un exemple. Toutefois, les sociétés dans cette situation peuvent survivre en se diversifiant ou en acquérant d'autres sociétés, si l'administration prend tôt les mesures nécessaires.

Caractéristiques de l'industrie

L'analyse permet de bien connaître l'industrie et ses principales caractéristiques et l'analyste peut, à l'aide de ces données, évaluer l'influence des faits nouveaux, internes ou externes, sur les bénéfices des sociétés qui la composent. Voici quelques exemples:

.   les sociétés dont les activités dépendent des matières premières sont touchées par les fluctuations de prix sur les marchés internationaux. On range généralement dans cette catégorie des sociétés minières (nickel, cuivre, etc.) ou les entreprises pour lesquelles ces métaux sont la matière première;

.   les sociétés étroitement dépendantes des taux d'intérêt. Pour attirer des fonds, les compagnies de fidéicommis par exemple doivent augmenter le taux d'intérêt sur les dépôts de leurs clients à mesure que les taux montent, mais elles tirent la plus grande partie de leurs revenus des prêts hypothécaires à taux fixe. Il en résulte une compression des bénéfices avec, toutefois, une détente lorsque les taux baissent. La construction résidentielle est aussi particulièrement sensible aux fluctuations des taux d'intérêt et au loyer des capitaux hypothécaires;

.   les sociétés dont les pouvoirs sont réglementés par le gouvernement comme les banques à charte canadiennes. En effet, leurs pouvoirs changent avec les modifications à la Loi sur les banques, tous les dix ans. L'octroi ou la suppression de droits a toujours un effet sur la rentabilité des banques. D'ailleurs, les modifications aux lois régissant les compagnies de fidéicommis, les caisses populaires et les autres institutions financières touchent indirectement les banques à charte;

.   les industries dont la capacité d'utilisation est un facteur déterminant du prix d'un produit. En effet, lorsque certaines industries (telles que les produits forestiers) agrandissent leurs installations, l'augmentation de la capacité de production est souvent considérable pour des raisons économiques. Il peut en résulter une certaine faiblesse dans les prix, particulièrement si les nouvelles installations arrivent toutes en même temps ou si elles se font pendant une récession. Les analystes spécialisés dans l'industrie des produits forestiers suivent de près la relation entre la production et la capacité totale afin de déterminer la tendance des prix. Les événements qui surviennent dans d'autres pays producteurs de produits forestiers sont également importants de par leur influence sur les prix internationaux. La demande de produits forestiers est particulièrement sensible aux fluctuations des cycles économiques.

Certaines sociétés nécessitent une étude de plusieurs industries. Ce sont les sociétés diversifiées telles que Les compagnies Molson Limitée qui, mis à part la brasserie, exploitent une large gamme d'entreprises engagées dans la commercialisation au détail de matériaux de construction, de fournitures de bureau et scolaires et de produits chimiques spéciaux.

ANALYSE DE LA SOCIÉTÉ

L'analyse de l'industrie devrait conduire à une évaluation comparative des principales entreprises qui la composent. Chaque société a, en effet, sa manière de faire des affaires, de financer son exploitation, etc.

L'analyse de la société se divise en deux parties: l'**analyse quantitative,** fondée essentiellement sur les états financiers et l'**analyse qualitative** ou l'évaluation de facteurs conjecturaux tels que la qualité de l'administration.

Nous verrons, ci-après, certains ratios et données tirés des états financiers et illustrant les mécanismes et objectifs de l'analyse quantitative. (Ce ne sont, en fait, que quelques-uns des facteurs entrant dans une analyse exhaustive). Le but consiste à acquérir une bonne connaissance des différents facteurs touchant la société afin d'estimer l'impact des événements actuels et futurs sur sa rentabilité.

ANALYSE DE L'ÉTAT DES RÉSULTATS

Chiffre d'affaires

La capacité d'une société d'avoir un chiffre d'affaires à la hausse est un important indicateur. Il est bien évident qu'une augmentation des ventes est souhaitable, contrairement à une baisse ou à une stagnation. De même, une forte croissance est généralement préférable à un accroissement faible ou modéré. On doit effectuer une analyse de la tendance du chiffre d'affaires afin d'en déceler les principales causes. Par exemple, une tendance à la hausse peut être indicatrice de facteurs tels que:

- une augmentation des prix du produit;

- une augmentation du volume de production;

- l'introduction d'un nouveau produit;

- la pénétration d'un nouveau marché géographique (les États-Unis par exemple);

- la consolidation d'une société acquise lors d'une offre publique d'achat;

- les premiers apports d'une nouvelle usine ou d'un programme de diversification;

- l'acquisition d'une part de marché aux dépens des concurrents;

- un accroissement temporaire en raison d'une grève chez un concurrent;

- une publicité et une promotion dynamiques;

- l'effet favorable d'une loi gouvernementale sur l'industrie;

- une phase ascendante du cycle économique.

Ces facteurs étant connus, l'analyste peut isoler les principales raisons de la montée du chiffre d'affaires et, partant, évaluer l'impact des événements sur les résultats futurs.

Frais d'exploitation

L'étape suivante consiste à examiner les frais d'exploitation afin d'évaluer le rendement global de l'entreprise. Les frais d'exploitation comprennent le coût des marchandises vendues, les frais de vente et d'administration et d'autres dépenses considérées comme des frais directs nécessaires à la promotion des ventes. Pour les besoins de cette étude, on exclut les frais d'intérêt, les provisions pour amortissement et l'impôt sur le revenu des frais d'exploitation. Bien que les provisions pour amortissement soient souvent considérées comme des frais d'exploitation, nous n'en tiendrons pas compte ici car elles n'occasionnent aucun déboursé réel.

169

Un simple calcul des frais d'exploitation (tels que nous les avons définis) en pourcentage du chiffre d'affaires permet de savoir si ces frais sont en hausse, en baisse ou stables par rapport à ce chiffre. Une tendance à la hausse pendant plusieurs années indique que la société a des difficultés à contrôler ses coûts et, par là même, à obtenir un rendement satisfaisant. Une tendance à la baisse indique au contraire que la société contrôle mieux ses coûts et a donc un meilleur rendement.

L'analyse devrait permettre de déterminer les raisons principales de toute variation dans la marge bénéficiaire d'exploitation. Bien qu'il soit difficile de déceler les causes réelles, il est important de les comprendre afin de déterminer les facteurs pouvant influer sur la structure des coûts d'une société. En voici quelques-uns:

. le **coût des marchandises vendues** est l'une des composantes principales des frais d'exploitation. Par conséquent, le coût des matières premières a une influence directe sur sa marge de manoeuvre. Les sociétés qui dépendent de matières premières telles que le cuivre ou le nickel, par exemple, ont dû faire face à d'importantes fluctuations des coûts au fil des ans;

. l'**utilisation de la capacité de production** est également un facteur déterminant. En règle générale, plus une société exploite sa capacité de production, meilleur est son rendement car certains frais fixes, qui doivent être payés quel que soit le niveau de production, se trouvent répartis sur un plus grand nombre d'articles;

. les **dépenses visant à moderniser** l'équipement ou à mettre en marche une nouvelle usine plus rentable peuvent aboutir à des économies;

. l'**introduction de nouveaux produits et services** dont la marge bénéficiaire est plus grande peut aussi améliorer la rentabilité;

. les **coûts de main-d'oeuvre** sont particulièrement importants pour les sociétés à prédominance de main-d'oeuvre;

. les **difficultés et les coûts inhérents au démarrage d'une nouvelle usine** peuvent en revanche avoir un effet négatif sur la marge bénéficiaire.

Marge bénéficiaire brute

Le bénéfice brut (avant impôt) est égal aux bénéfices d'exploitation, déduction faite des frais d'intérêt et des provisions pour amortissement. Il représente le montant des ventes en dollars inscrit à l'état des résultats, après déduction des frais à l'exclusion des impôts. Il suffit donc d'exprimer ce montant en pourcentage du chiffre d'affaires sur plusieurs exercices pour connaître la tendance de la marge bénéficiaire brute.

Une tendance à la hausse est le signe d'un contrôle des coûts et d'un rendement meilleurs alors que le contraire est vrai d'une tendance à la baisse.

Il est utile également d'établir une comparaison avec le ratio ou coefficient d'exploitation. Par exemple, une augmentation du coefficient d'exploitation qui s'accompagne d'une baisse de la marge bénéficiaire brute est l'indication d'un accroissement proportionnel des frais d'intérêt ou des provisions pour amortissement que l'on déduit au préalable pour obtenir la marge bénéficiaire brute.

Par conséquent, l'analyse de ces postes permet de déceler la cause d'un revirement de tendance. La hausse des frais d'intérêt peut être due au premier paiement d'intérêts sur une nouvelle émission de titres d'emprunt, à une augmentation des prêts bancaires à court terme, à des taux d'intérêt plus élevés sur des titres d'emprunt à taux flottant, etc. Il faut également rechercher la cause d'un changement extraordinaire dans les provisions pour amortissement. La pratique de la société en ce qui a trait aux provisions pour amortissement est généralement expliquée dans les notes afférentes aux états financiers et tout changement doit y figurer.

Taux d'imposition apparent

Bien que le taux d'imposition normal des sociétés canadiennes soit approximativement de 50%, le taux apparent est souvent moindre, et il en résulte une augmentation proportionnelle des bénéfices nets.

Les mesures incitatives du gouvernement en vue de relancer les investissements dans de nouvelles usines ou de nouvelles machines peuvent servir à réduire les impôts. Les encouragements à l'exploitation minière, pétrolière et gazière peuvent également permettre de réduire les impôts, quoique les pertes des exercices précédents jouent le même rôle. Il existe d'autres possibilités.

Lorsque le taux d'imposition d'une société est inférieur à la norme, tout changement de taux a une influence directe sur les bénéfices destinés aux actionnaires. Il faut par conséquent déterminer les raisons du niveau peu élevé d'un taux d'imposition, et il est encore plus important de savoir si la société va continuer à en profiter pendant les exercices suivants car un retour à un taux plus normal ne peut que compromettre les bénéfices.

Marge bénéficiaire nette

Ce calcul exprime l'effet net de tous les facteurs que nous avons étudiés jusqu'à présent. Il permet de savoir rapidement si l'administration de la société réussit à réaliser des profits. Les résultats d'ensemble apparaissent dans la tendance de la marge bénéficiaire nette de plusieurs exercices.

Rendement de l'avoir des actionnaires

La tendance du rendement de l'avoir des actionnaires indique si l'administration est efficace en ce qui a trait au maintien et à l'accroissement de la rentabilité par rapport au capital-actions de la société. Une tendance à la baisse est le signe d'un déclin de rentabilité dans l'exploitation, mais les causes peuvent être décelées dans d'autres analyses quantitatives. Pour les actionnaires, cela signifie que leur placement est employé de manière moins productive.

Fonds autogénérés ou marge d'autofinancement

La marge d'autofinancement est une mesure de la capacité de la société à générer elle-même les fonds nécessaires à son exploitation (voir plus haut). Toutes choses étant égales par ailleurs, une société bénéficiant d'une marge d'autofinancement importante et à la hausse est plus apte à financer son expansion de l'intérieur, sans avoir besoin d'émettre de nouveaux titres. Les frais d'intérêt ou de dividendes occasionnés par l'émission de nouveaux titres peuvent avoir un effet négatif sur la marge d'autofinancement et sur les bénéfices, tandis que l'émission de titres convertibles ou de bons de souscription entraîne un risque de dilution pour l'actionnaire ordinaire.

Bénéfice par action ordinaire

Toute analyse des actions ordinaires d'une société passe par le calcul du bénéfice par action ordinaire. Il représente en effet la part de bénéfice disponible pour chaque action et constitue donc un élément important dans l'évaluation d'un cours convenable pour l'achat ou la vente d'une action sur le marché. Une tendance à la hausse est préférable en raison de son impact favorable sur le cours de l'action.

En pratique, le cours d'une action ordinaire reflète la tendance du bénéfice par action prévu pour les 12 ou 24 mois à venir et non le bénéfice actuel. Il est donc courant d'estimer ce bénéfice par action pour un ou deux exercices. Il est difficile d'établir des estimations précises pour des durées plus longues en raison des nombreuses variables qui entrent en jeu et il faut donc considérer celles-ci avec grande réserve.

Étant donné l'importance du bénéfice par action, les analystes accordent une attention particulière à toute dilution possible, résultant de la conversion de titres convertibles en circulation, de l'exercice de bons de souscription, d'actions émises au titre d'un régime d'options d'achat d'actions, etc.

Dividende

De façon générale, les sociétés versent de 40% à 60% de leurs bénéfices en dividendes.

Il y a plusieurs raisons pour lesquelles le pourcentage des bénéfices versés en dividendes peut être anormalement élevé (disons plus de 65%):

. des bénéfices stables;

. une baisse des bénéfices qui pourrait indiquer une réduction prochaine des dividendes;

. un bénéfice basé sur des ressources en cours d'épuisement; c'est parfois le cas des sociétés minières;

. des bénéfices versés aux actionnaires majoritaires afin de financer d'autres entreprises.

De même, le pourcentage de bénéfices versés en dividendes peut être anormalement bas pour des raisons diverses:

. des bénéfices réinvestis dans une société en croissance;

. une croissance des bénéfices qui pourrait indiquer une augmentation des dividendes;

. une montée cyclique des bénéfices alors que la société a pour habitude de maintenir les dividendes au même niveau quelle que soit la conjoncture;

. une pratique de la société consistant à verser des dividendes en actions plutôt qu'en espèces de temps à autre.

Les mêmes raisons peuvent expliquer un rendement trop haut ou trop bas.

ANALYSE DU BILAN

Jusqu'ici, nous avons accordé une grande importance à l'analyse de l'état des résultats, mais l'analyse fondamentale s'intéresse également à la situation financière globale de la société. L'analyse soignée du bilan permet de comprendre d'autres aspects des activités de la société et peut révéler d'autres facteurs influant sur les bénéfices. Par exemple, si la couverture des intérêts est médiocre, il est probable que le versement des dividendes et les possibilités de financement de la société soient limités. Nous avons vu plus haut certains ratios de l'analyse du bilan.

Structure du capital et effet de levier

Il y a un effet de levier sur les bénéfices d'une société lorsque son capital comprend des titres d'emprunt et des actions privilégiées prenant rang avant les actions ordinaires. En effet, la présence de titres prioritaires accentue toute hausse ou baisse cyclique des bénéfices. Ces sociétés enregistrent une augmentation plus grande et plus rapide de leurs bénéfices que les autres sociétés au cours d'une phase ascendante. À l'inverse, les bénéfices de sociétés à effet de levier élevé baissent plus facilement en cas de détérioration de la conjoncture.

L'exemple de la page suivante illustre l'effet de levier des actions privilégiées sur le bénéfice des actions ordinaires. Ceci est vrai également pour les sociétés émettrices de titres d'emprunt. Dans chaque cas, la moindre augmentation du chiffre d'affaires ou des revenus peut provoquer une augmentation bien plus grande, proportionnellement, du bénéfice par action. L'inverse se produit lorsqu'il y a baisse. Ces actions ont donc un comportement relativement instable sur le marché.

Autres facteurs

Il est aussi important d'examiner la structure du capital d'une société pour les raisons que voici:

- l'examen donne une bonne idée de la solidité financière de la société (par exemple, l'importance du recours aux emprunts pour ses activités);

- il peut indiquer un besoin de financement futur et le genre de titres à utiliser (par exemple, des actions privilégiées ou ordinaires pour une société dont la dette est déjà lourde);

- l'échéance prochaine d'une émission de titres d'emprunt peut indiquer la nécessité d'un refinancement par une nouvelle émission de titres ou par un autre moyen;

- il peut être nécessaire de refinancer une émission de titres encaissables par anticipation si les épargnants exercent leur droit; cela est également possible pour les titres à échéance prorogeable;

- les titres convertibles (comprennant les bons de souscription et les options de souscription à des actions) représentent une diminution possible du bénéfice par action ordinaire, s'il y a dilution;

- si le cours de l'action est inférieur au fonds de roulement ou à la valeur comptable par action, cela peut indiquer une sous-évaluation (mais cela n'est pas nécessairement vrai).

INCIDENCE DE L'EFFET DE LEVIER SUR LE BÉNÉFICE PAR ACTION

Soit deux sociétés, A et B, ayant chacune un capital total de 1 000 000 $. Leur bénéfice après impôt et provision pour amortissement est le suivant:

Année 1: 50 000 $
Année 2: 100 000 $
Année 3: 25 000 $

La structure du capital de la société A est de 100 000 actions ordinaires sans valeur nominale.

La structure du capital de la société B consiste en 50 000 actions privilégiées 5% de 10 $ de valeur nominale et en 50 000 actions ordinaires sans valeur nominale.

Voici l'effet de la variation des bénéfices sur le bénéfice par action des deux sociétés.

Société A
(sans effet de levier)

	Exercice N° 1	Exercice N° 2	Exercice N° 3
Bénéfice disponible pour le paiement de dividendes:	50 000 $	100 000 $	25 000 $
Dividendes privilégiés:	néant	néant	néant
Bénéfice disponible pour les actions ordinaires:	50 000 $	100 000 $	25 000 $
Bénéfice par action ordinaire:	50 ¢	1 $	25 ¢
Rendement en %	5%	10%	2 1/2%

Société B
(50% d'effet de levier)

	Exercice N° 1	Exercice N° 2	Exercice N° 3
Bénéfice disponible pour le paiement de dividendes:	50 000 $	100 000 $	25 000 $
Dividendes privilégiés:	25 000 $	25 000 $	25 000 $
Bénéfice disponible pour les actions ordinaires:	25 000 $	75 000 $	néant
Bénéfice par action ordinaire:	50 ¢	1,50 $	néant
Rendement en %	5%	15%	0%

Le risque est sensiblement moins grand pour les actions de la société A que pour celles de la société B car cette dernière doit payer des dividendes privilégiés avant de verser un dividende à ses actionnaires ordinaires. D'ailleurs, les actions de la société A sont plus stables quant au bénéfice car elles sont moins vulnérables à une baisse des bénéfices et aussi moins sensibles à une hausse.

AUTRES CONSIDÉRATIONS

Analyse qualitative

L'analyse qualitative tente de juger l'efficacité de l'administration et conjecturer sur d'autres facteurs impondérables qui ne sont pas des données quantitatives.

Gestion

Même si l'objectif de ce texte n'est pas de donner des lignes de conduite dans ce domaine, la gestion demeure, sans aucun doute, un facteur-clé du succès d'une entreprise. L'aptitude à évaluer la qualité de l'administration et les autres éléments impondérables s'acquiert au contact de la profession, des directeurs de sociétés, avec l'expérience, le discernement et même l'intuition.

Facilité de négociation des actions ordinaires

La facilité de négociation a aussi son importance (c'est-à-dire que le titre doit faire l'objet d'un marché suffisamment actif pour absorber les diverses opérations sans qu'il y ait distortion excessive du cours). Les investisseurs institutionnels qui négocient de gros lots d'actions ont besoin de cette facilité de négociation.

La facilité de négociation est l'une des conditions d'inscription à la cote. Cependant, même les actions inscrites à la cote peuvent avoir un marché étroit. Il est facile de trouver des renseignements sur le volume des opérations sur un titre dans la presse financière et dans les publications boursières.

Choix du moment pour l'achat et la vente des actions ordinaires

Introduction

Le moment choisi pour effectuer une opération sur une action est un facteur déterminant du rendement pour l'épargnant. Le cours des actions tend en effet à suivre la tendance du marché dans son cycle haussier et baissier. L'état d'esprit des épargnants, qu'ils soient pessimistes ou optimistes, suscite d'amples fluctuations de cours. Le choix du moment pour une opération a, en fait, donné matière à de nombreux livres et théories conçus pour aider l'épargnant, car rien n'est simple.

Cependant, les prévisions des épargnants en ce qui a trait à la conjoncture économique et aux bénéfices à venir sont un bon indicateur de leur état d'esprit. Il est donc important de comprendre le cycle économique et ses différentes phases.

Dans ce chapitre, nous nous sommes intéressés à l'analyse fondamentale. L'analyse technique, expliquée dans un autre chapitre, considère la sélection et le choix du moment d'un point de vue tout à fait différent. Cependant les deux méthodes sont complémentaires et il faut donc les utiliser toutes les deux dans la prise de décision.

Ratio cours-bénéfice ou taux de capitalisation des bénéfices

Le ratio cours-bénéfice est souvent considéré comme un dispositif de synchronisation des opérations sur actions ordinaires mais il est préférable de ne pas s'y fier exclusivement et de l'utiliser avec d'autres évaluations quantitatives et qualitatives.

La raison principale de son utilité est qu'il permet de déterminer, en tout temps, la valeur raisonnable d'une action. Il est possible de voir les fortes fluctuations d'un titre, avec les hauts et les bas, en calculant le ratio cours-bénéfice sur plusieurs exercices. Si les hauts et les bas du ratio cours-bénéfice d'une action restent constants pendant plusieurs cycles boursiers, ils indiquent les moments opportuns pour acheter ou vendre cette action. L'étude des ratios cours-bénéfice des sociétés concurrentes et des indices boursiers pertinents (tels que les sous-groupes de l'indice TSE 300) donne également une bonne idée du moment à choisir.

La comparaison des ratios cours-bénéfice est utile lors de la sélection. Par exemple, si deux sociétés de même envergure dans la même industrie ont les mêmes perspectives de croissance, mais un ratio cours-bénéfice différent, celle dont le ratio est le moindre est plus indiquée.

Généralement, les ratios cours-bénéfice augmentent lorsque le marché est à la hausse ou que les bénéfices augmentent. Inversement, il baisse dans un marché baissier ou en cas de chute des bénéfices.

Étant donné que le ratio cours-bénéfice est un indicateur de l'état d'esprit des épargnants, ses hauts et ses bas peuvent être différents d'un cycle du marché à l'autre. L'opinion des épargnants sur une société ou une industrie au cours des années joue également un rôle important.

Tout revirement brusque dans les perspectives de bénéfices de certaines sociétés peut aboutir à une révision à la hausse du ratio cours-bénéfice lorsque les bénéfices progressent rapidement et à la baisse lorsqu'il y a chute des bénéfices. Cette dernière considération est particulièrement vraie pour les sociétés de croissance dont on prévoit un ralentissement de la croissance future. Dans ce cas, on applique un ratio cours-bénéfice plus bas au moyen d'un procédé appelé **révision du ratio cours-bénéfice** - à la baisse en l'occurrence.

Par conséquent, la méthode d'application du ratio cours-bénéfice à la sélection d'actions présuppose qu'un épargnant devrait vendre ses actions si le ratio cours-bénéfice est proche de son point le plus haut et en acheter s'il est au plus bas. Une chute du ratio cours-bénéfice peut également signifier que la société éprouve ou éprouvera certaines difficultés. L'analyse fondamentale permet de les détecter à l'avance.

Suivi

Une fois la sélection accomplie, il est important de suivre toutes les activités de la société afin de déceler des changements qui pourraient demander de revoir la décision initiale. Les rapports financiers trimestriels aux actionnaires sont une source d'information particulièrement importante et les analystes les étudient en détail. Les prospectus, les journaux d'affaires spécialisés, les publications financières etc. sont aussi de bonnes sources de renseignements.

De façon générale, il est nécessaire de suivre la conjoncture économique et l'évolution de l'activité économique, qui dépendent beaucoup des intentions politiques du gouvernement. Ces facteurs, parmi d'autres, influent considérablement sur l'état d'esprit des épargnants et, partant, sur le comportement du marché boursier.

RÉSUMÉ

Les actionnaires ordinaires sont les propriétaires d'une société mais leur situation juridique est relativement faible. Les créanciers privilégiés, les porteurs d'obligations et de débentures et les actionnaires privilégiés ont tous un droit prioritaire sur l'actif et les bénéfices.

Contrairement à l'intérêt sur les titres d'emprunt, les dividendes sur les actions ordinaires ne constituent pas un engagement contractuel et sont versés au gré du conseil d'administration de la société.

Le droit de voter et d'élire les administrateurs est un aspect important de la propriété d'actions ordinaires. Il faut choisir les actions avec le plus grand soin pour s'assurer qu'elles comportent vraiment tous les droits de vote, surtout lorsqu'on a des actions de la catégorie A et B (ou ayant une désignation équivalente).

Les droits et les bons de souscription donnent à leurs porteurs le droit d'acheter les actions d'une société à un prix et pendant une période déterminés. Toutefois, la durée de validité des droits de souscription n'est que de quelques semaines tandis que celle de la plupart des bons de souscription est de quelques années.

L'instabilité des cours et la nature même du revenu en dividendes font que les actions ordinaires ne conviennent pas à tous les épargnants. Les objectifs de placement d'un épargnant ne peuvent être déterminés que par une analyse approfondie de sa situation financière et de ses besoins futurs.

Il est important de connaître le risque inhérent à un placement en actions ordinaires et de s'assurer que celui-ci cadre avec la situation de l'épargnant. En d'autres termes, le risque est soit dans le marché, soit dans l'entreprise. Les **risques du marché** sont les pertes éventuelles résultant des fluctuations, particulièrement en période de baisse généralisée. Le **risque de l'entreprise** est dû aux revirements de fortune imprévus. Ce risque peut dépendre de plusieurs facteurs internes et externes.

Le risque fait partie intégrante des marchés boursiers, mais il est particulièrement élevé dans les entreprises minières, pétrolières et gazières de second rang. Nous verrons dans un autre chapitre les méthodes d'analyse de ces titres spéculatifs.

Nous verrons également plus loin les nombreux facteurs économiques et financiers qui influent sur les cours des actions ordinaires.

Les connaissances, l'expérience et le discernement sont les clés d'un placement fructueux en actions ordinaires. La variété et la complexité des actions ordinaires disponibles montrent combien il est important que l'épargnant débutant fasse appel aux conseils de professionnels qualifiés.

EXEMPLE - APPRÉCIATION DE LA VALEUR DES ACTIONS ORDINAIRES

À des fins d'illustration, voici une étude comparative des actions ordinaires de deux sociétés canadiennes de sidérurgie - une étude semblable à un grand nombre de recherches effectuées par les firmes de valeurs mobilières. Cet exemple a été préparé au printemps 1985 et reflète les conditions qui prévalaient à ce moment-là.

ÉTUDE COMPARATIVE DES ACTIONS ORDINAIRES DE DEUX SOCIÉTÉS CANADIENNES DE SIDÉRURGIE (EFFECTUÉE AU PRINTEMPS 1985)

- **Dofasco Inc.**

- **Stelco Inc.**

L'industrie

L'industrie sidérurgique canadienne est un secteur-clé de l'économie canadienne. Elle procure des bénéfices additionnels grâce aux activités des industries métallurgiques auxquelles elle donne naissance, particulièrement en Ontario et au Québec. En 1984, le chiffre d'affaires des trois plus grandes aciéries canadiennes a dépassé les 5,4 milliards de dollars et elles ont employé plus de 38 000 personnes. Au cours des dernières années, près de 80% de la production d'acier canadienne ont été consommés à l'intérieur du pays, et le reste a été exporté, essentiellement vers les États-Unis. Le Canada produit une grande variété de produits métallurgiques dans des usines qui, selon les normes internationales, sont tout à fait modernes et rentables.

Comme toutes les industries sidérurgiques du monde, l'industrie canadienne a connu des hauts et des bas quant à sa rentabilité. Ce caractère cyclique provient des fluctuations de la demande qui, elle, dépend des mouvements cycliques de l'activité économique. Heureusement, les entreprises sidérurgiques canadiennes ont enregistré beaucoup moins de variations dans leurs résultats financiers que leurs homologues à l'étranger.

À la mi-1985, les prévisions à court terme pour les entreprises sidérurgiques canadiennes indiquent une reprise graduelle durable depuis le creux au début de l'année 1983. La reprise en cours est actuellement dans une phase de transition, la croissance de la demande se déplaçant maintenant des biens de consommation durables vers les secteurs de la construction et des biens d'équipement. La vitesse à laquelle cette transition se produit ainsi que la persistance de ce cycle haussier subissent toutefois les conséquences de la fermeté des monnaies nord-américaines par rapport à celles des pays industrialisés concurrents. Avec une dévaluation immédiate des monnaies nord-américaines, la position concurrentielle et la rentabilité des sidérurgies canadiennes s'en trouveraient probablement très accrues. Autre point important, la demande d'acier serait probablement stimulée par des monnaies nord-américaines plus faibles, alors que les industries consommatrices d'acier profiteraient d'une position concurrentielle plus forte et des occasions qui en découlent pour faire des investissements rentables dans de nouvelles usines et du nouvel équipement. À plus long terme, les entreprises sidérurgiques canadiennes sont bien placées pour participer à la croissance du marché de l'acier en Amérique du Nord étant donné la rentabilité de leurs opérations et l'affaiblissement constant de la capacité de production de l'acier aux États-Unis.

Les sociétés

Stelco Inc. est la plus importante entreprise sidérurgique intégrée au Canada avec une capacité de production annuelle de plus de sept millions de tonnes, soit environ le tiers de la capacité totale du pays. Ses principales usines se trouvent à Hamilton (Ontario) et à sa nouvelle aciérie à Nanticoke (Ontario). Elle exploite aussi deux fours à arc électriques, l'un à Contrecoeur (Québec) et l'autre à Edmonton (Alberta). Elle est engagée également dans l'exploitation du minerai de fer et du charbon afin de produire des matières premières pour l'aciérie. La gamme des produits de Stelco est l'une des plus vastes en Amérique du Nord. On y trouve notamment des barres d'acier, des tuyaux et autres produits tubulaires ainsi que des produits laminés.

Dofasco Inc. est l'un des principaux concurrents de Stelco, malgré une capacité de production bien inférieure (4,2 millions de tonnes par an). La plupart des usines de Dofasco sont situées à Hamilton (Ontario), mais elle exploite également une filiale à Calgary (Alberta). Comme Stelco, Dofasco est une entreprise intégrée, ce qui lui permet d'assurer son approvisionnement en matières premières. Elle possède effectivement des usines à Terre-Neuve, au Minnesota, dans l'Ouest de la Virginie et en Ontario. Dofasco se spécialise dans la production d'acier laminé pour la fabrication de biens de consommation durables. Elle est également présente sur les marchés de l'énergie et du transport par l'intermédiaire de filiales qui fabriquent des produits tubulaires et du matériel ferroviaire.

COMPARAISON DE LA CROISSANCE ET DES BÉNÉFICES

STELCO	Chiffre d'affaires (millions $)	Marge bénéficiaire brute	Taux d'imposition	Marge d'auto-financement (millions $)	Rendement de l'avoir des actionnaires	Bénéfice par action
1984	2 401,2	1,9%	-	160,2	(0,4)%	(0,12) $
1983	2 033,2	(3,2)	-	48,5	(7,0)	(2,32)
1982	2 020,3	(5,2)	-	16,2	(9,3)	(3,69)
1981	2 173,8	4,6	17,8	194,8	3,4	1,45
1980	2 228,6	7,7	23,0	234,0	9,7	4,05
1979	2 091,2	10,5	28,3	264,4	14,7	5,74
1978	1 775,7	8,5	26,0	195,5	11,3	4,07
Croissance (1978-84)	35%	4% (moy.)	-	-18%	3% (moy.)	-

DOFASCO	Chiffre d'affaires (millions $)	Marge bénéficiaire brute	Taux d'imposition	Marge d'auto-financement (millions $)	Rendement de l'avoir des actionnaires	Bénéfice par action
1984	1 926,2	14,8%	36,5%	253,7	17,3%	3,47 $
1983	1 605,7	12,6	40,4	254,0	11,5	2,10
1982	1 485,6	6,3	31,3	181,6	5,0	0,88
1981	1 767,5	15,2	37,0	302,7	18,5	3,02
1980	1 541,9	12,6	36,9	207,1	15,2	2,22
1979	1 435,1	15,3	37,5	237,9	20,2	2,63
1978	1 120,4	12,4	31,7	180,2	15,8	1,81
Croissance (1978-84)	72%	13% (moy.)	-	41%	15% (moy.)	92%

Une grève de 125 jours à l'aciérie d'Hamilton de Stelco en 1981 a entraîné une chute considérable des bénéfices cette année-là. La grève a également permis à des concurrents comme Dofasco d'étendre temporairement leur part du marché et de réaliser des profits plus élevés que la normale. En 1982, les conditions déplorables du marché ont provoqué le premier déficit chez Stelco depuis les années 1930. En 1983, Stelco a diminué son déficit et Dofasco a vu ses bénéfices augmenter considérablement. La situation s'est répétée en 1984 alors que Stelco n'a eu qu'un très petit déficit par action et que les bénéfices de Dofasco ont encore beaucoup augmenté.

Les deux sociétés ont enregistré une fluctuation cyclique de leur marge bénéficiaire brute entre 1978 et 1984, quoique Stelco ait connu des variations plus amples attribuables, en partie, aux frais de construction de son usine de Nanticoke. Ces fluctuations cycliques reflètent en grande partie l'effet combiné des coûts de production croissants au cours de périodes où la demande d'acier baisse et remonte tour à tour. Les taux d'imposition des deux sociétés varient également en fonction de la provenance des revenus (exploration minière ou fabrication).

Depuis 1978, la demande mondiale d'acier a connu le plus important déclin depuis la crise, mais Stelco et Dofasco ont constamment été parmi les entreprises sidérurgiques les plus rentables du monde au cours de cette période. Ces résultats donnent une bonne image à la direction des deux sociétés.

RATIO COURS-BÉNÉFICE ET VERSEMENT DES DIVIDENDES

	Stelco		Dofasco		Dividendes versés par Stelco			Dividendes versés par Dofasco		
	Ratios cours-bénéfice				par action	% du bénéfice versé	rende-ment moyen	par action	% du bénéfice versé	rende-ment moyen
	haut	bas	haut	bas						
1984	–	–	7,3	5,0	1,00 $	–	3,8%	0,84 $	24,2	3,9%
1983	–	–	10,0	5,4	1,00	–	4,0	0,69	32,9	4,7
1982	–	–	15,8	10,3	1,00	–	4,2	0,75	85,6	6,6
1981	28,2	19,7	5,5	4,1	2,00	137,9	5,8	0,83	27,5	5,7
1980	10,1	6,2	6,5	4,6	2,00	49,4	6,0	0,81	36,4	6,5
1979	5,3	4,2	4,6	3,9	2,00	34,8	7,3	0,70	26,6	6,3
1978	7,2	5,5	5,9	4,1	1,75	43,0	6,8	0,55	30,6	6,1

moyenne
sur
7 ans
(1978-
1984) – – 7,9 5,3

Croissance des dividendes
1978-1984 -43%
% moyen des bénéfices versés
1978-1984 –

Croissance des dividendes
1978-1984 53%
% moyen des bénéfices versés
1978-1984 38%

Une comparaison des ratios cours-bénéfice de 1978 à 1984 montre que l'action ordinaire de Stelco s'est toujours négociée à un ratio plus élevé que celle de Dofasco. Cette situation était particulièrement évidente en 1981 en raison de l'effet de la grève sur les bénéfices de Stelco. Mais de 1982 à 1984, la situation a changé alors que Stelco a subi des pertes.

Malgré le versement d'un dividende moyen beaucoup plus bas de 1978 à 1981, Dofasco montre une croissance positive de ses dividendes et une croissance globale supérieure à celle de Stelco pour l'ensemble des sept exercices. Bien que le taux de croissance des dividendes de Dofasco ait été à la hausse, ses actions ne se sont pas négociées à un rendement très supérieur à celles de Stelco.

SITUATION FINANCIÈRE ET STRUCTURE DU CAPITAL					
	Coefficient du fonds de roulement		Encours de la dette totale (en millions de $)		% du capital total attribuable aux actionnaires ordinaires
	Stelco	Dofasco	Stelco	Dofasco	Stelco	Dofasco
1984	3,5-1	3,3-1	580,4 $	386,5 $	40	57
1983	2,9-1	2,5-1	526,6	404,3	41	53
1982	2,7-1	4,4-1	587,8	432,7	38	46
1981	3,0-1	2,9-1	574,1	375,0	42	48
1980	3,6-1	3,5-1	594,6	371,8	42	46
1979	2,9-1	3,2-1	495,4	328,9	48	47
1978	2,9-1	3,6-1	499,2	361,9	48	43

De 1978 à 1984, les deux sociétés ont maintenu un coefficient du fonds de roulement satisfaisant. Qualitativement, les ratios de structure financière de Stelco ont indiqué une tendance à la baisse depuis le sommet du dernier cycle (1979). La réduction du capital-actions ordinaire de Stelco est attribuable à l'accumulation de pertes et aux versements de dividendes au cours de la période; cette diminution a toutefois été contrebalancée en partie par du financement par actions ordinaires. À l'inverse, le capital investi en actions ordinaires de Dofasco a été à la hausse, ce qui reflète la rétention des bénéfices et des rachats de titres d'emprunt et d'actions privilégiées.

Résultats financiers provisoires

Au premier trimestre de 1985, Stelco a obtenu des résultats considérablement meilleurs, le bénéfice par action étant de 20¢ par rapport à 10¢ au trimestre précédent et à une perte de 17¢ au cours de la même période l'année précédente. Au premier trimestre de 1985, le bénéfice par action de Dofasco a été de 77¢, ce qui représente une baisse légère par rapport au résultat de 84¢ obtenu au trimestre précédent et presque le même résultat qu'au cours de la même période l'an dernier (79¢). Ces résultats démontrent de façon évidente le déplacement graduel de la demande vers les produits sidérurgiques utilisés dans la construction, domaine que Stelco exploite de plus en plus comparativement à Dofasco.

Facilité de négociation

Les actions de Stelco et de Dofasco sont inscrites à la cote des Bourses de Toronto et de Montréal; celles de Stelco se négocient également à la Bourse de Vancouver. Bien que les actions des deux sociétés soient facilement négociables, Stelco a un volume mensuel moyen des opérations plus élevé. Toutefois, cette facilité de négociation a diminué au cours des deux dernières années en même temps que s'intensifiaient les rumeurs selon lesquelles plusieurs sociétés se disputeraient le contrôle de Dofasco. En 1984, les volumes mensuels moyens des opérations sur les bourses de Montréal et de Toronto se sont élevés à 1 million d'actions pour Stelco et à 1,2 million d'actions pour Dofasco.

Aspect technique

Stelco –Fluctuations mensuelles des cours

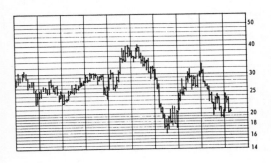

Dofasco – Fluctuations mensuelles des cours

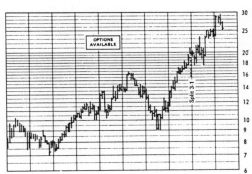

Stelco –Volume mensuel milliers d'actions

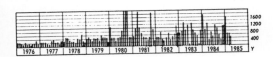

Dofasco – Volume mensuel milliers d'actions

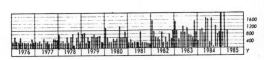

Source: GPS Publishing Limited, 30 Duncan Street, Toronto

Du point de vue technique, le cours des actions ordinaires de Stelco a accusé une tendance à la hausse de 1977 à 1979, prenant un envol remarquable en 1980, pour revenir par la suite au modèle fondamental à long terme (soit des augmentations et diminutions à l'intérieur d'une certaine fourchette). Le plafond de résistance se situe à 30 $. Les actions de Dofasco connaissent une tendance à la hausse depuis 1978 (soit des augmentations et diminutions du cours, mais avec une tendance à la hausse) quoique le plafond semble se situer autour de 25 $ et le plancher de soutien à 20 $.

Résumé et recommandations

Stelco et Dofasco sont deux sociétés établies depuis longtemps et jouissant d'une réputation de rentabilité et d'efficacité à l'échelle internationale. Dofasco a bénéficié d'une croissance plus prononcée de ses bénéfices et dividendes depuis 1978 et ses résultats ont peu varié. Dofasco a également obtenu de meilleurs rendements sur son capital-actions que Stelco.

182

À la mi 1985, les perspectives pour Dofasco semblent toujours favorables; toutefois, certains facteurs laissent prévoir de meilleurs résultats pour Stelco. En voici quelques-uns:

- au cours de la prochaine année, la demande de biens d'équipement et de produits de construction en acier sera probablement supérieure à celle des biens de consommation durables, ce qui joue en faveur de Stelco;

- étant donné la croissance plus rapide du marché, les possibilités d'augmentations des prix sont plus grandes pour les produits sidérurgiques utilisés dans la construction que pour les produits en acier laminé, ce qui favorise Stelco;

- les revenus à court terme et l'augmentation des bénéfices nets seront probablement plus importants chez Stelco que chez Dofasco en raison d'une plus grande capacité de production sous-utilisée chez Stelco.

Les actions ordinaires des deux sociétés peuvent faire partie d'un portefeuille d'actions de qualité. Toutefois, en raison des facteurs susmentionnés et des résultats divergents dans les cours des actions des deux sociétés pendant les deux derniers exercices, il serait préférable d'acquérir les actions de Stelco car elles semblent garantir une croissance et un revenu modéré à court et à moyen terme.

(N.B. Cette étude a été effectuée au printemps de 1985 et ne devrait être considérée que comme un exemple d'évaluation comparative et non comme une recommandation concernant l'achat ou la vente de ces actions.)

7 ACHAT ET VENTE D'ACTIONS ET D'OBLIGATIONS

Dans ce chapitre, nous examinerons rapidement les différents genres de firmes de valeurs mobilières puis nous verrons une variété de sujets tels la vente de nouvelles émissions de titres, le marché "hors cote", le rôle des bourses, les catégories d'ordres d'achat et de vente ainsi que la réglementation des valeurs mobilières visant à protéger les épargnants.

COURTIERS EN VALEURS MOBILIÈRES ET AGENTS DE CHANGE

Les sociétés qui font le commerce des valeurs mobilières au Canada sont connues sous le nom de courtiers en valeurs mobilières, d'agents de change, de sociétés de placement appelées aussi firmes ou maisons de courtage ou autre terme semblable. Dans ce manuel, nous utiliserons le terme générique de "firmes de courtage" lorsque nous ferons référence à ces sociétés.

Autrefois, il y avait une distinction très nette entre les firmes de courtage qui se spécialisaient soit comme agents de change, soit comme courtiers en valeurs mobilières. Cette distinction a disparu en grande partie.

Dans les opérations boursières, le courtier se porte contrepartie alors que l'agent de change fait fonction de mandataire. Le courtier ou contrepartiste est propriétaire des titres qu'il achète ou vend aux investisseurs. Ces titres font donc partie de l'inventaire de titres de la firme. La différence entre le prix d'achat et de vente de ces titres constitue la perte ou le bénéfice brut du courtier. L'agent de change, quant à lui, agit pour le compte d'un vendeur ou d'un acheteur en tant que mandataire mais ne possède pas les titres. Ses revenus proviennent du courtage payé par le client.

Traditionnellement, le montant du courtage était établi à partir d'un barème de taux minimum fixes. Par la suite, un système de taux de courtage négociés est venu s'ajouter à ces taux fixes. Maintenant, on utilise le système de taux de courtage négociés que nous étudierons plus loin dans ce chapitre.

Malgré la distinction que l'on a faite entre le rôle du courtier et celui d'agent de change, les plus grandes firmes de courtage cumulent les deux fonctions. Ainsi, un courtier, habituellement membre d'une bourse, peut effectuer des opérations à titre de mandataire. Toutefois, il arrive que des maisons de courtage moins importantes choisissent d'être soit des mandataires, soit des contrepartistes.

Genres de firmes de courtage au Canada

Les grandes firmes et celles de moyenne importance sont des firmes "complètement intégrées" dans le sens qu'elles offrent une très grande variété de services. Elles ont des bureaux à l'échelle nationale et même internationale, pour certaines d'entre elles.

D'autres firmes peuvent n'exercer qu'à l'échelle locale ou régionale, d'autres se spécialiser dans un ou plusieurs aspects du commerce des valeurs mobilières. Certaines firmes ne participent habituellement pas aux prises fermes de nouvelles émissions et se contentent de placer les émissions prises ferme par d'autres firmes.

Les firmes de courtage peuvent négocier à la fois des actions cotées et non cotées en bourse, se spécialiser dans les actions minières ou pétrolières ou le marché hors cote.

On appelle "firmes spécialisées" celles qui se concentrent dans un secteur d'activité particulier: la négociation d'obligations ou d'actions non cotées en bourse ou le commerce avec les institutions.

Services

La structure des maisons de courtage est souple et reflète la variété de leurs services. Toutefois, une grande firme intégrée pourrait avoir les services suivants:

Prise ferme

À titre de preneur ferme de nouvelles émissions de titres, le courtier est chargé de conseiller les sociétés et les gouvernements sur les différents modes de financement et sur leurs coûts.

Ventes

Ce service est probablement le plus important dans une firme de courtage car il est la source directe de la plupart des revenus. Il se compose d'une division responsable des ventes aux institutions financières les plus importantes et aux grandes entreprises et d'une autre qui s'occupe des épargnants.

Opérations sur titres

La fonction du service des opérations sur obligations est d'acheter et de vendre des obligations en circulation. Il traite directement avec les autres courtiers et les institutions et indirectement avec le public par l'entremise du service des ventes de la firme. Un réseau de communication permet aux firmes d'être en contact permanent avec les grands marchés nationaux et internationaux.

Dans une grande firme, le service des opérations sur actions fonctionne comme unité séparée et son personnel se compose de négociateurs d'actions cotées et non cotées en bourse, de négociateurs de blocs d'actions, de commis préposés au téléphone et au service des ordres, etc.

De nombreuses firmes de courtage ont aussi des négociateurs spécialisés dans les opérations sur options négociées en bourse et sur contrats à terme de marchandises et de titres financiers.

Études financières et gestion de portefeuilles

Ce service analyse les sociétés et prépare des rapports assortis de recommandations particulières sur les possibilités de placement à l'intention du personnel des ventes aux épargnants et aux institutions de la firme.

La section de gestion de portefeuilles de ce service peut aussi évaluer les portefeuilles de clients importants et leur suggérer des changements qui conviennent à leurs objectifs de placement.

Les grandes firmes ont des services distincts pour les études financières et la gestion de portefeuilles.

Administration

L'administration comporte les nombreuses activités de soutien nécessaires à la bonne marche de l'entreprise telles que les finances, le crédit et la conformité, le personnel, etc.

ASSOCIATION CANADIENNE DES COURTIERS EN VALEURS MOBILIÈRES

L'Association canadienne des courtiers en valeurs mobilières (ACCOVAM) est l'organisme d'autoréglementation, à l'échelle nationale, du commerce des valeurs mobilières canadien. Ses membres traitent plus de 90% de toutes les opérations sur titres au pays.

Le rôle de l'ACCOVAM consiste à adopter et à faire observer des règles d'éthique professionnelle et à promouvoir un ensemble de politiques d'épargne et de placement favorisant une mobilisation et une répartition efficace des capitaux, et ce au moyen d'études, de déclarations publiques et de démarches.

Objet

. Créer et entretenir un climat favorable à l'épargne et au placement, afin de réunir les capitaux indispensables à la poursuite de l'expansion économique, à l'amélioration du niveau de vie et à l'emploi productif d'une population canadienne croissante.

. Promouvoir des pratiques professionnelles loyales entre les membres au moyen d'une autoréglementation et d'une autodiscipline, et imposer des méthodes visant à protéger les membres, les clients et le public contre des pratiques allant à l'encontre de leurs intérêts.

. Instituer des exigences relatives au capital et aux assurances, pour la protection des membres, des clients et du public, et en surveiller l'observation.

. Pourvoir ses membres d'un organisme leur permettant de se concerter relativement à des questions d'intérêt commun, à partir desquelles ils pourront entreprendre des consultations collectives avec les gouvernements, les institutions financières et d'autres associations et coopérer.

- Collaborer avec les gouvernements et leur accorder son appui afin de faire en sorte que la législation financière soit dans l'intérêt du public et s'opposer à cette législation lorsqu'elle la juge contraire à l'intérêt général.

- Fournir tous les services éducatifs propres à améliorer la compétence des employés de ses membres et à renseigner le public sur les questions d'épargne et de placement.

Autoréglementation et conformité

Les programmes d'autoréglementation et de conformité de l'ACCOVAM assurent la protection des investisseurs et de ses membres au Canada.

L'élaboration et l'application de procédures favorisant l'autoréglementation sont continuelles et nécessaires à la protection du public investisseur et des membres de l'ACCOVAM.

Des entretiens suivis avec les autres organismes d'autoréglementation (principales bourses) et les commissions des valeurs mobilières ont pour but de maintenir une ligne de conduite uniforme et normalisée quant à la pratique des affaires dans le commerce des valeurs mobilières au Canada.

Les firmes sont tenues d'observer des normes élevées de conduite en affaires et de conserver un capital et une assurance suffisants tout en faisant preuve d'expérience et de compétence. Il existe des procédés de filtrage permettant de s'assurer que ceux qui débutent dans le commerce des valeurs mobilières ont une bonne réputation et ont réussi aux cours de formation exigés.

L'ACCOVAM et les bourses s'assurent de l'observation de ces exigences au moyen de vérifications auprès des firmes qui relèvent de leur compétence en matière de vérification. Le processus continuel de surveillance des activités est assuré par le personnel de la vérification et par des questionnaires.

L'ACCOVAM et les bourses de Toronto, Montréal, Vancouver et de l'Alberta ont créé le Fonds national de prévoyance dont l'objet est de maintenir la confiance du public dans le commerce des valeurs mobilières au Canada en protégeant les clients des pertes financières résultant d'une faillite ou de l'insolvabilité d'une firme membre.

COURTIER EN VALEURS MOBILIÈRES ET PRISE FERME

La prise ferme de nouvelles émissions de titres représente l'une des principales fonctions du courtier en valeurs mobilières.

Dans le commerce des valeurs mobilières, **prendre ferme** signifie acheter, à un prix et à une date fixés, les nouveaux titres émis par un organisme gouvernemental ou par une entreprise (il s'agit d'une garantie de paiement pour l'émetteur, quelle que soit l'issue de la vente).

Par exemple, une entreprise à la recherche des capitaux nécessaires à la construction d'une nouvelle usine peut faire appel à un courtier pour vendre une émission de titres qui lui permettra de réunir ces capitaux. Grâce à la prise ferme, les fonds excédentaires détenus par les investisseurs institutionnels et les épargnants sont transférés aux entreprises et aux organismes gouvernementaux qui ont besoin de capitaux pour accroître la gamme de leurs produits ou services. Le courtier se porte alors contrepartie; il achète les titres à l'émetteur pour les revendre ensuite aux investisseurs. On parle dans ce cas de **placement initial**.

Le courtier doit aussi assurer un **marché secondaire** actif pour les titres déjà en circulation. Le marché secondaire permet aux épargnants d'acheter et de vendre des titres assez facilement; la liquidité qui en résulte renforce l'attrait pour ces titres. Afin d'assurer cette liquidité, le courtier se doit de conserver un inventaire de titres qui lui permet d'assurer un roulement constant dans l'achat et la vente de titres. Ainsi, lorsqu'il veut effectuer une opération, le courtier n'est pas obligé de compenser simultanément des ordres d'achat et de vente. Le courtier peut négocier des titres en circulation autres que ceux pour lesquels sa firme a fait une prise ferme.

Le courtier joue aussi un rôle important sur le marché monétaire et peut à la fois se porter contrepartie ou être mandataire. Lors de nouvelles émissions sur le marché monétaire, le courtier a le choix de vendre des titres en qualité de mandataire ou de conserver les titres émis dans son inventaire pour les revendre ensuite. En tant que contrepartiste, le courtier peut aussi coter des marchés sur les titres du marché monétaire en circulation.

Lancement des nouvelles émissions de sociétés

Pratiquement tous les nouveaux capitaux dont les sociétés ont besoin sont obtenus par l'intermédiaire des courtiers en valeurs mobilières.

En plus de se porter contrepartie dans la prise ferme de nouvelles émissions de titres, un courtier peut également faire fonction de mandataire de la société émettrice en cherchant des acheteurs pour les titres. Dans ce cas, on dit qu'il fait un placement pour compte. Dans certains cas, le courtier prendra une option sur une nouvelle émission de titres qu'il exercera seulement s'il est capable de trouver des acheteurs. Sinon, le courtier peut acheter une partie d'une nouvelle émission et prendra une option sur le solde.

Les nouvelles émissions de titres résultent généralement de négociations directes et de gré à gré entre un courtier en valeurs mobilières et la société émettrice. Que le courtier se porte contrepartie ou fasse fonction de mandataire, la société émettrice se fiera normalement beaucoup à son avis et à ses conseils quant au genre de titre à émettre, au montant de l'émission, à ses modalités et à son prix. En pratique, particulièrement dans le cas de sociétés qui ont souvent besoin de se procurer des capitaux supplémentaires, d'étroites relations consultatives s'établiront entre le courtier et la société et le courtier pourra faire partie du conseil d'administration de la société.

Du point de vue de la société, l'avantage d'avoir continuellement accès aux conseils financiers d'un professionnel du placement est des plus précieux, de même que l'intérêt constant qu'apporte le courtier à la tenue des titres de la société sur le marché. À son tour, le courtier aura généralement le droit d'accepter ou de refuser de participer à tout nouveau financement dont la société a besoin.

Étude de la société

Lorsque les négociations concernant une nouvelle émission débutent entre le courtier et la société, le courtier se prépare normalement en faisant une étude approfondie de l'industrie ou des industries au sein desquelles la société exerce son activité, de la place qu'elle occupe dans ce secteur, de sa situation financière et de sa structure du capital.

Si le courtier a des attributions consultatives bien établies avec la société - pour lesquelles le courtier reçoit une rémunération de la société - il se peut qu'il dispose déjà de la plus grande partie des renseignements que lui procurerait une telle étude. Par contre, si le courtier n'a pas eu de relations antérieures avec la société, il devra normalement procéder à une étude complète qui sera faite, généralement, par le service de prise ferme du courtier. Souvent, l'aide d'ingénieurs, de géologues, de conseillers en administration ou d'experts comptables sera nécessaire.

Conseil sur les titres à émettre

En tenant compte de la structure du capital de la société, de la stabilité de ses revenus et de ses perspectives d'avenir (et en tenant compte de la conjoncture du marché, des préférences actuelles des investisseurs et des projets de financement futur de la société), le courtier recommandera vraisemblablement l'une des diverses catégories d'obligations, de débentures ou d'actions privilégiées ou ordinaires.

En plus de conseiller la société sur la catégorie de titre à émettre, le courtier donnera son avis sur les modalités de l'émission, y compris le taux d'intérêt ou de dividende, les dispositions de remboursement et de rachat ainsi que sur un certain nombre de dispositions destinées à protéger l'investisseur.

Montant de l'émission et moment le plus propice pour la lancer

On accordera énormément d'importance aux recommandations du courtier sur le montant maximal que le marché peut absorber ainsi que sur le moment le plus propice pour le lancement de l'émission.

Façon de vendre l'émission

Lorsque la société et le courtier se sont mis d'accord sur tous les points ci-dessus, ils décideront ensemble si la nouvelle émission sera offerte (a) au public, conformément au prospectus déposé auprès des commissions des valeurs mobilières des diverses provinces canadiennes, ou (b) sans prospectus, en vertu d'une dispense prévue par les diverses lois sur les valeurs mobilières.

Appel public à l'épargne

Lorsqu'il a été décidé de faire un appel public à l'épargne au Canada, la société et le courtier concluront une entente provisoire sur la seule question de savoir si le courtier fera fonction de mandataire ou s'il se portera contrepartie. La commission qui lui sera versée (s'il fait fonction de mandataire) ou l'écart entre le prix d'offre et le prix de revient pour le courtier (s'il se porte contrepartie) est déterminée au tout début. La détermination du prix de vente et d'autres détails est normalement différée jusqu'au dernier moment avant la date de l'appel public à l'épargne.

Entre temps, des mesures seront prises pour se conformer aux dispositions des lois provinciales sur les valeurs mobilières afin que les valeurs puissent faire l'objet d'un appel public à l'épargne. Au Canada, une réglementation régissant l'appel public à l'épargne est appliquée par les provinces au moyen des lois provinciales sur les valeurs mobilières et d'autres lois similaires. La Loi sur les sociétés commerciales canadiennes contient un article stipulant que les sociétés à charte fédérale qui émettent des valeurs doivent déposer un prospectus auprès du Directeur en vertu de cette Loi.

Les lois sur les valeurs mobilières réglementent la vente des valeurs et exigent, entre autres, que lorsqu'une nouvelle émission de valeurs est offerte dans la province (sauf dans les cas de dispense prévus) un prospectus satisfaisant aux exigences de la Loi soit rédigé et que la commission provinciale des valeurs mobilières ou un autre organisme équivalant le vise.

Le principe fondamental qui régit les exigences relatives au prospectus veut "qu'un exposé complet, véridique et clair de tous les faits importants se rapportant aux valeurs offertes" soit contenu dans le prospectus. Le prospectus ne doit pas donner à entendre qu'un organisme gouvernemental quelconque a approuvé l'émission comme constituant un placement convenable ou attrayant; le prospectus a pour but unique de permettre à l'épargnant éventuel de prendre par lui-même une décision intelligente.

Placement privé

Lorsqu'il a été décidé de procéder à un placement privé auprès d'une institution, la rédaction et le dépôt d'un prospectus ne sont pas exigés. Dans ce cas, le courtier fera normalement fonction de mandataire de la société émettrice pour la vente des valeurs. La rémunération qui lui sera versée est déterminée au tout début.

Achat ferme

Depuis quelques années, cette façon d'offrir une nouvelle émission de titres s'est répandue. Lors de l'achat ferme, le courtier négocie avec l'émetteur à qui il présente une offre pour une nouvelle émission de titres. Si l'émetteur accepte l'offre, le courtier vend la nouvelle émission, en totalité ou en partie, au moyen d'un placement privé ou d'un prospectus simplifié (voir plus loin dans ce chapitre). Le courtier peut aussi conserver l'émission en totalité ou en partie.

L'achat ferme diffère de la prise ferme habituelle sous ces aspects:

. le preneur ferme ne partage pas le risque avec d'autres preneurs fermes;

. la prise ferme doit se faire dans un délai plus court - peut-être en quelques jours ou même en quelques heures;

. l'escompte est habituellement moindre;

. l'émission est habituellement moins importante puisqu'on ne forme pas de syndicat de prise ferme ou de syndicat de placement.

Le courtier participe à la préparation du prospectus

Le prospectus relatif à une nouvelle émission est le résultat des efforts conjugués de la société émettrice, du courtier, des conseillers juridiques de la société et du courtier ainsi que des vérificateurs de la société. Essentiellement, le prospectus donne une description détaillée des titres offerts et une description de la société émettrice y compris son historique, la nature de ses activités, son actif et ses états financiers vérifiés.

En réalité, il existe différents types de prospectus pour les nouvelles émissions de titres qui ne bénéficient pas d'une dispense de prospectus. Voici une brève description des différences entre ces divers types de prospectus:

- **projet de prospectus** - Ce prospectus comprend des renseignements essentiels au sujet de la société qui émet les titres et quelques détails de dernière heure sur les conditions relatives à la prise ferme projetée. Il est élaboré par le courtier en valeurs mobilières pour usage "interne" à des fins d'étude par la société qui émet les titres et par les preneurs ferme;

- **prospectus provisoire** - Ce prospectus contient plus de renseignements que le projet de prospectus mais il omet de donner des renseignements comme le prix des titres des nouvelles émissions. Il vise à sonder l'intérêt du public pour une nouvelle émission pendant que le prospectus est examiné par une commission des valeurs mobilières. Il peut être modifié et aucun engagement d'achat ou de vente de titres ne peut être pris avant que le prospectus définitif n'ait été émis et reçu par l'acheteur;

- **prospectus définitif** - Ce prospectus donne tous les renseignements sur les titres offerts en vente. Dans la plupart des provinces, la loi sur les valeurs mobilières exige que le prospectus définitif pour une nouvelle émission soit posté ou livré à tous les acheteurs de l'émission (ou à leurs mandataires) avant ou au plus tard à minuit le second jour ouvrable qui suit celui au cours duquel un contrat d'achat ou de vente a été conclu.

Tous les prospectus définitifs spécifient que les acquéreurs de titres d'une nouvelle émission ont les droits suivants:

- **droit de résolution** - L'acquéreur de titres d'une nouvelle émission a le droit de résoudre son contrat d'achat dans les deux jours ouvrables qui suivent, pour quelque raison que ce soit;

- **droit de résiliation** - L'acquéreur de titres d'une nouvelle émission peut annuler son achat si le prospectus contient des informations fausses ou omet de rapporter un fait important.

Prospectus simplifié

Contrairement au prospectus définitif, le prospectus simplifié omet un grand nombre de renseignements; il contient principalement des renseignements relatifs aux titres faisant l'objet d'un placement, c.-à-d. le prix, la répartition du produit du placement, l'emploi envisagé pour les fonds accumulés et les caractéristiques des titres.

Dans les provinces de l'Ouest, en Ontario et au Québec, seuls certains émetteurs, c.-à-d. ceux qui ont fait un appel public à l'épargne et qui se conforment aux obligations d'information continue, ont le droit de placer de nouvelles émissions dans le public sans avoir à préparer un prospectus complet.

Certains émetteurs peuvent utiliser ce régime appelé "Régime du prospectus simplifié" en supposant que la plupart des renseignements qui figurent normalement dans un prospectus sont déjà disponibles et bien connus. En 1985, les émetteurs se sont largement prévalus du Régime du prospectus simplifié lors des nombreux "achats fermes" décrits plus haut.

Lorsque le prospectus est prêt, il est déposé auprès des commissions des valeurs mobilières des diverses provinces dans lesquelles on se propose de placer l'émission. Il faut alors attendre que ces commissions visent le prospectus et que les modifications qu'elles demandent soient apportées. Ce processus peut demander un délai d'environ trois semaines ou davantage si le courtier dépose plusieurs autres nouvelles émissions en même temps.

Autres documents nécessaires et vente de l'émission

Pendant que le prospectus est entre les mains des commissions des valeurs mobilières, on doit procéder à la préparation des autres documents et prendre les dispositions nécessaires se rapportant à l'émission, notamment:

- l'acte de fiducie, dans le cas d'une émission de titres d'emprunt. Bien que la plupart des dispositions relatives aux titres aient été déterminées au cours de la rédaction du prospectus, les dispositions définitives de l'acte de fiducie ne seront probablement précisées qu'à ce moment-là;

- le contrat de prise ferme ou de placement pour compte entre le courtier et la société stipulant l'achat de l'émission par le courtier qui la revendra, ou définissant le rôle du courtier à titre de mandataire pour le placement de l'émission, et spécifiant le prix de vente au public et au courtier. Ce contrat spécifiera normalement que l'engagement du courtier à acheter l'émission (lorsqu'il la prend ferme) n'est valable qu'à condition qu'il obtienne une opinion satisfaisante de ses conseillers juridiques, que les lois provinciales sur les valeurs mobilières soient observées et qu'il ne se produise pas de changements importants défavorables sur le marché des valeurs jusqu'à une certaine date ou un cas de force majeure, etc.;

- le contrat du syndicat de prise ferme, selon lequel le courtier peut inviter un nombre limité d'autres courtiers à se joindre à lui pour la prise ferme et le placement de l'émission dans le public et selon lequel ceux-ci partageront avec lui la propriété, la responsabilité et les profits de l'émission;

- le contrat du syndicat de placement, selon lequel un grand nombre de courtiers peut être invité à acheter des titres de l'émission pour pouvoir les revendre à leurs clients. Les membres du syndicat de placement peuvent acheter des titres de l'émission auprès du syndicat de prise ferme à un escompte déterminé, mais sans assumer de responsabilité au-delà du montant de leur engagement;

- la publicité du syndicat de prise ferme - cette publicité, annonçant la nouvelle émission, paraîtra dans les principaux journaux au nom de ce syndicat;

- l'entente finale concernant le prix de vente de l'émission au public et le prix de vente au courtier. Le prix de vente au public sera déterminé selon l'avis du courtier qui s'appuiera sur un sondage du marché qu'il fera avec beaucoup de soin et sur les prix des émissions comparables.

Vous trouverez ci-dessous la première page d'un prospectus simplifié publié en 1986. Au bas de celle-ci devraient figurer les noms des courtiers qui participent au placement de l'émission.

Les titres décrits dans le présent prospectus simplifié ne sont offerts qu... ... ou l'autorité compétente a accordé son visa ; ils ne peuvent être proposés que par des personnes dûment inscrites. Ces titres n'ont pas été enregistrés en vertu de la loi intitulée Securities Act of 1933 des États-Unis et ne sont pas offerts ou vendus aux États-Unis d'Amérique, dans ses territoires ou possessions, ou à des personnes dont le statut connu est celui de national ou ressortissant ou résident des États-Unis. Aucune commission des valeurs mobilières ni aucune autorité similaire au Canada ne s'est prononcée sur la qualité des titres offerts dans le présent prospectus ; toute personne qui donne à entendre le contraire commet une infraction.

Nouvelle émission

FALCONBRIDGE LIMITÉE
136 950 000 $

6 600 000 actions ordinaires

Les actions ordinaires en circulation de Falconbridge Limitée (la "Société") sont inscrites à la cote des bourses de Toronto, de Montréal et de Vancouver. Ces bourses ont approuvé sous condition l'inscription des actions ordinaires offertes par les présentes pourvu que les Société satisfasse à toutes les exigences de ces bourses avant le 20 mai 1986. Le 18 février 1986, le cours vendeur de clôture de ces actions à la Bourse de Toronto s'établissait à 21,875 $.

Prix : 20,75 $ l'action

	Prix	Produit brut pour la Société	Rémunération des preneurs fermes	Produit net pour la Société (1)
L'action – pour le public (5 000 000 d'actions)	20,75 $	20,75 $	0,84 $	19,91 $
L'action – pour Dome Mines Limited (1 600 000 actions)	20,75 $	20,75 $	—	20,75 $
Total		136 950 000 $	4 200 000 $	132 750 000 $

(1) Avant la déduction des frais estimatifs de l'émission de 100 000 $ qui, de même que la rémunération des preneurs fermes, seront payés à même les fonds d'administration générale de la Société.

Nous offrons conditionnellement ces actions ordinaires, à titre de preneurs fermes, sous réserve de leur vente antérieure, de leur émission par la Société et de notre acceptation, conformément aux modalités de l'entente de prise ferme dont il est question à la rubrique "Mode de placement" et sous réserve de l'approbation de certaines questions d'ordre juridique pour le compte de E.A. Seth, chef du contentieux de Falconbridge Limitée, et pour notre compte par Campbell, Godfrey & Lewtas de Toronto.

Les souscriptions seront reçues sous réserve du droit de les refuser ou de les répartir en totalité ou en partie et de clore les livres de souscription en tout temps sans avis. On s'attend à ce que les certificats afférents aux actions ordinaires soient disponibles en vue de la livraison le ou vers le 26 février 1986.

Des renseignements paraissant dans des documents déposés auprès des commissions des valeurs mobilières ou autorités similaires au Canada ont été intégrés par renvoi au présent prospectus simplifié. On peut se procurer sans frais des exemplaires des documents intégrés aux présentes par renvoi sur demande au secrétaire, Falconbridge Limitée, 40e étage, Commerce Court West, Toronto (Ontario) M5L 1B4, téléphone (416) 863-7000. Aux fins de la province de Québec le présent prospectus simplifié contient une information conçue pour être complétée par la consultation du dossier d'information. On peut se procurer un exemplaire du dossier d'information par l'intermédiaire de son courtier, ou directement auprès de la Société à l'adresse mentionnée ci-dessus.

Dernières dispositions

Une fois que le prospectus définitif a été approuvé (c.-à-d. blue skied) par la commission des valeurs mobilières de chacune des provinces où l'émission sera placée, les dernières dispositions relatives à la vente de l'émission sont prises.

En fait, la livraison et le règlement des titres d'une nouvelle émission qui fait l'objet d'un appel public à l'épargne se feront normalement de dix jours à trois semaines après la date du placement officiel de l'émission.

Les firmes essaient de vendre l'émission le plus rapidement possible afin d'éliminer leur responsabilité quant à la prise ferme.

Le chef de file d'un syndicat de prise ferme publiera souvent une annonce dans la presse financière annonçant la nouvelle émission. Au bas de l'annonce figureront les noms des courtiers qui participent au placement de l'émission. Le nom du chef de file sera le premier de cette liste.

Lorsque cette annonce est publiée, l'émission peut se négocier sur le marché secondaire à un prix supérieur à celui qui est annoncé. Cela se produit lorsque l'ensemble du marché est à la hausse ou que le public a montré un intérêt marqué pour l'émission. Les investisseurs qui s'intéressent de près aux nouvelles émissions sont plus susceptibles d'en être avisés avant qu'elles soient offertes par la firme. Une fois l'émission placée, l'annonce ne paraît qu'à titre de référence.

PRISES FERMES D'ÉMISSIONS PROVINCIALES ET MUNICIPALES

La vente des nouvelles émissions provinciales et municipales se fait le plus souvent par l'intermédiaire d'un agent financier ou d'un syndicat composé de courtiers en valeurs mobilières et de banques. Ainsi, la province bénéficie des efforts combinés des courtiers et des banques pour vendre ses émissions de façon permanente. Les nouvelles émissions sont vendues au syndicat de courtiers à un prix négocié.

L'agence financière encourage les courtiers et les banques à s'intéresser constamment aux émissions provinciales en circulation étant donné qu'ils participeront aux émissions provinciales ultérieures. Ainsi, on maintient un marché actif.

On utilise parfois la méthode de vente par soumissions. Selon cette méthode, la province ou la municipalité fait un appel d'offres pour une nouvelle émission qui est attribuée au courtier (ou au groupe de courtiers) qui fait la meilleure offre.

Quelle que soit la méthode utilisée, les courtiers qui achètent les titres en qualité de contrepartistes et qui les revendent au public assument l'entière responsabilité de l'émission.

Reclassement de titres

Il arrive parfois qu'un investisseur ou une société désire vendre un bloc important de titres déjà en circulation. Une firme (ou un groupe de firmes) de courtage peut accepter d'acheter (ou de prendre ferme) ces titres pour les revendre à ses clients. Quand elle prend les titres ferme, la firme accepte la responsabilité de l'émission. Étant donné que les titres étaient déjà en circulation, on appelle cette procédure "reclassement de titres" par opposition à "placement initial" qui concerne une nouvelle émission de titres.

NÉGOCIATION DE TITRES EN CIRCULATION

Une fois que les nouvelles émissions de titres sont placées auprès des investisseurs et épargnants, elles peuvent se négocier sur le marché secondaire. Un investisseur qui a acheté des titres nouvellement émis peut décider, pour une raison ou pour une autre, de les vendre et, par l'intermédiaire du marché secondaire, il peut trouver un acheteur. Le fait que l'investisseur n'est pas "bloqué" constitue une caractéristique attrayante des placements en titres et le transfert de propriété peut se faire assez facilement.

La négociation des titres en circulation a lieu sur deux marchés différents. L'un d'eux est le "marché hors cote", "hors bourse" ou "entre courtiers" où se négocient les obligations et les titres d'emprunt à court terme en circulation ainsi que certaines actions et autres titres.

Les bourses constituent l'autre marché où se négocient principalement les actions privilégiées et ordinaires ainsi que des droits et des bons de souscription, des options et des contrats à terme (voir plus loin). Les bourses elles-mêmes ne négocient pas de titres mais elles fournissent à leurs membres les installations qui leur permettent de négocier face à face les titres inscrits à la cote de bourse.

Le volume des opérations sur ces deux marchés dépasse de loin la valeur de tous les nouveaux titres émis durant une année quelconque.

MARCHÉ HORS COTE

En plus de placer de nouvelles émissions de titres sur le marché, les courtiers en valeurs mobilières conservent un inventaire de nombreuses émissions en circulation et jouent un rôle important sur le marché secondaire en négociant ces émissions sur le marché "hors cote".

Les opérations effectuées sur le marché secondaire, en permettant le transfert de la propriété des titres, facilitent le placement initial et permettent de fixer le niveau des prix pour les titres en circulation. Presque toutes les opérations sur obligations et débentures au Canada sont effectuées sur le marché hors cote. Le marché obligataire canadien est donc un marché hors cote et les opérations sur ce marché dépassent de loin, en dollars, le volume des opérations effectuées sur le marché boursier canadien.

Fonctionnement du marché hors cote

Les prix sur le marché hors cote sont généralement fixés par voie de négociation entre les acheteurs et les vendeurs. Près de 100 courtiers et un nombre beaucoup plus restreint de banques et de compagnies de fidéicommis effectuent des opérations sur le marché hors cote qui est concentré principalement à Toronto, à Montréal et à Vancouver. Les courtiers qui participent à ce marché utilisent des lignes téléphoniques qui les relient directement aux autres courtiers, aux banques et à plusieurs clients institutionnels importants. C'est ce réseau de courtiers et d'institutions reliés par téléphone, par téléscripteur et par télex qui constitue le marché hors cote.

Les opérations sur le marché hors cote sont effectuées par des négociateurs. Dans une firme de placement importante, ce travail est partagé entre plusieurs négociateurs. Un groupe s'occupe des émissions du marché monétaire, un autre des obligations fédérales et provinciales à long terme, un autre des émissions de sociétés et ainsi de suite.

Les services des ventes et des opérations sur titres sont étroitement liés. Les représentants demandent les cours des valeurs que leurs clients désirent acheter ou vendre, alors que les négociateurs fournissent ces renseignements aux représentants ainsi que les cours des valeurs que la firme détient ou qui sont disponibles chez les autres courtiers.

Comme la rapidité est un important facteur de réussite dans les opérations, les représentants et les négociateurs sont placés les uns près des autres de façon à pouvoir communiquer rapidement.

La Banque du Canada tient une place importante sur le marché hors cote en ce qui concerne les obligations. Les négociateurs de Toronto, de Montréal, de Vancouver et d'autres centres financiers entretiennent d'étroites relations avec les représentants de la Banque dans ces villes. La Banque du Canada ne fixe pas de cours, mais elle donne suite aux offres fermes d'achat et de vente. Ainsi, les courtiers l'appellent continuellement pour sonder le marché au moyen d'offres d'achat ou de vente pour des blocs d'obligations du gouvernement du Canada.

Renseignements concernant le marché

En 1986, la Commission des valeurs mobilières de l'Ontario a mis en place le Canadian Over-the-Counter Automated Trading System (COATS). Au moyen de ce système, le courtier peut être renseigné sans délai par ordinateur au sujet des offres d'achat, du cours vendeur, du cours acheteur le plus récent et du volume des opérations effectuées sur les actions négociées hors cote en Ontario.

Dans les autres provinces, les négociateurs communiquent entre eux pour échanger des renseignements relatifs aux cours, aux volumes et aux offres d'achat et de vente pour les actions négociées hors cote.

Des données sont également fournies par certains courtiers qui publient des bulletins de cours quotidiens, hebdomadaires ou mensuels et par les quotidiens et hebdomadaires financiers qui publient les cours des obligations.

Règlements relatifs à la négociation des obligations

Pour ses particularités et son fonctionnement, le marché hors cote au Canada est régi par l'Association canadienne des courtiers en valeurs mobilières conjointement avec l'Association des négociants en obligations de Montréal et celle de Toronto. Ces associations formulent les règles et les règlements relatifs à la négociation et elles sont pourvues d'un système selon lequel les litiges peuvent être entendus rapidement et réglés efficacement de sorte que le marché hors cote ne soit pas paralysé par l'attente d'une décision.

ACHAT ET VENTE D'OBLIGATIONS

Un client d'une firme de courtage peut placer un ordre d'achat ou de vente d'obligations à un cours précis ou "au marché". Lorsqu'il ne précise pas de cours, on suppose que l'ordre est "au marché". S'il ne spécifie pas de limite de temps, l'ordre reçu n'est valable que pour la journée et il est exécuté comme un ordre valable jour. Toutefois, si un ordre est valable jusqu'à ce qu'il soit exécuté ou révoqué, il est considéré comme un ordre ouvert.

Lorsqu'un client place un ordre ouvert d'achat ou de vente d'obligations, il se produit l'un ou l'autre de ces cas:

- les conditions du marché permettent que l'ordre soit exécuté et le client reçoit un avis d'exécution confirmant l'opération;

- si un ordre ouvert n'est pas exécuté le jour où il est placé, il demeure valable jusqu'à ce que le courtier l'exécute ou que le client le révoque. Certains courtiers le rappelle à leurs clients en leur envoyant un avis de confirmation d'ordre ouvert.

Après avoir placé un ordre de vente d'obligations, le client doit livrer les titres en question à la firme sous forme négociable soit en personne, soit par courrier recommandé au plus tard le jour de règlement (c.-à-d. généralement cinq jours ouvrables après la date de l'opération).

La firme se porte contrepartie

Les firmes de courtage se portent habituellement contrepartie lors de l'achat et de la vente d'obligations. Ainsi, lorsqu'un client achète une obligation, la firme vend l'obligation qu'elle prend dans son inventaire à l'investisseur. D'autre part, lorsqu'un client vend une obligation, la firme achète l'obligation pour son inventaire.

Le prix auquel la firme vend une obligation de son inventaire à un client comprend le profit de la firme sur l'opération. Si cette dernière ne possède pas l'obligation que son client veut acheter, ses négociateurs d'obligations communiqueront avec d'autres firmes et achèteront l'obligation à l'une d'elles afin que l'ordre soit exécuté.

Lorsque la firme achète une obligation à un client, le prix est calculé de façon que la firme puisse la revendre avec profit. L'obligation peut ensuite être revendue à un autre client ou à une autre firme. Pendant que l'obligation est en inventaire, la firme peut subir une perte théorique si le cours de l'obligation baisse ou réaliser un profit théorique si le cours monte.

Voici un exemple d'avis d'exécution qu'envoie un courtier en valeurs mobilières pour confirmer la vente d'un titre d'emprunt à un client.

Date: le mardi 16 juin 198.
Représentant: 7-486

M. Jean Brillant
Touteville, Toute Province, Canada

NOUS CONFIRMONS VOUS AVOIR VENDU
les titres suivants:

Quantité	Titre	Prix	Montant
1 000 $	Obligations 14 1/4% échéant le 1er septembre 198. du gouvernement du Canada	98,00	980,00 $
Intérêt: du 1er mars 198. au 23 juin 198.			44,51
			1 024,51 $

Paiement: Montant indiqué ci-dessus au plus tard
à la date de règlement: le 23 juin 198.

Livraison: Par courrier recommandé et assuré.

OPÉRATION DE CONTREPARTIE

Cet exemple montre qu'un client qui achète une obligation paie le prix d'achat plus l'intérêt couru (c.-à-d. accumulé) depuis la dernière date de paiement de l'intérêt (le 1er mars) jusqu'à la date de règlement (le 23 juin). Le client récupère cet intérêt accumulé s'il conserve l'obligation jusqu'à la prochaine date de paiement de l'intérêt ou s'il vend l'obligation avant cette date.

Voici un exemple d'avis d'exécution confirmant l'achat d'un titre d'emprunt à un client:

NOM ET ADRESSE DU COURTIER

Date: le mardi 16 juin 198.
Représentant: 7-486

M. Maurice Client
Touteville, Toute Province, Canada

NOUS CONFIRMONS VOUS AVOIR ACHETÉ
les titres suivants:

Quantité	Titre	Prix	Montant
1 000 $	Obligations 14 1/4% échéant le 1er septembre 198. du gouvernement du Canada	97,00	970,00 $
	Intérêt: du 1er mars 198. au 23 juin 198.		44,51
			1 014,51 $

Date de règlement: le 23 juin 198.

Nous vous enverrons un chèque dès réception des obligations ci-dessus.

OPÉRATION DE CONTREPARTIE

Cet exemple montre qu'un client qui vend une obligation reçoit le prix d'achat plus l'intérêt couru (ou accumulé) depuis la dernière date de paiement de l'intérêt (le 1er mars) jusqu'à la date de règlement (le 23 juin), c.-à-d. la date à laquelle l'obligation doit être livrée en bonne et due forme à la firme. Le client qui vend une obligation devrait détacher tous les coupons d'intérêt échus qu'il n'aurait pas encaissé avant de remettre l'obligation.

Les avis d'exécution confirmant les achats et les ventes d'obligations devraient être conservés de façon à pouvoir retracer les opérations et préparer la déclaration d'impôt sur le revenu.

Considérations fiscales

Un épargnant est censé recevoir l'intérêt sur une obligation entièrement nominative à la date de versement de l'intérêt. Dans le cas d'obligations avec coupons attachés, l'épargnant peut, dans sa déclaration d'impôt, déclarer l'intérêt comme revenu l'année où ces coupons ont été encaissés plutôt que l'année au cours de laquelle ils sont exigibles.

L'intérêt couru reçu lors de la vente d'une obligation est un revenu imposable; par contre, dans le calcul du revenu d'intérêt imposable, l'intérêt couru payé à l'achat d'une obligation peut être déduit du montant total d'intérêt couru.

En plus de payer de l'impôt sur l'intérêt, les porteurs d'obligations doivent tenir compte des gains (ou des pertes) en capital réalisés sur les obligations pour calculer aux fins de l'impôt le total des gains (ou des pertes) en capital.

Achat d'actions non cotées en bourse

Le volume des opérations sur les actions non cotées en bourse est considérablement inférieur à celui des opérations sur les actions cotées. Il est impossible de mesurer l'importance des opérations effectuées sur le marché hors cote parce que les données statistiques complètes ne sont pas disponibles.

Les valeurs spéculatives à quelques sous se négocient sur le marché hors cote tout comme les actions de quelques sociétés industrielles conservatrices dont le conseil d'administration a décidé, pour une certaine raison, de ne pas demander l'inscription à la cote d'une ou de plusieurs émissions de leurs actions. En tenant compte du marché des valeurs mobilières américain (qui est beaucoup plus important que celui du Canada), l'ensemble du marché hors cote comprend plus de 50 000 actions et plus de 14 000 obligations de diverses catégories.

Les opérations sur actions sur le marché hors cote sont effectuées d'une façon semblable aux opérations sur obligations. Un vétéran du commerce a décrit le marché hors cote comme "un marché sans place du marché". Les opérations, sur ce réseau, sont effectuées par des négociateurs spécialisés dans la négociation des titres hors cote. La négociation se poursuit après les heures de bourse et, si le marché est actif, elle peut durer toute la journée.

BOURSES AU CANADA

Une bourse est un endroit où les acheteurs et les vendeurs de valeurs mobilières se réunissent pour négocier entre eux dans des conditions qui permettent la libre concurrence; les prix y sont établis en vertu de la loi de l'offre et de la demande. Aux bourses canadiennes, les opérations portent sur les actions ordinaires et privilégiées, les droits et les bons de souscription, les options inscrites à la cote et les contrats à terme de titres financiers. À certaines bourses d'Europe et des États-Unis, on négocie également des obligations et des débentures. Au Canada, il n'y a que la Bourse de l'Alberta qui admet les titres d'emprunt à la cote.

L'exploitation d'une bourse repose fondamentalement sur la négociabilité des valeurs. Les valeurs inscrites à la cote s'achètent et se vendent plus facilement si les règles de négociation sont bien définies. La négociabilité donne aux valeurs inscrites à la cote un net avantage sur les placements non liquides. Les critères d'une négociabilité satisfaisante sont les suivants:

. opérations fréquentes;
. petit écart entre les cours acheteur et vendeur;
. faibles fluctuations de cours d'une opération à l'autre.

Le fonctionnement d'une bourse repose sur les trois concepts suivants:

. **la confiance personnelle** - la relation courtier-client existe depuis qu'existe le commerce des valeurs mobilières. Par exemple, chaque jour les opérations sur titres à la suite d'ordres donnés verbalement, sans avoir de contrats signés, représentent des millions de dollars. Il y a malgré cela très peu de malentendus;

. **l'information** - la publication de renseignements concernant: (i) toutes les opérations effectuées en bourse, (ii) les données exigées en vertu des conditions d'inscription à la cote, relatives aux activités de toutes les sociétés inscrites à la cote;

- **la réglementation** - l'application surveillée par l'administration de la bourse et par des vérificateurs indépendants de règlements rigoureux au sujet de la situation financière des membres et de leur façon de procéder.

Aujourd'hui, il existe environ 200 bourses réparties dans plus de 60 pays du monde libre. Tous les pays industrialisés du monde libre ont une ou plusieurs bourses et l'on peut habituellement évaluer, de façon assez exacte, l'économie d'un pays d'après l'importance et l'organisation de ses bourses. L'Amérique du Nord, où la Bourse de New York est la plus importante, en compte 15 dont 5 au Canada; l'Europe en compte plus de 100, l'Amérique du Sud et l'Amérique Centrale, 20, et le reste est réparti entre l'Afrique, l'Asie libre et l'Australasie.

Historique

Au Canada, la négociation des actions a débuté durant le premier quart du XIXe siècle, bien que les bourses ne firent leur apparition officielle qu'au cours des années 1870, lorsque l'expansion industrielle a commencé.

Bourse de Montréal

À Montréal, un "comité de courtiers" effectuait les opérations sur les valeurs mobilières en vertu de certains règlements et critères d'admission de 1863 jusqu'en 1874, année où la Bourse de Montréal fut constituée. Le "Montreal Curb Market" fut créé en 1926 afin de fournir des services de négociation pour les valeurs non inscrites à la cote de la Bourse de Montréal.

Ce n'est qu'en 1953 que le "Montreal Curb Market" fut officiellement constitué sous la dénomination sociale de "Bourse canadienne". En 1974, la Bourse de Montréal et la Bourse canadienne fusionnèrent pour n'en former qu'une seule: la Bourse de Montréal).

Bourse de Toronto

La Bourse de Toronto fut fondée comme association, en 1852, par un groupe d'hommes d'affaires de Toronto qui se réunissaient chaque matin pour négocier des valeurs. Ces fondateurs poursuivirent leurs activités comme société de personnes jusqu'à ce que la Bourse de Toronto soit constituée en 1878.

En 1899, une seconde bourse, la "Toronto Stock and Mining Exchange" fut créée afin de négocier les valeurs minières spéculatives. À cette bourse a succédé, en 1908, "The Standard Stock and Mining Exchange" qui poursuivit ses activités séparément jusqu'en 1934, année où elle fusionna avec la Bourse de Toronto afin de pouvoir négocier les valeurs minières et industrielles sur un même parquet.

En 1984, la B. de T. a créé "The Toronto Futures Exchange", une bourse distincte où sont négociés les contrats à terme et les options sur l'argent.

Bourse de Vancouver

La Bourse de Vancouver fut constituée en 1907. En 1981, la Bourse a réorganisé son système d'inscription des titres à la cote. Les actions des sociétés admissibles inscrites auparavant à la cote du Vancouver Curb Exchange ont été transférées dans le compartiment "mise en valeur" de la Bourse de Vancouver et le Vancouver Curb Exchange est devenu inactif.

Bourse de l'Alberta

Cette bourse fut constituée sous le nom de Bourse de Calgary en 1913 et ses opérations commencèrent l'année suivante. En 1974, son nom est devenu "The Alberta Stock Exchange" (Bourse de l'Alberta).

Bourse de Winnipeg

La cinquième bourse canadienne, la Bourse de Winnipeg, n'exécute qu'une faible proportion du volume total des opérations au Canada.

Sièges et titres de membre des bourses

Lorsqu'une bourse est créée, des "sièges" de membre sont vendus à différentes personnes. Pour devenir membre d'une bourse il faut, entre autres, acheter un ou plusieurs "sièges" de bourse (aux Bourses de Toronto, de l'Alberta et de Vancouver) ou des "titres de membre" (à la Bourse de Montréal). Un siège ou un titre de membre confère à son titulaire, lorsqu'il est élu membre de la bourse, le droit de négocier sur le parquet de la bourse les titres inscrits à sa cote.

Le terme "siège" tire son origine de l'ancienne pratique des courtiers qui négociaient des titres assis autour d'une table. Aujourd'hui, il désigne le droit d'admission à une bourse. Le siège lui-même est un bien réel et d'une grande valeur qui est transférable (vendable) sous réserve de certaines conditions stipulées dans les règlements de la bourse.

Pour devenir membre d'une bourse, le courtier qui fait une demande doit non seulement obtenir les autorisations nécessaires de la bourse en question et se faire admettre à la suite d'un vote des autres membres, mais il doit aussi acheter un "siège" (dans le cas des Bourses de Toronto, de l'Alberta et de Vancouver) ou un "titre de membre" (Bourse de Montréal) à un membre qui désire le vendre. Le prix d'un siège en bourse ou d'un titre de membre varie en fonction du nombre de sièges ou de titres disponibles et de la demande pour ces sièges ou titres. Cette demande est fonction du volume des opérations à la bourse et de la rentabilité des opérations des détenteurs de sièges ou de titres. Les membres ont le droit d'avoir plus d'un siège ou d'un titre. Aux Bourses de Toronto, de l'Alberta et de Vancouver, les membres ont droit à un vote par siège détenu jusqu'à un maximum de trois votes par membre. Dans la plupart des cas, la Bourse de Montréal donne aux membres un vote par titre de membre actif détenu.

Un grand nombre de maisons de courtage sont membres de plusieurs bourses canadiennes à la fois et certaines d'entre elles sont membres d'une ou de plusieurs bourses américaines. Plusieurs courtiers américains qui exercent leur activité au Canada sont également membres de bourses canadiennes.

Voici quelques-uns des nombreux règlements auxquels les membres doivent se conformer:

. capital liquide net minimum pour assurer sa liquidité et sa solvabilité;

. vérifications annuelles et contrôles à l'improviste effectués par les vérificateurs de la bourse; obligation de garder séparément les titres des clients;

. exécution des ordres tels qu'ils sont donnés. Les négociations de titres cotés doivent se faire seulement sur le parquet de la bourse pendant les heures de négociation;

- à prix égal, l'ordre d'un client a toujours priorité sur celui d'un professionnel;

- imposition de graves sanctions dans les cas d'opérations fictives, d'acceptation d'ordres sans transfert effectif de la propriété des actions, ou de participation à des opérations qui perturbent le marché ou créent une fausse impression d'activité anormale.

Les bourses ont de nombreux comités chargés d'assumer des fonctions telles que l'application des règlements de la bourse et la réglementation des négociations sur le parquet. Parmi les comités les plus importants on retrouve les comités de vérification et de surveillance de la conduite des affaires, le comité de surveillance du marché et le comité d'inscription à la cote.

Inscription des actions à la cote d'une bourse

L'expression "inscrites pour la négociation" signifie que le conseil des gouverneurs de la bourse a permis que les actions d'une société puissent être achetées et vendues sur le parquet de la bourse. Avant que ses actions puissent être inscrites pour la négociation, la société doit faire une demande d'admission et fournir des renseignements qui permettront aux responsables de la bourse de déterminer si elle répond à toutes les conditions d'inscription à la cote.

Les bourses exigent que les sociétés qui demandent l'inscription de leurs titres à la cote aient des ressources financières suffisantes. De façon générale, les bénéfices des sociétés industrielles doivent être d'un montant minimum stipulé, pendant un nombre d'années déterminé et le fonds de roulement doit être suffisant pour qu'elles puissent poursuivre leurs activités. Ces sociétés sont également tenues d'avoir un montant minimum d'actif corporel net. La direction et les répondants d'une société sont aussi des facteurs importants. Des exigences différentes s'appliquent aux sociétés minières, pétrolières et gazières.

Une distribution suffisante des titres est une condition importante de l'inscription de toutes les actions et ce, pour assurer une liquidité pour les actions. Généralement, une société doit avoir un nombre minimum d'actions émises (200 000 par exemple) et un nombre minimum d'actionnaires (200 par exemple), chacun devant détenir au moins un lot régulier (voir plus loin).

Règlements relatifs aux sociétés inscrites

Les sociétés dont les actions sont inscrites à la cote doivent se soumettre aux règlements suivants: faire graver les certificats d'actions afin d'empêcher la fraude et la contrefaçon; envoyer aux actionnaires et à la bourse des rapports annuels dans les six mois qui suivent la fin de leur exercice ainsi que des états financiers trimestriels dans les 60 jours qui suivent chaque trimestre; aviser la bourse de tous droits, bons de souscription et dividendes; se conformer aux exigences relatives aux options, aux conventions de prise ferme et de vente d'actions de trésorerie; aviser la bourse le plus tôt possible de tout changement important dans la situation ou les affaires de la société. Ces changements peuvent concerner la nature des activités de la société, la composition de son conseil d'administration ou des principaux dirigeants, le transfert d'actions qui pourrait influer sur le contrôle, une opération portant sur une propriété minière ou pétrolière ou sur des actions et la conclusion d'un contrat de gestion.

L'inscription à la cote d'une bourse ne garantit pas nécessairement la qualité des actions comme placement. Toutefois, elle assure un flux de renseignements aux investisseurs et le respect des règles et règlements des bourses, qui ont pour but de protéger les épargnants.

Retrait des privilèges de négociation

Afin de protéger les investisseurs, les bourses peuvent retirer temporairement ou définitivement les droits de négociation et d'inscription pour une valeur inscrite à la cote. De telles mesures sont rares mais sont prises lorsque cela est nécessaire, soit par les bourses, soit à la demande des sociétés elles-mêmes pour leurs propres actions.

AVANTAGES ET INCONVÉNIENTS DE L'INSCRIPTION À LA COTE

Avant de faire une demande d'inscription à la cote, une société ouverte en évaluera les avantages et les inconvénients tant en ce qui la concerne qu'en ce qui concerne ses actionnaires.

Avantages:

- **négociabilité accrue et plus grand intérêt de la part des épargnants** - la publication des cours et du volume des opérations sur les titres inscrits à la cote renseigne les épargnants et les analystes financiers sur le comportement des actions de chaque société inscrite à la cote. Cette publicité accrue peut attirer de nouveaux actionnaires dans la société, ce qui augmente davantage la négociabilité des titres;

- **caractère public des opérations** - les actionnaires des sociétés inscrites à la cote peuvent facilement suivre les opérations et les cours. Les quotidiens donnent les détails des opérations sur les titres inscrits à la cote sur une base quotidienne ou hebdomadaire. Les opérations hors cote (sur les titres non inscrits à la cote) font l'objet de rapports moins détaillés;

- **valeur connue des options d'achat d'actions accordées aux employés** - les options d'achat d'actions accordées aux employés pour les intéresser sont mises en valeur étant donné que les employés peuvent suivre facilement les fluctuations des cours des actions en question;

- **renseignements plus nombreux** - en raison des exigences rigoureuses des bourses concernant les renseignements que les sociétés doivent fournir, il y a plus de renseignements sur les sociétés inscrites à la cote que sur celles qui ne le sont pas. Les sociétés inscrites à la cote publient des renseignements beaucoup plus souvent que celles qui ne le sont pas;

- **cours plus significatifs obtenus plus rapidement** - les cours acheteur et vendeur doivent être valables pour au moins un lot régulier d'actions et sont soumis à des règles strictes en ce qui concerne l'écart qui doit exister entre eux. Les cours des titres non inscrits à la cote ne sont souvent que des cours approximatifs auxquels des opérations pourraient éventuellement être effectuées. Les cours boursiers sont enregistrés et communiqués au moyen d'un équipement électronique perfectionné directement du parquet afin de fournir aux investisseurs un rapport immédiat sur les opérations;

- **valeur établie facilitant la fusion ou l'acquisition** - si une société inscrite à la cote désire prendre le contrôle d'une société ou fusionner avec celle-ci, l'opération peut être facilitée si les actions en question ont une valeur au cours du marché établie et stable. Dans le cas d'une société inscrite à la cote qui fusionne avec une société qui n'est pas inscrite à la cote, cette dernière pourrait être obligée d'accepter un prix qui se rapproche plus de la valeur comptable de ses actions puisqu'il n'y aurait aucun autre moyen de juger de leur valeur;

- **facilité de financement par emprunt ultérieur** - l'inscription à la cote permet à une société d'émettre beaucoup plus facilement de nouveaux titres d'emprunt convertibles ou des titres d'emprunt avec bons de souscription. Ces titres d'emprunt se vendent beaucoup plus facilement puisque les épargnants apprécient le fait qu'ils peuvent convertir leurs titres en actions inscrites à la cote;

- **valeur de nantissement établie** - toutes choses égales d'ailleurs, un créancier acceptera plus volontiers des actions inscrites à la cote que des actions qui ne le sont pas en nantissement d'un prêt. Les créanciers savent que les actions inscrites à la cote pourront se vendre plus facilement si une vente forcée devenait nécessaire par suite du défaut de l'emprunteur de rembourser un emprunt.

Inconvénients:

- **contrôle additionnel sur les décisions de la direction de la société** - dans l'intérêt des actionnaires, une convention d'inscription à la cote impose à la direction des sociétés inscrites diverses restrictions sur des sujets tels que la déclaration de dividendes, l'émission de nouvelles actions en vue d'acquérir de nouveaux biens, etc.;

- **frais supplémentaires pour la société** - lorsqu'une catégorie d'actions est inscrite à la cote, des frais d'inscription doivent être payés à la bourse. Des frais annuels pour le maintien de l'inscription doivent être payés afin de garder l'inscription en règle. Des frais sont perçus si d'autres catégories d'actions sont inscrites à la cote;

- **indifférence à l'égard du titre** - si le titre inscrit à la cote ne fait pas l'objet d'une demande soutenue ou si la société n'est pas bien connue, le faible volume des opérations qui en résultera sera connu de tous et le titre pourra être laissé pour compte. Après une brève période d'activité suscitée par l'intérêt créé au moment de l'inscription, ces titres ne connaissent souvent qu'une activité sporadique. Dans ces cas, les cours tendent à baisser au-dessous de ceux qui avaient été enregistrés sur le marché hors cote. Un faible volume d'opérations sur les actions d'une société est immédiatement connu du public.

EXÉCUTION D'UN ORDRE EN BOURSE

Ce qui suit décrit les différentes étapes de l'exécution d'un ordre.

Étapes d'une opération

Un épargnant a décidé d'acquérir 100 actions ordinaires cotées en bourse de la Société XYZ Ltée alors qu'un autre a décidé de se départir de 100 actions de la Société XYZ Ltée.

Le vendeur et l'acheteur téléphonent à leurs représentants respectifs et leur demandent le cours des actions XYZ à la bourse. Les représentants communiquent directement avec le parquet pour obtenir le cours. Supposons que le cours acheteur pour une action XYZ soit de 10 1/2 $ et le cours vendeur de 10 3/4 $. L'acheteur éventuel sait maintenant que, pour l'instant, aucun vendeur ne veut céder ses actions à moins de 10 3/4 $ l'action pour un lot régulier (100 actions). De son côté, le vendeur a appris que le maximum qu'un acheteur est disposé à payer est de 10 1/2 $ pour un lot régulier. L'opération sera possible si l'acheteur accepte d'acheter les actions au cours vendeur ou si le vendeur accepte de les céder au cours acheteur.

Supposons que les deux clients demandent à leur représentant d'obtenir le meilleur prix possible (ordre au mieux ou au marché). Si les ordres ont été donnés dans une succursale, ils sont transmis au service des opérations des sièges sociaux par télex ou par d'autres systèmes de communication interne.

Les ordres sont ensuite acheminés au pupitre sur le parquet de la bourse par les systèmes de communication du service des opérations de chacune des firmes. Les ordres sont ensuite transmis aux négociateurs des firmes.

Chaque négociateur se rend avec l'ordre du client dans la zone du parquet où se négocient les actions XYZ. Le négociateur met à contribution son expérience, ses connaissances et son habileté pour exécuter l'ordre au meilleur cours possible. Celui qui a l'ordre d'achat, voyant que quelqu'un a déjà offert 10 1/2 $ et qu'il n'y a pas de vendeur à ce cours, peut offrir 10 5/8 $, vu qu'il a reçu instruction d'acheter rapidement. De même, celui qui a l'ordre de vente voit que quelqu'un tente de vendre à 10 3/4 $, mais sans réussir. Lorsqu'il entend le négociateur qui a l'ordre d'achat offrir 10 5/8, il décide de vendre et crie: "Vendu 100 XYZ à 10 5/8 $". L'opération est exécutée; le négociateur vendeur remplit une fiche d'exécution en trois exemplaires pour confirmer la vente et le négociateur acheteur la paraphe. Chaque négociateur conserve un exemplaire de la fiche paraphée et le troisième est remis à un employé de la bourse chargé d'enregistrer l'opération dans l'ordinateur. Ensuite, les détails de la vente sont imprimés sur le téléscripteur de la bourse à l'intention des deux firmes qui ont négocié (heure de l'opération, identité de l'autre partie). Le cas échéant, ces renseignements sont transmis aux succursales où les ordres ont été donnés.

Les représentants appellent leur client pour confirmer l'opération; le même jour ou le jour de bourse suivant au plus tard, un avis d'exécution est envoyé à chaque client.

Règlement

L'acheteur reçoit un avis d'exécution de son courtier avec les détails de l'achat et le montant à payer, y compris le courtage. Si l'acheteur a suffisamment de fonds en dépôt auprès de la firme, le montant à payer sera débité de son compte. Sinon, il devra faire parvenir la somme exacte en règlement des 100 actions dans les 5 jours de bourse qui suivent la date de l'opération.

Le vendeur reçoit lui aussi un avis d'exécution de son courtier avec les détails de la vente et le montant à recevoir, déduction faite du courtage. On demande alors au client de livrer le certificat d'action dûment endossé ou "signé" de manière qu'il puisse être acheminé à l'autre firme à la date de règlement ou "compensé". Avant d'être livré à l'acheteur, le certificat d'action doit être remis à l'agent des transferts puis à l'agent comptable des registres (voir le lexique) qui s'assure que le nombre d'actions émises ne dépasse pas le nombre autorisé. Le client a le choix de déposer le produit net de la vente dans son compte à la firme - s'il en a un - ou de recevoir un chèque.

Si les ordres avaient porté sur des titres non cotés en bourse, l'opération aurait été effectuée de la même façon par les négociateurs de chaque firme, au téléphone. La procédure de règlement aurait elle aussi été identique. Sur le marché hors cote, les opérations sont normalement effectuées par des firmes de courtage qui se portent contrepartie, ce qui élimine le courtage.

ORDRES D'ACHAT ET ORDRES DE VENTE

Il existe différentes catégories d'ordres d'achat et de vente, aussi bien en bourse que sur le marché hors cote:

Ordre au marché ou au mieux

Il s'agit d'un ordre d'acheter ou de vendre un nombre déterminé d'actions (ou d'obligations, etc.) au meilleur cours possible. Tous les ordres pour lesquels il n'est pas précisé de cours sont d'habitude considérés comme étant des ordres "au marché", ce qui signifie qu'ils seront exécutés au cours vendeur s'il s'agit d'achats et au cours acheteur s'il s'agit de ventes. Bien entendu, le négociateur tentera, dans la mesure du possible, de faire mieux.

Ordre à cours limité

C'est un ordre d'achat ou de vente pour lequel le client a fixé le cours auquel il peut être exécuté; il peut aussi être exécuté à un meilleur cours s'il est possible de le faire.

Ordre valable jour (ou pour la journée)

Ordre d'achat ou de vente qui n'est valide que pour la journée où il est donné. Sauf indication contraire, tous les ordres sont considérés comme étant des ordres valables jour.

Ordre ouvert ou valable jusqu'à révocation (ou annulation)

Cet ordre est d'habitude donné à un cours limité et il demeure inscrit sur les carnets d'ordres du courtier jusqu'à ce qu'il soit exécuté ou annulé. Pour éviter une accumulation encombrante d'ordres ouverts sur leurs carnets d'ordres, plusieurs courtiers ont pour règle de limiter la durée de validité d'un ordre ouvert (30, 60, 90 jours ou plus) à l'expiration de laquelle on demande au client s'il désire renouveler son ordre. Pour éviter les malentendus et pour empêcher leurs clients d'oublier les ordres ouverts qu'ils ont placés, la plupart des firmes leur envoient périodiquement une confirmation de leurs ordres ouverts en attente.

Ordre annulant un ordre déjà placé, le modifiant ou lui substituant un autre ordre

L'inscription "ANNULER" indique qu'il faut annuler ou modifier un ordre encore valide.

Ordre "tout ou rien"

C'est un ordre qui peut être exécuté que s'il se conforme à certaines restrictions. Le client en acceptera l'exécution que si le négociateur achète ou vend le nombre total d'actions pour lequel l'ordre a été donné. Un ordre qui indique le nombre minimum d'actions dont le client accepterait l'achat ou la vente appartient à cette catégorie.

Ordre "tout ou partie"

C'est l'opposé de l'ordre "tout ou rien" décrit ci-dessus; ici, le client acceptera l'exécution de son ordre en lots réguliers, irréguliers ou brisés jusqu'à concurrence du nombre total d'actions pour lequel il l'a donné.

Ordre "exécuter sinon annuler"

Dès que cet ordre peut être exécuté en partie et qu'il l'est, le reste doit être annulé. Normalement, un tel ordre est exécuté ou annulé très peu de temps après que le négociateur l'a reçu.

Ordre valable pour une durée limitée

C'est un ordre d'achat ou de vente qui doit être exécuté dans un certain délai, à l'expiration duquel il s'annule automatiquement s'il n'a pu être exécuté.

Ordre "soit l'un, soit l'autre"

Il s'agit d'un ordre d'achat ou de vente portant sur un titre qui est passé alors que des ordres portant sur d'autres titres attendent d'être exécutés. Dès que le négociateur exécute l'un de ces ordres "soit l'un, soit l'autre", le ou les autres ordres en question sont automatiquement annulés.

Ordre "d'abord et ensuite"

C'est d'habitude l'ordre de vendre une action accompagné de l'ordre d'acheter une autre action en remploi du produit de la vente. Lorsque les ordres sont inscrits à des cours limités, le client peut permettre à la firme d'exécuter l'ordre de vente en lots réguliers et de faire de même pour l'ordre d'achat en utilisant le produit de la vente et ce, jusqu'à ce que l'exécution des deux ordres soit complétée.

Ordres conditionnels ou liés

Ici, il s'agit d'un ordre d'acheter une valeur et d'en vendre simultanément une autre. Ces ordres (pour deux valeurs différentes) peuvent être inscrits: (a) au marché, (b) au même prix pour les deux, (c) à un écart de tant de points entre les deux, (d) pour un nombre proportionnel d'actions dans chaque cas (c.-à-d., 100 actions d'une société dans un cas et 200 actions d'une autre société dans l'autre). De toute façon, on ne peut exécuter l'ordre d'achat sans exécuter l'ordre de vente et vice versa.

Quotités de négociation

Pour faciliter la négociation des actions, les bourses ont choisi certains nombres d'actions à des cours différents et ont appelé ces quotités "lots réguliers":

```
┌─────────────────────────────────────────────────────────────┐
│              QUOTITÉS DE NÉGOCIATION PAR LOT RÉGULIER          │
│                 D'ACTIONS COTÉES EN BOURSE                     │
│                                                               │
│   Actions se négociant:                    Lot régulier       │
│                                                               │
│   à moins de 0,10 $                   1 000 (B. de V. : 500)   │
│                                                               │
│   de 0,10 $ à moins                                           │
│     de 1,00 $                         500                      │
│                                                               │
│   de 1,00 $ à moins                                           │
│     de 2,00 $                         100                      │
│                                                               │
│   de 2,00 $ à moins                                           │
│     de 100 $                          100                      │
│                                                               │
│   à 100 $ et plus                     100                      │
│                                                               │
│   Valable pour la Bourse de Montréal, la Bourse de Toronto, la│
│   Bourse de l'Alberta et la Bourse de Vancouver.              │
└─────────────────────────────────────────────────────────────┘
```

Pour certaines actions, les bourses peuvent aussi établir différentes quotités qui constituent des "lots réguliers spéciaux".

Les règlements des bourses prévoient aussi des "lots irréguliers" et des "lots fragmentaires" qui s'appliquent à des quantités d'actions qui sont inférieures aux lots réguliers. Il existe de légères différences d'une bourse à l'autre.

Lorsque cela est possible, les épargnants achètent ou vendent des lots réguliers puisqu'ainsi les opérations sont effectuées plus rapidement. Il peut être plus difficile de trouver des acheteurs ou des vendeurs de lots irréguliers ou fragmentaires. Aussi, il est possible que l'on doive payer un prix par action légèrement supérieur ou accepter un prix légèrement inférieur à la vente de lots irréguliers et fragmentaires.

TAUX DE COURTAGE

Un système de taux de courtae négociés par opposition aux taux de courtage fixes a été introduit au Canada en 1983 pour les actions négociées à la Bourse de Montréal et à la Bourse de Toronto puis à la Bourse de l'Alberta en janvier 1986.

Aux États-Unis, les taux de courtage négociés pour les opérations sur actions sont entrés en vigueur le 1er mai 1975, par suite d'une ordonnance de la Securities and Exchange Commission.

Des enquêtes ont révélé que les taux de courtage négociés ont donné lieu à une augmentation des frais de courtage pour les ordres de moindre importance et à une diminution pour les ordres importants par rapport à l'ancien système.

Le tableau suivant indique les taux de courtage minimums fixes qui avaient cours aux bourses canadiennes avant l'entrée en vigueur des taux négociés. Il est bon d'examiner attentivement le barème des taux de courtage fixes en vigueur avant avril 1983, car la négociation des taux de courtage pour les actions qui se négocient à l'échelle nationale est souvent fondée sur un écart convenu par rapport aux taux en vigueur avant avril 1983.

Taux de base en vigueur avant avril 1983

Les taux de courtage de base en vigueur avant avril 1983 sont les suivants:

Note: les taux de la B. de V. pour les émissions inscrites exclusivement à sa cote sont donnés entre parenthèses.

Cours de l'action	Taux de courtage de base en vigueur (% basé sur la valeur de l'ordre)	
	(Taux d'avant 1983)	(Taux de la B. de V.)
(i) 0,005 $ à 4,99 $	3,0%	(3,3%)

Exemple: 100 actions vendues à 4 $ l'action

Le courtage est de: 3% (3,3%) de 100 x 4 $	12 $	(13,20 $)

(ii) 5,00 $ à 14,99 $	2% + 5¢	(2,2%) (5,5¢) par action

Exemple: 100 actions vendues à 10 $ l'action

Le courtage est de: 2% (2,2%) de 100 x 10 $ plus 100 x 5¢ (5,5¢)	20 $ 5 $ 25 $	(22,00 $) (5,50 $) (27,50 $)

(iii) 15,00 $ et plus	1% (1,1%) plus 20¢	(22¢) par action

Exemple: 100 actions vendues à 20 $ l'action

Le courtage est de: 1% (1,1%) de 100 x 20 $ plus: 100 x 20¢ (22¢)	20 $ 20 $ 40 $	(22,00 $) (22,00 $) (44,00 $)

Taux dégressifs pour les ordres de plus de 5 000 $ à la Bourse de Vancouver

Les taux dégressifs suivants peuvent être appliqués au taux de base pour les ordres de plus de 5 000 $ portant sur les titres cotés à la Bourse de Vancouver:

(i) Pour la première tranche de 40 000 $ d'un ordre:

Montant	Taux dégressifs
Sur les premiers 5 000 $	100% du courtage de base
Sur les 15 000 $ suivants	90% du courtage de base
Sur le solde de 20 000 $	80% du courtage de base

(ii) Pour la tranche d'un ordre au-dessus de 40 000 $ et jusqu'à concurrence de 100 000 $:

Le courtage suivant est appliqué à chacune des actions comprises dans la tranche de l'ordre au-dessus de 40 000 $:

Lorsque le prix moyen de l'ordre (pour des opérations canadiennes) est:	Le courtage par action comprise dans la tranche de l'ordre au-dessus de 40 000 $ est égal à:
inférieur à 10 $ par action	Prix moyen de l'ordre (pour des opérations canadiennes) ÷ 90,91
de 10 $ et plus par action	11¢

(Remarque: Pour plus de précision, il est recommandé de consulter une table de coefficients de dégressivité.)

Pour certains ordres de 5 000 $ et plus, des taux dégressifs ont été appliqués et ont donné lieu à une réduction des frais de courtage.

Les firmes avaient également le droit d'accorder aux clients "particuliers" une réduction du courtage sur les opérations "aller-retour" si la totalité ou une partie d'une opération sur actions en compte ou à découvert était effectuée dans un délai de 45 jours.

Toutefois, en raison des changements qu'a entraîné l'introduction des taux négociés, les épargnants devraient consulter leur firme de courtage pour déterminer les frais de courtage sur leurs opérations sur actions.

Courtiers exécutants et services offerts

Avant l'arrivée des taux de courtage négociés en avril 1983, les firmes de courtage offraient à leurs clients de nombreux services incluant recherche en matière de placement, conseils et évaluations de portefeuilles et imputaient des taux de courtage fixes pour les opérations sur titres. Depuis l'abolition des taux de courtage fixes, certaines firmes de courtage ont choisi de ne plus offrir ces services à leurs clients et d'exécuter les ordres (c.-à-d. effectuer les opérations) à des taux négociés réduits. Ces firmes s'appellent firmes de "courtiers exécutants". Comme les courtiers exécutants n'offrent pas de services supplémentaires aux épargnants, ils ont des frais d'exploitation moins élevés, ce qui leur permet de facturer des frais de courtage inférieurs aux clients qui donnent les ordres les plus importants.

Étant donné que la plupart des épargnants n'ont pas de connaissances suffisantes du commerce des valeurs mobilières, ils profitent de la recherche, des conseils de placement et des autres services qu'une firme de courtage leur offre normalement.

OUVERTURE D'UN COMPTE

Pour l'épargnant qui débute, la façon la plus simple et la plus efficace de choisir un courtier est de demander à des amis, des connaissances, des collègues ou des professionnels tels que des avocats et des comptables s'ils peuvent vous recommander un représentant d'une firme de courtage. S'il ne réussit pas ainsi à se trouver un courtier, il peut obtenir sur demande une liste des membres des bourses ou de l'Association canadienne des courtiers en valeurs mobilières (ACCOVAM). Les membres de ces organismes doivent satisfaire à des exigences strictes concernant leurs assises financières et se conformer à des règlements aussi stricts conçus pour protéger les épargnants. Les firmes importantes sont habituellement membres de l'ACCOVAM et d'une ou de plusieurs bourses. En faisant affaire avec une firme membre de ces organismes, on est assuré de normes d'éthique élevées et de conseils de placement professionnels donnés par des personnes compétentes.

Le représentant doit connaître les antécédents et la situation d'un nouveau client pour être en mesure de lui fournir les services et les conseils appropriés.

L'épargnant qui ouvre un **compte au comptant** se fait poser de nombreuses questions, notamment son nom, son adresse et son numéro de téléphone à son domicile et au bureau, son numéro d'assurance sociale, son âge, ses références bancaires et des détails d'ordre pratique tels son mode de paiement et ses instructions quant à l'immatriculation et la livraison des titres. Le représentant de la firme aura besoin également de renseignements concernant son portefeuille de titres, ses autres éléments d'actif (c.-à-d. biens immobiliers et assurances) et son revenu total, ses responsabilités familiales et ses objectifs quant à sa retraite.

La firme de courtage ne fait pas crédit au client qui a un compte au comptant. Il doit payer entièrement les titres qu'il a achetés au plus tard à la date de règlement - normalement, le cinquième jour ouvrable après la date de l'achat. Lorsqu'un client qui a un compte au comptant veut obtenir du crédit pour faire un achat, il doit emprunter les fonds ailleurs, dans une banque à charte par exemple.

Le but des questions que le représentant pose à l'épargnant est double:

. elles aident le représentant à établir clairement les objectifs de placement du client et le degré de risque acceptable;

. elles lui permettent de voir dans quelle mesure les placements conviennent à la situation financière de l'épargnant.

L'épargnant a donc avantage à donner le plus de renseignements possible à son sujet. Il va sans dire que tous ces renseignements sont traités confidentiellement.

Le représentant tire ses revenus des profits ou des commissions sur les opérations qu'il effectue pour ses clients. Fournir des renseignements ou des conseils à propos des ordres exécutés pour le compte des clients fait partie du travail courant du représentant. Toutefois, les services auxquels le client peut raisonnablement s'attendre devraient, avec le temps, être proportionnels au volume des ordres placés. Par conséquent, le petit épargnant aurait peut-être avantage à traiter toutes ses affaires avec une seule firme de courtage.

Avis d'exécution

Le jour suivant l'achat ou la vente d'actions pour un client, la firme envoie à celui-ci une confirmation écrite qui contient une mention semblable à celle-ci: "À titre de mandataire, nous confirmons avoir ACHETÉ (ou VENDU) pour votre compte les actions décrites ci-dessous, selon ce qui avait été convenu avec notre représentant." Cette mention souligne le fait que la firme a agi en qualité de mandataire et non pas de contrepartiste.

Cet avis d'exécution indique le nom du client tel qu'il apparaîtra sur le certificat d'actions (dans le cas d'un ordre d'achat) et l'adresse à laquelle le certificat (dans le cas d'un achat) ou le chèque de la firme (dans le cas d'une vente) sera envoyé. Les autres renseignements donnés comprennent la bourse où l'ordre a été exécuté, le prix par action et le prix total de l'achat (ou de la vente). Viennent ensuite le courtage perçu par la firme puis le montant total qui est dû à la firme (dans le cas d'un achat) ou le montant que la firme doit (dans le cas d'une vente). L'épargnant qui reçoit un avis d'exécution devrait vérifier si l'ordre a été exécuté conformément à ses instructions et si les renseignements donnés sont exacts.

Règlement et livraison des titres

L'avis d'exécution reçu d'une firme de courtage indique la date à laquelle l'opération a été effectuée ainsi que la date de règlement, soit le cinquième jour ouvrable qui suit la date de l'opération dans le cas des actions et d'un grand nombre d'obligations. Il est de la plus haute importance d'observer cette date de règlement et de payer les titres achetés (ou de livrer en personne ou par la poste les titres vendus) au plus tard à la date de règlement.

Lorsque le titre est immatriculé au nom de l'épargnant, celui-ci doit signer son nom au verso du certificat exactement comme il apparaît au recto, le dater et faire certifier l'authenticité de sa signature. Si le certificat est immatriculé au nom de codétenteurs, tous les codétenteurs doivent signer, ce qui rend le certificat négociable.

Au moment d'un achat, un nouveau certificat d'actions est envoyé par courrier recommandé dès qu'il est émis et vérifié par l'agent comptable des registres et l'agent des transferts de la société. Ce certificat devrait être gardé dans un coffret de sûreté dans une banque ou une compagnie de fidéicommis. L'épargnant peut aussi demander à son courtier de garder le titre en sécurité à la firme de courtage. Parfois, ce service est offert contre rémunération.

Les épargnants devraient toujours tenir à jour un dossier de tous leurs titres, y compris le nom de l'émetteur, le numéro de série de chaque certificat, la quantité, les coupures et le prix d'achat initial. Cette liste devrait être gardée dans un endroit sûr, facile d'accès, séparée des titres eux-mêmes et indiquer où les titres se trouvent.

Comptes sur marge

Un compte sur marge est un compte d'une catégorie particulière qui permet au client d'acheter certains titres à crédit, en empruntant au courtier une partie du prix d'achat. Le terme "marge" désigne la différence entre le cours du marché du titre acheté et l'avance faite par le courtier. Certaines firmes membres n'acceptent pas de comptes sur marge. Les autres demandent aux clients éventuels qui veulent ouvrir un compte sur marge de remplir un "contrat de compte sur marge" avant d'effectuer toute opération. Tous les mois, un intérêt quotidien est calculé sur le solde débiteur du compte. La négociation sur marge est une technique utilisée par l'épargnant averti.

Voici un exemple qui illustre un achat sur marge:

Supposons qu'un client achète sur marge 1 000 actions ordinaires inscrites en bourse de la Société ABC à 10 $ l'action. Le client aurait à fournir ou à faire un versement initial de 5 000 $ calculé comme suit:

Coût de l'achat de 1 000 actions ABC à 10 $ l'action		10 000 $
Avance du courtier (50% de la valeur au cours du marché pour les actions se négociant à 2 $ et plus)	5 000 $	
Marge fournie par le client	5 000 $	
	10 000 $	10 000 $

En supposant que le cours des actions ordinaires monte à 20 $ et que le client vend ses actions, son bénéfice avant impôt serait de 10 000 $ (à l'exclusion des frais de courtage sur les opérations d'achat et de vente et de l'intérêt sur l'avance du courtier) soit 200% du versement initial de 5 000 $ fait sur l'achat, c.-à-d. un produit d'achat de 20 000 $ moins 5 000 $ pour le remboursement de l'avance du courtier, moins 5 000 $ pour le versement initial du client.

Si le client ne peut couvrir l'insuffisance de marge, le courtier vendra 100 actions ABC au cours du marché pour récupérer les 5 000 $ prêtés et le client devra assumer le déficit.

Vente à découvert

La vente à découvert est une vente temporaire de titres que le vendeur ne possède pas et qu'il peut être obligé de racheter pour mettre fin à l'opération. En raison des risques qui lui sont inhérents, cette technique est considérée comme étant une opération spéculative effectuée par des négociateurs avertis qui prévoient une baisse des cours.

La vente à découvert est une stratégie de placement légale et honnête dans laquelle on s'engage parce qu'on croit que le cours d'un titre va baisser. Le vendeur à découvert prévoit une baisse du cours d'un titre en particulier, aussi il vend le titre à découvert en espérant pouvoir le racheter à un cours plus bas et faire ainsi un profit. Toutefois, si le cours du titre en question monte lorsque le vendeur rachète, il subira une perte.

Lorsque des titres sont vendus à découvert, leur livraison est assurée par le courtier du vendeur qui s'arrange pour les emprunter à même le compte d'un autre détenteur - habituellement un épargnant avec un compte sur marge. Le vendeur à découvert doit verser à son courtier un montant d'argent déterminé en garantie de la vente. Le montant d'argent dans le compte du vendeur à découvert doit toujours excéder d'un certain pourcentage la valeur au cours du marché des titres vendus à découvert.

Lorsque le vendeur achète finalement les titres (qu'il avait vendus à découvert), il les rend au prêteur. Tout solde en espèces qui reste dans le compte après le rachat appartient au vendeur à découvert. Si les titres sont rachetés à un cours plus élevé que celui auquel ils avaient été vendus à découvert (c.-à-d. si le cours a monté après la vente à découvert), le vendeur à découvert doit alors payer le montant intégral de l'insuffisance.

La loi exige que l'on déclare son intention de vendre à découvert avant de placer un ordre auprès d'une firme de courtage. Le vendeur à découvert doit également maintenir dans son compte auprès de la firme un montant d'argent qui représente au moins 150% de la valeur au cours du marché des actions empruntées. Le courtier n'accorde pas de marge de crédit pour une vente à découvert bien que celle-ci soit faite dans un compte sur marge.

Un des risques de la vente à découvert est que le montant de la marge déposée par le client doit être majoré si le cours de l'action augmente de façon à avoir un solde en espèces auprès de la firme équivalant à 150% de la valeur au cours du marché de l'action.

INSTITUT CANADIEN DES VALEURS MOBILIÈRES

L'Institut canadien des valeurs mobilières est l'organisme d'éducation d'envergure nationale du commerce des valeurs mobilières; il est parrainé par l'ACCOVAM et par les Bourses de Montréal, de Toronto, de l'Alberta et de Vancouver.

L'Institut a son siège social à Toronto et des bureaux à Montréal, Calgary et Vancouver. L'Institut est un organisme sans but lucratif; il est financé par les frais d'inscription à ses cours et par les publications qu'il vend.

L'Institut canadien des valeurs mobilières offre plusieurs cours par correspondance. Le plus populaire est le "Cours sur le commerce des valeurs mobilières au Canada" offert cinq fois par an en versions française et anglaise auquel 60 000 candidats se sont inscrits depuis qu'il est offert, soit depuis 1964. L'ACCOVAM, les bourses et les commissions des valeurs mobilières exigent que les nouveaux vendeurs de valeurs mobilières passent ce cours avant de pouvoir négocier avec les épargnants. Ce cours est également offert aux autres employés des firmes de courtage, aux employés des institutions financières et des sociétés industrielles et commerciales ainsi qu'aux étudiants des universités et au public. Les candidats doivent remettre des devoirs et passer un examen surveillé à la fin du cours. Les candidats employés dans le commerce des valeurs mobilières doivent également passer un examen supplémentaire qui traite des lois et des règlements qui régissent le commerce des valeurs mobilières.

Le deuxième cours important de l'Institut, le "Cours sur le financement des investissements au Canada", est un cours avancé en deux parties, qui mène le personnel qualifié du commerce des valeurs mobilières au titre de FICVM (Fellow de l'Institut canadien des valeurs mobilières). Ce cours n'est offert qu'aux candidats qui ont réussi au Cours sur le commerce des valeurs mobilières au Canada. La Ire partie du CFIC couvre les sujets suivants: la Banque du Canada, le marché monétaire canadien, le financement des gouvernements et des sociétés, l'interprétation avancée des états financiers, la gestion de portefeuille, la vente aux institutions, les cycles et indicateurs économiques, les régimes de retraite et les régimes d'étalement du revenu imposable. Pour cette Ire partie (offerte en français et en anglais), les candidats doivent remettre trois devoirs et passer un examen surveillé. La IIe partie du CFIC couvre les sujets suivants: la planification successorale, les finances internationales, les parties du droit applicable au commerce des valeurs mobilières, la négociation des obligations, la conformité, l'analyse technique et le marché hypothécaire canadien. Cette IIe partie du cours (offerte par correspondance en français et en anglais) ne comporte pas de devoirs mais comprend trois examens.

L'institut a élaboré et il offre aussi les cours ou les examens suivants: le **Cours sur le marché des options au Canada,** cours par correspondance qui se termine par un examen. Il traite de la négociation des options d'achat et des options de vente sur le parquet des bourses au Canada et aux États-Unis; l'**Examen sur le marché des contrats à terme** qui porte sur la négociation des contrats à terme; l'**Introduction aux opérations,** cours qui traite des opérations effectuées par les firmes de courtage; et des examens spécialisés exigés pour le personnel du commerce qui se prépare à la profession d'associés, d'administrateurs et de dirigeants.

L'Institut publie également des fascicules pouvant intéresser les écoles et les épargnants. Ces fascicules sont "Comment lire les états financiers", "Le placement - termes et définitions" et "La fiscalité au Canada et l'épargnant". On peut obtenir sur demande une liste des publications de l'Institut.

LOIS PROVINCIALES SUR LES VALEURS MOBILIÈRES

Il y a, dans le commerce des valeurs mobilières, un grand nombre de lois et de règlements visant à protéger l'épargnant et à assurer des normes d'éthique professionnelle élevées. Cette protection est assurée à la fois par les organismes d'autoréglementation (OAR) tels que l'ACCOVAM et les bourses, et par les lois provinciales sur les valeurs mobilières dont l'application est assurée par les commissions des valeurs mobilières.

Les provinces ont adopté des lois sur les valeurs mobilières dans le but de réglementer la prise ferme, le placement et la vente de valeurs mobilières et de protéger aussi bien les acheteurs que les vendeurs de valeurs mobilières. Dans cette partie, le terme "Loi" sera employé pour désigner la loi sur les valeurs mobilières ou la loi sur la protection contre la fraude dans le commerce des valeurs mobilières d'une province.

Principes des lois provinciales sur les valeurs mobilières

Le principe fondamental sur lequel repose la législation canadienne du commerce des valeurs mobilières ne consiste pas, pour l'autorité provinciale, à approuver ou à désapprouver les mérites d'une émission de titres, mais à exiger de ceux qui offrent une émission au public un "exposé complet, véridique et clair" de tous les faits importants se rapportant à cette émission. Tant qu'une information jugée satisfaisante par la commission compétente n'a pas été donnée, il est illégal d'offrir des titres au public. Cette information est présentée normalement sous la forme d'un prospectus publié par la société et accepté pour dépôt par la commission.

En pratique, les lois provinciales sur les valeurs mobilières prévoient trois principes fondamentaux:

. l'inscription des personnes qui vendent des valeurs mobilières ou qui conseillent les épargnants et les investisseurs;

. l'exposé complet, véridique et clair de tous les faits importants;

. les enquêtes et poursuites des personnes qui enfreignent la loi.

INSCRIPTION

Le premier de ces trois grands principes est l'inscription de ceux qui vendent des valeurs mobilières ou qui conseillent les épargnants. Les commissions des valeurs mobilières ont la responsabilité d'inscrire ceux qui vendent des valeurs mobilières directement au public et elles ont le pouvoir de suspendre ou d'annuler toute inscription lorsqu'elles jugent que cela est dans l'intérêt du public.

Chaque firme de courtage, qui prend ferme ou vend des valeurs mobilières, doit être inscrite dans la province où ces valeurs doivent être vendues. De même, tout le personnel des ventes à l'emploi de firmes de courtage doit être inscrit auprès de la commission de la province où ces personnes exercent leurs activités.

Les pouvoirs de la commission s'étendent aussi à la constitution et aux activités des bourses. Aucune personne ou société ne peut exercer son activité comme bourse sans le consentement de la commission des valeurs mobilières de la province. De plus, la commission a des pouvoirs très étendus lui permettant d'édicter des règles et d'émettre des ordonnances visant les bourses.

INFORMATION

Toute personne ou société qui vend ou qui propose au public d'une province des valeurs mobilières qui sont placées pour la première fois est tenue de déposer auprès de la commission des valeurs mobilières de la province et de remettre à chaque acheteur un exemplaire du prospectus contenant un "exposé complet, véridique et clair" de tous les faits importants se rapportant à l'émission.

Le principe de l'information se retrouve également dans les dispositions des lois, des règlements et des instructions générales de plusieurs provinces qui traitent des déclarations des initiés, de la circulaire d'information requise lors de la sollicitation de procurations, de l'envoi régulier de rapports financiers de la société et de l'information occasionnelle concernant les changements importants survenus dans les affaires de la société.

Les opérations des initiés

Généralement, les lois des provinces exigent que les initiés d'une société ouverte ou d'un émetteur déposent des déclarations sur les opérations qu'ils ont effectuées sur les titres de la société. Cette exigence repose sur le principe selon lequel les actionnaires et les autres personnes intéressées doivent être régulièrement informés des opérations des initiés sur le marché. De plus, les initiés qui utilisent des renseignements confidentiels sont passibles de poursuites en dommages et intérêts et peuvent avoir à rendre compte de leurs profits.

Procurations et sollicitation de procurations

Les lois de plusieurs provinces exigent que la direction d'une société sollicite de ses actionnaires dont l'adresse sur ses registres indique qu'ils habitent dans la province, des procurations pour voter chaque fois qu'elle convoque une assemblée d'actionnaires et qu'elle fournisse en même temps aux actionnaires une circulaire d'information. Ces règlements découlent du fait que le contrôle effectif de nombreuses sociétés est obtenu par l'usage de procurations pour voter et que, dans ce domaine, la direction d'une société peut abuser de la situation en sollicitant des procurations sans fournir l'information voulue.

Les circulaires d'information doivent indiquer si la personne ou la société qui donne la procuration a le droit de la révoquer ou non et si la sollicitation de procurations est faite pour le compte de la direction ou non. Ces circulaires doivent aussi contenir, entre autres, des précisions sur les administrateurs devant être élus et sur la rémunération de la direction, une description des questions à l'ordre du jour de l'assemblée, des détails sur la façon dont l'actionnaire doit remplir la procuration y compris son droit de donner des instructions à un mandataire de voter pour ou contre une proposition particulière mentionnée sur la procuration.

Rapports financiers

Le principe fondamental est que des renseignements financiers détaillés au sujet d'une société doivent être mis à la disposition des actionnaires au moyen de rapports annuels et provisoires publiés dans les plus brefs délais..

Information occasionnelle

L'objet est de s'assurer que tous les épargnants sont placés sur un pied d'égalité en ce qui concerne la connaissance des faits importants relatifs à une société dont les titres sont détenus dans le public. Par conséquent, on encourage la divulgation immédiate de toute information importante par la voie des media. Les faits défavorables doivent être divulgués aussi promptement, aussi complètement et aussi clairement que les faits favorables.

Les changements ou événements importants comprennent:

. des changements effectifs ou projetés dans le contrôle de la société;

. l'acquisition ou la disposition, réelle ou projetée, de biens matériels;

. des prises de contrôle, fusions, consolidations ou réorganisations projetées;

. toute découverte, tout changement ou développement important dans les ressources, les techniques, les produits ou les contrats de la société qui influeraient considérablement sur ses bénéfices, soit en les augmentant, soit en les diminuant;

. des changements projetés dans la structure du capital, y compris les divisions d'actions et les dividendes-actions;

. l'indication d'un changement à la hausse ou à la baisse des bénéfices, d'une importance supérieure à la moyenne récente, et des changements apportés aux dividendes;

. tout autre changement important dans les affaires de la société qui pourrait vraisemblablement affecter considérablement la valeur de ses titres.

À ce propos, les diverses commissions ont le pouvoir d'ordonner l'arrêt des opérations sur un titre et peuvent aussi refuser, aux particuliers et aux sociétés, le droit de négocier.

ENQUÊTES ET POURSUITES JUDICIAIRES

Les commissions ont le pouvoir d'effectuer des enquêtes et d'entamer des poursuites judiciaires pour contraventions à la loi, tout en veillant à ce que celle-ci soit observée. Elles ont aussi le droit d'obliger les témoins à déposer lors d'une audience, de recueillir des témoignages donnés sous serment, de saisir des documents pour examen et, en fait, d'exercer plusieurs des pouvoirs d'un tribunal.

Les commissions n'ont pas le pouvoir d'exiger la restitution des sommes d'argent versées ni d'intervenir dans les différends entre les actionnaires de sociétés à responsabilité limitée. Cependant, elles peuvent suspendre, annuler ou révoquer l'inscription de quiconque, ordonner la cessation des négociations sur un titre et retirer le droit de le négocier dans la province. Un particulier ou une société dont l'inscription a été suspendue ou révoquée aura de grandes difficultés à reprendre ses activités dans le commerce des valeurs mobilières non seulement au Canada, mais aussi aux États-Unis. En outre, elles peuvent recommander que des accusations soient portées pour les contraventions aux lois sur les valeurs mobilières, ce qui peut entraîner une amende d'un montant important ou une peine d'emprisonnement, ou les deux à la fois.

DÉCLARATIONS ILLÉGALES POUR EFFECTUER UNE OPÉRATION

Il arrive parfois que des représentants trop avides de gains font des déclarations au moyen desquelles ils espèrent persuader leurs clients d'acheter un titre et ce, pour des motifs autres que la véritable qualité du placement lui-même. Ces déclarations sont souvent frauduleuses. Pour démontrer qu'il y a fraude, il doit être prouvé que la personne qui a fait une déclaration inexacte, l'a fait délibérément, la sachant inexacte ou ne se souciant pas qu'elle soit vraie ou non. Toutefois, comme certains genres de déclarations faites pour tromper les clients se répètent souvent, des dispositions précises ont été adoptées en vue d'empêcher les représentants de faire de telles déclarations. En voici quelques exemples.

. Sauf dans le cas de titres rachetables (ceux qui peuvent être remboursés, rachetés ou dont le remboursement peut être demandé par le porteur, par exemple les titres de fonds mutuels), il est illégal de déclarer qu'une personne quelconque revendra ou rachètera un titre offert en vente ou que son prix d'achat sera remboursé.

. Aucune personne ou société ne doit donner une garantie concernant le cours d'un titre dans l'avenir. Souvent, dans le passé, les vendeurs ont assuré à des gens crédules que "le cours de ce titre va doubler dans deux mois", etc. Certains vendeurs faisaient de telles déclarations parce que, en toute honnêteté, ils les croyaient vraies. Toutefois, elle sont maintenant illégales.

. Aucune personne ou société ne doit déclarer qu'un titre sera inscrit à la cote d'une bourse ou qu'une demande à cet effet a été ou sera déposée, à moins que la commission des valeurs mobilières n'ait donné son consentement par écrit concernant une telle déclaration.

. Aucune personne inscrite ne peut se servir du nom d'une autre personne inscrite sur des annonces ou d'autres formes de publicité à moins que cette dernière n'ait donné son autorisation par écrit ou qu'elle ne soit un associé, un dirigeant ou un mandataire de l'autre personne inscrite.

- Aucune personne ou société inscrite n'est autorisée à annoncer de quelque façon que ce soit qu'elle est inscrite et aucune personne non inscrite ne doit amener les gens à croire qu'elle est inscrite.

- En tout temps, personne ne doit déclarer que la commission a approuvé la valeur de placement d'un titre quelconque ou la situation financière, la compétence ou la conduite de quiconque est inscrit en vertu de la Loi.

RÉSUMÉ

En termes généraux, les firmes de courtage peuvent agir à titre de mandataires ou de contrepartistes dans les opérations sur titres. En tant que mandataire, une firme agit pour le compte d'un acheteur ou d'un vendeur mais elle ne possède pas les titres et perçoit des frais de courtage pour l'opération. Par contre, une firme qui se porte contrepartie possède les titres qu'elle achète ou vend aux investisseurs et le profit est inclus dans le prix de l'opération. L' "agent de change" fait normalement fonction de mandataire dans les opérations sur titres tandis qu'un "courtier" se porte habituellement contrepartie.

Les firmes de courtage, en leur qualité de "courtiers en valeurs", jouent un rôle important dans le placement de nouvelles émissions de titres auprès des investisseurs, en fournissant aux sociétés et aux gouvernements les fonds nécessaires pour accroître leur production de biens et de services.

La négociation des titres en circulation se fait sur le marché "hors cote" et sur les bourses. Le marché hors cote est essentiellement un réseau de firmes de courtage et d'institutions financières reliées par téléphone, téléscripteur et télex. D'autre part, une bourse est un marché organisé où la négociation se fait sur le "parquet" de la bourse. De nombreux règlements régissent la négociation sur ces deux marchés pour protéger les épargnants.

Il est relativement simple d'ouvrir un compte au comptant dans une firme de courtage. L'épargnant qui fait affaire avec des firmes membres des organismes d'autoréglementation (l'Association canadienne des courtiers en valeurs mobilières et les bourses) bénéficie de normes d'éthique élevées et de conseils professionnels en matière de placement. L'épargnant qui débute devrait se méfier des rumeurs et des "tuyaux pour devenir riche rapidement". Les méthodes de vente très agressives indiquent généralement un placement très risqué ou incertain.

Il existe un nombre considérable de lois et de règlements sur les valeurs mobilières visant à protéger les épargnants et à assurer des normes élevées de conduite professionnelle. Cette protection est assurée par les organismes d'autoréglementation (OAR) tels que l'ACCOVAM et les bourses et par les lois provinciales sur les valeurs mobilières qui sont appliquées par les commissions provinciales des valeurs mobilières.

Malgré ce niveau élevé de protection, la règle fondamentale "Renseignez-vous avant de placer votre argent" s'applique quand même. Les connaissances, le discernement et l'expérience sont nécessaires à l'élaboration d'un programme de placement rentable. On ne soulignera jamais assez l'importance des conseils professionnels et satisfaisants en matière de placement.

Enfin, il est intéressant de remarquer qu'il se négocie chaque année sur le marché boursier canadien des titres d'une valeur de plusieurs milliards de dollars. Toutes les opérations ne reposent à l'origine que sur un accord verbal entre négociateurs; pourtant les cas de malentendu sont très rares. Les accords passés entre les épargnants et les firmes de courtage sont de la même nature et habituellement ils sont eux aussi conclus verbalement au téléphone. "Votre parole est un engagement" et cet engagement lie les deux parties.

8   CATÉGORIES SPÉCIALES DE TITRES

Dans les chapitres précédents, nous avons examiné les catégories de titres les plus courantes, soit les obligations et les débentures, les actions privilégiées et les actions ordinaires. Il existe toutefois un certain nombre d'autres catégories spéciales de titres; elles seront examinées dans ce chapitre.

PLACEMENTS À COURT TERME

Afin de couvrir ses dépenses courantes ainsi que des dépenses imprévues, un épargnant devrait conserver un peu d'argent dans un compte d'épargne dans une institution financière. Les comptes à intérêt quotidien constituent un moyen pratique d'obtenir un rendement sur des fonds disponibles pendant de courtes périodes. Lorsqu'il dispose de fonds supplémentaires en plus d'une réserve en cas d'urgence, l'épargnant devrait examiner la gamme des autres moyens de placement à court terme afin de maximiser le rendement de ses fonds sans sacrifier la sécurité du capital.

Placements à court terme proposés par les institutions financières

Les intermédiaires financiers comme les banques et les compagnies de fidéicommis offrent divers moyens de placement à court terme. L'appellation de ces moyens de placement varie d'une institution à l'autre mais leurs caractéristiques restent essentiellement les mêmes. Étant donné que les placements minimums, les rendements et les échéances sont très diversifiés, l'épargnant doit faire le tour des institutions pour obtenir l'échéance et les modalités qui conviennent le mieux à sa situation personnelle. Les moyens de placement les plus connus sont regroupés en deux catégories générales données ci-dessous.

- **Dépôts à terme remboursables** - l'épargnant dépose une somme d'argent déterminée à un taux d'intérêt fixé à l'avance pendant une période définie, qui va généralement de 30 jours jusqu'à 6 ans. Habituellement, le dépôt minimum se situe entre 1 000 $ et 5 000 $ et les taux d'intérêt sont plus élevés que ceux d'un compte d'épargne véritable mais tiendront compte du montant déposé, de l'échéance et de la conjoncture du marché monétaire. En général, ce genre de dépôt peut être remboursé avant l'échéance mais à un taux d'intérêt réduit. Les certificats de dépôt à terme émis par les banques à charte sont un exemple de ces dépôts.

- **Dépôts à terme non remboursables** - à plusieurs égards, ces dépôts ressemblent aux dépôts à terme remboursables, sauf que des échéances plus longues, de 1 an à 6 ans, sont plus fréquentes et qu'ils ne sont généralement pas remboursables avant l'échéance, (sauf en cas de décès du déposant). Ce ne sont pas des placements intéressants pour l'épargnant qui aurait besoin des fonds avant l'échéance (bien qu'ils soient normalement acceptables en nantissement d'un emprunt). Leurs taux d'intérêt sont concurrentiels et varient en fonction du montant déposé, de l'échéance et de la conjoncture des marchés financiers. Les certificats de placement garantis des compagnies de fidéicommis constituent un exemple de ces dépôts.

Placements à court terme proposés par les courtiers en valeurs mobilières

Habituellement, les firmes de courtage peuvent aider à faire des placements à court terme, comprenant des titres du marché monétaire comme les bons du Trésor, les effets de commerce et les obligations à court terme. Dans certains cas, le montant minimum du placement peut être supérieur à celui des certificats de dépôt. Toutefois, ce facteur élargit la gamme des moyens de placement à court terme qu'un épargnant peut choisir pour maximiser son rendement.

Autres moyens de placement à court terme

L'exposé précédent ne vise pas à présenter de façon exhaustive les possibilités de placement à court terme. Un épargnant peut avoir plusieurs autres possibilités de placements; certains d'entre eux ayant parfois un taux de rendement extrêmement attrayant. Il faut procéder à un examen attentif avant de prendre un engagement, étant donné que les risques peuvent augmenter considérablement. Également, il peut n'y avoir aucune protection sous forme d'assurance ou d'autre caractéristique protectrice.

SOCIÉTÉS D'INVESTISSEMENT

Un fonds de placement est une société ou une fiducie dont la fonction consiste à gérer un pool de capitaux pour d'autres personnes contre rémunération. Le capital est constitué au moyen de la vente d'actions ou de parts à un grand nombre d'épargnants, et les sommes ainsi obtenues sont placées conformément aux politiques et aux objectifs d'investissement établis par le fonds. Les revenus du fonds proviennent des dividendes et des intérêts qu'il reçoit sur les titres qu'il détient et de tout gain en capital obtenu lors de la vente des titres.

Fonds mutuels

La catégorie de fonds la plus commune est celle des **sociétés d'investissement à capital variable** (SICAV) plus connues sous le nom de **fonds mutuels**. Les fonds mutuels ont un capital variable parce qu'ils vendent en permanence leurs propres actions ou parts de trésorerie aux épargnants. Ces actions sont offertes de façon continue, non pas par d'autres actionnaires sur le marché public ou sur le marché boursier, mais par le fonds lui-même.

Un fonds mutuel est une entreprise qui émet, offre d'émettre ou a en circulation des actions ou des parts qui confèrent à leur porteur le droit de recevoir, sur demande ou après un certain délai, une somme représentant sa part proportionnelle de l'actif net du fonds mutuel.

L'actionnaire d'un fonds mutuel a un droit permanent de retirer son placement, simplement en remettant ses actions au fonds lui-même. Ce droit porte le nom de **droit de rétrocession** et il constitue la caractéristique essentielle d'un fonds mutuel.

Pour calculer la valeur d'actif net par action, il suffit de soustraire le passif du fonds de son actif total (encaisse plus portefeuille à la valeur au cours du marché) puis de diviser le chiffre obtenu par le nombre total d'actions en circulation.

Le prix de rachat des titres d'un fonds mutuel est toujours très voisin de la valeur actuelle d'actif net par action du fonds. Les parts ou les actions sont vendues à la valeur d'actif net par action (ou valeur liquidative) plus des frais d'acquisition fixés à l'avance et allant de 0% à 9%. Pour la plupart des fonds, les frais de courtage sont imputés lors de l'achat des actions du fonds (frais prélevés sur les premiers versements); il n'y a alors aucuns frais de courtage lorsque les actions sont rachetées. Certains fonds n'imputent pas de frais de courtage lors de l'achat d'actions mais ils prélèvent ces frais lorsque les actions sont rachetées (frais de rachat).

S'il n'y a pas de frais de courtage à l'achat ou au rachat, il s'agit d'un fonds sans frais d'acquisition. Ce type de fonds est généralement offert par les compagnies de fidéicommis ou par les banques à charte, qui n'emploient pas de vendeurs pour vendre les actions du fonds.

Il ne faut pas confondre les frais d'acquisition des fonds mutuels et les frais de gestion. Pour chaque fonds, il y a des frais de gestion servant à payer les salaires des employés qui administrent le fonds et qui font les placements.

Sociétés d'investissement à capital fixe

À l'instar du fonds mutuel, la société d'investissement à capital fixe gère les fonds de ses actionnaires ou porteurs de parts en les plaçant dans une grande variété de titres. Cependant, contrairement au fonds mutuel dont les actions sont vendues et rétrocédées de façon permanente, le nombre d'actions ou de parts en circulation d'une société d'investissement à capital fixe reste relativement le même.

Les actions d'une société d'investissement à capital fixe sont vendues aux épargnants lors de la création du fonds. Le produit de cette vente est investi conformément aux objectifs et à la politique de placement du fonds.

Les offres supplémentaires d'actions du fonds sont rares sinon interdites par son acte constitutif. Les actions ordinaires ne sont pas rachetées sauf dans des cas exceptionnels tels que la liquidation du fonds. Ainsi, un fonds de placement géré ayant toujours le même nombre d'actions (ou dont le nombre d'actions change rarement) est connu sous le nom de **société d'investissement à capital fixe;** c'est ce qui le distingue de la **société d'investissement à capital variable** ou **fonds mutuel,** qui continue généralement d'émettre et de racheter ses actions.

Les acheteurs d'actions d'une société d'investissement à capital fixe paient une commission négociée lors de l'achat ou de la vente d'actions.

Les actions ou les parts de plusieurs des quelque 20 sociétés d'investissement à capital fixe du Canada sont négociées sur le parquet des bourses ou sur le marché hors cote, contrairement à celles des fonds mutuels qui sont émises et remboursées par le fonds lui-même. Ainsi, lorsqu'on achète des actions d'une société d'investissement à capital fixe, c'est le vendeur qui reçoit le montant payé à l'achat des actions en circulation de ce fonds, tandis que les sommes payées lors de l'achat d'actions d'un fonds mutuel sont versées directement au fonds et s'ajoutent à son portefeuille de placements.

Ce rapport direct entre le prix des actions d'un fonds mutuel et la valeur au cours du marché de son portefeuille de placements contraste avec le cours du marché des actions des sociétés d'investissement à capital fixe, qui se négocient généralement à des prix bien inférieurs à la valeur liquidative de leur portefeuille. Ces prix inférieurs s'expliquent par le fait que, du point de vue du marché, une société d'investissement à capital fixe est une entreprise active qui ne sera probablement pas liquidée et dont les titres ne seront pas réalisés à leur valeur liquidative courante. Le rachat continu qu'effectuent les fonds mutuels assure toutefois un rapport étroit et constant entre le prix de rachat de leurs actions et l'évaluation courante de leur portefeuille.

Les sociétés d'investissement à capital fixe les plus importantes sont notamment: Canadian General Investments, United Corporations, Third Canadian General Trust et Dominion and Anglo Investment Corporation.

La **société de portefeuille** constitue une catégorie spéciale de société d'investissement à capital fixe. Celle-ci, contrairement à la société d'investissement à capital fixe classique, cherche généralement à obtenir un certain contrôle sur les sociétés dont elle détient des titres. Le nombre de sociétés de portefeuille tend donc à être considérablement plus petit que le nombre de sociétés d'investissement à capital fixe classiques. Voici les noms de quelques sociétés de portefeuille canadiennes: Corporation de développement du Canada, British Columbia Resources Investment Corporation, Canadian Pacific Investment, Genstar Corporation et Power Corporation of Canada.

Étant donné qu'elles constituent la catégorie de fonds de placement la plus importante, nous ne ferons référence, lorsque nous utiliserons le terme "fonds" dans ce chapitre, qu'aux sociétés d'investissement à capital variable.

CATÉGORIES DE FONDS MUTUELS

Les principaux objectifs de placement du fonds sont exposés dans son prospectus. Ils indiquent notamment le degré de sécurité ou de risque acceptable, la priorité accordée au revenu ou aux gains en capital en tant qu'objectif principal du fonds. Le prospectus indique la répartition des principales catégories de titres contenues dans le portefeuille. Leurs différents objectifs de placement permettent de classer les fonds en plusieurs catégories principales dont les suivantes:

1.   Les fonds à revenu fixe - dont les principaux objectifs de placement sont la sécurité du capital et un revenu élevé. Les placements de ces fonds comportent surtout des titres de bonne qualité, des dépôts à terme à rendement élevé, des titres d'emprunt des gouvernements et des sociétés, des hypothèques ainsi que quelques actions ordinaires et privilégiées à rendement élevé. Les possibilités de gain en capital sont limitées et le cours de leurs actions varie relativement peu. Exemple: Dynamic Income Fund.

2.   Les fonds équilibrés - dont les principaux objectifs de placement combinent la sécurité, le revenu et la plus-value du capital. Le fonds cherche à atteindre ces objectifs au moyen d'un portefeuille équilibré composé de valeurs à revenu fixe pour la stabilité et le revenu et d'un ensemble très varié d'actions ordinaires pour la diversification, le revenu de dividende et la plus-value du capital. La proportion respective des parties dynamique et défensive du portefeuille est rarement de 50 pour cent; en fait, les administrateurs des fonds ajustent le pourcentage de chaque partie du portefeuille en fonction de la conjoncture du marché et des prévisions. Exemple: Investors Mutual of Canada Ltd.

3. Les fonds d'actions - La plupart des fonds mutuels investissent principalement dans les actions ordinaires. Ils achètent de temps à autre des billets à court terme ou d'autres valeurs à revenu fixe en quantités limitées pour le revenu et la liquidité, mais la plus grande partie de l'actif est investie dans des actions ordinaires pour obtenir une plus-value du capital. Étant donné que les cours des actions ordinaires fluctuent plus que ceux des titres à revenu fixe, la valeur liquidative des titres des fonds d'actions tend à fluctuer beaucoup plus que la valeur du marché des fonds à revenu fixe ou des fonds équilibrés.

À l'instar des actions ordinaires, les fonds d'actions varient considérablement quant au degré de risque et au potentiel de croissance. Certains sont largement diversifiés et une grande partie de leur portefeuille est investie dans des actions ordinaires de premier ordre à rendement élevé; ils peuvent donc être classés dans les fonds d'actions ayant une politique de placement prudente. Exemple: Canadian Investment Fund Ltd.

De nombreux fonds d'actions adoptent une politique de placement un peu plus dynamique; par exemple, Industrial Growth Fund qui s'intéresse particulièrement aux valeurs américaines et canadiennes et qui recherche une croissance supérieure à la moyenne.

4. Les fonds spécialisés - dont les placements sont concentrés sur les actions d'un groupe de sociétés d'un même secteur industriel, d'une même région ou d'un même secteur du marché des capitaux. Bien que leur portefeuille présente un certain degré de diversification, ils sont plus vulnérables aux fluctuations cycliques du secteur industriel en question ou, s'ils ont un portefeuille composé de titres étrangers, à la valeur des monnaies. Un grand nombre de ces fonds tendent à être plus spéculatifs que la plupart des fonds d'actions. Exemple: AGF Japan Fund Ltd.

AVANTAGES DU PLACEMENT DANS LES FONDS MUTUELS

Les fonds mutuels présentent des avantages et des inconvénients pour ceux qui en achètent, et conviennent mieux à certains épargnants qu'à d'autres. Ils offrent les principaux avantages suivants:

. **Gestion professionnelle** et continue du portefeuille de placements du fonds par le gestionnaire.

. **Grande diversification** dans les placements pour le petit épargnant. Le portefeuille type d'un fonds important, par exemple, pourrait contenir 60 à 100 titres différents, ou plus, dans 15 à 20 secteurs industriels.

. **Différentes catégories de fonds** qui permettent d'atteindre un grand nombre d'objectifs de placement. Ces catégories vont du fonds à revenu fixe au fonds d'actions à politique dynamique.

. **Grand choix de plans d'achat** allant des achats par versement forfaitaire unique aux achats par petits montants en vertu d'un plan d'épargne. (Voir la section suivante).

. **Plusieurs options spéciales** dont le placement par réinvestissement des dividendes ainsi que le report d'impôt dans le cas des fonds enregistrés comme moyens de placement pour les REER.

. **Liquidité,** étant donné le droit conféré en permanence à l'actionnaire de rétrocéder ses actions contre de l'argent, dans la plupart des cas à la valeur d'actif net, le jour où elles sont présentées ou le jour suivant.

. **Possibilités de transfert** entre deux ou plusieurs fonds gérés par le même promoteur, généralement sans frais ou à peu de frais. On permet également le transfert entre différents plans d'achat proposés par le même fonds.

. **Planification successorale facilitée** - Un certificat d'actions de fonds mutuel représente un portefeuille largement diversifié qui fait l'objet d'une gestion profession- nelle permanente pendant la période de vérification des testaments, jusqu'à ce que les biens de la succession soient remis aux héritiers. En ce qui concerne les autres titres au contraire, il est possible qu'ils ne puissent être échangés pendant la période de vérification même si la conjoncture du marché change de façon considérable.

. **Nantissement de prêt** - Les actions des fonds mutuels sont généralement acceptées en garantie des prêts bancaires et pour les achats sur marge.

INCONVÉNIENTS DU PLACEMENT DANS LES FONDS MUTUELS

Pour la plupart des gens, le principal inconvénient des fonds mutuels est l'importance apparente des frais d'acquisition et de gestion (voir plus loin). Les autres inconvénients sont notamment les suivants:

. **Les fonds mutuels ne conviennent généralement pas comme placement à court terme.** La plupart des fonds favorisent le placement à long terme et, par conséquent, ne conviennent pas aux investisseurs à la recherche d'une croissance spectaculaire à court terme. En outre, les frais d'acquisition, déduits normalement des premiers paiements du titulaire d'un plan contractuel, rendent l'achat d'actions de fonds mutuels à court terme peu attrayant.

. **Les fonds mutuels ne peuvent servir de réserve en cas d'urgence.** Pour les mêmes raisons que ci-dessus, les actions de fonds mutuels ne conviennent pas comme réserve d'argent pour les cas d'urgence, particulièrement en période de recul ou de baisse cyclique du marché boursier, car la rétrocession pourrait résulter en une perte en capital.

. **La gestion professionnelle des placements n'est pas infaillible.** Les actions des fonds mutuels sont exposées aux revirements cycliques. Même si le fonds est géré de façon professionnelle, les choix de placements ne donnent pas toujours d'heureux résultats.

ACHAT D'ACTIONS DE FONDS MUTUELS

Méthodes d'achat

On peut acheter des actions de fonds mutuels soit au comptant par versements forfaitaires, soit par le réinvestissement des dividendes ou par divers plans d'épargne ou régime par répartition.

Achat au comptant par versements forfaitaires

L'achat direct au comptant permet à l'acheteur de ne pas acquérir les titres par lots réguliers étant donné que les frais d'acquisition sont calculés en fonction des sommes investies et non du nombre d'actions. De plus, la plupart des fonds vendent des fractions d'actions. Ainsi, si un acheteur désire placer 250 $ dans un fonds dont le prix par action est de 4 $, il recevra (frais d'acquisition exclus) 250 $ divisés par 4 $ = 62 1/2 actions ou parfois 62 actions et un crédit de 2 $ à valoir sur le prochain achat.

Sommes minimums fixées pour le premier achat

Les fonds fixent normalement une somme minimum qu'ils acceptent comme premier achat forfaitaire. La majorité des grands fonds mutuels fixent des sommes minimums variant entre 200 $ et 500 $, et même parfois 1 000 $. Les petits fonds peuvent demander des sommes minimums variant entre 50 $ et 200 $. Des montants minimums sont également fixés pour tous les achats au comptant ultérieurs (entre 50 $ et 100 $ environ).

Réduction des frais d'acquisition sur les achats importants et négociation de ces frais

Sur un achat à prix forfaitaire, les frais d'acquisition varient généralement entre 8% et 9% du prix de vente des actions jusqu'à certaines limites données (par exemple: United Accumulative Fund Ltd. - 9% sur les achats de moins de 25 000 $).

Afin d'attirer des épargnants aisés ainsi que des investisseurs institutionnels effectuant d'importants achats forfaitaires, la plupart des fonds vendent leurs actions suivant une échelle dégressive de frais d'acquisition à mesure que la somme investie augmente.

Certains fonds proposent des frais d'acquisition entièrement négociables sur des achats très importants. D'autres fonds proposent également des frais d'acquisition semi-négociables. Dans de tels cas, un barème est indiqué, mais il est stipulé que les frais d'acquisition ne doivent "pas dépasser" le taux indiqué dans ce barème. L'acheteur doit payer au moins les frais d'acquisition de base établis par le distributeur du fonds, mais il peut ensuite négocier, avec le courtier ou l'agent qui vend les actions du fonds, des frais d'acquisition inférieurs.

De nombreuses organisations de fonds mutuels accordent également des réductions sur les achats d'actions de deux ou plusieurs fonds affiliés au groupe, qui représentent dans l'ensemble un achat important effectué soit à un moment donné soit pendant une certaine période.

Afin d'empêcher les gros investisseurs de faire de la spéculation à court terme sur les actions du fonds, certains fonds mutuels imposent une pénalité pour la négociation à court terme. Lorsque les actions d'ordres très importants qui donnent droit à des frais d'acquisition variant entre 2% et 4%, sont rétrocédées dans les 90 jours suivants, ces ordres sont passibles de frais d'acquisition supplémentaires.

Réduction des frais de vente au moyen de "lettres d'intention"

Souvent, une réduction des frais d'acquisition est accordée, sur une promesse d'achat important, à un acheteur qui signe une "lettre d'intention" déclarant qu'il achètera des actions du fonds pour une somme et dans un délai fixés d'avance. Si, pour une raison donnée, il ne peut par la suite effectuer l'achat total stipulé dans la lettre d'intention, les frais d'acquisition normaux sont généralement applicables à la partie du programme réalisée.

Achat par réinvestissement des dividendes

De nombreux fonds réinvestissent automatiquement les dividendes dans de nouvelles actions du fonds à la valeur d'actif net courante, sans frais d'acquisition sur les actions ainsi achetées. La plupart des fonds ont également des dispositions qui permettent aux actionnaires de passer du retrait en espèces au réinvestissement des dividendes et vice versa.

Achat au moyen de plans d'épargne-achat

Plans d'épargne à versements variables (ou plans de compte courant)

La plupart des fonds permettent aux épargnants de faire des achats périodiques, souvent pour des montants différents. Ce genre de programme s'adresse aux épargnants qui ne peuvent faire de gros placements en espèces et qui ne veulent pas être obligés par contrat de placer des sommes fixes à des moments précis.

Les plans d'épargne à versements variables requièrent habituellement l'investissement d'une somme initiale minimum. Des sommes minimums sont également fixées pour les achats subséquents qui peuvent être effectués tous les trimestres ou périodiquement suivant le plan choisi. Les frais d'acquisition sont normalement fixés aux pourcentages applicables à chaque achat d'actions distinct. Ceux qui investissent dans les plans d'épargne à versements variables peuvent cesser leurs versements n'importe quand, sans pénalité, et rétrocéder leurs actions quand ils le désirent, généralement sans frais supplémentaires.

Plans d'épargne à versements fixes ou plans contractuels

Les épargnants qui choisissent ce genre de plans s'engagent par écrit à acheter des actions pour des sommes précises à des intervalles fixés durant un nombre d'années déterminé d'avance (généralement 10 ou 20 ans). L'épargnant peut mettre fin au contrat (mais non le fonds mutuel) n'importe quand moyennant des frais minimes. Pour les plans à versements fixes, tout comme pour les plans à versements variables, la totalité des dividendes est normalement réinvestie pour acheter des actions supplémentaires pendant la durée du plan, les frais d'acquisition n'étant habituellement pas prélevés sur de tels achats.

Calcul du prix de vente

La plupart des fonds mutuels calculent les frais d'acquisition en fonction du **prix de vente** plutôt que de la **valeur d'actif net** par action (V.A.N.P.A.) ou du **prix de rachat**. La V.A.N.P.A. est généralement la seule cotation relative aux fonds publiée dans la presse financière.

Pour calculer le prix de vente d'un fonds, il faut connaître la valeur d'actif net par action (13,27 $ dans notre exemple) ainsi que les frais d'acquisition (8 1/2% dans notre exemple); il faut ensuite appliquer la formule suivante:

$$\text{Prix de vente} = \frac{\text{Valeur d'actif net}}{100\% - \% \text{ des frais d'acquisition}}$$

$$\text{Donc: Prix de vente} = \frac{13,27\ \$}{100\% - 8,5\%}$$

$$= \frac{13,27\ \$}{1 - 0,085} = \frac{13,27\ \$}{0,915} = 14,50\ \$$$

D'autre part, les frais d'acquisition, qui sont de 8 1/2% du prix de vente, représentent

$$\frac{0,85}{9,15} \times 100\% = 9,3\%$$

de la valeur d'actif net (ou du montant net investi).

Les commissions des valeurs mobilières provinciales exigent que les tarifs pour les frais d'acquisition soient exprimés, dans les prospectus, (i) en pourcentage du montant versé par l'acheteur (c.-à-d. du prix de vente) et (ii) en pourcentage du montant net investi (c.-à-d. de la valeur d'actif net).

Les frais d'acquisition servent exclusivement à rémunérer ceux qui vendent les actions d'un fonds. Si un fonds pour lequel les frais d'acquisition sont de 8 1/2% est vendu par la propre équipe de vente d'un distributeur, ce dernier verse généralement entre 6% et 7 1/2% à ses vendeurs et garde le reste. Si le fonds est vendu par l'intermédiaire d'un agent de change ou d'un courtier en valeurs mobilières, ces derniers reçoivent habituellement une commission de 6 1/2% et le solde de 2% va au distributeur.

Frais de gestion

Le montant des frais de gestion prélevés au Canada varie beaucoup. Il peut s'agir d'un pourcentage fixe sur l'actif net géré Par exemple, "des frais annuels maximums de 3/4% de la moyenne quotidienne de la valeur d'actif net calculée, payée le dernier jour de chaque mois". Le pourcentage décroissant est toutefois beaucoup plus courant que le pourcentage fixe; plus la valeur d'actif net du fonds augmente et atteint des niveaux élevés fixés d'avance, plus le pourcentage baisse.

RACHAT D'ACTIONS DE FONDS MUTUELS ET PLANS DE RETRAIT

Calcul du prix de rachat

Les fonds mutuels rachètent leurs actions sur demande écrite, à un prix égal ou voisin de la valeur d'actif net par action (V.A.N.P.A.).

La V.A.N.P.A. est le montant que les actionnaires devraient théoriquement recevoir pour chaque action si le fonds vendait la totalité de son portefeuille de placements à la valeur au cours du marché, recouvrait tous ses comptes débiteurs, payait toutes ses dettes et distribuait le reste aux actionnaires. C'est le montant réel - sous réserve, le cas échéant, de frais de rétrocession - qu'un actionnaire reçoit lorsqu'il rétrocède ses actions.

Exprimée en une formule simple:

$$\text{V.A.N.P.A.} = \frac{\text{Actif total (y compris le portefeuille à la valeur au cours du marché) MOINS passif total}}{\text{Total des actions en circulation}}$$

Les commissions des valeurs mobilières exigent que tous les fonds mutuels canadiens effectuent le paiement dans les sept jours qui suivent la date à laquelle la valeur d'actif net utilisée pour le rachat a été établie. Toutefois, des suspensions de rachat peuvent être autorisées.

Presque tous les fonds se réservent le droit, dans certains cas urgents ou exceptionnels, de suspendre ou de différer l'exercice du privilège de rétrocession d'un actionnaire. Ceci peut survenir, par exemple, lorsque les opérations sur un titre détenu par le fonds sont suspendues. Les fonds mutuels canadiens n'ont jamais usé de ce droit jusqu'à présent.

En ce qui concerne les actionnaires de fonds mutuels ayant souscrit à un plan avec frais à la rétrocession, les frais sont déduits dans le calcul de la valeur d'actif net par action lors de la rétrocession.

Plans de retrait systématique

Pour aider les épargnants qui disposent d'une certaine somme mais qui ont besoin d'un revenu immédiat plus important que ce que cette somme pourrait leur rapporter en intérêts, de nombreux fonds offrent un ou plusieurs plans de retrait systématique.

En termes simples, une certaine somme est investie dans un fonds avec l'intention de retirer graduellement une partie ou la totalité du capital investi plus les dividendes pendant une période déterminée. Ces retraits peuvent être faits tous les mois, tous les trimestres ou à d'autres intervalles prédéterminés.

Si le fonds fait de bons placements et que la valeur de son portefeuille augmente, la valeur accrue des actions du fonds aide à compenser la diminution de capital résultant des retraits planifiés au cours de la période fixée. Toutefois, le capital de l'épargnant diminue si la valeur d'actif net par action du fonds n'augmente pas plus vite que les retraits. Il existe en fait un risque réel d'épuisement du capital qui doit être signalé à chaque épargnant qui envisage de souscrire à un plan de retrait.

PROSPECTUS DU FONDS MUTUEL

Remise du prospectus

Un prospectus ou une note d'information sommaire à jour doit toujours être envoyé ou remis à l'acheteur d'actions de fonds mutuels - tant dans le cas de versements forfaitaires que dans celui d'un plan contractuel. Les lois sur les valeurs mobilières exigent l'envoi par la poste ou la remise du prospectus à l'acheteur au plus tard le deuxième jour ouvrable qui suit celui où un contrat d'achat a été passé. Toutefois, la pratique courante est de veiller à ce que l'acheteur ait un prospectus au plus tard lors de l'achat. On l'adopte en raison des "Droits de résolution et de résiliation" (voir plus loin dans le texte) et parce que le prospectus lui-même est un excellent outil de vente, renseignant l'acheteur sur la nature du fonds et sur ses titres.

En vertu des lois de certaines provinces, un fonds mutuel peut déposer une note d'information sommaire distincte qui doit être un exposé concis de certains renseignements essentiels qui doivent être divulgués dans le prospectus tels que le facteur de risque, les honoraires de gestion, la description des actions offertes, le mode de placement, etc.

La note d'information sommaire est un document d'information facultatif et, si elle a été déposée avec un prospectus qui a été approuvé par la commission des valeurs mobilières, elle peut être envoyée par un courtier aux épargnants à la place du prospectus. Toutefois, le courtier est tenu de fournir un exemplaire du prospectus du fonds sur demande.

Contenu du prospectus d'un fonds mutuel

Le prospectus d'un fonds mutuel est normalement plus court et plus simple que le prospectus d'une émission de société industrielle car la composition du capital et les opérations d'un fonds sont relativement moins complexes. Il comporte généralement trois parties:

(i) les points saillants relatifs au fonds et à ses titres;

(ii) des détails techniques sur le fonds et sa méthode d'exploitation; et

(iii) les états financiers vérifiés des derniers exercices.

Le prospectus d'un fonds contient également des renseignements importants tel que:

. la nature des affaires du fonds;

. les facteurs de risque;

. le régime fiscal;

. les honoraires de gestion;

. la composition du portefeuille;

. le prix des titres vendus ou rachetés ainsi qu'un exposé détaillé de la méthode et de la fréquence de calcul de la valeur d'actif net du fonds et le moment où ces prix entrent en vigueur.

L'explication complète de toute différence entre le prix de souscription et le prix de rachat est obligatoire. Les frais d'acquisition doivent être exprimés en pourcentage du montant total payé par l'acheteur et du montant net investi et les frais de rétrocession doivent être exprimés en pourcentage du prix de rachat, aussi bien pour les petits ordres que pour les gros.

Des précisions à propos des frais d'acquisition sur les achats effectués par réinvestissement des dividendes ainsi que sur les achats effectués en vertu de plans contractuels doivent être données. Le moment où les frais d'acquisition sont déduits en vertu d'un plan contractuel doit également être indiqué. S'il y a lieu, les modalités de remboursement des frais d'acquisition si un plan contractuel est résilié avant l'échéance doivent obligatoirement être exposées. Toutes les exigences d'un fonds relatives au réinvestissement des dividendes et, finalement, la pénalité éventuelle en cas de rachat anticipé doivent être indiquées.

FISCALITÉ ET FONDS MUTUELS

Imposition des revenus

De manière générale, les règlements fiscaux canadiens sont conçus de façon que les fonds mutuels canadiens bénéficient de la transparence fiscale, ce qui fait que les revenus de placement d'un fonds et ses gains en capital nets passent à ses actionnaires sans double imposition.

Chaque année, les porteurs de parts d'un fonds commun de placement reçoivent un formulaire T3 et les actionnaires un formulaire T5 envoyé par le fonds et indiquant tous les revenus versés au cours de l'année, y compris les dividendes réinvestis. Les deux formulaires indiquent la catégorie de revenu versé - revenu provenant de l'étranger et intérêts canadiens, dividendes et gains en capital. Chacune de ces catégories est imposée au taux personnel du porteur de titres l'année où il les reçoit, sous réserve de la déduction de 1 000 $ relative aux dividendes et aux intérêts, du dégrèvement fiscal pour dividendes et de la déduction relative aux gains en capital (la moitié).

Gains ou pertes en capital à la rétrocession

Lorsqu'une personne ayant investi dans un fonds mutuel rétrocède ses actions ou parts, cette opération est considérée, aux fins de l'impôt sur le revenu, comme étant une disposition donnant lieu à un gain en capital imposable ou à une perte déductible. De tels gains ou pertes en capital sont soumis aux lois de l'impôt et aux exemptions qui s'appliquent et qui sont expliquées dans le chapitre sur les actions privilégiées.

ÉVALUATION DES RÉSULTATS OBTENUS PAR LES FONDS

Pour évaluer les résultats d'un fonds mutuel, on se base le plus souvent sur la valeur d'actif net par action. La V.A.N.P.A. calculée au début d'une période donnée est comparée à celle qui est déterminée à la fin de cette période. Cette méthode se fonde habituellement sur plusieurs suppositions: notamment, que tous les dividendes ont été réinvestis. L'augmentation ou la diminution à la fin de la période est ensuite exprimée en pourcentage de la valeur initiale.

L'étude mensuelle publiée dans le Financial Times of Canada (F.T.) est une source d'information facilement accessible sur les résultats des fonds. Les tableaux présentés dans le F.T. donnent les taux de rendement annuels composés des actions de fonds de placement et des comptes d'épargne spéciaux garantis. La valeur d'actif net utilisée dans les calculs représente le montant que recevrait un épargnant qui rétrocèderait ses actions au fonds, les frais étant exclus. D'autre part, on tient compte, dans le calcul du taux de rendement, des dividendes et gains en capital accumulés depuis le début de la période étudiée et on présume que les dividendes ont été réinvestis pendant le mois où ils ont été versés. On ne fait aucun rajustement en fonction des divers frais d'acquisition ou frais administratifs, mais les rompus d'actions sont pris en considération.

Les fonds traités dans l'étude du F.T. sont rassemblés en groupes différents. L'extrait ci-après donne la liste des fonds d'actions à variabilité élevée (c'est-à-dire ceux dont les taux de rendement ont tendance à fluctuer considérablement et qui, par conséquent, obtiennent de bons résultats dans les marchés en hausse et de mauvais dans ceux en baisse).

SONDAGE SUR LES FONDS MUTUELS POUR LES PÉRIODES
SE TERMINANT LE 30 NOVEMBRE 1985

Equity funds	Net asset value	% Invested in foreign securities	Total assets $ mill	Dividends	Tax shelter codes	Max. sales fee	% chg. mo.	% chg. 3 mo.	Annual compound rates of return 1 yr.	3 yr.	5 yr.	10 yr.
High variability group												
Funds with restricted tax shelter eligibility												
AGF Special Fund Ltd.	12.05	76	113		GN	9.00	7.7	7.3	33.6	19.3	14.8	26.7
Bullock Amer. Fund	6.11	97	6		GN	9.00	6.8	4.6	32.9	10.8	6.1	...
Dixon Krogseth International	18.05	77	1		G	3.00	7.6	5.7	40.7	9.9	3.7	14.2
Investors Japanese Growth Fund	25.41	84	110	0.050	G	8.50	6.1	25.3	30.6	23.3	19.8	17.7
HIGHEST IN GROUP							7.7	25.3	40.7	23.3	19.8	26.7
LOWEST IN GROUP							6.1	4.6	30.6	9.9	3.7	14.2
AVERAGE OF GROUP							7.1	10.7	34.4	15.8	11.1	19.5
Funds with tax shelter eligibility												
Bullock Growth Fund	2.13	3	9		RGN	9.00	4.4	−1.8	15.1	7.2	−2.3	12.9
Canadian Gas & Energy Fund Ltd.	7.31	4	35		RGN	9.00	4.4	−3.4	10.9	4.1	−8.8	14.2
Corporate Investors Stock Fund	7.06	1	10		RGN	9.00	4.0	−0.8	30.6	22.2	4.0	18.7
Dixon Krogseth Trust	12.83	8	5		RGN	3.00	7.6	−2.1	12.7	6.2	−3.2	14.4
Growth Equity Fund Ltd.	8.19	1	114		RGN	9.00	6.8	1.0	30.1	19.3	1.7	21.8
Heritage Fund	3.83		2		R		8.2	2.7	16.6	4.6	−3.9	10.8
International Energy Fund	3.22		1		RN	9.00	5.6	4.5	16.3	12.4	7.7	10.9
PH&N Canadian Fund	17.23		12		PRG	2.00	8.6	5.9	30.8	25.1	10.0	18.4
Royal Trust E Fund	7.47		15	0.002	RG	NL	5.8	−1.1	13.5	4.2	−2.4	...
Royfund Equity Ltd.	17.15	8	240		RG	NL	6.3	3.4	29.2	25.4	8.3	17.3
Universal Svgs Natural Resource	6.44	6	15		RG	9.00	4.3	−2.6	17.6	10.2	−0.2	, ...
HIGHEST IN GROUP							8.6	5.9	30.8	25.4	10.0	21.8
LOWEST IN GROUP							4.0	−3.4	10.9	4.1	−8.8	10.8
AVERAGE OF GROUP							6.0	0.5	20.3	12.8	1.0	15.5

© Financial Times of Canada, 1985

Ces données sont reproduites avec la permission spéciale du Financial Times.

Source: Financial Times of Canada

Le Financial Times publie également "RRSPs 1986: The Authoritative Guide to the Best Retirement Savings Strategies" dans lequel l'auteur, Steven G. Kelman, analyste financier agréé indique les résultats obtenus par les fonds enregistrés, admissibles aux REER. En outre, le Financial Post publie une liste trimestrielle des résultats des fonds mutuels.

Risques de la comparaison des résultats

Il y a un certain nombre de pièges à éviter lorsqu'on évalue les résultats d'un fonds mutuel. Il faut savoir que: .

. la croissance passée de l'actif net d'un fonds est de l'histoire ancienne et qu'il n'y a aucune garantie que ce fonds pourra la maintenir ou l'améliorer surtout en période de repli général du marché;

. la comparaison des résultats de fonds ayant des objectifs de placement différents (par exemple, un fonds à revenu fixe et un fonds d'actions) donne des résultats trompeurs;

- la comparaison des taux de rendement pour une période de moins de cinq ans peut induire en erreur;

- l'utilisation des frais d'acquisition comme critère de comparaison peut aussi induire en erreur. Le fonds pour lequel les frais d'acquisition sont les moins élevés n'est pas nécessairement le mieux géré.

Dernières considérations

La décision de savoir si le portefeuille d'un épargnant devrait contenir des actions de fonds mutuels dépend de sa situation et de ses objectifs. En effet, un fonds mutuel revêt un certain attrait pour le petit épargnant dont le capital est trop restreint pour permettre une diversification satisfaisante. D'autre part, certains épargnants ont ouvert la partie dynamique de leur portefeuille avec des actions de fonds mutuels pour obtenir une diversification. Par la suite, à mesure que leur capital a augmenté, ils ont changé pour des titres individuels. Certains épargnants achètent des actions de fonds mutuels parce qu'ils reçoivent des dividendes d'une seule source et qu'ils n'ont pas besoin de surveiller des titres individuels.

OPTIONS NÉGOCIÉES EN BOURSE

Dans le domaine du placement, les options d'achat et de vente sur actions ordinaires sont offertes depuis longtemps. Toutefois, ce n'est qu'au cours des années 1970 que la négociation d'options cotées a commencé sur plusieurs marchés boursiers américains reconnus. Par la suite, les options négociées en bourse sont devenues de plus en plus populaires, offrant aux investisseurs une source éventuelle de revenus ou de gains en capital.

Qu'est-ce qu'une option négociée en bourse?

Une option est un contrat formel qui donne à son détenteur le droit mais pas l'obligation d'acheter ou de vendre, selon le cas, une certaine quantité d'une valeur (un titre, une devise, une marchandise ou un indice boursier), à un prix et dans un délai fixés d'avance. Il existe deux genres d'options: l'option d'achat qui donne à l'acheteur le droit d'acheter une valeur et l'option de vente qui donne à l'acheteur le droit de vendre une valeur.

Quelques termes fondamentaux

La personne qui donne ou vend un contrat d'option s'appelle un vendeur. La personne qui achète ce contrat est connue sous le nom d'acheteur. La valeur visée par le contrat, dans le cas d'options sur actions, est appelée le produit faisant l'objet de l'option et, ordinairement, chaque contrat d'option vise 100 actions ordinaires du produit faisant l'objet de l'option. Le prix auquel on peut acheter ou vendre l'action conformément aux conditions du contrat est le prix de levée et le jour où le contrat arrive à échéance est connu sous le nom de jour d'échéance.

Un autre terme important utilisé dans la négociation des options est "le prix de l'option" que l'acheteur d'un contrat d'option verse au vendeur en contrepartie de l'option.

Caractéristiques fondamentales du contrat d'option

L'acheteur n'est pas obligé de lever l'option et il ne le fera normalement pas à moins d'y trouver un avantage pécuniaire. Si l'acheteur ne lève pas ou ne vend pas l'option avant le jour d'échéance, le droit d'option expire et le contrat devient nul. La personne qui vend l'option (à titre de vendeur) doit être disposée à respecter les conditions du contrat si l'option est levée au cours de la durée de l'option.

(i)   Exemple d'un contrat d'option d'achat sur actions

Exemple: option d'achat ABC juillet/50 à 5

Dans ce cas, l'acheteur a payé un prix de 500 $ (5 $ x 100 actions ordinaires de ABC) pour avoir le droit d'acheter au vendeur 100 actions ABC à 50 $ l'action jusqu'à une heure et une date précises, en juillet, où l'option arrivera à échéance si elle n'est pas levée.

L'acheteur de l'option d'achat espère que le cours du marché des actions ordinaires de ABC montera au-dessus de 50 $ au cours de cette période. Si cela se produit, l'acheteur peut soit vendre l'option d'achat en faisant un profit, soit lever l'option et acquérir ainsi 100 actions ordinaires de ABC à 50 $ l'action du vendeur. Si les actions de ABC sont achetées à 50 $ l'action, l'acheteur qui lève l'option peut soit conserver les actions soit les vendre sur le marché (en faisant un bénéfice).

D'un autre côté, le vendeur espère que le cours des actions ordinaires ABC demeurera légèrement au-dessous ou près de 50 $ l'action si bien qu'il ne sera pas avantageux pour le détenteur de lever l'option mais plutôt de la vendre avant la date d'échéance en juillet. Si l'option d'achat est vendue (ou si on la laisse arriver à échéance) le vendeur n'en sera pas touché. Dans tous les cas, le vendeur gardera les 500 $ que l'acheteur a versés pour l'option.

(ii)   Exemple d'un contrat d'option de vente sur actions

Exemple: option de vente BCD octobre/70 à 4

Le porteur de 100 actions de BCD peut considérer que le marché en général s'oriente à la baisse et s'inquiéter de l'évolution du cours du marché des actions ordinaires de BCD. Pour se protéger, le détenteur d'actions ordinaires de BCD achète le contrat d'option de vente mentionné ci-dessus à 400 $. Si l'action BCD baisse par exemple à 65 $, le détenteur de l'option de vente peut soit vendre l'option à profit ou la lever et vendre les actions de BCD à 70 $ l'action. S'il la lève, le vendeur est obligé de lui payer 7 000 $ pour les 100 actions BCD que le détenteur lui livre. L'acheteur a en fait "bloqué" le cours de ses actions BCD à 70 $ jusqu'à l'échéance de l'option de vente en octobre.

Par contre, il se peut que le cours de l'action BCD n'ait pas baissé pendant la durée de l'option de vente et que, par conséquent, cette option ne soit pas levée. En vendant l'option de vente, le vendeur a apparemment pensé que l'éventualité d'une baisse du cours était peu probable et que de toute façon le risque en valait la peine étant donné qu'il a reçu 400 $ de l'acheteur de l'option.

Marchés d'options et chambres de compensation

Les options sont vendues sur le marché hors cote au Canada, aux États-Unis et à l'étranger depuis plusieurs années, mais le faible volume des options négociées hors cote était à l'origine la conséquence d'un marché secondaire très restreint. La création de la première bourse d'options au monde à Chicago, le Chicago Board Options Exchange (CBOE), en 1973 a en grande partie remédié à ce manque de liquidité du marché des options. Cette bourse donnait aux détenteurs d'options une troisième possibilité en leur permettant de vendre leurs options sur le parquet du CBOE plutôt que de les lever ou de les laisser arriver à échéance.

Le succès immédiat du CBOE a amené d'autres bourses américaines à créer un secteur de négociation d'options sur leur propre parquet. Les options cotées se négocient actuellement aux Bourses de Philadelphie et de New York et à l'American et au Pacific Stock Exchanges.

Toutes les options cotées en bourse aux États-Unis sont émises et garanties par l'Option Clearing Corporation (OCC), organisme central et national. L'OCC émet les contrats d'option et en garantit le règlement; elle se charge également de jumeler les ordres d'achat d'option et les ordres de vente de sorte qu'il y ait un vendeur pour chaque acheteur d'option. La chambre de compensation garantit que le vendeur recevra le prix fixé et que l'acheteur sera en mesure de lever l'option sans difficulté.

Des options d'achat sur actions visant plusieurs centaines de valeurs et des options de vente sur plusieurs d'entre elles se négocient actuellement. Il existe également des options sur divers titres d'emprunt des États-Unis (par ex. les bons et les billets du Trésor) et devises.

Les options d'achat cotées portant sur plusieurs valeurs canadiennes sous option ont commencé à se négocier à la Bourse de Montréal en 1975 puis à la Bourse de Toronto au début de 1976. En 1977, les deux bourses canadiennes ont fusionné leur chambre de compensation d'options respective en un seul organisme appelé Trans Canada Options Inc. (TCO). Cette dernière est maintenant une filiale en propriété exclusive des Bourses de Montréal, Toronto et Vancouver. Au début de 1986, il y avait des options cotées sur un certain nombre d'actions canadiennes de premier ordre, des métaux précieux (ex. or et argent), des devises, des obligations du gouvernement du Canada et deux indices boursiers (l'indice composé TSE 300 et l'indice canadien du marché de la Bourse de Montréal).

Ailleurs dans le monde, des options cotées se négocient à Sydney en Australie, à Singapour, à Amsterdam et à Londres.

Caractéristiques des options sur actions négociées en bourse

Pour rendre les marchés d'options sur actions de sociétés de premier ordre plus efficaces, les bourses d'options ont introduit un éventail d'innovations, y compris l'uniformisation des jours d'échéance et des prix de levée.

La plupart des options sur actions négociées en bourse arrivent à échéance à l'un des quatre jours d'échéance fixés trimestriellement: par exemple, dans le cas de ABC, ces jours sont à la fin de janvier, avril , juillet et octobre. Les options visant les titres d'autres sociétés arrivent à échéance fin février, mai, août et novembre, et fin mars, juin, septembre et décembre.

Ces options sur actions se négocient en tout temps au cours des trois mois les plus proches des quatre mois d'échéance. Par conséquent, la durée de validité maximum d'une option sur actions cotée est d'environ neuf mois et il y a trois séries d'options ayant le même prix de levée mais un jour d'échéance différent qui se négocient; par exemple CDE octobre/45, CDE janvier/45 et CDE avril/45.

Si le cours des actions CDE fluctue considérablement, de nouvelles options ayant un prix de levée différent sont mises sur le marché pour être négociées. Supposons que le cours de l'action CDE monte à 47 1/2 $, une option CDE octobre, janvier et avril 50 sera donc alors créée et ainsi de suite. Si par contre ce cours baisse à 42 1/2 $, de nouvelles options CDE octobre, janvier et avril 40 sont alors inscrites. Ceci ne concerne pas les autres options qui sont actuellement négociées (c.-à-d. les trois options CDE 45) et qui continueront de l'être jusqu'à leur échéance.

Les options se négocient aux enchères sur le parquet de la bourse de la même façon que les actions. Toutes choses égales d'ailleurs, les cours varient en fonction de l'offre et de la demande à ce moment-là. Les ordres d'achat et de vente sont exécutés par l'intermédiaire des courtiers et les données statistiques relatives à ces négociations sont publiées dans la presse quotidienne.

L'investisseur qui ouvre un compte d'options dans une firme de courtage doit recevoir un document d'information sur les options soulignant certains facteurs de risque, avant que les ordres ne soient exécutés.

Marchés primaire et secondaire d'options

Une autre innovation des bourses d'options a été la création sur leur parquet d'un marché combinant les marchés primaire et secondaire d'options.

Sur le marché primaire, un acheteur d'options ouvre une nouvelle position-option en achetant une option qu'un vendeur a créée lors d'une vente initiale. Il s'agit dans les deux cas d'une opération initiale. Il faut se rappeler que, contrairement aux actions ou bons de souscription, les options sur actions ne sont pas émises par la société qui a émis la valeur sous option. Il n'y a pas de nombre fixe d'options en circulation: ce nombre dépend uniquement du nombre d'acheteurs et de vendeurs.

Sur le marché secondaire, un acheteur ou un vendeur peut décider de liquider sa position avant l'échéance de l'option. Pour ce faire, l'acheteur ou le vendeur effectue une opération liquidative ou compensatrice qui a pour effet d'annuler sa position-option précédente. Le tableau ci-dessous illustre ce système commun aux options d'achat et de vente:

Marché primaire	Marché secondaire
(1) Achat initial	peut être liquidé par une vente liquidative (2)
(3) Vente initiale (position vendeur)	peut être liquidée par un achat liquidatif (4)

Pour chaque achat d'options (voir (1) et (4) ci-dessus) le prix d'option doit être payé. Pour chaque vente (voir (2) et (3) ci-dessus) le prix de l'option est reçu. Une commission négociée doit également être payée par l'acheteur et le vendeur lorsqu'une option est levée.

FACTEURS INFLUENÇANT LE COURS DES OPTIONS (PRIX)

Le prix des options est établi en fonction de l'offre et de la demande, mais ceci est vrai uniquement lorsque tous les autres facteurs ne changent pas. Les prix des options, à un moment donné, découlent d'un équilibre complexe entre un certain nombre de facteurs dont nous citons ci-dessous les plus importants:

Valeur intrinsèque des options d'achat et de vente

La notion de **valeur intrinsèque** a été expliquée plus tôt dans le texte.

Dans le cas d'**options d'achat,** la valeur intrinsèque est le montant par lequel le cours de la valeur faisant l'objet de l'option d'achat dépasse le prix de levée de l'option d'achat.

Dans le cas d'**options de vente,** la valeur intrinsèque est le montant par lequel le cours de la valeur faisant l'objet de l'option de vente est inférieur au prix de levée de l'option de vente.

Cours du produit faisant l'objet de l'option

Dans le cas des options sur actions, le rapport entre le cours du marché de l'action et le prix de levée de l'option est un facteur primordial déterminant le cours du marché de l'option sur actions. Si, par exemple, l'action XYZ se vendait à 40 $, il faudrait s'attendre qu'une option d'achat XYZ juillet/35 ait une valeur intrinsèque d'au moins 5 $ par action (c.-à-d. que le détenteur de l'option d'achat pourrait lever son option d'achat de 35 $ l'action, vendre chacune des actions sur le marché à 40 $ en réalisant un profit de 5 $ par action, sans tenir compte du prix de l'option et du courtage). De la même façon, une option de vente XYZ juillet/50 devrait avoir une valeur intrinsèque d'au moins 10 $ l'action (c.-à-d. que le détenteur de l'option de vente pourrait acheter sur le marché public des actions XYZ à 40 $, lever son option de vente et vendre les actions à 50 $, réalisant ainsi un profit de 10 $ par action).

Valeur-temps des options d'achat et de vente

Toute différence entre le cours du marché de l'option et sa valeur intrinsèque est attribuée au temps qui reste à courir jusqu'à l'échéance; c'est ce qu'on appelle la valeur-temps. Ceci ne dépend que de l'optimisme de l'acheteur de l'option d'achat qui s'attend à ce que le cours de l'action monte (ou de l'optimisme de l'acheteur de l'option de vente qui espère que le cours de l'action va baisser avant la date d'échéance). Plus le jour d'échéance est éloigné - plus la valeur-temps est élevée. Si le cours du marché du produit faisant l'objet de l'option ne change pas, la valeur-temps de l'option déclinera continuellement à mesure que le jour d'échéance approche. En d'autres termes, une option est un "bien consomptible" ou une "course contre la montre".

Volatilité du cours du produit faisant l'objet de l'option

Le prix des options sur des actions dont les cours enregistrent les fluctuations les plus importantes est ordinairement plus élevé étant donné que l'acheteur a de meilleures chances de réaliser un bénéfice sur son investissement.

Orientation générale du marché

Si la tendance générale du marché est à la hausse et que l'optimisme règne, les prix des options dont l'échéance est proche tend à augmenter dans le cas d'options d'achat et à diminuer dans le cas d'options de vente. Le contraire se produit lorsque le marché est à la baisse.

RAISONS POUR LESQUELLES LES INVESTISSEURS ACHÈTENT ET VENDENT DES OPTIONS SUR ACTIONS

La variété et la complexité des stratégies de négociation d'options sont pratiquement illimitées. Nous nous en tiendrons ici à citer quelques-unes des raisons pour lesquelles les investisseurs achètent et vendent des options.

Pour les acheteurs d'options d'achat sur actions

- **Effet de levier** - L'acheteur d'une option d'achat sur actions peut profiter d'une hausse du cours de la valeur faisant l'objet de l'option pendant la durée de l'option à un coût (le prix de l'option) qui est une fraction seulement de ce qu'il aurait payé s'il avait acheté directement le produit faisant l'objet de l'option. L'acheteur peut déterminer d'avance la perte maximale, qui en l'occurrence est le prix payé pour l'option.

- **Afin de fixer un cours futur** - Les options d'achat sur actions peuvent être utilisées pour fixer ou déterminer d'avance le prix des actions faisant l'objet de l'option que l'acheteur souhaite acheter lors d'une rentrée d'argent prévue.

- **Achat d'options d'achat et placement de la différence** - Dans ce cas, l'acheteur d'options d'achat sur actions bénéficie de la hausse possible du cours des actions faisant l'objet de l'option en achetant une option d'achat visant ces actions. Il place le solde de ses fonds dans des titres à revenu fixe à court terme qui lui rapporteront un revenu immédiat.

Pour les acheteurs d'options de vente sur actions

- **Comme protection contre une baisse du cours de l'action** - L'épargnant qui détient une actions faisant l'objet de l'option peut acheter une option de vente sur ses actions comme protection contre une baisse possible de leur cours, "bloquant" ainsi le prix qu'il pourra en obtenir (s'il lève l'option) pendant la durée de l'option de vente.

- **En prévision d'une baisse du marché** - Un épargnant peut penser que le cours d'une action va baisser et achète par conséquent une option de vente sur cette valeur à un prix de levée voisin du cours du marché de ce titre. Si le cours de l'action baisse effectivement, il achète alors ce titre sur le marché au cours auquel il est tombé et lève l'option de vente au prix de levée qui est plus élevé, réalisant ainsi un profit.

Pour les vendeurs d'options d'achat sur actions

- **Revenu supplémentaire** - Supposons qu'un épargnant achète 100 actions XYZ à 33 $ et vende ensuite une option d'achat sur ces actions à un prix de levée de 35 $ et un prix de l'option de 4 $ par action. Le vendeur reçoit donc immédiatement 400 $ (courtage exclu) de revenu supplémentaire, sans compter les dividendes qui sont versés sur les actions XYZ. Toutefois, si l'option est levée, il devra vendre ces actions.

- **Protection contre une baisse du cours de l'action** - Le prix de l'option que le vendeur reçoit réduit le coût réel des actions XYZ à 29 $ (33 $ moins 4 $). Par conséquent, tant que le cours des actions ne tombe pas à moins de 29 $, le vendeur est dans une meilleure position du fait qu'il a vendu l'option d'achat (sans tenir compte du courtage).

- **Gain modeste si l'option est levée** - Au cas où les actions monteraient au-dessus de 35 $ avant le jour d'échéance de l'option d'achat, elle sera probablement levée. L'investisseur devra vendre ses actions, mais il recevra 35 $ par action. Comme le prix de l'option est de 4 $, le prix de vente réel d'une action, $, serait donc de 39 $ alors que son prix d'achat était de 33 $.

Les vendeurs à découvert d'options d'achat sur actions (c'est-à-dire qui ne possèdent pas le produit faisant l'objet de l'option mais qui versent une couverture suffisante de façon à pouvoir acheter le produit faisant l'objet de l'option si l'option est levée) ont d'autres possibilités de pouvoir profiter de l'effet de levier. Étant donné que ces opérations sont très spéculatives, elles ne s'adressent qu'aux négociateurs d'options avertis.

Pour les vendeurs d'options de vente sur actions

- **Revenu supplémentaire** - Le vendeur d'une option de vente reçoit le prix de l'option en contrepartie du risque qu'il est prêt à assumer s'il doit acheter les actions faisant l'objet de l'option.

- **Vente d'options de vente afin d'acheter des actions** - Il est possible qu'un investisseur désire détenir des actions d'une société donnée sans toutefois vouloir payer le cours qui prévaut pour ces titres. Il vend alors une option de vente sur ces actions à un prix de levée inférieur en espérant que cette option de vente sera levée. Si cela se produit, le vendeur achètera les actions au prix (inférieur) convenu. Si l'option de vente est levée, ce qui n'est pas garanti, le coût de ses actions sera le prix d'achat moins le prix de l'option qu'il a reçue.

OPTIONS SUR L'OR ET L'ARGENT NÉGOCIÉES EN BOURSE

En 1982, au Canada, deux bourses ont commencé la négociation des contrats d'options sur l'or portant sur 10 onces troy, à la suite de l'introduction en 1981 par l'European Options Exchange (EOE) à Amsterdam, Hollande, des options sur l'or. La négociation des options sur l'or a débuté à la Bourse de Montréal en février 1982 et à la Bourse de Vancouver en août 1982. Elle a aussi débuté au Sydney Stock Exchange à la fin de 1984. Ce marché comprend quatre bourses distinctes à Amsterdam, à Montréal, à Vancouver et à Sydney en Australie; les options sur l'or sont négociées à chacune d'entre elles à des séances de négociation différentes mais consécutives. En raison des différents fuseaux horaires en question, les options sur l'or sont négociées pendant plus de 18 heures chaque jour ouvrable. La chambre de compensation qui assure le traitement et la compensation des options est la Société internationale de compensation d'options (IOCC) à laquelle les quatre bourses sont affiliées.

En 1983, les options sur argent cotées en bourse ont d'abord commencé à se négocier à la B. de T. (contrats de 100 onces d'argent) et ensuite à la Bourse de Vancouver (contrats de 250 onces d'argent). L'Intermarket Service Inc. (IMS) est la chambre de compensation pour les options sur l'argent négociées à la B. de T. L'IOCC est la chambre de compensation pour les options sur l'argent négociées à la B. de V. et au S.S.E. En 1984, la négociation des options sur l'argent de la B. de T. a été transférée au Toronto Futures Exchange (TFE) qui occupe une partie du parquet de la B. de T. En 1985, l'American Stock Exchange (AMEX) à New York a également commencé la négociation d'options sur l'or donnant lieu à un réeglement en espèces.

Les stratégies de négociation des options sur l'or et sur l'argent sont semblables à celles des options sur actions (à savoir les 4 stratégies de base: achat d'options d'achat, achat d'option de vente, vente d'options d'achat et vente d'options de vente). Les spéculateurs sont attirés par ce marché en raison des possibilités de gain en capital alors que les détenteurs et les utilisateurs d'or et d'argent peuvent recourir à ce marché pour se couvrir ou protéger leurs positions en or ou en argent.

OPTIONS SUR DEVISES

La négociation des contrats d'options sur devises a commencé à la Bourse de Montréal en novembre 1982 sous forme d'options sur le dollar canadien (50 000 $ CAN par contrat). La négociation d'options sur la livre sterling, le mark allemand et le franc suisse a débuté en 1983. La négociation des options sur ces devises a également débuté à la Bourse de Philadelphie en 1982-1983 et au CBOE en 1985.

Les options sur devises offrent aux importantes sociétés canadiennes qui font surtout de l'exportation la possibilité de se protéger contre les fluctuations de cours des devises et aux spéculateurs des possibilités de gains en capital. Pour se protéger contre une hausse du dollar canadien, un investisseur achèterait des options d'achat sur le dollar canadien. Pour se protéger contre une baisse du dollar canadien, un investisseur achèterait des options de vente sur le dollar canadien.

OPTIONS SUR TITRES D'EMPRUNT

Les options sur obligations ont commencé à se négocier à la Bourse de Montréal en novembre 1982. Ces options portent sur les obligations du gouvernement du Canada dont l'échéance est d'au moins 18 ans et l'encours de l'émission, 1 milliard de dollars ou plus. Chaque option sur obligations porte sur 25 000 $ de valeur nominale à l'échéance de l'obligation faisant l'objet de l'option. Les stratégies sont analogues à celles employées pour les autres options mais dépendent de l'opinion qu'ont l'acheteur et le vendeur sur les variations prévues des cours des obligations. Au début de 1986, il y avait trois contrats d'option sur obligations qui étaient négociés, les obligations du gouvernement du Canada 9 1/2%, 2001 et 10 1/4%, 2004, à la Bourse de Montréal et les obligations du gouvernement du Canada 11 3/4%, 2003, à la Bourse de Toronto.

Aux États-Unis, il y a des options sur certains bons du Trésor (U.S. Treasury Bills), billets du Trésor (U.S. Treasury Notes) et obligations du Trésor (U.S. Treasury Bonds).

OPTIONS SUR INDICES BOURSIERS

En 1983, le Chicago Board Options Exchange est devenu la première bourse à négocier des options d'achat et de vente sur indice boursier (le Standard and Poor 100 Index).

Lorsqu'il achète une option sur indice, l'acheteur paie au vendeur le prix de l'option fixé. Lorsqu'une option sur indice est vendue ou levée, le règlement se fait en espèces et non pas par la livraison d'actions. Le vendeur de l'option sur indice boursier qui a été assigné est obligé de payer le détenteur qui lève son option un montant d'argent égal à la différence (en dollars) entre le niveau de clôture de l'indice faisant l'objet de l'option à la date de levée et le prix de levée de l'option, multiplié par un multiplicateur précis de l'indice (généralement 100).

Les options sur indice boursier ont pour but de permettre aux épargnants de profiter des fluctuations des cours sur le marché en général ou sur une section du marché en particulier, ou de s'en protéger.

Au début de 1986, il y avait des options sur un certain nombre d'indices boursiers américains. Il y avait des options sur l'indice composé TSE 300 à la Bourse de Toronto et des options sur l'indice canadien du marché, à la Bourse de Montréal.

RISQUES INHÉRENTS AUX OPÉRATIONS SUR OPTIONS

Les options cotées en bourse peuvent permettre d'atteindre divers objectifs allant d'un placement relativement prudent à la spéculation effrénée. On peut toutefois dire que ces opérations ne conviennent pas aux néophytes ou à ceux dont les moyens financiers sont limités étant donné le caractère souvent volatil du marché des options et la complexité des opérations sur ces titres.

Malgré la complexité et les risques inhérents à la négociation d'options, les options peuvent être un moyen de placement avantageux pour ceux qui connaissent bien le marché et qui ont des ressources financières suffisantes. Les épargnants intéressés à ce domaine devraient commencer par lire attentivement le document d'information sur les options soulignant certains facteurs de risque, les brochures et les communiqués relatifs aux options que diffusent les firmes de courtage.

Le **Cours sur le marché des options au Canada** offert par l'Institut canadien des valeurs mobilières permet de faire une étude approfondie du marché des options et de ses instruments. On peut se renseigner au sujet de ce cours auprès d'un bureau de l'Institut canadien des valeurs mobilières.

CONTRATS À TERME DE MARCHANDISES

Ce que sont les contrats à terme de marchandises

Les contrats à terme de marchandises sont des contrats standardisés qui prévoient la livraison d'une quantité précise d'une marchandise donnée au cours d'un mois donné. En plus de produits agricoles comme le blé et le maïs, le café, le cacao, ainsi que les porcins et bovins, les marchandises négociées sur le marché à terme comprennent quelques métaux (par exemple: l'or, le cuivre et l'argent), le bois et le contre-plaqué, certaines devises, le mazout, quelques titres financiers (par exemple: les bons du Trésor et les obligations du gouvernement). De nouveaux contrats sont assez régulièrement introduits sur les marchés à terme. Ces dernières années, les contrats à terme d'indice boursier (aussi appelés contrats à terme de titres financiers revenu variable) et les contrats à terme de taux d'intérêt (aussi appelés contrats à terme de titres financiers à revenu fixe) ont connu une croissance plus rapide.

ns les opérations sur contrats à terme de marchandises, il n'y a pas de transfert immédiat de propriété ou, dans la plupart des cas, de livraison de la marchandise. Autrement dit, sur un marché à terme, que vous possédiez ou non ces marchandises, vous pouvez les vendre et les acheter. En fait, la majorité des acheteurs et des vendeurs liquident leurs contrats avant le mois de livraison, ce qui fait que les livraisons matérielles sont rares et ne surviennent que dans 2% des cas environ.

Où sont négociés ces contrats?

En Amérique du Nord, le centre de négociation des contrats à terme est Chicago où se trouvent les deux plus grandes bourses de commerce (le Chicago Board of Trade et le Chicago Mercantile Exchange). Il y a également d'importantes bourses de marchandises à New York parmi lesquelles, le Commodity Exchange in New York (COMEX), le New York Mercantile Exchange, le New York Coffee and Sugar Exchange et le New York Cotto xchange.

Ces dernières années, la négociation des titres financiers a commencé au Chicago Board of Trade, à l'International Monetary Market, une division du Chicago Mercantile Exchange, au COMEX, au New York Futures Exchange (relié à de la Bourse de New York) et au Kansas City Board of Trade. Des volumes importants de contrats à terme de bons du Trésor à long terme se négocient actuellement au Chicago Board of Trade et de grandes quantités de contrats à terme d'indice boursier sont négociés au Chicago Mercantile Exchange (portant sur le Standard and Poor's 500 Index) et au Chicago Board of Trade (portant sur le Major Market Index). On y négocie également des options sur des contrats à terme américains (comprenant le T-Bond contract et certains contrats à terme d'indice boursier).

Au Canada, des produits agricoles comme le grain se négocient à terme à la Bourse de commerce de Winnipeg depuis de nombreuses années. Les contrats à terme d'or furent ajoutés en 1972, des options sur ces contrats en 1979 et des contrats à terme d'argent en 1981. En 1984, la Bourse de Montréal a commencé la négociation de contrats à terme de bois de sciage; en janvier 1986, elle a aussi commencé la négociation de contrats à terme d'or donnant lieu à un règlement en espèces plutôt qu'à la livraison de l'or même.

Au début de 1986, on négociait, au Toronto Futures Exchange (TFE),des contrats à terme de titres financiers portant sur les bons du Trésor à 91 jours du gouvernement du Canada et sur les obligations à long terme à 9% du gouvernement du Canada, des contrats à terme d'indice boursier portant sur l'indice composé TSE 300, un contrat de devises portent sur le dollar U.S. et un contrat de pétrole et de gaz portant sur l'indice du pétrole et du gaz du TSE.

Qui sont ceux qui opèrent sur le marché à terme?

Il y a deux catégories d'opérateurs qui interviennent sur le marché à terme:

(i) les opérateurs professionnels: ce sont des sociétés ou des personnes qui font le commerce des marchandises ou des titres financiers mêmes et qui passent des contrats à terme afin de protéger leur portefeuille et leurs gains éventuels sur le marché au comptant. Ce marché leur procure une forme d'assurance. Leur but n'est pas de gagner de l'argent mais d'éviter d'en perdre. En achetant des contrats à terme, ils peuvent récupérer une partie des pertes qu'ils peuvent subir sur les marchandises qu'ils détiennent advenant une baisse des prix. En achetant des contrats à terme, ils peuvent bloquer le prix actuel des marchandises qu'ils ont l'intention d'acquérir à l'avenir.

(ii) les spéculateurs: le grand public et les négociateurs professionnels ne font pas le commerce des marchandises mêmes. Ils utilisent plutôt leur capital de risque pour essayer de tirer profit des fluctuations de prix sur le marché à terme. Contrairement aux opérateurs professionnels, les spéculateurs font le commerce des contrats à terme dans l'intention de faire un bénéfice. Le spéculateur ne devrait engager que des capitaux qui, advenant leur perte, ne changeraient pas son mode de vie. Les fluctuations rapides des marchés à terme peuvent entraîner des pertes importantes comme elles peuvent offrir la possibilité de faire beaucoup d'argent.

Recours aux contrats à terme de titres financiers

Une caractéristique importante des contrats à terme financiers, qui permet de les utiliser comme moyen de protection ou de spéculation, est que le montant de la couverture exigé est relativement faible par rapport à la valeur nominale du bon du Trésor ou de l'obligation. La couverture, dans le cas des marchés à terme, diffère de la couverture plus connue à laquelle on recourt lors de l'achat de valeurs cotées ou non et ne devrait pas être considérée comme un paiement partiel sur la valeur à terme. La couverture sur les contrats à terme de marchandises et de titres financiers doit plutôt être considérée comme des arrhes ou une garantie de bonne exécution que le client verse à son courtier en garantie de l'exécution du contrat. À la rédaction de ces lignes (au début de 1986) la couverture minimale exigée lors de l'achat ou de la vente d'un contrat à terme d'obligation à long terme de 100 000 $ au Toronto Futures Exchange est de 1 000 $ pour les comptes d'opérateurs professionnels et de 2 000 $ pour les comptes de spéculateurs.

Pour les contrats à terme de bons du Trésor, la couverture minimale est de 1 000 $ pour les comptes d'opérateurs professionnels et de 1 500 $ pour les comptes de spéculateurs. Cet effet de levier important fait que de petites fluctuations quotidiennes des cours entraînent des gains ou des pertes considérables par rapport au montant initial de couverture versé. C'est ce qui motive les spéculateurs qui désirent avoir un rendement très élevé du capital qu'ils investissent et qui sont prêts à courir le risque de subir des pertes considérables en contrepartie. C'est aussi ce qui explique le fait que les opérateurs professionnels peuvent protéger d'importantes sommes d'argent à un coût relativement faible.

La négociation de contrats à terme est une opération spéculative, en butte à de nombreuses fluctuations et qui exige un montant considérable de capital de risque et une connaissance approfondie des contrats en question.

FIDUCIE D'INVESTISSEMENT À PARTICIPATION UNITAIRE

La fiducie d'investissement à participation unitaire est un fonds de placement qui émet des titres, appelés unités de fiducie, représentant une participation dans un important fonds commun de capitaux qui sont investis dans un ensemble de moyens de placement par des gestionnaires professionnels. Comme l'actionnaire ordinaire, le porteur d'unité reçoit un certificat négociable et transférable représentant le nombre d'unités détenues et a droit à un vote par unité. La propriété d'une unité de fiducie ne donne toutefois pas la sécurité de la responsabilité limitée et, à la différence de l'actionnaire ordinaire, un détenteur d'unités pourrait théoriquement être tenu responsable de certaines dettes contractées par le fonds. Cependant, étant donné l'intégrité des administrateurs du fonds et les garanties inhérentes prévues par les déclarations de fiducie qui régissent les opérations de fiducie, la possibilité que les détenteurs d'unités soient éventuellement tenus responsables est très réduite.

Tous les revenus que le fonds reçoit, à part les frais d'administration et la rémunération des conseillers et des gestionnaires, sont distribués directement aux détenteurs d'unités sous forme de dividendes. Les bénéfices qui restent dans le fonds ne sont pas imposés, mais les bénéfices et 50% des gains en capital ainsi distribués sont intégralement imposables lorsque les détenteurs d'unités les reçoivent.

Fiducie de placement immobilier

La fiducie de placement immobilier est un moyen de placement lancé sur le marché canadien au tout début des années 1970; c'est une fiducie qui, directement ou indirectement, va chercher des capitaux dans le public en émettant des actions ou des titres d'emprunt et qui en investit le produit dans divers placements immobiliers dont des hypothèques, des contrats de cession-bail, des prêts à la construction et des biens immobiliers. Certaines institutions financières comme des banques à charte, des compagnies de fidéicommis et d'autres groupes ayant de l'expérience dans le placement immobilier se portent garant des fiducies de placement immobilier. Il n'existe que très peu de fiducies de ce genre au Canada.

Fiducie d'investissement à revenu fixe

Il s'agit d'un autre genre de fiducie d'investissement à participation unitaire fondée sur le principe du placement dans des obligations et des débentures émises par les gouvernements et les sociétés au Canada.

L'objectif de placement de la fiducie d'investissement à revenu fixe est d'assurer aux porteurs d'unités un revenu mensuel constant en espèces et la sécurité du capital en investissant dans un portefeuille diversifié, constitué principalement de titres d'emprunt de bonne qualité, facilement négociables.

CERTIFICATS D'OR ET D'ARGENT DE LA BOURSE DE MONTRÉAL

La Bourse de Montréal a commencé la négociation de certificats d'or et d'argent en 1983. Ces deux catégories de certificats se négocient en dollars US et sont compensées par la Société de dépôt et de compensation (CDS). Les certificats négociés à la Bourse de Montréal sont tous émis et cotés par les banques à charte, les compagnies de fidéicommis et autres institutions financières au Canada, les certificats de chaque émetteur portant un symbole du téléscripteur différent.

Pour les résidents du Québec, la vente de certificats d'or et d'argent (y compris les lingots sur lesquels ils portent) est assujettie à la taxe de vente provinciale à moins que l'acquéreur n'achète les certificats qu'à des fins de spéculation.

Les certificats d'or et d'argent de la Bourse de Montréal peuvent parfaitement couvrir (ou garantir) les options sur l'or et l'argent de l'IOCC décrites plut tôt dans ce chapitre. La couverture minimum applicable à ces certificats, qui doit être fournie par le client, est de 25% de la valeur au cours du marché.

RÉGIMES D'ÉTALEMENT DU REVENU IMPOSABLE

Tout programme de placement doit tenir compte des méthodes légales pour réduire les impôts sur le revenu. Cette économie d'impôt, qui est en fait un report de l'impôt, peut se faire au moyen d'une participation dans des régimes enregistrés (approuvés par le gouvernement). Le principe de certains de ces régimes est de réduire les impôts durant les années où les revenus d'un contribuable sont élevés (et donc imposés à un taux élevé) en reportant le paiement des impôts aux années de retraite lorsque les revenus et le taux d'imposition sont moins élevés. Nous examinons ci-après quelques-uns des régimes de report de l'impôt les plus populaires.

Le budget fédéral du 23 mai 1985 proposait une réforme du système d'aide fiscale à l'épargne-retraite en établissant de nouveaux plafonds (ex. REP, REER). En novembre 1985, on annonçait les mesures transitoires d'implantation du nouveau système applicable en 1986; ces mesures sont décrites plus loin. En janvier 1986, on procédait à l'examen d'autres changements importants annoncés dans le budget à propos des régimes d'étalement du revenu imposable; ces changements seront en vigueur à partir de 1987.

Nombre de règlements relatifs à ces régimes ne pourront pas être traités dans ce chapitre. Toutefois, les épargnants devraient être tout à fait familiers avec tous les aspects de ces régimes afin d'éviter les problèmes possibles.

RÉGIMES ENREGISTRÉS DE PENSION (REP)

En vertu de ces régimes, l'employeur et l'employé versent chacun des cotisations annuelles. Les cotisations maximums déductibles d'impôt pour l'employé sont de 3 500 $ par année d'imposition (5 500 $ au Québec). Si l'employé verse moins que ce montant dans le fonds de pension de la société où il travaille à l'égard de services courants ou passés - disons 1 000 $ - il peut verser le reste du montant déductible (2 500 $) dans un autre régime ou dans un Régime enregistré d'épargne-retraite (REER).

RÉGIMES ENREGISTRÉS D'ÉPARGNE RETRAITE (REER)

Les REER sont l'un des moyens les plus employés par les particuliers pour étaler leur revenu imposable et économiser en prévision de leur retraite. Non seulement les cotisations annuelles sont déductibles de l'impôt dans certaines limites mais elles permettent aussi un étalement du revenu imposable tant qu'elles restent dans le régime.

Catégories de REER

Il existe essentiellement deux catégories de REER:

. **REER gérés**

Dans ces régimes, le titulaire investit dans une ou plusieurs variétés de fonds mutuels détenus en fiducie en vertu du régime; il n'a aucune autre décision de placement à prendre. Les REER gérés sont très populaires et conviennent très bien à de nombreux investisseurs.

La plupart des sociétés de fiducie et des fonds mutuels canadiens ainsi que de nombreuses compagnies d'assurance-vie et banques à charte proposent de tels régimes. Pour se qualifier comme placement admissible pour un REER, un fonds mutuel doit être enregistré auprès de Revenu Canada et satisfaire aux exigences canadiennes quant à la composition de son portefeuille de placement.

. **REER autogérés**

Dans ces régimes, le titulaire investit des fonds ou verse certains biens admissibles, tels que des valeurs mobilières, directement dans un régime personnel enregistré qui est habituellement géré, moyennant certains frais, par une société de fiducie canadienne. Toutes les opérations de placement sont cependant dirigées par le titulaire lui-même, sous réserve que ses investissements soient faits conformément aux exigences canadiennes relatives à la composition du portefeuille qui s'appliquent également aux fonds gérés. Les firmes de courtage offrent également ce genre de régime.

Lorsque le titulaire d'un REER y verse des valeurs mobilières qu'il détient déjà, ce versement est, aux fins de l'impôt, réputé être une disposition présumée au moment où il est effectué. Par conséquent, le titulaire d'un REER doit calculer le gain ou la perte en capital en utilisant la juste valeur marchande des titres au moment du versement comme produit de la disposition. Le gain en capital qui en résulte doit être indiqué dans sa déclaration d'impôt pour l'année où le versement est effectué; toutefois, aux fins de l'impôt, la perte en capital est réputée être nulle.

Étant donné que dans le cas d'un REER autogéré le titulaire doit prendre toutes les décisions de placement, ce genre de régime convient mieux à l'investisseur averti qui aime prendre ses propres décisions et pense qu'il peut, au bout d'un certain nombre d'années, obtenir de meilleurs résultats qu'avec un fonds géré. Il faut également considérer l'importance du REER autogéré compte tenu des frais annuels perçus par la société de fiducie, pour déterminer si le régime est assez important pour justifier ces frais.

Cotisations à un REER déductibles d'impôt

Un particulier peut, de son vivant ou à tout moment, cotiser à un nombre illimité de REER. Il y a toutefois des restrictions en ce qui concerne les sommes que l'on peut verser annuellement dans un REER.

Les cotisations annuelles maximums déductibles qu'un particulier peut verser dans un REER sont:

. la plus petite des deux sommes suivantes: 7 500 $ ou 20% du revenu gagné par année d'imposition si le contribuable n'a pas droit à des prestations de retraite en raison de son emploi; ou

- lorsque le contribuable a droit à des prestations de retraite en raison de son emploi, sa cotisation ne doit pas dépasser la plus petite des sommes suivantes: 3 500 $ ou 20% du revenu gagné par année d'imposition. Cela signifie que, si le contribuable a cotisé à un REP au cours de l'année d'imposition, le montant versé à ce régime réduit d'autant la cotisation maximum admissible à un REER pour cette année.

Le montant de la cotisation peut être affecté par d'autres facteurs tels que des cotisations à un régime de participation différée aux bénéfices.

Les cotisations annuelles d'un contribuable dans des REER sont, dans certaines limites, déductibles pour l'année au cours de laquelle elles ont été versées. Les cotisations versées dans les 60 jours civils qui suivent la fin de l'année peuvent être déduites, soit pour l'année d'imposition précédente, soit pour l'année où elles ont été versées.

REER de conjoint

Le titulaire d'un REER qui est marié peut cotiser à un REER enregistré au nom de son conjoint mais uniquement dans la mesure où il n'utilise pas la déduction maximale permise pour son propre régime. Par exemple, le mari dont la cotisation maximum permise est de 3 500 $ pour son propre régime mais qui ne verse que 2 000 $, peut verser 1 500 $ dans le régime de son épouse.

Le conjoint qui cotise au régime a droit à la déduction mais il ne peut déduire l'intérêt payé sur des fonds empruntés pour cotiser au régime de l'autre conjoint.

Cessation des REER

Résiliation

Le titulaire d'un REER peut résilier son régime n'importe quand; toutefois, le régime doit être obligatoirement résilié au cours de l'année civile où le titulaire atteint l'âge de 71 ans.

Le produit d'un REER (comprenant toutes les cotisations et les gains accumulés) peut être utilisé à d'autres fins suivant l'âge du titulaire lors de la résiliation du régime.

Si le titulaire du régime a moins de 60 ans, le produit du régime doit être retiré intégralement en une seule fois et ce montant est entièrement imposable l'année où il est reçu à moins que le titulaire ou son conjoint soit invalide ou qu'il reçoive une pension de survivant en raison du décès du conjoint. Dans ces deux cas, toutes les possibilités relatives aux REER citées ci-dessous sont applicables.

Si le titulaire est âgé de 60 à 71 ans, il peut:

- retirer le produit en une seule fois et ce montant est entièrement imposable l'année de réception;

OU

- utiliser le produit pour acheter une rente viagère à terme garantie;

OU

- utiliser le produit pour acheter une rente à terme fixe avec des versements jusqu'à l'âge de 90 ans;

OU

- utiliser le produit pour acheter un Fonds enregistré de revenu de retraite (FERR, décrit plus loin) qui fournit un revenu annuel jusqu'à l'âge de 90 ans;

OU

- modifier le régime pour permettre le transfert des fonds dans un autre REER ou dans un REP.

Le titulaire d'un REER peut affecter une partie seulement du produit du régime résilié à un FERR et investir le reste des fonds dans un nombre illimité de rentes viagères ou à terme fixe.

Les FERR, les rentes viagères et les rentes à terme fixe - que l'on peut acheter auprès des institutions financières qui vendent des REER - permettent au contribuable de différer l'imposition du produit de son REER résilié car ce dernier ne paie de l'impôt que sur les versements qu'il reçoit chaque année. Le contribuable peut baser la durée du FERR ou des rentes sur l'âge de son conjoint, si ce dernier est plus jeune, de sorte que le conjoint reçoive des versements jusqu'à l'âge de 90 ans. Si le rentier décède avant l'âge de 90 ans, les versements peuvent être transférés à son conjoint sinon les prestations restantes doivent être incluses dans le revenu du rentier l'année de son décès.

Retraits partiels

Les retraits partiels de fonds d'un REER sont interdits étant donné que le retrait d'argent d'un régime entraîne automatiquement la résiliation de ce régime. Toutefois, il existe deux moyens qui permettent au titulaire d'un REER de contourner cette difficulté:

- ouvrir un ou plusieurs autres REER, résilier l'un d'eux et payer l'impôt sur le produit sans perdre le refuge fiscal que fournissent les biens dans le ou les autres régimes;

- ouvrir un REER, mais lorsqu'un besoin de fonds se présente, ouvrir un autre REER, transférer une partie des biens du régime initial dans ce nouveau régime puis résilier le régime initial et payer l'impôt sur le montant retiré.

Décès du titulaire d'un régime

Lorsqu'un contribuable décède avant la résiliation de son REER, le conjoint survivant peut, sans payer d'impôt, transférer le produit du régime dans son propre REER, à condition que le conjoint en soit le bénéficiaire réputé.

Lorsqu'il n'y a pas de conjoint survivant et qu'il n'y a aucun enfant à charge, le produit du régime est imposé directement comme revenu du titulaire décédé.

Avantages des REER

Voici les principaux avantages qu'offrent les REER:

- réduction du revenu annuel imposable durant les années d'imposition élevée au moyen de cotisations déductibles aux fins de l'impôt;

- refuge fiscal pour certaines catégories de revenus sous forme de paiements globaux, au moyen de transferts non imposables dans un REER;

- accumulation de fonds en prévision de la retraite ou pour plus tard, les fonds produisant des gains exonérés d'impôt;

- report de certains impôts sur le revenu à des années ultérieures alors que la tranche d'imposition du titulaire sera probablement moins élevée;

- possibilité de diviser le revenu de retraite (au moyen du régime du contribuable et de celui du conjoint auquel il cotise également) résultant en une imposition moindre du revenu combiné et l'avantage de pouvoir réclamer deux exemptions de 1 000 $ relatives aux prestations d'un régime de retraite privé.

FONDS ENREGISTRÉS DE REVENU DE RETRAITE (FERR)

Tel que cela est expliqué plus tôt, un FERR est l'un des moyens de report de l'impôt dont disposent les titulaires de REER qui résilient leur régime entre l'âge de 60 et 71 ans. Le titulaire d'un régime investit dans le FERR les fonds qu'il a retirés du REER et chaque année, (à partir de l'année d'acquisition du FERR), il prélève une fraction donnée de la valeur totale du FERR qui se compose du capital et des gains accumulés et paie l'impôt sur le revenu afférent à cette fraction. La fraction annuelle est déterminée au moyen d'une formule conçue de sorte à fournir des prestations au titulaire jusqu'à l'âge de 90 ans. L'échéance du FERR peut être basée sur l'âge du conjoint du titulaire, si le conjoint est plus jeune, afin d'assurer à ce conjoint des prestations jusqu'à l'âge de 90 ans.

Depuis 1982, un contribuable peut augmenter les retraits de son FERR au cours des premières années et le budget fédéral de février 1986 proposait que les retraits dépassant la limite actuelle soient autorisés.

Un contribuable est limité à un seul FERR durant toute sa vie. Le titulaire peut gérer lui-même le FERR en fournissant à l'institution financière qui détient son FERR des directives analogues aux dispositions applicables aux REER autogérés. Il existe au Canada une vaste gamme de placements pour les régimes autogérés parmi lesquels les actions, les obligations, les certificats bancaires, les fonds mutuels et les hypothèques.

RÉGIMES D'ÉPARGNE-ACTIONS (REA)

Un contribuable résidant au Québec a le droit de déduire jusqu'à concurrence de 12 000 $ de son revenu imposable pour le Québec relativement au coût de certaines actions de sociétés québécoises achetées dans l'année et incluses dans un REA dont ce contribuable est bénéficiaire.

Un REA est un accord passé entre un particulier et un courtier ayant une firme au Québec et enregistré auprès de la Commission des valeurs mobilières du Québec; le particulier confie à ce courtier la garde des actions admissibles.

En général, seules les nouvelles émissions d'actions ordinaires et d'actions privilégiées convertibles non rachetables offertes par une société canadienne sont admissibles. La société doit avoir son siège social au Québec ou, sinon, au cours de sa dernière année d'imposition, elle doit avoir payé plus de la moitié de ses traitements et salaires à des employés travaillant dans une entreprise située au Québec. Les émissions d'actions admissibles pour la déduction seront indiquées comme telles dans les prospectus acceptés pour dépôt par la Commission des valeurs mobilières du Québec.

Le montant déductible est limité au moindre:

- du coût des actions admissibles achetées dans l'année, (100% du coût des actions de certaines sociétés en "voie de développement") ou

- du coût total des actions incluses dans ces régimes à la fin de l'année moins le montant déduit pour les deux années d'imposition précédentes (s'applique lorsqu'une vente d'actions admissibles a lieu dans l'année d'imposition).

Toutefois, le montant de la déduction ne peut être plus élevé que le plus petit des deux montants suivants: 12 000 $ ou 20% du revenu total gagné moins les cotisations déductibles du contribuable à un REP ou à un REER.

RENTES DIFFÉRÉES

Une rente est un contrat en vertu duquel, en contrepartie d'une somme d'argent investie, le titulaire reçoit un versement annuel composé en partie d'un intérêt sur la somme investie et d'un remboursement de capital. Une **rente immédiate** est une rente dont la somme investie est un montant forfaitaire et dont les paiements commencent immédiatement. En ce qui concerne les **rentes différées**, le titulaire paie une prime annuelle jusqu'à un certain âge (habituellement jusqu'à la retraite) où les paiements commencent.

On peut acheter une rente différée en s'adressant aux compagnies d'assurance-vie, à certaines sociétés de fiducie et à d'autres établissements financiers qui détiennent un permis de vente de rentes au Canada.

Contrairement à ce qui se passe dans le cas des REER, on ne cotise pas à une rente différée afin de réduire le revenu imposable courant car les cotisations ne sont pas déductibles aux fins de l'impôt. Par contre, une rente différée donne la possibilité de reporter à une date ultérieure l'impôt à payer sur le revenu de placement.

Le rentier n'est imposé que sur l'élément "intérêt" des versements et non sur la partie "capital". En ce qui concerne les rentes achetées au moyen d'un REER, la totalité du versement annuel que reçoit le rentier est imposable car le coût principal de la rente est déductible.

La Loi de l'impôt sur le revenu exige actuellement des particuliers qu'ils déclarent l'intérêt couru provenant de rentes différées en paient l'impôt tous les trois ans. Les contribuables ont le choix de déclarer le revenu provenant de chaque rente tous les ans.

BRITISH COLUMBIA EQUITY INVESTMENT PLAN

Le 10 décembre 1985, le gouvernement de la Colombie-Britannique a présenté un programme d'encouragement au placement en actions. Le régime proposé permettrait aux résidents de la Colombie-Britannique d'obtenir des prêts sans intérêt pour un maximum de 25% du prix d'achat des actions admissibles jusqu'à concurrence de 2 500 $ par année pendant les trois prochaines années. Les prêts devraient être remboursés dans un délai maximum de six ans mais ils seraient remboursables lorsque les actions sont vendues.

Les actions admissibles comprendraient les actions dont l'émetteur exerce ses activités en Colombie-Britannique et aussi les actions de trésorerie émises qui sont inscrites à la cote à la Bourse de Vancouver.

THE ALBERTA STOCKS SAVINGS PLAN

En octobre 1985, le gouvernement de l'Alberta a présenté un régime d'épargne-actions qui permettrait aux résidents de l'Alberta de se prévaloir d'un dégrèvement fiscal annuel à l'achat d'actions inscrites à la cote à la Bourse de l'Alberta.

Les changements apportés au régime en janvier 1986 permettraient aux résidents de l'Alberta de se prévaloir d'un dégrèvement fiscal d'un montant maximum de 3 000 $. Le régime devrait être intégrer au système d'impôt sur le revenu des particuliers à partir de l'année d'imposition 1986.

UNE DERNIÈRE MISE EN GARDE

Pour abréger cet examen des régimes d'étalement du revenu imposable, il a fallu s'en tenir à leurs caractéristiques générales et omettre de nombreux détails et caractéristiques complexes de la législation fiscale. Étant donné que les considérations fiscales peuvent jouer un rôle essentiel dans de nombreuses décisions de placement, les épargnants devraient consulter un conseiller en placement ou un expert en fiscalité pour s'assurer de bien comprendre toutes les implications de ces régimes et pour éviter des problèmes et des erreurs possibles. La situation de chacun est unique et seules une analyse et une planification sérieuses peuvent faire en sorte que ces régimes répondent vraiment à tous les objectifs de placement à court et à long terme.

VALEURS SPÉCULATIVES

Il n'est pas à propos d'examiner les valeurs spéculatives dans le cadre de cet ouvrage qui vise à mettre en lumière la qualité de placement des titres. Toutefois, les profanes veulent souvent acheter des valeurs spéculatives en raison de leur bas prix et de leurs possibilités de gains élevés - sans évaluer entièrement le très haut degré de risque qu'elles comportent. Un examen de ces valeurs est donc justifié.

Bien que les commentaires qui suivent visent les entreprises spéculatives d'exploitation des ressources naturelles, toutes les sociétés nouvelles et de second rang de n'importe quelle industrie comportent également un degré de risque élevé.

INDUSTRIE MINIÈRE

Le Canada est connu dans le monde entier pour l'abondance de ses richesses naturelles. On pense tout de suite au blé, au bois et au poisson, alors qu'un grand nombre de minerais constituent un apport important à notre économie et à nos exportations.

L'éventail des produits miniers canadiens est très large en raison de la grande superficie de notre pays, de son caractère géologique favorable, des vastes programmes d'exploration et de la disponibilité du capital de risque. Ces facteurs ont permis à des sociétés minières autrefois petites telles que Alcan, Cominco, Denison, Inco et Noranda de se développer à l'intérieur du Canada puis de soutenir la concurrence à l'échelle internationale.

De nos jours, plus des trois quarts de la production minière canadienne proviennent de moins d'un quart des sociétés minières de notre pays. Il existe malgré tout des centaines de petites sociétés minières qui représentent une large base d'exploration et c'est de ces entreprises que les grandes sociétés minières de demain pourraient émerger.

Rôle de l'exploration et de la mise en valeur

La durée de vie d'une mine est limitée; lorsque tout le minerai récupérable de façon rentable est extrait, la mine est abandonnée. Ainsi, l'exploration et la mise en valeur de nouvelles mines sont essentielles à l'industrie minière et d'un intérêt primordial pour le commerce des valeurs mobilières.

La probabilité de découverte d'une nouvelle mine est très faible. Depuis longtemps, les régions d'accès facile, où le potentiel minier paraît favorable, ont été explorées au moins une fois. Cependant, malgré les difficultés et les risques importants, les petites et grandes sociétés minières font des efforts considérables et consacrent d'importants capitaux à la recherche de nouvelles mines.

Acquisition de terrains miniers

L'acquisition et la cession ultérieure possible de terrains miniers potentiels - à l'état brut et non prouvés - est un processus continu. Dans certaines régions, un domaine peut être acheté par une société d'exploration en contrepartie d'espèces ou d'actions de trésorerie ou des deux à la fois, d'une redevance de concession ou d'un contrat d'option d'achat.

Dans les régions les moins explorées de la plupart des provinces, il est possible de **jalonner** le terrain libre et d'obtenir des droits miniers en faisant enregistrer le domaine auprès du bureau provincial d'enregistrement minier compétent.

Lorsqu'un prospecteur jalonne une concession, il peut la sonder lui-même ou négocier la cession des droits d'exploration à une société minière. La somme que reçoit un prospecteur pour les droits d'exploration peut être nominale ou importante suivant le potentiel de la concession.

Exploration

La géologie d'une nouvelle concession est étudiée et un examen physique de surface est effectué afin de vérifier si les affleurements montrent des signes de minéralisation. Si d'autres travaux d'exploration sont justifiés, des études géochimiques ainsi qu'une ou plusieurs études géophysiques spécialisées (gravité, radiométrie, magnétométrie, électromagnétisme, etc.) sont effectuées afin de trouver des anomalies sur la concession.

Si un forage préliminaire au diamant indique la présence possible d'un corps minéralisé, des forages complémentaires précis sont nécessaires pour déterminer l'étendue du gisement. Lorsque d'autres résultats confirment la possibilité d'une production commerciale, une étude de faisabilité de production est entreprise ainsi qu'un échantillonnage en vrac et probablement la construction d'installations d'essai du gisement.

Lorsqu'une petite société minière dont les actions sont détenues dans le public obtient des résultats prometteurs au cours de la phase initiale de forage, ceux qui spéculent dans les valeurs minières s'intéressent à la promotion éventuelle des actions de la société. Un intérêt spéculatif très marqué se développe habituellement et le cours du marché des actions varie alors considérablement à mesure que le forage se poursuit.

Les fluctuations du cours peuvent varier suivant le stade où en est rendu le programme d'exploration. Les fluctuations sont habituellement plus importantes aux premiers stades de l'exploration lorsque peu de choses sont connues sur le potentiel du gisement. Les investisseurs prudents se contentent habituellement d'observer pendant les premiers stades de l'exploration; la décision d'acheter des actions est retardée jusqu'à ce que l'importance exacte et le potentiel économique du nouveau gisement de la société soient connus. Paradoxalement, lorsque ces renseignements sont connus, la spéculation sur le titre diminue généralement.

D'importants travaux de forage et d'aménagement souterrain ainsi que des études métallurgiques sont nécessaires avant de classer le minerai comme réserves prouvées et même alors une certaine incertitude persiste. La concession et son gisement font l'objet d'une étude de faisabilité de production afin de déterminer si la roche minéralisée peut être extraite et traitée de façon rentable.

FINANCEMENT D'UNE EXPLOITATION MINIÈRE

Les grandes sociétés minières

Les grandes sociétés minières sont des entreprises bien connues qui ont des biens, qui réalisent des bénéfices et qui sont solvables. Le financement minier pour ces grandes sociétés peut donc habituellement être effectué par l'intermédiaire des circuits habituels du marché des capitaux - prise ferme ou placement privé de titres d'emprunt ou de billets à long terme ou encore vente d'actions ordinaires ou privilégiées. Elles peuvent aussi souvent effectuer des emprunts bancaires directs et, dans de nombreux cas, se procurer des capitaux à même leurs bénéfices non répartis et leurs fonds autogénérés.

Analyse des actions de grandes sociétés minières

L'analyse des actions de grandes sociétés minières est un processus très complexe. La plupart de celles-ci exploitent un certain nombre de mines, chacune étant une exploitation minière unique en soi, comportant de nettes différences telles que l'emplacement, les réserves de minerai, la production, les coûts, la récupération, etc. Dans de nombreux cas, ces grandes sociétés sont des firmes multinationales et ont d'importants intérêts à l'extérieur du Canada. Dans ce cas, il faut tenir compte d'autres facteurs tels que la stabilité politique, les impôts étrangers, les redevances et les fluctuations de la monnaie.

Il faut également tenir compte de toutes les activités autres que minières et, de fait, un grand nombre de ces sociétés ont diversifié leurs activités dans des secteurs tels que le bois, la production de pâtes et papiers (Noranda), l'énergie hydro-électrique (Cominco), le pétrole et le gaz (B.C. Resources) et l'acier (Rio Algom).

Petites sociétés minières

À ses débuts, une petite société minière est habituellement une société fermée avec peu d'actionnaires. Cette structure, lui permet de se procurer de petites quantités de capitaux de risque par la vente directe (ou par l'intermédiaire d'un promoteur) de ses actions de trésorerie à un petit nombre de particuliers sans avoir à faire un appel public à l'épargne et à émettre un prospectus. Toutefois, lorsqu'elle atteint le stade où elle a besoin de plus de capitaux qu'elle ne peut s'en procurer en s'adressant à ces particuliers, elle émettra des actions dans le public et se procurera des fonds par une opération de placement de ses actions de trésorerie non émises au moyen d'un prospectus ou d'une déclaration de faits importants.

Analyse des petites sociétés d'exploration minière

La plupart des méthodes conventionnelles d'analyse ne peuvent être appliquées aux petites sociétés d'exploration minière car la majorité d'entre elles n'ont pas de concessions avec un corps minéralisé prouvé susceptible d'être exploité de façon rentable ou suffisamment de capitaux pour atteindre le stade de la production si une mine était découverte. Comment évalue-t-on alors ces petites sociétés? Nous exposons ci-dessous certains facteurs à étudier:

. **Importance des activités d'exploration et emplacement des concessions.**

. **Antécédents de la direction** - Est-ce que l'équipe de direction a de l'expérience? A-t-elle découvert d'autres mines ou en exploite-t-elle actuellement?

. **Situation financière** - Le fonds de roulement est-il suffisant pour financer l'exploration ou est-ce que d'autres actions de trésorerie devront être prises ferme?

. **Actions ordinaires émises** - Combien d'actions ordinaires ont été émises et combien peuvent être négociées publiquement? Si une société a un actif peu important et un grand nombre d'actions ordinaires en circulation, un regroupement d'actions peut être nécessaire avant que de nouvelles actions soient émises.

Importance de la direction

La qualité de la direction est l'un des facteurs-clés dans l'analyse d'une grande société minière. Pour devenir prospère et le rester, une grande société minière doit être dirigée par des personnes dynamiques, habiles et perspicaces. Des objectifs réalistes à court et à long terme doivent être fixés et des équipes de gestion efficaces doivent être créées à tous les niveaux. Les résultats d'exploitation doivent être contrôlés de façon efficace et des améliorations doivent être apportées lorsque cela est nécessaire. Étant donné que chaque mine a une durée de vie limitée, la direction doit être prête à envisager de nouvelles possibilités afin que la société puisse continuer à progresser dans la voie du succès.

Les petites sociétés minières tendent à être organisées de façon simple et sont tributaires de l'exploration pour réussir. La direction d'une petite société minière prospère peut donc ainsi faire preuve de plus d'esprit d'entreprise que de talents d'organisation.

L'évaluation de la gestion est très difficile pour l'investisseur moyen. Pour être valable, une évaluation doit être supervisée par des conseillers compétents qui suivent de près et qui se spécialisent dans les valeurs minières canadiennes.

DÉCELER LES RISQUES ET LES PROBLÈMES

Chacune des grandes sociétés minières doit faire face à un ensemble de risques particuliers à son cas. Ces sociétés doivent toutefois affronter de nombreux risques communs tels que la pollution de l'environnement et les problèmes de sécurité, les risques politiques et les variations des taux de change. Elles sont toutes à forte prédominance de capital; un grand nombre d'entre elles nécessitent une main-d'oeuvre importante et sont vulnérables aux conflits ouvriers et à des règlements salariaux onéreux. En Amérique du Nord, en Europe et au Japon, elles sont toutes tributaires de fluctuations économiques cycliques qui peuvent influer considérablement sur l'offre, la demande et les prix des métaux.

Les chances pour qu'une petite société minière devienne une grande société minière prospère sont minimes. Un grand nombre d'entre elles deviennent inactives lorsqu'elles ont épuisé leurs capitaux et qu'elles perdent leurs concessions. Dans les quelques cas où une petite société découvre une mine potentielle, elle est souvent tentée ou obligée de protéger le capital en louant, en vendant ou en accordant des actions sur la concession à une grande société minière, cette dernière ayant effectué auparavant d'importants sondages d'exploration afin de déterminer le potentiel de la mine. Toutefois, si une mine peut devenir productive, la quote-part de la découverte de la petite société sera proportionnellement réduite suivant l'arrangement conclu.

Pour pouvoir faire une analyse valable des actions de petites sociétés minières, il faut avoir des connaissances spécialisées, de la patience et être prêt à consacrer beaucoup de temps au choix des titres. Les actions de ces sociétés peuvent enregistrer d'importantes fluctuations de cours suivant les nouvelles ou les rumeurs favorables ou défavorables.

INDUSTRIE DU PÉTROLE ET DU GAZ

On ne soulignera jamais assez l'importance de l'industrie pétrolière et gazière au Canada qui apporte plus de 20 milliards de dollars à l'économie annuellement. Le Canada a la chance d'être un exportateur net d'énergie, car il a une capacité excédentaire de gaz naturel, d'électricité et de charbon. Toutefois, comme la plupart des pays occidentaux, il est un importateur net de pétrole brut et on prévoit que la dépendance actuelle de l'Est du Canada à l'égard du pétrole brut devrait se prolonger au cours des années 1980, ce qui aura des répercussions défavorables sur nos réserves de change.

Acquisition de terrains pétroliers et gaziers et de droits miniers

La première étape dans la recherche de pétrole et de gaz est l'acquisition de "droits" d'exploration d'hydrocarbures. Au Canada, les droits de surface et les droits miniers sont souvent détenus séparément. Les droits de surface et les droits miniers peuvent être détenus par des particuliers (terrains en "tenure libre") ou par la "Couronne" - soit le gouvernement fédéral soit un gouvernement provincial.

Dans l'Ouest du Canada, les droits relatifs au pétrole brut et au gaz naturel sont loués ou font l'objet d'un "permis" par la Couronne. Un bail est normalement conclu par les sociétés qui soumettent des offres scellées lors de ventes de terrain. Ceux qui obtiennent des permis d'exploration sont tenus d'effectuer des travaux d'exploration comprenant une prospection géophysique et des forages. Le titulaire d'un permis peut convertir une partie de ses terrains en bail ou concession, ce qui lui permettra de retirer une production de ces terrains. Des loyers annuels doivent être payés. Des redevances sur la production sont calculées selon une formule complexe et doivent être payées à la Couronne.

Exploration

Pour ceux qui oeuvrent dans le secteur pétrolier, l'exploration géologique relève à la fois de l'art et de la science. L'exploration géologique fait appel à des technologies relatives à la stratigraphie, la paléontologie, la sédimentologie, la géochimie et la géophysique. L'interprétation de l'information est un art exigeant discernement et expérience.

Dans une région où peu de forages ont été effectués ou dans une région où aucun forage n'a été effectué, la géophysique peut servir à aiguiller l'exploration; toutefois, elle fournit rarement à elle seule une indication directe de la présence d'hydrocarbures.

Les géophysiciens modernes utilisent des instruments tels que des magnétomètres, des gravimètres et des sismographes. Les magnétomètres et les gravimètres donnent des indications générales sur les couches souterraines; l'interprétation des sismogrammes donne habituellement des renseignements plus sûrs.

Des ondes sonores (analogues à des secousses telluriques) sont créées par l'explosion de petites charges de dynamite dans des trous de petit diamètre et peu profonds. Les ondes sismiques provoquées par l'explosion se propagent dans le sous-sol puis sont réfléchies vers la surface. Le temps que mettent ces ondes pour descendre jusqu'à diverses formations qui agissent comme réflecteurs et pour en revenir, est enregistré. La profondeur de ces couches servant de réflecteurs est ensuite calculée et les différences de profondeur indiquent les couches qui peuvent contenir du pétrole et du gaz. La résistivité, la radioactivité et la géochimie peuvent également intervenir dans la recherche de pétrole et de gaz. Toutefois, la seule façon de trouver ce qui est caché dans le sous-sol est de forer un puits.

Forage d'exploration de pétrole et de gaz

Dans l'exploration de pétrole et de gaz il y a toujours plus de zones d'intérêt à sonder qu'il n'y a d'argent disponible pour le sondage. Étant donné que les puits de pétrole sont généralement forés à des profondeurs allant jusqu'à plusieurs milliers de mètres, chacun d'eux est onéreux à forer - habituellement beaucoup plus qu'un sondage standard au diamant à faible profondeur d'une zone minière d'intérêt. Étant donné les dépenses considérables et le peu de chance de succès, l'emplacement de chaque puits potentiel doit être soigneusement analysé en ce qui concerne les aspects économique, géologique et géophysique. Des forages sont habituellement effectués sur l'emplacement le plus prometteur.

Un emplacement de forage dans une région relativement inexplorée est connu sous le nom de **forage de recherche** pour la découverte d'un champ nouveau. Un grand nombre de ces sondages sont infructueux, un sur dix seulement étant peut-être rentable dans des régions éloignées et inexplorées.

On appelle **puits sec** un puits non productif - même s'il donne de petites quantités de pétrole et de gaz. Si un forage de recherche rencontre des quantités productives de pétrole ou de gaz, un **programme de délimitation** complémentaire est poursuivi au moyen de **puits de développement** afin de déterminer l'importance du gisement de pétrole ou de gaz découvert.

FINANCEMENT DES SOCIÉTÉS PÉTROLIÈRES ET GAZIÈRES

Les sociétés pétrolières canadiennes se classent en trois catégories suivant le degré de diversification de leurs activités et leur situation financière:

- les sociétés intégrées

- les grandes sociétés productrices

- les petites sociétés

L'augmentation rapide des prix mondiaux du pétrole depuis 1973 a considérablement stimulé l'exploration pétrolière. Au Canada, les possibilités d'investissement dans le secteur du pétrole et du gaz ont créé une demande importante de capitaux alors que les sociétés bien établies et de nouveaux "entrepreneurs" cherchaient un financement pour leurs activités d'exploration et de développement.

Sociétés intégrées

Les sociétés canadiennes intégrées sont généralement classées dans les valeurs industrielles de premier ordre. Les sociétés intégrées tirent leur nom de leurs activités qui couvrent tout le secteur des activités de l'industrie pétrolière et gazière - depuis les **opérations d'amont** (c'est-à-dire l'exploration, le développement et la production de pétrole et de gaz) jusqu'aux **opérations d'aval** (c'est-à-dire le raffinage, les produits pétrochimiques et la commercialisation).

Par le passé, les opérations d'aval étaient les activités intégrées les plus rentables car, avant 1973, le prix du pétrole brut était relativement peu élevé. La vente des produits raffinés donnait de meilleurs rendements que les activités de production. De plus, les activités de raffinage et de commercialisation nécessitent d'importants capitaux pour la construction, l'entretien et l'exploitation. Depuis 1973, les opérations d'aval sont devenues moins rentables car les sociétés intégrées ont moins de contrôle sur les prix et les approvisionnements de pétrole brut.

Grandes sociétés productrices

Les grands producteurs ont les caractéristiques suivantes:

.   leurs principales activités consistent en opérations d'amont;

.   ce sont, avec les sociétés intégrées, les plus importants producteurs de pétrole et de gaz au Canada;

.   ce sont les propriétaires les plus importants de réserves de pétrole et de gaz (avec les sociétés intégrées). Une petite société pétrolière peut détenir d'importantes réserves de gaz mais peut ne pas être un important producteur par suite d'un manque de contrats d'achat.

Les grandes sociétés productrices ont normalement des moyens financiers et d'exploitation importants et elles offrent habituellement des possibilités de placements de qualité moyenne à supérieure.

Petites sociétés

Les petites sociétés sont les sociétés pétrolières qui ne sont pas incluses dans les catégories susmentionnées. Elles exercent leurs activités principalement dans le secteur de l'exploration et ont des niveaux de production relativement faibles (ou même nuls). Elles peuvent ou non avoir des réserves prouvées de pétrole ou de gaz. Pour se procurer des fonds à des fins d'exploration, elles ont recours à une grande variété de méthodes de financement, y compris la vente des titres au public.

PETITES SOCIÉTÉS MINIÈRES ET PÉTROLIÈRES NON INSCRITES À LA COTE D'UNE BOURSE - ÉVALUATION DES RISQUES

Lorsqu'une petite société minière ou pétrolière non inscrite à la cote d'une bourse entreprend un placement de ses actions ordinaires, un prospectus doit être déposé auprès des commissions des valeurs mobilières compétentes. Le prospectus d'une nouvelle émission d'actions non cotées en bourse contiendra des déclarations ouvertes ainsi que des avertissements, analogues à l'exemple suivant tiré du prospectus d'une petite société minière:

"On considère que ces valeurs mobilières sont spéculatives étant donné la nature des activités de la société et son stade actuel de développement. Les concessions minières de la société ne renferment aucun gisement connu de minerai commercial. Il n'existe pas de marché pour les actions de la société. Le prix d'offre a été fixé par négociation entre la société et le preneur ferme et peut ou non refléter la valeur d'actif des actions."

Étude des "aspects spéculatifs" et des "facteurs de risque"

En étudiant le prospectus, il faut accorder une attention particulière aux sections intitulées "Aspects spéculatifs", "Facteurs de risque" ou "Caractère spéculatif des titres et dilution". Le prospectus d'une petite société pétrolière contenait, entre ⁻utres, les renseignements suivants:

"...(la)... Société n'a réalisé jusqu'ici aucun bénéfice ni versé de dividendes"

"Il est conseillé aux acheteurs d'étudier les facteurs de risque suivants lorsqu'ils procèdent à l'évaluation des actions:

- les activités d'exploration de pétrole et de gaz ont un caractère spéculatif et comportent nécessairement des risques importants;

- rien ne garantit que les dépenses engagées par la Société dans l'exploration permettront de faire des découvertes de pétrole ou de gaz en quantités commerciales;

- l'exploration, le développement, la production, le transport et la commercialisation de pétrole et de gaz sont assujettis à de nombreux facteurs qui échappent au contrôle de la Société, y compris la concurrence sur le marché, les pipelines disponibles et la réglementation gouvernementale croissante;

- les puits de gaz naturel de la Société ne sont pas actuellement en production en raison d'un manque d'installations de transport disponibles, de l'absence de marché ou autres raisons analogues. À l'exception de ... puits qui font actuellement l'objet d'essais, tous les puits de pétrole de la Société sont productifs et la production est vendue;

- le forage et l'exploitation de puits comportent des aléas tels que des pressions ou des formations imprévues ou inhabituelles et autres risques. La Société souscrira les polices d'assurance qu'elle jugera appropriées, mais peut être tenue éventuellement responsable des dommages résultant de pollution, d'éruptions ou de risques contre lesquels elle ne peut s'assurer.

Conclusion

La détermination du potentiel d'un titre spéculatif non inscrit à la cote d'une bourse est pour le moins difficile. Étant donné les nombreux facteurs impondérables que cela comporte, il n'existe aucune formule qui permet de savoir automatiquement quels titres spéculatifs d'une nouvelle émission devraient être achetés ou évités. Chaque prospectus doit être soigneusement étudié. La règle universelle "caveat emptor" (acheteurs méfiez-vous!) s'applique particulièrement dans ce genre d'achat.

RÉSUMÉ

Outre les obligations, les débentures, les actions privilégiées et les actions ordinaires, il existe une grande variété d'autres placements. Leur convenance pour un épargnant dépend beaucoup de sa situation personnelle et de ses objectifs de placement. Certains de ces placements exigent des connaissances très spécialisées. Toutefois, s'ils sont bien choisis, ils peuvent contribuer à un programme de placement bien administré.

Il existe également un certain nombre de régimes d'étalement du revenu qui peuvent procurer des avantages fiscaux et contribuer aux résultats d'ensemble des placements. Ces régimes doivent être choisis soigneusement pour s'assurer qu'ils répondent à la situation et aux objectifs de l'épargnant.

Dans le choix de ses placements, il faut accorder beaucoup d'importance à l'évaluation des risques relatifs propres à chaque titre. Les risques ont tendance à être plus grands dans le cas des titres de sociétés nouvelles et de second rang, particulièrement ceux des entreprises d'exploration de ressources naturelles.

Un ouvrage d'introduction comme celui-ci ne peut couvrir en détail tous les choix de placements. Bon nombre d'entre eux sont de nature assez technique et exigent une recherche et une évaluation approfondies pour déterminer s'ils conviennent à l'épargnant.

9   CYCLES ÉCONOMIQUES, INDICATEURS BOURSIERS ET ANALYSE TECHNIQUE

Ce chapitre traite des facteurs qui entraînent les fluctuations cycliques du cours des titres. En effet, la tendance des cours est tour à tour à la hausse et à la baisse. Durant ces cycles, les cours tendent à suivre la tendance prédominante, et certaines valeurs peuvent enregistrer des fluctuations importantes.

Nous étudierons également dans ce chapitre les indicateurs du marché et l'analyse technique. Cette dernière est une méthode analytique que certains spécialistes utilisent pour prévoir les principales tendances du marché. Notons que l'analyse technique est tout à fait différente de l'analyse fondamentale que nous avons traitée au chapitre précédent.

CYCLE ÉCONOMIQUE

Depuis la Seconde Guerre mondiale, l'activité économique a enregistré des fluctuations, les périodes de ralentissement étant suivies par des périodes d'expansion. Prises dans leur ensemble, ces périodes sont appelées "cycles économiques". On n'en comprend pas tout à fait les causes, mais on s'entend généralement pour dire qu'il n'y a pas deux cycles économiques en tous points semblables et que leurs effets varient suivant l'industrie et la région. Ainsi, dans une région où il y a une concentration d'entreprises de fabrication de biens durables (automobiles, cuisinières, réfrigérateurs, etc.), il y aura probablement d'importantes fluctuations dans l'activité industrielle et commerciale; cette région sera vulnérable en période de marasme mais connaîtra une plus grande prospérité pendant les périodes d'expansion économique.

Malgré les différences que l'on remarque entre les différents cycles, tous ont de nombreuses caractéristiques communes. Voici les principales phases d'un cycle économique, en commençant par le creux, ou point le plus bas.

Le creux

Au cours de cette phase, les hommes d'affaires sont passifs, circonspects et n'entrevoient que peu de possibilités à court terme pour de nouvelles entreprises ou pour celles qui existent déjà. Ils sont moins optimistes qu'ils ne l'étaient six mois auparavant. La situation qui existe habituellement au moment d'un creux est la suivante:

- le taux de chômage a augmenté et les possibilités d'emploi sont peu nombreuses;

- la confiance des consommateurs est à un point bas, de nombreuses personnes craignent de dépenser pour autre chose que le strict nécessaire et remettent les achats coûteux, tel celui d'une nouvelle automobile, à plus tard;

- les ventes sur les marchés intérieurs sont restreintes;

- les exportations sont incertaines;

- les commandes en attente sont peu nombreuses;

- la production est faible;

- les profits ont diminué;

- le coût de la main-d'oeuvre à l'unité a monté, ce qui signifie que la productivité est faible;

- le nombre de logements mis en chantier a diminué;

- les marchés boursiers sont déprimés.

Toutefois, un certain nombre de signes laissent prévoir le prochain passage à la phase ascendante du cycle, notamment:

- il existe une demande accumulée ou reportée des consommateurs, particulièrement pour les biens durables;

- le cours des titres se stabilise;

- les stocks des entreprises sont peu importants;

- il y une capacité excédentaire;

- l'inflation a diminué;

- les taux d'intérêt sont moins élevés;

- le crédit est plus facilement disponible;

- les indicateurs précurseurs (dont nous parlerons plus loin) entament une phase ascendante.

La reprise ou phase d'expansion

Au début de cette phase, les dirigeants d'entreprise et les consommateurs reprennent peu à peu confiance et certains des changements suivants, ou même tous, se produisent:

- le revenu des employés (consommateurs) augmente;

- les dépenses personnelles de consommation s'accroissent;

- les ventes au détail commencent à augmenter;

- la production industrielle s'accroît;

- une augmentation de la production est prévue;

- les perspectives d'exportation s'améliorent à mesure que les économies étrangères semblent reprendre;

- les prévisions relatives au profit, qui est la motivation la plus importante, s'améliorent;

- le cours des titres augmente en prévision de profits plus élevés;

- le coût unitaire de la main-d'oeuvre baisse, ce qui signifie que la productivité s'améliore;

- les travailleurs qui avaient été précédemment mis à pied sont réembauchés.

Dès lors, les hommes d'affaires sont de nouveau optimistes.

- La demande sur le marché s'est améliorée;

- l'utilisation de la capacité de production est plus grande;

- les commandes en attente s'accumulent;

- les perspectives relatives aux ventes sont meilleures qu'elles ne l'ont été depuis plusieurs trimestres;

- le nombre de logements mis en chantier augmente;

- les industries de biens durables (par exemple les automobiles) augmentent leur production.

- les marges bénéficiaires progressent.

Le consommateur devient plus confiant qu'il ne l'était quelques mois auparavant.

- Il a l'impression d'avoir la sécurité d'emploi;

- il croit que les possibilités d'emploi ont augmenté;

- il pense que le moment est opportun pour effectuer un achat important;

- il envisage l'achat d'une automobile ou d'une maison, ou l'amélioration de son logement actuel;

- il emprunte, encouragé par un taux d'intérêt raisonnable, afin de financer ses dépenses; il a recours à une hypothèque sur sa maison ou au crédit à la consommation.

Alors que les ventes et les profits augmentent, les sociétés entreprennent la modernisation et l'agrandissement de leurs installations.

- Les sociétés mobilisent des capitaux pour financer une partie des frais de nouvelles constructions (emprunt bancaire ou émission de valeurs mobilières);

- le nombre de permis de construire délivrés augmente;

- les industries du bâtiment et des biens d'équipement deviennent plus actives;

- de nouveaux emplois sont créés dans les métiers de la construction;

- les revenus plus élevés entraînent une augmentation de la consommation.

Le mouvement se propage dans l'économie. La confiance est très forte et les prévisions deviennent très optimistes.

- Les nouvelles commandes et les commandes en attente sont nombreuses;

- les stocks sont peu importants;

- la capacité de production est presque à son niveau maximal et des usines moins efficaces sont utilisées;

- une pénurie de main-d'oeuvre, particulièrement de main-d'oeuvre qualifiée, se fait sentir;

- les matières premières sont rares, leur coût augmente et des retards de livraison surviennent;

- la demande exerce un pression à la hausse sur les prix;

- les demandes salariales augmentent;

- la productivité cesse de s'accroître;

- la compétitivité des entreprises canadiennes recule;

- les marchés d'exportation se font sélectifs;

- sur les marchés intérieurs s'exerce une plus forte concurrence de la part des pays importateurs;

- les consommateurs empruntent davantage pour financer leurs dépenses;

- les indicateurs économiques précurseurs entament une phase descendante ;

- les taux d'intérêt augmentent;

- le cours des titres fléchit.

Le sommet

Malgré les signes avertisseurs que représentent les événements mentionnés précédemment, l'optimisme et la confiance l'emportent sur la prudence et la circonspection. Les changements suivants, ou quelques-uns d'entre eux seulement, se produisent alors:

- les coûts de production s'accroissent plus rapidement que les prix;

- les stocks et les comptes clients augmentent, ce qui entraîne des emprunts bancaires plus importants;

- la compétitivité des entreprises canadiennes faiblit;

- la production excède les ventes;

- le nombre de commandes en attente diminue;

- les marges bénéficiaires se resserrent.

La récession

Au cours de cette phase, les hommes d'affaires perdent confiance. Des pénuries de main-d'oeuvre et de matériaux freinent les activités. Les taux d'intérêt élevés et la diminution de la productivité et des profits sont des causes d'inquiétude. La capacité de production (y compris celle qui est attribuable à l'agrandissement récent des usines) excède le potentiel de ventes; certains de ces événements, ou même tous, se produisent alors:

- les programmes d'agrandissement des immobilisations sont reportés, ce qui signifie moins d'investissements;

- le nombre de logements mis en chantier diminue;

- on s'efforce de réduire l'encours des prêts ou de les rembourser;

- on réduit fortement l'accumulation des stocks, ce qui signifie que l'on ralentit la production;

- la semaine de travail est raccourcie, particulièrement dans les industries de biens durables;

- les revenus du travail diminuent;

- des licenciements de personnel superflu se produisent, ce qui signifie moins d'emplois.

La confiance des consommateurs diminue et ils deviennent plus prudents.

- Les possibilités d'emploi sont moins nombreuses;

- les achats de biens durables sont reportés;

- les revenus diminuent;

- le taux de chômage augmente.

Les pressions à la baisse deviennent cumulatives et se traduisent par:

. une réduction de la production;

. une forte réduction des stocks;

. une chute du cours des titres sur le marché boursier.

Cependant, les événements prennent peu à peu une tournure plus heureuse.

. Le crédit bancaire est plus facile à obtenir;

. les taux d'intérêt baissent;

. la tendance à la hausse des prix s'atténue;

. les marchés boursiers ont touché leur plancher.

Finalement, des signes de stabilité réapparaissent alors que le cycle économique est complété.

Périodes de récession dans un cycle économique

Les périodes de ralentissement de l'activité économique ne sont pas toutes reconnues comme étant des récessions. Statistique Canada a établi à cette fin un critère. **Ainsi, il doit y avoir au moins deux trimestres consécutifs de diminution du PNB (produit national brut) réel avant de parler de récession.**

Le tableau qui suit donne une liste des ralentissements et des récessions qui ont eu lieu après la Seconde Guerre mondiale. Il indique la durée des périodes de récession, le taux de chômage le plus élevé atteint au cours de chaque période et le recul du PNB réel et de la production industrielle entre le sommet et le creux.

TABLEAU 1

RALENTISSEMENTS ET RÉCESSIONS DANS L'ÉCONOMIE CANADIENNE

| | Récession ou ralentissement | | | Recul entre le sommet et le creux | |
	Dates	Durée	Taux de chômage le plus élevé	PNB réel	Production industrielle
Réc.	1944-1946	32 mois	3,4%	4,9%	20,9%
Ral.	1951	9 mois	3,6%	0,7%	3,6%
Réc.	1953-1954	12 mois	5,2%	3,1%	2,7%
Réc.	1957-1958	9 mois	6,5%	0,4%	4,9%
Ral.	1960-1961	9 mois	7,7%	1,7%	4,4%
Ral.	1970	5 mois	6,6%	0,3%	2,8%
Réc.	1974-1975	21 mois	7,2%	0,6%	9,6%
Réc.	1979-1980	8 mois	7,8%	1,9%	5,5%
Réc.	1981-1982	18 mois	12,8%	5,5%	17,6%

Ral. - Ralentissement   Réc. - Récession

La durée des récessions au Canada a été beaucoup plus courte que celle des périodes intermédiaires d'expansion, et le repli de l'activité économique est habituellement beaucoup plus marqué que sa progression. La récession prolongée enregistrée à la fin de la Seconde Guerre mondiale n'était pas typique en raison de la transition entre une économie de guerre et une économie de paix.

INDICATEURS ÉCONOMIQUES

Certaines statistiques économiques peuvent être rassemblées en raison de leur rapport avec les tournants d'un cycle économique, et elles sont ensuite utilisées pour déceler les changements dans l'activité économique. Il est notoire que les fluctuations dans l'activité économique traduisent les fluctuations dans les nombreux secteurs de l'économie et que les différents secteurs d'une économie ne fluctuent pas nécessairement tous ensemble. Par conséquent, les séries statistiques sont classées, en fonction de leurs renversements par rapport à ceux de l'ensemble de l'économie, dans l'une des 3 catégories d'indicateurs suivantes.

Indicateurs simultanés

Les indicateurs simultanés sont **ceux qui varient à peu près en même temps que l'économie dans son ensemble.** Ils comprennent le produit national brut, la production industrielle, le revenu des particuliers, l'emploi, les ventes au détail, etc. Les indicateurs simultanés peuvent servir à constater, après coup, à quel moment ont eu lieu les sommets et les creux du cycle économique.

Indicateurs retardataires

Les indicateurs retardataires sont **ceux dont le revirement se produit après celui de l'économie dans son ensemble.** Le plus important de tous est celui des dépenses en immobilisations des sociétés (installations de production). De nombreuses séries, elles aussi retardataires, ont trait aux dépenses en immobilisations; les prêts commerciaux et l'intérêt sur ces emprunts en sont des exemples.

Indicateurs précurseurs

Les indicateurs précurseurs sont les plus utilisés, car **ils réagissent avant que ne survienne un revirement de l'économie dans son ensemble.** Parmi les plus importants, citons ceux qui découlent directement de la prise de décisions: les permis de construire et les mises en chantier de logements (qui précèdent la construction), ainsi que les nouvelles commandes que reçoivent les fabricants, tout particulièrement les commandes de biens durables (qui laissent prévoir que les consommateurs achèteront un plus grand nombre de biens comme les automobiles, les appareils électriques, etc.).

D'autres indicateurs précurseurs comprennent les augmentations de bénéfices des sociétés (qui engendrent la confiance et l'optimisme), les prix au comptant des marchandises (qui reflètent une demande plus forte de matières premières), la moyenne hebdomadaire des heures de travail (qui découle d'une augmentation de la production et qui permet de prévoir la création d'emplois), le cours des actions (qui reflète l'espoir que les bénéfices des sociétés augmenteront) et les mouvements de capitaux (qui indiquent la liquidité disponible pour financer l'expansion de l'économie). Un revirement à la baisse de ces indicateurs est interprété comme un signe du passage à la phase descendante d'un cycle.

Lacunes des indicateurs précurseurs

Aucun des indicateurs précurseurs publiés n'est parfait. Pour être vraiment utiles, les indicateurs précurseurs doivent être fiables et être connus bien avant que n'ait lieu un revirement cyclique afin que les gestionnaires puissent prendre à temps les décisions qui s'imposent en matière d'investissement et d'activités. Ce n'est pas toujours le cas cependant.

Les indicateurs précurseurs risquent aussi de ne prévoir ni l'importance d'un revirement ni le moment où il se produira. Bien qu'ils soient assez précis pour reconnaître les revirements avant qu'ils ne surviennent, ils ont parfois annoncé des "phases descendantes" qui n'ont été en fait que des ralentissements ou des périodes de croissance inférieures à la moyenne. Néanmoins, les indicateurs précurseurs sont très utiles pour déceler les revirements dans l'économie.

Lacunes des prévisions

L'expérience a démontré que les prévisions financières sont plus précises et plus fiables lorsqu'elles se rapportent à l'avenir immédiat. En effet, des événements imprévus, tels que la forte hausse des prix mondiaux du pétrole au cours des années 1970 et des changements dans la politique gouvernementale, peuvent fausser les prévisions initiales. Ainsi, les taux d'inflation élevés qui ont marqué les années 1970 et le début des années 1980 n'ont certainement pas créé une situation propice à l'établissement de prévisions.

FLUCTUATIONS DU COURS DES TITRES DANS UN CYCLE ÉCONOMIQUE

Les fluctuations d'un cycle économique ont toujours entraîné d'importantes fluctuations du cours des titres et des taux d'intérêt; il est donc probable qu'il en sera de même dans les années à venir.

Actions ordinaires

Le cours des actions ordinaires monte généralement avant et pendant les périodes d'expansion économique parce qu'on prévoit alors un accroissement des bénéfices de sociétés qui se traduit par des dividendes plus élevés (augmentation du rendement des actions) ou par des bénéfices non répartis et réinvestis plus importants (augmentation de la valeur comptable), ou par les deux à la fois. Les investisseurs qui recherchent un revenu ou des gains en capital ont avantage à posséder des actions ordinaires durant cette phase du cycle.

Bien que ces concepts soient simples et logiques, il peut être difficile de choisir le moment opportun pour acheter des actions ordinaires. En raison de l'influence des prévisions, le cours des actions ordinaires devance souvent le point de retournement au creux du cycle - il peut commencer à monter avant que la croissance économique ne reprenne et alors que la situation est encore relativement mauvaise. Il est très difficile et parfois impossible d'évaluer de façon sûre la durée de cette réaction anticipée.

De la même façon, le cours des actions ordinaires tend à baisser pendant les périodes de repli de l'activité économique et peut également devancer le point de retournement au sommet du cycle, alors que la conjoncture économique semble encore favorable. La cause du fléchissement des cours est attribuable à la prévision d'une diminution des bénéfices de sociétés, qui peut entraîner une réduction des dividendes ainsi qu'un accroissement plus faible de la valeur comptable des biens des entreprises. Les investisseurs qui se préoccupent de leur revenu vendront alors des actions ordinaires afin d'obtenir des fonds pour maintenir ou accroître le revenu de leurs placements. Les investisseurs qui désirent s'assurer des gains en capital vendront des actions ordinaires afin de réaliser leurs profits non matérialisés.

Valeurs à revenu fixe

Il faut se rappeler que le cours des valeurs à revenu fixe (obligations classiques et actions privilégiées classiques) varie à l'opposé des fluctuations des taux d'intérêt. Lorsque les taux d'intérêt augmentent, le cours des obligations baissent, et vice versa.

Les taux d'intérêt fluctuent avec les variations de l'activité économique qui ont lieu au cours d'un cycle. En période d'expansion, un accroissement de la demande d'argent fait monter les taux d'intérêt, ce qui fait baisser le cours des valeurs à revenu fixe. En période de ralentissement, la demande d'argent diminue; les taux d'intérêt baissent et le cours des valeurs à revenu fixe monte.

Remarquez que le cours des valeurs à revenu fixe varie normalement à l'opposé du cours des actions ordinaires. Toutefois, lorsque les taux d'intérêt sont très élevés, les emprunts que contractent les entreprises à des fins d'expansion tendent à diminuer de même que les possibilités de profit futur. Dans ce cas, les cours des actions ordinaires et des valeurs à revenu fixe peuvent baisser.

STRATÉGIES DE PLACEMENT PENDANT UN CYCLE ÉCONOMIQUE

Une bonne stratégie de placement est possible si l'on peut prévoir plusieurs mois à l'avance les revirements d'un cycle économique.

Pour adopter une bonne stratégie de placement, c'est-à-dire pour déterminer s'il faut acheter ou vendre des actions ou des obligations à un moment donné, il est essentiel de déceler à l'avance l'évolution des tendances foncières d'un cycle économique. Prenons le cas suivant à titre d'exemple:

Phase 1 (phase d'expansion)

- Bien que le sommet du cycle économique n'ait pas été atteint, la période d'expansion arrive à sa fin et la phase de récession se dessine;

- le marché boursier est encore ferme et à la hausse;

- les taux d'intérêt ont augmenté et la demande de crédit est très forte; la Banque du Canada adopte une politique de resserrement du crédit.

Stratégie de placement:

- ne plus acheter d'actions ordinaires;

- placer les liquidités dans des effets à court terme portant intérêt ou dans des obligations. Lorsqu'une politique d'austérité monétaire (resserrement du crédit par la Banque du Canada) est appliquée, les taux d'intérêt à court terme tendent à être plus élevés que les taux d'intérêt à long terme.

Phase 2 (sommet)

. Le cours des actions ordinaires fléchit lorsque le sommet du cycle est atteint.

Stratégie de placement:

. commencer à vendre les actions ordinaires;

. vendre d'abord les actions ordinaires de sociétés dans les industries cycliques vulnérables dont le ratio cours-bénéfice est élevé et le rendement faible;

. investir le produit dans des obligations ou des effets à court terme qui offrent encore les rendements les plus élevés.

Phase 3 (phase de récession)

. La conjoncture récessive est manifeste et les perspectives économiques sont sombres.

Stratégie de placement:

Il doit être possible de reporter l'échéance des obligations en portefeuille sans perte de rendement (revenu).

. vendre les obligations et les débentures à court terme;

. acheter des obligations et des débentures à moyen et à long terme.

Phase 4 (creux)

Le creux du cycle économique n'est pas atteint, mais on entrevoit la fin de la récession.

Stratégie de placement

. commencer à vendre les obligations et les débentures à long terme, le cours de ces titres aura monté à mesure que les taux d'intérêt auront baissé lors du relâchement du crédit;

. commencer à acheter des actions ordinaires qui se vendent à un cours peu élevé, particulièrement les actions de sociétés solides dans les industries cycliques.

Bien que les stratégies exposées ci-dessus simplifient à l'extrême les problèmes et les solutions, les principes fondamentaux sont valides. Le comportement des investisseurs pendant les cycles économiques est un des facteurs qui influencent le plus le cours des titres. Ce comportement se fonde sur les diverses prévisions qui modifient le rapport entre l'offre et de la demande de titres.

AUTRES FACTEURS FONDAMENTAUX INFLUANT SUR LE COURS DES TITRES

D'autres facteurs, dont certains sont reliés aux cycles économiques, entraînent des variations du cours des titres, à divers degrés et à des moments différents. En voici un bref examen.

Événements extérieurs

Certains événements extérieurs imprévisibles peuvent avoir une influence considérable, favorable ou défavorable, sur l'économie canadienne et sur le cours des titres. Ces événements comprennent les crises internationales telles que des guerres, des révolutions, des dévaluations monétaires, de mauvaises récoltes et des famines, des assassinats, des résultats d'élections imprévus, le non-remboursement des dettes, des bouleversements technologiques, des accords commerciaux, des barrières douanières, etc.

Des mouvements spectaculaires du prix des marchandises essentielles (produits agricoles, métaux, etc.) qu'achètent les pays industrialisés comme le Canada peuvent aussi influer sur l'activité économique et le cours des titres. Nombre de fluctuations du prix des marchandises découlent directement de l'offre de produits, excessive ou insuffisante, attribuable au cycle conjoncturel; d'autres, par exemple les augmentations du prix du pétrole, n'en dépendent pas.

Épargne brute

Le cours des titres est également influencé par le revenu disponible qui peut servir aux dépenses et aux placements. En général, plus le montant destiné aux dépenses des consommateurs et des entreprises ou aux marchés boursiers est élevé, plus l'effet sur les gains et le cours des actions ordinaires sera favorable.

Nos gouvernements ont cependant eu de tels besoins d'argent qu'ils ont absorbé l'épargne avec leurs titres d'emprunt, la rendant inaccessible à la dépense sur un marché libre et aux titres des sociétés. Le résultat de ce déplacement a fait apparaître une concurrence entre les entreprises et les gouvernements. La demande de liquidités des deux secteurs a entraîné une hausse des taux d'intérêt.

Politiques budgétaires

Le niveau des dépenses gouvernementales et la fiscalité sont les deux plus importants instruments de la politique budgétaire. Ils sont importants aux yeux des investisseurs, car ils ont une incidence sur l'ensemble des résultats économiques et sur la rentabilité des entreprises.

Disons simplement que l'augmentation des dépenses gouvernementales a un effet stimulant sur l'ensemble de l'économie ou sur certains secteurs, et que les coupures des dépenses produisent l'effet contraire. Réciproquement, l'augmentation des impôts entraîne une diminution des dépenses de consommation et de la rentabilité des entreprises, alors qu'une réduction du taux d'imposition stimule l'économie et fait monter les bénéfices et le cours des actions ordinaires.

Taux d'intérêt et politique monétaire

La Banque du Canada a comme responsabilité de "réglementer le crédit et la monnaie dans le meilleur intérêt de la vie économique de la nation,..."; pour ce faire, elle dirige la politique monétaire qui doit favoriser une croissance économique soutenue. En période de récession, la Banque du Canada cherche donc à augmenter la masse monétaire afin de stimuler les dépenses, l'emploi et la production. Mais elle doit aussi pouvoir réduire la masse monétaire lorsque la croissance s'accélère et que les premiers signes d'inflation apparaissent.

Au début d'un cycle économique, le cours des actions ordinaires monte alors qu'il y a relâchement du crédit et que les taux d'intérêt sont bas (le cours des obligations est élevé). Plus tard dans le cycle économique, la politique monétaire devient plus restrictive afin de stabiliser la croissance économique de et ralentir l'inflation. En période d'argent rare, les taux d'intérêt montent et le cours des obligations dégringole.

L'augmentation des taux d'intérêt nuit aussi au cours des actions. Ces périodes voient souvent les porteurs d'actions liquider leurs avoirs afin de placer leurs fonds dans des valeurs à revenu fixe ayant un rendement plus élevé. En outre, lorsque les taux d'intérêt sont élevés, les perspectives de profits élevés et de croissance soutenue deviennent moins encourageantes et le cours des actions ordinaires diminue.

Inflation

Une poussée inflationniste des prix engendre une incertitude généralisée et un manque de confiance en l'avenir. Ces facteurs font baisser les bénéfices des sociétés (ce qui fait tomber le cours des actions ordinaires) et augmenter les taux d'intérêt (ce qui fait baisser le cours des valeurs à revenu fixe).

L'inflation est responsable de l'accumulation des stocks et des hausses des coûts de main-d'oeuvre que les fabricants doivent répercuter sur les prix de vente afin de préserver la rentabilité de leur entreprise. Cependant, il n'est pas toujours possible d'augmenter ainsi les prix de vente, car on se heurte petit à petit à la résistance des acheteurs. La réduction de la marge bénéficiaire de l'entreprise qui s'ensuit se traduit par une baisse du cours des actions ordinaires.

MOYENNES ET INDICES BOURSIERS

Les moyennes et les indices boursiers figurent parmi les outils statistiques importants qui permettent aux investisseurs d'évaluer l'orientation du marché boursier.

Qu'est-ce qu'un indice?

Un indice est une mesure statistique qui est exprimée sous la forme d'un pourcentage par rapport à une époque de référence, habituellement une année. Par exemple, l'indice des prix à la consommation en novembre 1985 était de 128,9, ce qui signifie 128,9% de l'année de base 1981 qui équivaut à 100 (1981 = 100).

Qu'est-ce qu'une moyenne?

La plupart des gens savent qu'une moyenne correspond à la somme arithmétique de plusieurs quantités divisée par leur nombre. Une moyenne diffère d'un indice parce qu'elle n'est pas reliée à une valeur attribuée à une époque de référence. La moyenne boursière la plus utilisée est probablement la moyenne Dow Jones des valeurs industrielles, qui est publiée dans le **Wall Street Journal** et dans les pages financières de la plupart des journaux.

INDICATEURS BOURSIERS AUX ÉTATS-UNIS

Étant donné que l'économie canadienne est étroitement liée à l'économie américaine et que de nombreuses actions sont cotées à la fois aux bourses canadiennes et américaines, l'activité boursière au Canada tend à suivre les principales fluctuations du marché américain. Aussi, les analystes canadiens suivent de près les indicateurs boursiers américains.

Moyenne Dow Jones des valeurs industrielles

Bien qu'il se négocie chaque jour plus de 2 000 émissions à la Bourse de New York, c'est le comportement des 30 émissions constituant la moyenne Dow Jones des valeurs industrielles qui polarise le plus l'attention.

Lorsqu'un client demande: "Comment va New York aujourd'hui?", il veut savoir comment se comporte la moyenne Dow Jones des valeurs industrielles. Depuis son origine, qui remonte au tout début du siècle, la moyenne Dow Jones est devenue et reste synonyme de Bourse de New York.

Des critiques sont formulées périodiquement à l'effet que la moyenne Dow Jones des valeurs industrielles n'est pas vraiment représentative de l'activité boursière, du fait qu'elle ne porte que sur un nombre restreint de sociétés. Toutefois, un grand nombre d'investisseurs l'utilisent comme un indice général du comportement du marché boursier. En fait, seules des valeurs de premier ordre entrent dans la moyenne et les nouvelles industries ne sont pas toutes représentées.

En plus de la moyenne des valeurs industrielles (30 sociétés) et de la moyenne des transports (20 sociétés), Dow Jones and Company Inc. compile et publie une moyenne des services publics (15 sociétés) ainsi qu'une moyenne générale (65 sociétés).

Les 30 sociétés de la moyenne Dow Jones des valeurs industrielles

Allied Corp.
Alum. Co. of America
American Can
American Express
A.T.& T.
Bethlehem Steel
Chevron Corp.
Du Pont
Eastman Kodak
Exxon

General Electric
General Motors
Goodyear Tire & Rubber
Inco
International Business Machines
International Harvester
International Paper
McDonald's
Merck & Company
Minnesota M'g. & Mfg.

Owens-Illinois
Phillip Morris
Proctor & Gamble
Sears Roebuck
Texaco
Union Carbide
United Technologies
U.S. Steel
Westinghouse Elec.
Woolworth (F.W.) Co.

Moins de la moitié des 30 sociétés qui figuraient à l'origine dans la moyenne Dow Jones sont encore sur cette liste.

Indices Standard & Poor's

Standard & Poor's Corporation a commencé à publier des indices de cours d'actions aux États-Unis en 1923. Ses cinq groupes actuels d'indices d'actions américaines cotées en bourse sont l'indice des sociétés industrielles (400 actions), l'indice des sociétés de transports (20 actions), l'indice des sociétés financières (40 actions), l'indice des sociétés de services publics (40 actions) et l'indice général (portant sur toutes ces 500 actions).

Afin d'accroître l'utilité des indices, Standard & Poor's Corporation publie également des résumés de bénéfices, de dividendes, de rendements et de ratios cours-bénéfice sous une forme qui permet d'établir une relation entre les groupes d'indices.

Indices de la Bourse de New York

La Bourse de New York établit cinq indices basés sur des actions ordinaires: l'indice général, l'indice industriel, l'indice des transports, l'indice des sociétés financières et immobilières, et l'indice des sociétés de services publics. Ils comprennent toutes les actions ordinaires de chaque groupe cotées à la bourse de New York et sont redressés afin de tenir compte des variations du nombre de valeurs cotées. Le nombre de valeurs de chaque indice est indiqué au tableau qui suit:

Indices de la Bourse de New York

Général	- Toutes les actions ordinaires cotées à la Bourse de New York
Industrielles	- Toutes les valeurs industrielles cotées à la Bourse de New York
Transports	- 53
Services publics	- 173
Finance et immobilier	- 211

L'année de base pour ces indices est 1965 = 50.

Moyenne Dow Jones des valeurs industrielles 1885–1985

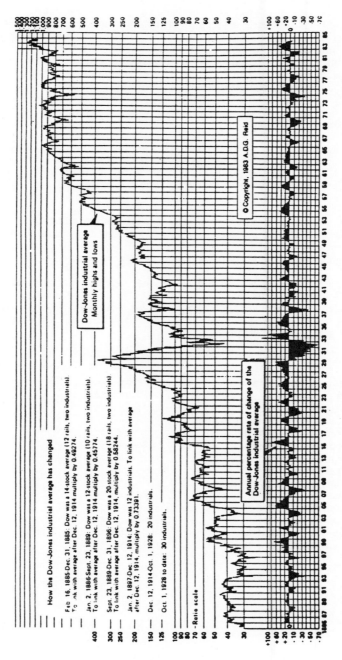

Reproduit avec la permission de A.D.G. Reid

INDICATEURS DES MARCHÉS CANADIENS

Au Canada, la Bourse de Toronto et la Bourse de Montréal établissent et publient des indices de cours de diverses catégories de titres inscrits à leurs cotes. Ces indices, ainsi que les rendements des actions et les ratios cours-bénéfice basés sur l'indice général TSE 300 qui est décrit ci-après, sont publiés dans les publications financières hebdomadaires et dans les quotidiens, au Canada et ailleurs. Des indices relatifs aux titres qui se négocient à la Bourse de Vancouver et à la Bourse de l'Alberta sont également publiés de façon régulière par chacune de ces bourses et dans la presse. De plus, certaines firmes de courtage établissent des indicateurs pour différents secteurs du marché; les indicateurs sont très suivis et publiés dans la presse.

Indices de la Bourse de Toronto

La Bourse de Toronto a instauré ses premiers indices du cours des titres en 1934 et un certain nombre de changements et de rectifications ont été apportés de temps à autre au fil des ans. En janvier 1977, la Bourse de Toronto a introduit un nouveau système d'indice, l'indice général TSE 300, avec des séries qui remontent à janvier 1956.

Cet indice général mesure les variations, attribuables aux fluctuations du cours de chacune des actions, de la valeur au cours du marché d'un portefeuille composé de 300 titres. Le cours de chaque titre est pondéré par le nombre total d'actions en circulation (moins les blocs de contrôle connus de 20% ou plus).

Les 300 titres ont également été classés par secteur d'activité, de sorte que les indices de 14 groupes principaux ainsi que les indices de 41 sous-groupes sont également calculés. L'année de base pour tous les indices est 1975; la valeur de base en 1975 a été portée à l'équivalent de 1 000. À la fin de 1985, les indices des 14 principaux groupes sont les suivants.

Métaux et minéraux	28 sociétés
Or	20 sociétés
Pétrole et gaz	51 sociétés
Papier et produits forestiers	9 sociétés
Produits de consommation	22 sociétés
Produits industriels	40 sociétés
Immobilier et construction	10 sociétés
Transports	6 sociétés
Pipelines	6 sociétés
Services publics	15 sociétés
Communications et média	17 sociétés
Commercialisation	28 sociétés
Services financiers	33 sociétés
Sociétés de gestion	15 sociétés

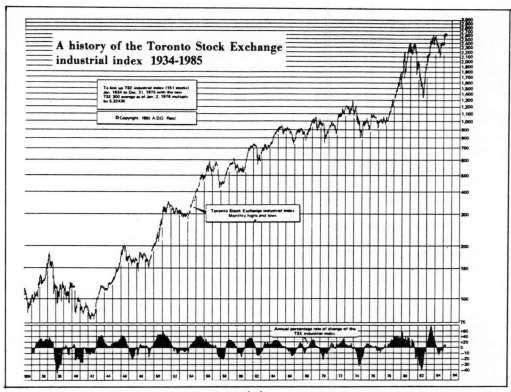

A history of the Toronto Stock Exchange industrial index 1934-1985

Toronto Stock Exchange industrial index
Monthly highs and lows

Annual percentage rate of change of the
TSE industrial index

En plus des 14 groupes de l'indice général TSE 300, la B. de T. a introduit le 2 janvier 1985 un nouvel indice de technologie avancée qui comprend 24 actions de sociétés de technologie avancée. L'indice se divise en trois groupes industriels: informatique (8 sociétés), électronique (10 sociétés) et communications (6 sociétés). Douze de ces actions sont également comprises dans l'un ou l'autre des groupes industriels de l'indice général TSE 300.

En 1980, la Bourse de Toronto a introduit un ensemble d'indices de rendement total qui mesurent les variations dans un portefeuille qui sont attribuables non seulement aux fluctuations du cours des actions mais également au réinvestissement des dividendes versés sur les actions. Par conséquent, ces indices donnent le rendement composé obtenu lors du placement en actions de façon continue. Ils sont calculés une fois par jour. La valeur de base pour l'ensemble des indices de rendement total a été portée à l'équivalent de 1 000 le 31 décembre 1976.

Des données récapitulatives complètes sur ces indices ainsi que sur les bénéfices déclarés, les ratios cours-bénéfice, les dividendes et d'autres renseignements sont fournis sur demande par la Bourse de Toronto.

Indices de la Bourse de Montréal

Depuis 1926, la Bourse de Montréal établit et publie des indices du cours des actions ordinaires. Ces indices ont subi de nombreux changements, particulièrement en ce qui concerne la méthode de pondération des cours, la période de référence et la classification des titres.

Depuis 1984, la Bourse de Montréal dresse un indice composé et six indices industriels sectoriels, comme nous le verrons au tableau suivant. L'année de base de ces indices est le 3 janvier 1983, date à laquelle on leur a accordé une valeur de 100.

Indices de la Bourse de Montréal	
XCB: Indice bancaire canadien	6 sociétés
XCF: Indice canadien des produits forestiers	5 sociétés
XCO: Indice canadien des hydrocarbures	12 sociétés
XCU: Indice canadien des services publics	9 sociétés
XCM: Indice canadien des mines et métaux	10 sociétés
XCI: Indice canadien des biens d'équipement	8 sociétés
XXM: Indice canadien du marché	25 sociétés

L'indice canadien du marché est composé de 25 sociétés dont les actions ordinaires à large diffusion sont de premier ordre. Cet indice a été conçu pour indiquer une moyenne exacte des cours des actions à partir de laquelle les investisseurs peuvent évaluer le rendement de leur propre portefeuille.

Des options sur l'indice canadien du marché (XXM) et sur l'indice bancaire canadien (XCB) sont inscrites à la Bourse de Montréal.

Indice de la Bourse de Vancouver

Introduit le 6 janvier 1986, cet indice porte sur tous les titres cotés à la Bourse de Vancouver, à l'exception des titres également cotés à d'autres bourses si moins de la moitié du volume canadien est négocié à la Bourse de Vancouver. Le cours de chaque titre est pondéré par la capitalisation de la société émettrice, à savoir le nombre d'actions en circulation de la société multiplié par le cours du marché de ses actions. Environ 1 450 titres composent cet indice.

L'indice de la Bourse de Vancouver précédent avait été introduit en janvier 1982 avec une valeur de base de 1 000; le 3 janvier 1986, l'indice de clôture définitif équivalait à 1 310. La valeur de base de l'indice actuel a commencé à la valeur de cet indice de clôture. Contrairement à l'indice actuel, l'indice précédent portait sur toutes les actions cotées à la Bourse de Vancouver et se basait sur le cours du marché de ces actions.

ANALYSE TECHNIQUE

L'analyse technique s'intéresse à la situation des marchés des valeurs mobilières et tout particulièrement aux fluctuations des cours, au volume des opérations, à l'offre et à la demande, etc. Les cours, les volumes et autres données sont représentés graphiquement; en s'appuyant sur l'étude de ces graphiques, les spécialistes essaient de choisir le moment opportun pour les achats et les ventes de titres afin de profiter des fluctuations du marché, l'idéal étant d'acheter avant une hausse et de vendre avant une baisse. On utilise généralement des graphiques pour représenter les moyennes et les indices boursiers, le cours d'une action ou d'une marchandise.

L'analyste technique s'intéresse peu aux facteurs "fondamentaux" tels que les ventes, les bénéfices, le rendement du capital investi, etc., mais se concentre plutôt sur les mouvements (fluctuations de cours et de volume) de chaque action et du marché dans son ensemble.

Analyse technique - deux hypothèses

La première hypothèse est une hypothèse générale selon laquelle les cours en bourse représentent la somme totale de tout ce qui est connu et prévisible qui peut influer sur l'offre et la demande d'actions. Par exemple, si l'on prévoit que les bénéfices d'une société vont considérablement augmenter, ceux qui le croient commenceront à acheter les actions de cette société en pensant qu'elles vont monter. Lorsque la société annoncera ses bénéfices, et si ils ont augmenté tel que prévu, le cours de l'action aura probablement déjà augmenté, traduisant ainsi ces profits accrus.

La seconde hypothèse de l'analyse technique est que le marché ne fluctue pas au hasard. Il fluctue selon des tendances qui sont le plus souvent importantes et de longue durée et qui ne sont perceptibles que pour ceux qui peuvent les discerner.

Théorie à l'appui de l'analyse technique

La théorie de base de l'analyse technique est que l'on peut prévoir l'orientation future des cours à l'aide de graphiques illustrant le comportement passé des cours et du volume des opérations. À l'aide des graphiques, on est censé pouvoir reconnaître les signes précurseurs d'une demande forte (tendance à la hausse) ou d'une offre soudaine (tendance à la baisse). Par exemple, la nouvelle d'un événement favorable relatif à une société tend à se propager de groupe en groupe par vagues. D'abord, un groupe de personnes achètera le titre dont le cours montera lorsqu'un volume très important d'opérations sera enregistré. Il y aura ensuite une période d'accalmie et le titre se liquidera. Après un certain temps, un nouveau groupe de personnes entendra parler de cet événement favorable et achètera le titre; son cours remontera dès que le volume d'opérations aura augmenté. Lorsque l'analyste technique remarque ces fluctuations sur un graphique, il sait que quelque chose se passe qui favorisera probablement le titre. Il existe un certain nombre de tracés graphiques différents par lesquels l'analyste technique essaie de prévoir l'orientation du cours des titres.

MODÈLES D'ACCUMULATION

Les modèles d'accumulation (ou d'inversion) sont des tracés graphiques qui représentent habituellement une progression importante du cours des actions. En effet, le cours des actions ne s'oriente pas directement à la hausse puis à la baisse, ou à la baisse puis à la hausse. Au contraire, un repli prolongé est habituellement suivi d'une période d'accumulation. L'exemple qui suit illustre ce processus.

- Tout d'abord, le cours de l'action baisse, passant du point A au point B, alors que la force de vente excède le pouvoir d'achat.

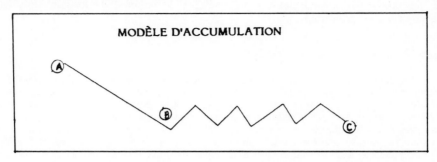

MODÈLE D'ACCUMULATION

- Puis, durant l'intervalle de temps entre B et C (période qui peut durer des semaines ou des mois), un pouvoir d'achat suffisant se développe et vient contrebalancer les ventes, mais pas assez pour faire monter le cours de l'action. En d'autres termes, les acheteurs ont décidé d'acheter le titre "accumulé" à l'intérieur d'une certaine fourchette de cours.

Formation de tête et d'épaules inversées

Cette formation est peut-être le modèle d'accumulation le plus connu.

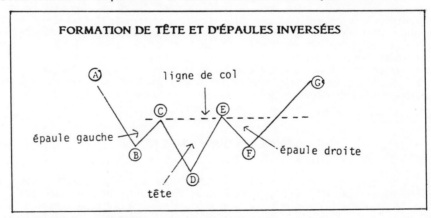

FORMATION DE TÊTE ET D'ÉPAULES INVERSÉES

ligne de col

épaule gauche

épaule droite

tête

Caractéristiques d'une formation de tête et d'épaules inversées

- A à B - Baisse prolongée du cours; le volume d'actions négociées peut augmenter à mesure que le fléchissement se poursuit.

- B à C - Redressement minime du cours; le volume des opérations n'augmente habituellement pas de beaucoup.

- C à D - Le cours de l'action baisse de nouveau; une augmentation du volume est souvent enregistrée, jusqu'en D, point qui se trouve au-dessous du niveau de l'épaule gauche (B).

- D à E - Le cours de l'action enregistre un nouveau redressement, souvent sans qu'il n'y ait d'augmentation importante du volume des opérations.

- E à F - Autre baisse; le volume des opérations peut ou non s'accroître.

- F en G - Nouveau redressement; plus l'épaule droite est symétrique par rapport à l'épaule gauche, plus le modèle est sûr.

(ABC = épaule gauche de la formation)

(CDE = tête de la formation)

(EFG = épaule droite de la formation)

Si l'on joint les points de reprise C et E (ligne pointillée), on obtient la ligne de col.

L'étape finale qui confirme le renversement de la tendance est une hausse qui porte le cours du titre au-dessus de la ligne de col, accompagnée d'un accroissement du volume des opérations; il y a alors **rupture à la hausse.** En pratique, cette formation semble être l'un des modèles de renversement les plus fiables.

Parmi les autres modèles d'accumulation ou d'inversion, on peut citer:

- le rectangle d'accumulation symétrique;

- le triangle rectangle ascendant;

- le triangle isocèle;

- la formation inversée de tendance baissière à deux cornes.

MODÈLES DE DISTRIBUTION

Les modèles de distribution sont l'opposé des modèles d'accumulation ou d'inversion. Ils laissent habituellement prévoir d'importantes baisses des cours. En bourse, les marchés haussiers peuvent s'étendre sur des périodes de six à neuf mois aussi bien que sur des périodes de trois à quatre ans. Après une longue période de hausse, le marché boursier ne se retourne pas d'une façon subite pour descendre rapidement. Il y a habituellement une période d'équilibre des hausses et des baisses, qu'on appelle période de distribution.

Formation de tête et d'épaules

Le plus important modèle de distribution est probablement la formation de tête et d'épaules qui est le contraire de la formation de tête et d'épaules inversées.

Dans cette formation, il y a habituellement un "ressac" (qui survient au point G du graphique ci-dessous) qui ramène le cours du titre à peu près au niveau de la ligne de col (point H). Il s'ensuit alors une baisse réelle et soutenue.

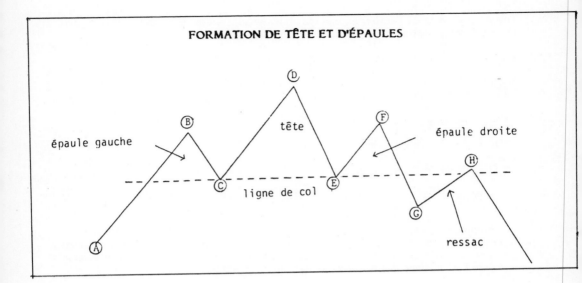

FORMATION DE TÊTE ET D'ÉPAULES

épaule gauche

tête

épaule droite

ligne de col

ressac

THÉORIE DE DOW

La Théorie de Dow fut le premier essai de prévision de la tendance du cours des actions (le marché) portant sur l'analyse technique. Le père de cette théorie est Charles Henry Dow, fondateur du service de nouvelles financières Dow Jones et premier rédacteur en chef du **Wall Street Journal.** Il élabora sa théorie dans une série d'éditoriaux publiés depuis la fin des années 1880 jusqu'à son décès en 1902.

Dow était d'avis que les fluctuations du marché boursier sont marquées par des tendances et des mouvements que seules certaines personnes astucieuses sont en mesure de reconnaître.

Trois tendances fondamentales des cours en bourse

Selon Dow, l'évolution du marché boursier comporte trois catégories de tendances:

. des tendances primaires (ou majeures);

. des tendances secondaires (ou intermédiaires);

. des tendances mineures.

La théorie de Dow se fonde sur l'hypothèse selon laquelle une fois qu'une tendance primaire est établie, le marché boursier garde cette orientation pendant longtemps, c'est-à-dire depuis moins d'un an jusqu'à plusieurs années. La détermination exacte des tendances majeures est le principal objectif des adeptes de la théorie de Dow. Les tendances secondaires s'étendent sur une période de trois semaines à plusieurs mois et s'orientent à l'inverse d'une tendance primaire.

Un indice permettant de faire la distinction entre une tendance secondaire et une tendance primaire est le pourcentage de variation dans la direction du marché dans son ensemble. Si le changement est de 11% à 14% au plus, il s'agit probablement d'une tendance secondaire; si le pourcentage de la variation est supérieure à 14%, il est probable qu'une tendance primaire s'amorce.

Les tendances mineures sont le résultat des fluctuations quotidiennes de cours et n'ont qu'une importance secondaire pour l'épargnant moyen.

Signaux d'achat et de vente selon la théorie de Dow

La théorie de Dow avance que si le marché américain (représenté à des fins d'analyse technique par la moyenne Dow Jones des valeurs industrielles) enregistre une baisse importante représentée par une courbe descendante continue, ce repli ne constitue pas en lui-même un marché à la baisse. En effet, selon Dow, ce n'est pas le premier mouvement à la baisse qui compte, mais le second.

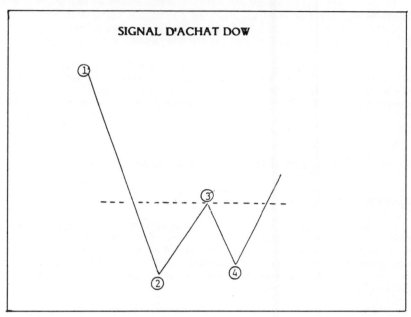

Caractéristiques du signal d'achat Dow

- Le marché à la baisse atteint un point très bas alors que la courbe de la moyenne Dow Jones des valeurs industrielles descend du point 1 au point 2.

- Du point 2 jusqu'au point 3, un mouvement secondaire à la hausse est enregistré. Ceci dure de quelques semaines à quelques mois et consiste habituellement en une avance de 7% à 13% de la moyenne dans son ensemble (soit une correction d'un tiers à la moitié de la baisse précédente).

- À partir du point 3, le marché se replie de nouveau jusqu'au point 4, qui se trouve légèrement au-dessus du point 2.

- Une autre hausse s'amorce alors. À ce stade, se produit le signal d'achat de la théorie Dow. Si, à l'occasion d'une hausse à partir du point 4, la moyenne Dow Jones des valeurs industrielles clôture, à n'importe quelle séance, à un niveau supérieur au point 3, et que la moyenne Dow Jones des transports confirme cette tendance, on considère alors qu'un nouveau marché à la hausse s'amorce.

Le signal de vente se présente sous la forme du tracé inverse du signal d'achat.

Théorie de la vague d'Elliott

La théorie de la vague d'Elliott est une théorie compliquée qui se base sur les cycles naturels. Selon Elliott, il existe dans la nature des séquences de nombres et de cycles qui se répètent et de tels mouvements se retrouvent dans les fluctuations du cours des actions.

Selon cette théorie, le marché évolue par vagues et cycles immenses. À ces vagues se superposent des vagues moins importantes et, sur ces dernières, de plus petites, et ainsi de suite.

Elliott affirme principalement que le marché monte en une série de cinq vagues et baisse en une série de trois vagues. Sur ces vagues peuvent se superposer d'autres vagues plus petites. De plus, la théorie comprend diverses subtilités: par exemple, la troisième vague ne doit pas être plus courte que la première et la cinquième.

Malheureusement, par suite de la prolongation de certaines vagues qui se décomposent en cinq vagues pus petites, il est souvent difficile de déterminer dans quelle partie du cycle le marché se trouve à un moment donné. Toutefois, il est arrivé que cette théorie ait donné à ses tenants une indication très nette de la tendance du marché.

INDICATEURS TECHNIQUES BOURSIERS

Indice du volume

Au cours d'un marché à la hausse, le plus fort volume des achats a tendance à se produire vers les derniers stades, alors que les gros investisseurs sont le plus actifs. Dans un marché à la baisse, le plus fort volume se produit habituellement au cours de la liquidation massive à la fin de la première phase. Selon cette approche, un examen de la tendance du volume quotidien fournit une indication du stade d'avancement des différentes phases du marché.

Indice de l'ampleur

De nombreux analystes techniques insistent sur l'importance de l'indice de l'ampleur du marché, qui est évalué par le nombre des différentes émissions négociées au cours d'une journée. En effet, le nombre de titres qui enregistre une avance ou un recul au cours d'une journée donnée est considéré comme étant très significatif et plus important que les moyennes, car il montre ce qui se produit quant à l'offre et à la demande pour tous les titres, et non pas seulement pour un nombre restreint de valeurs de premier ordre.

Un accroissement de l'ampleur du marché ou du nombre de titres négociés est considéré comme un signe favorable sur un marché à la hausse mais comme un signe défavorable sur un marché à la baisse.

Ligne avance-recul

La ligne avance-recul sert à déterminer la tendance du marché sans tenir compte des cours. On commence par choisir un nombre arbitraire (1 000 par exemple), puis on calcule la différence entre le nombre de titres dont le cours a marqué une avance et le nombre de titres dont le cours a enregistré un recul. Si le nombre de titres dont le cours a monté dépasse celui dont le cours a baissé, on ajoute cette différence au nombre arbitraire de 1 000; par contre, si le nombre de titres qui ont baissé dépasse celui des titres qui ont monté, on soustrait cette différence du nombre choisi. On continue ainsi de jour en jour jusqu'à ce qu'on obtienne une ligne avance ou une ligne recul. Un analyste technique comparerait cette ligne avance-recul à la moyenne Dow Jones des valeurs industrielles afin de vérifier si les deux donnent la même indication de la tendance du marché.

Indice des cours extrêmes (hauts et bas)

De la même façon que la ligne avance-recul, l'indice des cours extrêmes enregistre l'évolution d'ensemble du marché et, par conséquent, en mesure l'ampleur. Tous les jours ou toutes les semaines, le nombre d'actions atteignant un nouveau sommet est divisé par le nombre d'émissions négociées afin d'obtenir l'indice des nouveaux hauts; un calcul analogue est effectué pour l'indice des nouveaux bas. Chaque indice est ensuite établi séparément.

On considère que le marché est ferme quand les nouveaux hauts augmentent, et qu'il est faible lorsque les nouveaux bas augmentent.

Les partisans de cet indice croient également que:

- le nombre de nouveaux bas atteint un chiffre sans précédent à la fin d'un mouvement à la baisse;

- le nombre de nouveaux hauts commence à s'accroître au tout début d'un marché à la hausse;

- le nombre de nouveaux hauts commence à diminuer bien avant que la ligne avance-recul et que la moyenne Dow Jones des valeurs industrielles atteignent leur sommet.

Théorie des lots irréguliers

Les négociations de lots irréguliers portent sur un lot moindre qu'un lot régulier, soit habituellement moins de 100 actions. Le total des ventes et des achats de lots irréguliers de titres américains négociés en Bourse de New York est publié quotidiennement dans le **Wall Street Journal** et toutes les semaines dans **Barron's**. Le rapport entre les achats et les ventes reflète l'activité des petits épargnants.

En effet, ce sont généralement les petits épargnants qui s'intéressent aux lots irréguliers. Leurs opérations ne représentent qu'un faible pourcentage des opérations en bourse, mais leur comportement est une bonne indication du comportement du marché.

Pour bien comprendre le comportement de ce genre d'épargnant, il faut admettre qu'il est plus suiveur qu'initiateur; il croit que le marché va continuer à évoluer comme il vient de le faire. Il n'intervient pas sur un marché à la hausse tant que cette tendance n'est pas fermement établie. Par conséquent, il ne profite guère de cette hausse. Cependant, une fois engagé, il achète davantage lors d'un fléchissement des cours, croyant que le marché va continuer à monter. Parfois, il vend même lorsque les cours sont à la hausse, mais ses achats pendant un fléchissement sont ceux qui affaiblissent le plus le marché, car il achète des actions à des investisseurs qui ont plus d'expérience que lui.

Finalement, personne ne veut plus acheter ces lots irréguliers d'actions et le marché tombe. Croyant que ce repli sera bref, l'épargnant qui s'intéresse aux lots irréguliers continue à acheter. Toutefois, ses qualités de suiveur se confirment. Il reconnaît que le marché évolue à la baisse, que les achats diminuent et il vend à chaque reprise des cours. À ce stade, les titres sont de nouveau sous-évalués; les investisseurs professionnels commencent à acheter et les cours cessent de baisser. Une nouvelle hausse s'amorce et l'amateur de lots irréguliers, croyant que le marché est toujours baissier, vend plus que jamais.

Bien que le raisonnement sur lequel se fonde la théorie des opérations sur lots irréguliers soit valable, celle-ci n'est pas infaillible. Au cours des ventes fébriles et de la baisse de la moyenne Dow Jones des valeurs industrielles au printemps de 1970, les épargnants qui s'intéressaient particulièrement aux lots irréguliers n'ont pas appliqué leur théorie. Alors que de nombreux investisseurs institutionnels vendaient leurs titres, ils achetèrent. La reprise enregistrée au cours des deux ans et demi qui ont suivi donna raison aux amateurs de lots irréguliers et tort aux investisseurs institutionnels.

Ratio des soldes créditeurs aux soldes débiteurs

La Bourse de New York publie mensuellement le montant total des soldes créditeurs et des soldes débiteurs des clients de ses membres. Les soldes créditeurs sont les soldes des clients qui ne font que des opérations au comptant alors que les soldes débiteurs sont les soldes des spéculateurs ou des clients qui opèrent sur marge. Toute augmentation du total des soldes créditeurs indique que les clients qui traitent au comptant vendent leurs titres et, à mesure que des réserves de fonds s'accumulent, le pouvoir d'achat potentiel s'accroît, ce qui est un facteur favorable. De même, toute augmentation du total des soldes débiteurs signifie que les clients qui opèrent sur marge continuent à acheter, ce qui est un facteur favorable. Dans les deux cas, une diminution du montant total des soldes est interprétée comme un indice défavorable.

Ratio de la position à découvert à la Bourse de New York

Cet indicateur établit un rapport entre le total des positions à découvert à la Bourse de New York (nombre d'actions vendues à découvert et non couvertes) et le volume moyen des opérations quotidiennes à cette bourse. Étant donné que les ventes à découvert sont effectuées par ceux qui prévoient une baisse des cours, on pourrait s'attendre à ce qu'un accroissement du ratio des positions à découvert signifie une baisse, mais cela serait faux. Un ratio des positions à découvert qui s'élève est le signe d'un marché à la hausse, car il indique la demande potentielle d'actions par ceux qui ont vendu à découvert. Le raisonnement est qu'ils devront acheter ultérieurement des actions pour couvrir leurs positions à découvert. Par contre, une diminution du ratio des positions à découvert est considérée comme un signal de vente dans un marché à la hausse.

Indice de la confiance Barron

L'indice de la confiance Barron indique le rapport entre le rendement de dix obligations de premier ordre de Barron et le rendement moyen des 40 obligations de la moyenne Dow Jones des obligations qui sont classées en quatre catégories: 10 obligations de premier ordre, 10 obligations de second ordre, 10 obligations de sociétés industrielles et 10 obligations de sociétés de services publics. L'indice de la confiance Barron s'appuie sur la théorie selon laquelle les acheteurs institutionnels d'obligations sont mieux informés que l'épargnant moyen; leur confiance dans le marché peut s'exprimer par le fait qu'ils se tournent vers les obligations de premier ordre lorsque les perspectives du marché sont à la baisse et achètent des obligations de second ordre lorsque les perspectives deviennent plus favorables. Cette théorie est fondamentalement valable parce que le flux des capitaux vers les actions de premier ordre concorde toujours avec le mouvement vers les obligations de premier ordre. L'interprétation courante de cet indice est que sa tendance précède de deux à quatre mois celle de la bourse.

Conclusion relative à l'analyse technique

Les facteurs de l'offre et de la demande que les spécialistes essaient de déceler résultent en fait d'un facteur fondamental qui est l'évolution des bénéfices d'une société; quiconque parvient à déceler cette évolution assez longtemps à l'avance est assuré de réussir. L'analyse technique est surtout utile pour choisir le moment opportun de faire un achat.

Le principal inconvénient de l'analyse technique est que l'interprétation des graphiques repose en grande partie sur un jugement subjectif. Des spécialistes étudiant le même graphique peuvent l'interpréter différemment et prendre des décisions de placement tout à fait différentes. De plus, les prévisions relatives à l'évolution des cours deviennent des prévisions qui se réalisent d'elles-mêmes. Par exemple, à mesure qu'un nombre croissant de personnes réagit à un signal d'achat en même temps, l'afflux d'achats en concurrence fait monter les cours, ce qui confirme les prévisions.

Les personnes qui désirent en savoir plus sur l'analyse technique peuvent consulter les ouvrages suivants.

- **Technical Analysis of Stock Trends**
  R.D. Edwards et John Magee, 1966. Beaucoup considèrent que ce livre est le meilleur ouvrage sur l'analyse technique; en vente dans la plupart des libraires.

- **How Charts Can Help You in the Stock Market**
  W.L. Jiler, Commodity Research Publications Corporation, New York, 1967.

- **A Strategy of Daily Stock Market Timing for Maximum Profit**
  Joseph E. Granville, Prentice Hall, Englewood Cliffs, New Jersey, 1960.

- **Encyclopedia of Stock Market Techniques, 1971**
  Investors Intelligence Inc., Larchmont, New York.

- **Three-Point Reversal Method of Point & Figure**
  A.W. Cohen, Investors Intelligence Inc., Larchmont, New York.

- **The Dow Theory Explained – How to Use It for Profit**
  Charles Stanbury, Richard Russell & Associates, New York.

RÉSUMÉ

Les cycles économiques se terminent par des sommets et des creux de l'activité économique entrecoupés de périodes de prospérité et de ralentissement ou de récession. Durant ces cycles, le cours de l'ensemble des titres a tendance à monter ou à descendre selon que la situation économique s'améliore ou se détériore.

Les prévisions économiques essaient de déceler ces renversements, mais elles peuvent ne pas toujours être exactes ou fiables. Toutefois, l'investisseur astucieux, qui sait tirer parti des fluctuations du cours des titres en faisant des arbitrages sur différentes catégories de titres, peut améliorer le rendement global de ses placements.

On utilise les moyennes et les indices boursiers pour déterminer l'orientation du marché dans son ensemble. Toutefois, sur une base quotidienne, le cours de chacun des titres peut fluctuer à l'encontre de l'orientation du marché que révèlent les indices et les moyennes. Sur les marchés haussiers et baissiers, le cours de presque toutes les valeurs de premier ordre ont tendance à suivre, avec le temps, la tendance prédominante du marché, que ce soit à la hausse ou à la baisse.

Avec l'analyse technique, la façon de choisir le moment et les titres diffère complètement de ce que l'on fait avec l'analyse fondamentale. L'analyse technique se concentre sur des données techniques telles que les cours et les volumes, qui sont représentées sur des graphiques. Alors que ces données sont transposées sur un graphique, elles forment des configurations ou des modèles que l'analyste technique interprète comme des points d'achat ou de vente. Bien que certains puissent mettre en doute la validité de cette approche, il n'en reste pas moins qu'elle est reconnue dans le commerce des valeurs mobilières pour son utilité lors du choix des titres et du moment apportun pour acheter ou vendre.

10   CONSTITUER ET GÉRER UN PORTEFEUILLE DE PLACEMENT

PORTEFEUILLE

Un portefeuille est un ensemble de titres choisis selon un plan établi afin d'atteindre les objectifs précis de l'épargnant. Le portefeuille peut, selon la situation de l'épargnant, être un compromis entre la sécurité du capital investi, le revenu et la plus-value.

Un portefeuille comporte deux parties: la partie défensive et la partie dynamique ou de croissance. La partie défensive se compose habituellement de titres à revenu fixe dont le capital est bien protégé et le revenu assuré. La partie dynamique se compose principalement d'actions ordinaires qui offrent des possibilités de plus-value du capital.

PRINCIPAUX OBJECTIFS DE PLACEMENT

Tous les investisseurs devraient définir leurs objectifs de placement à court ou à long terme avant d'acheter des titres. En général, il y a trois principaux objectifs de placement - la sécurité du capital, le revenu et la plus-value du capital avec, comme quatrième objectif, la liquidité, qui est d'une importance capitale.

Sécurité du capital

Les investisseurs qui désirent le plus haut degré de sécurité devront se restreindre à accepter un revenu moins élevé et renoncer à une bonne partie des possibilités de plus-value du capital. Au Canada, la plupart des obligations fédérales, provinciales et municipales offrent une grande sécurité du capital. Les obligations des sociétés de premier rang entrent aussi dans cette catégorie. Les obligations à court terme offrent également un degré élevé de sécurité puisqu'elles sont proches de leur date d'échéance. Les bons du Trésor du gouvernement du Canada sont les titres qui offrent le plus de sécurité - ils ne comportent pratiquement pas de risques.

Revenu

Un investisseur désirant maximiser son revenu devra d'habitude renoncer en partie à la sécurité de ce revenu, car il devra acheter des obligations et des actions privilégiées de qualité inférieure en termes de placement. Nous disons "d'habitude" parce qu'il arrive parfois qu'un investisseur bien informé, qui a accès à des renseignements précis et récents, découvre des aubaines. Cependant, la sécurité diminue en général à mesure que le rendement augmente. Il ne faudrait quand même pas conclure que dans la mesure où le rendement diminue la sécurité d'une obligation ou d'une action privilégiée augmente, parce que d'autres facteurs peuvent influer sur le cours et le rendement des titres.

Plus-value du capital

Si un investisseur recherche une plus-value supérieure, il doit assumer des risques plus élevés et se résigner à une sécurité moindre. En revanche, afin de compenser les plus grands risques assumés par l'investisseur, le traitement fiscal des gains en capital est plus favorable que celui des revenus de placement.

Récapitulation des objectifs de placement

Voici un tableau sommaire des principales catégories de valeurs en fonction des trois principaux objectifs de placement:

	Sécurité	Revenu	Plus-value
Obligations			
à court terme	la meilleure	très stable	très limitée*
à long terme	la meilleure ensuite	très stable	limitée*
convertible	bonne	très sable	variable
Actions privilégiées	bonne	stable	variable
Convertible	bonne	stable	variable
Actions ordinaires	souvent la moins bonne	variable	souvent la meilleure chance

* sauf si elles ont été achetées au-dessous du pair.

Négociabilité ou liquidité

La négociabilité est une quatrième caractéristique que beaucoup d'investisseurs recherchent, et elle n'est pas nécessairement liée à la sécurité, au revenu ou à la plus-value du capital. Elle signifie simplement qu'il y aura presque toujours des investisseurs prêts à acheter les titres à un certain prix. Cette caractéristique peut être très importante pour certains investisseurs qui pourraient avoir rapidement besoin de leur argent (c.-à-d. la liquidité). Pour d'autres, elle peut être secondaire. La plupart des titres canadiens peuvent être vendus en quantité raisonnable à un certain prix dans un délai d'un jour ou deux.

Il n'y a pas de valeur parfaite

Il n'est pas possible de trouver une valeur qui offre à la fois la meilleure sécurité du capital, le meilleur revenu, la meilleure possibilité de plus-value et la meilleure négociabilité. Il est toujours nécessaire de faire un compromis. Si la sécurité et le revenu sont élevés, la plus-value du capital a tendance à être faible. De même, si une valeur a des possibilités de plus-value, le risque aura tendance à augmenter et le revenu courant à diminuer.

COMMENT DÉTERMINER LES OBJECTIFS DE PLACEMENT

Avoir net personnel

L'épargnant éventuel devrait calculer son avoir net personnel pour déterminer sa situation financière. Ce calcul lui permettra de déterminer quels placements, le cas échéant, lui conviennent. On peut calculer son avoir net en additionnant la valeur de tous ses biens tels que son argent (ou l'équivalent), sa maison, son automobile, ses meubles, ses bijoux, ses tableaux, ses régimes de retraite, la valeur de rachat de ses polices d'assurance, etc. et en soustrayant toutes ses dettes. Les biens devraient être évalués à leur juste valeur marchande au moment du calcul plutôt qu'à leur valeur d'origine.

Le tableau de la page suivante explique comment calculer l'avoir net d'une personne. Les avoirs sont normalement classés selon leur degré de liquidité, des plus liquides aux moins liquides (de l'argent aux biens immobiliers et régimes de retraite); de la même façon, les dettes sont classées par échéance, de la plus rapprochée à la plus éloignée.

Budget personnel ou familial

En plus de calculer son avoir net personnel, l'épargnant devrait établir son budget mensuel et annuel afin de compléter sa planification financière et de déterminer le revenu disponible pour ses placements. Un exemple d'un budget personnel figure à la page 295.

Âge

Le jeune épargnant peut accepter des risques plus élevés puisqu'il peut s'attendre à un salaire plus élevé au fil des ans. Par contre, l'épargnant plus âgé se préoccupe plus de la sécurité du capital pour se procurer un revenu, surtout s'il est sur le point de prendre sa retraite.

Ressources financières

Les personnes qui disposent de capitaux importants peuvent se permettre d'accepter plus de risques et peuvent diversifier leurs placements. Celles qui disposent de capitaux limités peuvent voir un mauvais placement faire disparaître une grande partie ou la totalité de leurs capitaux.

CALCUL DE L'AVOIR NET PERSONNEL

AVOIRS
Avoirs facilement négociables
Espèces (comptes de banque, obligations
  d'épargne du Canada, etc.)   _____ $
Dépôts à terme et certificats de placement garantis   _____
Obligations, à la valeur du marché   _____
Actions, à la valeur du marché   _____
Fonds mutuels, à la valeur de rachat   _____
Police d'assurance-vie avec valeur de rachat   _____
Autres   _____

Avoirs financiers illiquides
Régimes de pension, à la valeur des
  avantages acquis   _____
REER   _____
Rentes   _____
Autres   _____

Autres avoirs
Maison, à la valeur du marché   _____
Résidences secondaires, à la valeur du marché   _____
Participation dans des entreprises, à la valeur du marché   _____
Antiquités, oeuvres d'art, bijoux, meubles,
  or et argent   _____
Automobiles, bateaux, etc.   _____
Autres biens immobiliers   _____
Autres   _____
TOTAL DES AVOIRS   _____ $

DETTES
Dettes personnelles
Hypothèque sur la maison   _____
Hypothèque sur la résidence secondaire   _____
Soldes des cartes de crédit   _____
Emprunts pour des placements   _____
Emprunts personnels   _____
Autres   _____

Emprunts à des fins commerciales
Emprunts pour investissements   _____
Emprunts pour remboursement de dettes
  commerciales connexes   _____

Dette éventuelle
Garanties de prêts pour d'autres   _____
TOTAL DES DETTES   _____ $

                     AVOIRS   _____
                     Moins DETTES   _____

                     AVOIR NET   _____ $

BUDGET PERSONNEL OU FAMILIAL

	MENSUEL	TOTAL MENSUEL	TOTAL ANNUEL
REVENU NET - Épargnant	$		
Conjoint	$		
		$	$

DÉPENSES ET ÉPARGNE -
Entretien de la maison

	MENSUEL	TOTAL MENSUEL	TOTAL ANNUEL
Versements de loyer ou d'hypothèque	$		
Taxes foncières			
Assurances			
Électricité, chauffage, eau			
Téléphone, câble			
Entretien et réparations			
Autres			
TOTAL		$	
TOTAL ANNUEL			$

Dépenses familiales

	MENSUEL	TOTAL MENSUEL	TOTAL ANNUEL
Nourriture	$		
Vêtements			
Blanchisserie			
Automobile			
Frais de scolarité			
Soins aux enfants			
Soins médicaux, dentaires, médicaments			
Assurance accidents et maladie			
Autres			
TOTAL		$	
TOTAL ANNUEL			$

Dépenses pour surplus

	MENSUEL	TOTAL MENSUEL	TOTAL ANNUEL
Dons à des organismes de charité, communautés religieuses	$		
Cotisations (Clubs)			
Activités sportives et récréatives			
Cadeaux et contributions			
Vacances			
Dépenses personnelles			
TOTAL		$	
TOTAL ANNUEL			$

Dépenses en vue de l'avenir

	MENSUEL	TOTAL MENSUEL	TOTAL ANNUEL
Primes d'assurance-vie	$		
Cotisations à un régime de pensions et à un REER			
ÉPARGNE MENSUELLE TOTALE		$	
ÉPARGNE ANNUELLE TOTALE			$

Nature du revenu

Certains épargnants reçoivent un salaire régulier et sont assurés d'un revenu à la retraite. D'autres, parmi lesquels certains vendeurs, propriétaires d'entreprises et membres de professions libérales, ont un revenu qui varie d'une année à l'autre.

Tempérament

Certaines personnes sont de nature prudente et s'inquiètent des fluctuations quotidiennes des cours des titres. D'autres n'ont pas peur du risque et sont attirées par les possibilités de gains en capital.

Aptitude à surveiller ses placements

La capacité d'un épargnant à gérer ses placements est fonction de nombreux facteurs, y compris son instruction, son expérience et le temps dont il dispose. Certains préfèrent laisser la gestion de leur portefeuille entre les mains de leur conseiller en placement.

Prestations gouvernementales

Les programmes sociaux du gouvernement fédéral tels que les allocations familiales, la pension de sécurité de la vieillesse et le Régime de pensions du Canada devraient être considérés dans la planification financière.

Considérations relatives à la succession

Il est à conseiller de préparer un testament et d'envisager des moyens de réduire les impôts sur la succession et de faciliter la cession des biens.

Considérations fiscales

Les considérations fiscales occupent une place importante dans la planification financière et nous en examinerons donc certains aspects plus loin dans ce chapitre.

Personnes à charge et responsabilités

L'épargnant qui a des personnes à charge devrait adopter une politique prudente de façon à accumuler des fonds pour acquitter les paiements d'hypothèque, les primes d'assurance, les frais de scolarité et d'autres choses essentielles.

GESTION DE PORTEFEUILLE ET FISCALITÉ

Voici quelques-unes des considérations fiscales qui peuvent jouer un rôle important dans la planification financière. Quelques-unes s'appliquent directement aux titres, d'autres peuvent procurer des avantages dans le cadre d'un programme de placement global.

• **Profitez du crédit d'impôt** (décrit plus tôt) **pour dividendes reçus de sociétés canadiennes imposables. Le revenu d'intérêt ne profite pas d'un avantage semblable.**

• **Profitez pleinement de l'exemption de 1 000 $ relative aux dividendes et aux intérêts** (décrite plus tôt dans le texte).

• **Profitez pleinement de l'exemption de 500 000 $ sur les gains en capital** (décrite plus tôt dans le texte).

Cette exemption proposée dans le budget fédéral de mai 1985 offre aux investisseurs un stimulant intéressant qui les incite à maximiser leurs gains en capital. Les avantages virtuels que les investisseurs peuvent tirer de cette exemption comprennent:

- une augmentation importante des rendements après impôt sur les gains en capital par rapport aux revenus nets d'intérêt;

- une réduction des entraves à la vente de titres ayant accumulé des gains en capital substantiels au cours de la phase d'introduction graduelle de l'exemption;

- un avantage à détenir directement des titres ayant un potentiel de croissance plutôt que des REER autogérés, qui réside dans le fait que les titres donnent droit à l'exemption, contrairement aux REER qui, tout en permettant à leur détenteur de différer ses gains en capital, sont soumis à leur retrait à des taux d'imposition de plein salaire.

• **Impôt minimum de remplacement (IMR)**

Vers la fin de 1985, le gouvernement fédéral a publié un document détaillé sur un impôt minimum de remplacement proposé pour les particuliers qui devrait entrer en vigueur au début de 1986. Cet impôt proposé pourrait augmenter le taux d'imposition des contribuables recevant d'importants montants de dividendes canadiens ou de gains en capital. L'impôt minimum de remplacement est établi en appliquant un taux d'environ 20% sur le montant total des gains en capital (et non pas sur la moitié seulement) et sur le montant des dividendes canadiens reçus. Le crédit d'impôt sur dividendes (traité dans un précédent chapitre) n'est pas déductible de l'IMR, et l'exemption à vie de 500 000 $ sur les gains en capital ne protège pas complètement les investisseurs de ce nouvel impôt proposé. L'IMR peut être sous réserve d'autres modifications et devrait être pris en considération par les épargnants ayant un revenu global de plus de 50 000 $.

• **Considérez une vente à perte à des fins fiscales**

Bien que la décision de vendre des titres devrait se fonder sur des principes de placement solides, l'épargnant doit aussi, dans certaines circonstances, prendre en considération les réductions d'impôt. En vendant ses titres à perte, l'épargnant obtient une perte en capital qui peut réduire les importants gains en capital réalisés au cours de la même année.

Cette stratégie de vente à perte à des fins fiscales peut être avantageuse pour un épargnant qui a réalisé au cours de l'année un très important gain en capital. Il détient un ou plusieurs titres qui se négocient bien au-dessous de leur prix coûtant et il n'a pas de bonnes raisons de les retenir. De même, un épargnant peut posséder un titre dont le prix du marché a décliné et pour lequel il ne prévoit que peu ou pas de plus-value.

Lorsqu'une vente à perte à des fins fiscales semble avantageuse sans être contraire aux principes de placement, un épargnant doit soigneusement choisir la date de la vente de ses titres. Premièrement, s'il envisage un rachat ultérieur, un épargnant doit éviter de faire une perte apparente, c.-à-d. de vendre et racheter le même titre dans un laps de temps limité. Les pertes apparentes ne sont pas déductibles d'impôt, bien que leurs avantages fiscaux ne soient pas complètement perdus. Deuxièmement, l'épargnant doit faire attention lorsqu'il choisit une date pour les ventes à perte à des fins fiscales qui se situe vers la fin de l'année civile. Aux fins de l'impôt, la date du règlement et non la date de l'opération est la date à laquelle a lieu le transfert de propriété. Par exemple, un épargnant qui vend un titre à perte le dernier jour de l'année réclamerait une perte en capital pour l'année d'imposition suivante étant donné que la date de règlement se situerait au début de janvier. L'épargnant ne pourrait pas réclamer une perte en capital pour l'année au cours de laquelle la vente au eu lieu.

. **Cotisez à des régimes d'étalement du revenu imposable**

Ces régimes ont été examinés dans un chapitre précédent. Ils comprennent les avantages suivants: les cotisations sont déductibles du revenu imposable et l'impôt est reporté à des années ultérieures.

. **La résidence principale est exempte d'impôt**

Les résidences principales telles qu'une maison, un logement en copropriété ou une participation dans une coopérative d'habitation constituée en société sont exemptes de l'impôt sur les gains en capital lorsqu'elles sont vendues, si elles sont utilisées comme résidence principale et si le contribuable y habite ordinairement. Une résidence principale comprend l'habitation, le terrain sur lequel elle est construite et jusqu'à 1/2 hectare de terrain attenant (s'il y a plus de terrain, il appartient au contribuable de démontrer que ce terrain plus étendu est nécessaire pour l'usage ordinaire et la jouissance de la résidence). Un particulier ne peut avoir qu'une résidence principale à la fois mais peut posséder plusieurs résidences principales de son vivant.

De plus, les gains réalisés sur une résidence principale n'entameront pas l'exemption à vie de 500 000 $ sur les gains en capital proposée dans le Budget fédéral du 23 mai 1985.

Les résidences secondaires telles qu'un chalet que le contribuable possède mais n'occupe pas la plus grande partie de l'année sont assujetties à l'impôt sur les gains en capital au moment de leur vente.

DIVERSIFICATION

Lorsque l'on constitue un portefeuille important, la diversification peut être un moyen utile pour réduire les risques et la possibilité de grosses pertes en capital.

Diversification pour limiter les risques

La diversification d'un important portefeuille de placement pour limiter les risques peut se faire de diverses façons:

- **par catégories de titres** - obligations, actions privilégiées et ordinaires;

- **d'après les dates d'échéance** - obligations à court terme, à moyen terme et à long terme;

- **selon la cote de solvabilité de l'émetteur** - par exemple, les obligations du Gouvernement du Canada par opposition aux obligations de sociétés qui ont différentes cotes de crédit;

- **selon les caractéristiques des titres** - par exemple, actions privilégiées classiques contre des actions privilégiées participantes, encaissables par anticipation et convertibles;

- **par différentes émissions dans la même industrie** - exemple: les obligations, les actions privilégiées et ordinaires des entreprises Bell ou les actions ordinaires de différentes entreprises d'acier;

- **par genres d'industries** - par exemple, les actions dans les communications contre celles dans l'immobilier, les banques ou les pâtes et papier;

- **par grands secteurs économiques** - par exemple, les industries réglementées, les industries sensibles aux taux d'intérêt;

- **par catégories d'industries classées selon les différentes phases de leur évolution** - par exemple, les industries qui démarrent, celles qui sont en période de croissance, les industries stables, cycliques, spéculatives et en déclin;

- **selon le degré de risque** - par exemple, ratio cours-bénéfice élevé ou peu élevé, couverture de dividendes élevée ou peu élevée;

- **par revenus versés** - par exemple, les valeurs d'avenir qui ne rapportent pas ou très peu de dividendes contre les actions à fort rendement;

- **selon l'emplacement** - grand magasin dans l'ouest du Canada contre un magasin dans l'est ou un autre possédant des filiales dans tout le Canada; ou une société d'exploration pétrolière sur la côte est contre une en Alberta;

- **par pays** - par exemple, deux agences immobilières, une opérant uniquement au Canada, et l'autre ayant des activités considérables aux États-Unis;

- **par monnaie de versement des dividendes** - par exemple, dividendes payés en fonds canadiens ou américains;

- **en investissant dans diverses sociétés de portefeuille et de placement telles que des fonds mutuels.**

Diversification pour la commodité de l'épargnant

. Pour obtenir un revenu étalé sur toute l'année

La diversification effectuée afin de recevoir un revenu échelonné sur toute l'année est une considération secondaire dans la gestion de portefeuille. Étant donné que les intérêts sur les obligations sont souvent payés semestriellement et que les dividendes ordinaires ou privilégiés sont versés semestriellement ou trimestriellement, il est possible, grâce à un choix judicieux, de répartir le revenu sur toute l'année.

. **D'après les dates d'échéances**

Il peut être avantageux d'échelonner les dates d'échéance des titres d'emprunt de façon qu'il n'y ait toujours qu'une petite partie des fonds qui arrive à échéance. Si, par contre, un montant important de capitaux doit être retiré à une date précise, il peut être préférable de choisir des titres ayant la même date d'échéance.

Éviter la diversification excessive

Si l'on répartit un capital considérable (50 000 $ ou plus) en petits montants investis dans un grand nombre de valeurs, cela occasionnera un grand travail de surveillance et beaucoup d'attention pour encaisser les coupons, les dividendes, etc. et tenir une comptabilité aux fins de l'impôt.

En conclusion, la diversification est un principe que l'on doit appliquer sans dépasser certaines limites.

EXEMPLES DE PORTEFEUILLES

Nous étudions ci-après quatre exemples de portefeuilles qui pourraient convenir à des personnes qui se situent dans des tranches d'âge et d'imposition différentes. Dans ces exemples, on ne tient pas compte de l'incidence fiscale de leurs autres biens et de placements autres que les valeurs mobilières. Ces exemples ne sont donnés que pour illustrer d'une part le modèle courant de portefeuille qui pourrait répondre aux besoins personnels des clients en question et d'autre part certains des principes de base du placement dont nous avons déjà parlé.

Les montants en dollars utilisés dans ces exemples ne visent qu'à indiquer des proportions relatives. En pratique, il peut être nécessaire d'engager plus de fonds pour faciliter les négociations et permettre des opérations au cours du jour ou à un cours proche.

Ces exemples ont également pour but d'illustrer les portefeuilles hypothétiques à une date donnée. Des rajustements peuvent s'imposer en raison du cycle économique et d'autres facteurs.

PORTEFEUILLE POUR DES PERSONNES EXERÇANT UNE PROFESSION LIBÉRALE

Âge: 25 à 35 ans; tranche d'imposition: 35%

Un jeune homme dans ce groupe d'âge commence sa carrière, se lance probablement en affaires et assume déjà des responsabilités familiales.

Supposons qu'un jeune homme décide de suivre un plan d'épargne et qu'il mette de côté 1 000 $ à la fin de la première année. Comme ses revenus sont modestes, il serait sage de placer cette somme dans une obligation d'épargne du Canada de 1 000 $. L'OEC constitue une base pour son programme de placement, offre un taux d'intérêt attrayant (généralement plus élevé que celui d'un compte d'épargne) et peut être encaissée rapidement.

À la fin de la deuxième année, il pourrait placer un autre montant de 1 000 $ dans une bonne débenture convertible de société qui lui donnerait la possibilité de bénéficier d'une plus-value tout en lui assurant une sécurité raisonnable pour son capital. La troisième année, il pourrait investir encore 1 000 $, cette fois en actions privilégiées convertibles en vue d'obtenir un revenu et un gain en capital éventuel. À la fin de la quatrième année, il pourrait placer un autre montant de 1 000 $ en actions ordinaires qui ont versé de bons dividendes dans le passé et qui présentent des chances raisonnables de plus-value. La cinquième année, il pourra placer 1 000 $ en actions ordinaires d'une compagnie en croissance afin d'obtenir une plus-value.

Chaque année, pour répartir les risques, il pourrait acheter des titres d'une industrie différente ou d'une autre société dans une industrie qu'il préfère. Il est bon d'insister sur l'importance des valeurs d'avenir, car le jeune épargnant peut assumer des risques plus élevés.

À la fin de la cinquième année, il aura investi 5 000 $ dans des titres de la façon indiquée au tableau à la page suivante.

L'équilibre de ce modeste portefeuille est assuré par la présence de valeurs à revenu fixe choisies pour le revenu qu'elles rapportent et pour la sécurité et les possibilités de plus-value du capital qu'elles présentent ainsi que d'actions ordinaires choisies principalement pour leurs chances de plus-value. Il devrait placer ses économies chaque année afin de se constituer un portefeuille dans le cadre d'un programme à long terme. Les économies qu'il souhaite placer devraient être fixées à un niveau réaliste correspondant à ses moyens.

Age: 36 à 50 ans; tranche d'imposition: 51%

Notre deuxième exemple est celui d'un portefeuille pour une femme d'affaires ou exerçant une profession libérale, dont la tranche d'imposition est élevée. Grâce à une épargne régulière et à des placements avisés, elle s'est constituée un portefeuille estimé à 50 000 $. Son revenu lui permet de vivre confortablement et de placer 2 000 $ ou plus chaque année. Elle est dans une période où son revenu dépasse ses besoins et elle se constitue un portefeuille composé de titres qui lui rapporteront un revenu suffisant pour lui permettre d'avoir un niveau de vie convenable à sa retraite.

Dans ce portefeuille, 90% des fonds ont été placés dans un ensemble de valeurs (actions ordinaires, débentures et actions privilégiées convertibles) appartenant à des industries diversifiées, de façon à donner des chances de plus-value du capital sans courir trop de risques. Les 10% restants ont été placés en obligations d'épargne du Canada en raison du revenu qu'elles rapportent et afin d'assurer une réserve liquide.

Age: 51 à 65 ans; tranche d'imposition: 56%

Pour ce portefeuille, nous prenons le cas d'un avocat prospère ayant un revenu élevé, qui s'est constitué un portefeuille évalué à 100 000 $. Si l'on tient compte du revenu de retraite et de placement, son taux d'imposition peut quand même rester élevé (30% - 40%) quand il sera à la retraite.

Par conséquent, son portefeuille pourrait être constitué en vue d'obtenir une plus-value et une protection contre l'inflation. Dans ce portefeuille, 25% des fonds sont placés dans des obligations du Canada ainsi que dans des obligations et débentures de sociétés non convertibles. On a placé 30% des fonds dans des débentures convertibles et des actions privilégiées convertibles pour obtenir un revenu et éventuellement des gains en capital. On a placé 40% des fonds dans des actions ordinaires dont 10% dans des actions de qualité afin d'avoir un revenu ainsi qu'une certaine plus-value du capital alors que les 30% restants ont été investis dans des valeurs d'avenir. Les actions privilégiées représentent 15% du portefeuille et comprennent des émissions classiques et convertibles.

Age: plus de 65 ans; tranche d'imposition: 32%

Dans ce groupe d'âge, nous prenons le cas d'une secrétaire à la retraite qui a pu se constituer un portefeuille évalué à 20 000 $. Ses principaux objectifs de placement devraient être la sécurité du capital et le revenu puisque son revenu repose sur son portefeuille.

Dans ce portefeuille, on a placé 60% des fonds dans des obligations et des débentures, dont 25% dans des obligations d'épargne du Canada, 25% dans des obligations et débentures non convertibles de sociétés pour la sécurité et un revenu régulier, et 10% dans des débentures convertibles pour la protection du capital et des possibilités de gains. On a placé 20% des fonds dans des actions privilégiées, dont 10% dans des actions privilégiées de bonne qualité pour le revenu, et 10% dans des actions privilégiées convertibles, pour un revenu et des possibilités de gains. Sur les 20% restants, 15% ont été investis dans des actions ordinaires de qualité pour le revenu et la plus-value, et 5% dans des valeurs d'avenir pour de meilleures possibilités de plus-value.

ÉVALUATION D'UN PORTEFEUILLE

Une femme médecin, âgée de 45 ans, ayant deux personnes à sa charge et dont le cabinet bien établi lui permet de vivre confortablement, désire se constituer un patrimoine qui lui assurera un revenu lui permettant de maintenir le même niveau de vie lorsqu'elle prendra sa retraite. Elle est située dans une tranche d'imposition élevée et cotise annuellement à un régime enregistré d'épargne-retraite afin d'accumuler des fonds pour ses années de retraite.

Le revenu courant n'entre pas tellement en ligne de compte pour ses placements et elle est en mesure d'augmenter son portefeuille. Sa situation financière lui permet de placer des fonds pour obtenir une plus-value sans toutefois assumer trop de risques.

Un portefeuille qui assure la sécurité du capital, un revenu et une plus-value du capital est un portefeuille "équilibré". Toutefois, la composition du portefeuille peut changer avec les années au fur et à mesure que les besoins et la la conjoncture financière évoluent.

L'exemple suivant montre comment évaluer un portefeuille.

PORTEFEUILLES SUGGÉRÉS AUX PERSONNES PAR GROUPE D'ÂGE ET TRANCHE D'IMPOSITION

	25 à 35 ans 35%		36 à 50 ans 51%		51 à 65 ans 56%		Plus de 65 ans 32%		Émetteur	But
ÂGE / TRANCHE D'IMPOSITION	Montant $	%	Montant $	%	Montant $	%	Montant $	%		
OBLIGATIONS DU GOUVERNEMENT										
OEC										
Fédéral										
court terme	1 000	20	5 000	10	5 000	5	5 000	25	Gouvernement du Canada	Stabilité du cours, revenu, négociabilité et sécurité
moyen terme					5 000	5				
Provincial					5 000	5			Provincial ou garanti par la province	
OBLIGATIONS DE SOCIÉTÉS										
Première hypoth.					5 000	5	3 000	15	Services publics	Revenu
Débentures							2 000	10	Produits chimiques	
Convertibles										
Débentures Sté A	1 000	20	5 000	10	10 000	10	1 000	5	Papeteries	Protection et croissance
Convertibles										
Débentures Sté B					10 000	10	1 000	5	Aciéries	
TOTAL OBLIGATIONS ET DÉBENTURES	2 000	40	10 000	20	45 000	45	12 000	60		
ACTIONS PRIVILÉGIÉES										
De qualité	1 000	20	5 000	10	5 000	5	2 000	10	Commerce	Revenu et plus-value
Convertibles			5 000	10	5 000	5	2 000	10	Alimentation	Croissance
Convertibles					5 000	5			Raffineries de pétrole	et peu de risques
TOTAL ACTIONS PRIVILÉGIÉES	1 000	20	10 000	20	15 000	15	4 000	20		
ACTIONS ORDINAIRES										
De qualité					5 000	5	1 000	5	Banque	Revenu et croissance
De qualité					5 000	5	1 000	5	Services publics	
De qualité							1 000	5	Grande société minière ou pétrolière	
D'avenir	1 000	20	5 000	10	5 000	5	1 000	5	Informatique	Croissance et peu de risque
D'avenir	1 000	20	5 000	10	5 000	5			Imprimés commerciaux	
Spéculatives			5 000	10	5 000	5			Nouvelles sociétés industrielles	Plus de risques
Spéculatives			5 000	10	5 000	5			Petites sociétés minières	
Très spéculatives			5 000	10	5 000	5			Petites sociétés pétrolières	Beaucoup de risques
Très spéculatives			5 000	10	5 000	5				
TOTAL ACTIONS ORDINAIRES	2 000	40	30 000	60	40 000	40	4 000	20		
	5 000	100	50 000	100	100 000	100	20 000	100		

303

COMMENT ÉVALUER UN PORTEFEUILLE

Avant de pouvoir procéder à l'évaluation d'un portefeuille et de penser à des arbitrages possibles de titres, on doit grouper les titres qui le composent par catégories et les placer dans un ordre logique pour les évaluer ensuite en fonction des cours du marché, des taux de dividendes courants, etc.

Bien que l'évaluation d'un portefeuille soit un processus essentiellement mécanique, elle doit être faite avec beaucoup de soin et de précision. Les titres devraient être groupés par catégories (obligations et débentures, actions privilégiées et actions ordinaires). Les obligations et les débentures devraient être classées en ordre décroissant de qualité et croissant quant à l'échéance (le court terme en premier, puis le moyen et le long terme).

Les actions privilégiées et ordinaires devraient être groupées par industrie; les droits et les bons de souscription, les options d'achat et de vente ainsi que les titres inactifs (pour lesquels il n'y a pas de marché) devraient être indiqués après la section des actions ordinaires.

PRINCIPES DIRECTEURS POUR LA GESTION DE PORTEFEUILLE

- Des connaissances, de l'expérience et du discernement sont des conditions essentielles pour une gestion de portefeuille efficace et rentable.

- La connaissance des différentes catégories de valeurs et des divers degrés de risque est le point de départ pour constituer un portefeuille qui puisse répondre aux objectifs de placement d'un épargnant. Ces connaissances précises, combinées à la compréhension et à la connaissance du cycle économique et de son effet sur les cours des titres, ainsi que de nombreux autres facteurs tels que les considérations fiscales, sont toutes essentielles au maintien du rendement élevé d'un portefeuille.

- Les titres choisis doivent répondre aux principaux objectifs de placement de l'épargnant et le degré de risque devrait être compatible avec sa situation financière générale.

- En raison de divers facteurs, la situation financière d'une société peut changer avec le temps. Si sa situation se détériore, il y a habituellement une augmentation correspondante du risque que présentent ses titres. Une surveillance constante des titres garantit qu'ils seront réévalués en fonction des principaux objectifs de placement de l'épargnant. Si les titres ne répondent plus à ces objectifs, il seront vendus. En pratique, de nombreux facteurs peuvent modifier les perspectives de chacun des titres et justifier leur liquidation.

En termes plus généraux, le portefeuille devrait idéalement être organisé pour être en harmonie avec les cycles économiques et ceux des taux d'intérêt (voir au chapitre précédent). L'objectif du remaniement du portefeuille durant ces cycles est de maximiser les gains en capital, de minimiser les pertes en capital et d'améliorer le rendement global du portefeuille. Les gérants de portefeuille professionnels essaient de tirer parti de ces importants renversements cycliques et ignorent les fluctuations quotidiennes typiques des cours des titres causées par les déséquilibres au niveau des achats et des ventes sur les marchés, qui ne sont pas une indication d'un renversement important de la tendance cyclique. Aussi une surveillance constante est essentielle à une gestion de portefeuille efficace.

EXEMPLE D'UN PORTEFEUILLE D'UNE FEMME MÉDECIN ÂGÉE DE 45 ANS À UNE DATE DONNÉE EN 1986

(N.B.: Les valeurs actuelles diffèrent probablement de celles qui sont indiquées ci-dessous)

Valeur totale	Titre	Prix de rachat	Cours à l'achat ($)	Valeur totale à l'achat ($)	Cours du marché	Valeur actuelle ($)	% du total	Taux d'intérêt	Revenu annuel ($)	Rendement
	OBLIGATIONS DU GOUVERNEMENT									
10 000 $	Obligations d'épargne du Canada Série 37, échéant le 1er nov. 1989	non rachetable	100	10 000	100	10 000	7,9	8,50% (1)	850	8,50%
	OBLIGATIONS DE SOCIÉTÉS									
12 000 $	Daon Development Corp. Déb. conv. sub. 10 3/4%, échéant le 31 janvier (1)	107,75(2)	100	12 000	88	10 560	8,3	10,75	1 290	12,54
	TOTAL - OBLIGATIONS ET DÉBENTURES			22 000		20 560	16,2%		2 140	10,41% (3)
Nombre d'actions								**Dividende par action**		
	ACTIONS PRIVILÉGIÉES									
200	Stelco, priv. conv. 1,94 $ Série C, v.n. 25 $ (4)	26,25(5)	25	5 000	25 1/4	5 050	4,0	1,94 $	388	7,68%
300	Nova, an Alta. Corp. priv. conv. 6,50% - v.n. 25 $ (6)	26,25(7)	25	7 500	22	6 600	5,2	1,625	488	7,39
	TOTAL - ACTIONS PRIVILÉGIÉES			12 500		11 650	9,2		876	7,52
	TOTAL - OBLIGATIONS, DÉBENTURES ET ACTIONS PRIVILÉGIÉES			34 500		32 210	25,4		3 016	9,36%
	ACTIONS ORDINAIRES **Métaux & Minéraux**									
400	Inco	-	19 1/2	7 800	19	7 600	6,0	0,20 $US	112 (8)	1,47%
	Pétrole & Gaz									
500	Gulf Canada	-	3,80	1 900	20 5/8	10 312	8,2	0,52	260	2,52
	Produits de consommation									
400	Hiram Walker Resources	-	25	10 000	31 1/4	12 500	9,9	1,48	592	4,74
	Communications									
500	Thomson Newspapers "A" (9)	-	3 1/8	4 750	23 1/4	34 875	27,5	0,48	720	2,07
	Commerce									
1 200	Banque Toronto-Dominion	-	4,83	5 800	24 1/4	29 100	23,0	0,84	1 008	3,46
	TOTAL DES ACTIONS ORDINAIRES			37 700		94 387	74,6		2 692	2,85
	TOTAL DU PORTEFEUILLE			72 200		126 597	100		5 707	4,51%

NOTES EXPLICATIVES

(1) Convertibles en actions ordinaires à 15 $ par action jusqu'au 31 janvier 1991 (environ 66 2/3 actions par débenture de 1 000 $).

(2) Jusqu'au 31 janvier 1987 inclusivement; la prime décroissant ensuite de 0.60% annuellement pour atteindre 100,55 en 1999 et ensuite atteindre le pair.

(3) Le rendement des obligations d'épargne du Canada et des débentures de Daon est calculé à l'échéance. Le rendement sur le total des obligations et débentures est le rendement courant.

(4) Une action privilégiée est convertible en 0,741 action ordinaire de la classe A (33,75 $ par action) jusqu'au 30 avril 1990.

(5) Remboursables à 26,25 $, l'action avant le 1er mai 1986 seulement si les actions de la classe A se négocient au-dessus de 125% du prix de conversion; par la suite, à 26,25 $, ce prix décroissant de 0,25 $ par an pour atteindre 25 $ après le 1er mai 1990.

(6) Une action privilégiée est convertible en 2,586 actions ordinaires de la classe A (9,67 $ par action) jusqu'au 15 février 1990.

(7) Rachetables avant le 15 février 1986 à 26,25 $ seulement si les actions ordinaires de la classe A se négocient au-dessus de 130% du prix de conversion; par la suite rachetables à 26,25 $, ce prix décroissant de 0,25 $ par an pour atteindre 25 $ après le 15 février 1990.

(8) En dollars canadiens à raison de 1 $US pour 1,40 $CAN.

(9) Après une division à raison de 3 actions pour 1 en mai 1985.

305

RÉPARTITION DES REVENUS MENSUELS ET TRIMESTRIELS DU PORTEFEUILLE SERVANT D'EXEMPLE

(DIVIDENDES INDIQUÉS POUR 1986)

TITRES	janv. $	fév. $	mars $	avril $	mai $	juin $	juil. $	août $	sept. $	oct. $	nov. $	déc. $	total $
Obligations d'épargne du Canada											850		850
Daon Development Déb. conv. 10,75/01	645						645						1 290
Stelco Priv. conv. 1,94 $		97			97			97			97		388
Nova Priv. conv. 6 1/2%		122			122			122			122		488
Inco			28			28			28			28	112
Gulf Canada	65			65			65			65			260
Hiram Walker Resources	148			148			148			148			592
Thomson Newspapers A			130			130			130			130	520
Banque Toronto-Dominion	252			252			252			252			1 008
	1 110	219	158	465	219	158	1 110	219	158	465	1 069	158	5 508

REVENU TRIMESTRIEL

1er trimestre	2e trimestre	3e trimestre	4e trimestre
1 487 $	842 $	1 487 $	1 692 $

- Les dossiers de l'épargnant devraient contenir les détails de tous les achats et ventes de titres ainsi que des dividendes et des intérêts reçus. À des fins fiscales, les dossiers doivent contenir des renseignements précis quant au traitement fiscal du revenu et à la monnaie (américaine ou canadienne, entre autres) de paiement ainsi qu'aux frais de courtage sur les opérations sur titres.

CHANGEMENTS QUE L'ON PEUT FAIRE DANS LE PORTEFEUILLE

Les changements doivent être effectués pour des raisons valables et selon les objectifs de placement de l'épargnant. Voici les raisons pour lesquelles on pourrait effectuer des changements:

1. **Vendre des actions pour acheter des obligations**

   - pour prendre une position plus défensive

   - pour améliorer le rendement

   - pour améliorer la diversification

   - pour acheter une obligation convertible, encaissable par anticipation ou à échéance prorogeable.

2. **Vendre des obligations pour acheter d'autres obligations**

   - pour en éloigner ou en rapprocher l'échéance

   - pour en améliorer le rendement

   - pour acheter des obligations se vendant au-dessous du pair

   - pour améliorer la diversification

   - pour améliorer la valeur réelle ou la qualité

   - pour acheter des obligations convertibles, encaissables par anticipation ou à échéance prorogeable.

3. **Vendre des obligations pour acheter des actions**

   - pour avoir une position plus dynamique

   - pour se protéger contre l'inflation

   - pour réaliser des gains en capital

   - pour bénéficier du crédit d'impôt pour dividendes.

   Et vendre des actions pour acheter d'autres actions

   - pour améliorer le rendement

- pour améliorer la diversification

- pour augmenter les possibilités de plus-value du capital

- pour améliorer la négociabilité

4. Vendre des obligations ou des actions pour avoir de l'argent comptant

L'épargnant qui s'inquiète au sujet des perspectives des marchés obligataire et boursier peut liquider des titres pour réaliser un profit et affecter le produit à des placements à court terme productifs de revenu. Ces fonds peuvent ainsi procurer un revenu avec un risque limité de perte en capital.

On peut également liquider des titres pour diverses raisons telles que rembourser une hypothèque ou acheter une entreprise.

RÉSUMÉ

L'une des clés d'un placement fructueux est l'établissement d'objectifs de placement bien définis. La connaissance et la compréhension de ces objectifs devraient précéder et diriger le choix des titres de façon que ceux-ci répondent aux besoins de l'épargnant et que le degré de risque soit acceptable. Le fait de se conformer à ces objectifs constitue une approche logique du placement qui donnera probablement les meilleurs résultats. Si les objectifs d'un épargnant changent pour une raison quelconque, celui-ci devrait modifier sa politique de placement en conséquence.

On ne peut déterminer ces objectifs de placement qu'en effectuant une analyse complète et détaillée de la situation financière et des besoins d'un épargnant, à court comme à long terme. Par conséquent, cette analyse, si elle se veut la plus efficace possible dans le cadre de la planification financière, doit tenir compte de tous les biens et dettes de l'épargnant. En plus de définir le plan d'action le plus approprié, cette analyse met en relief la situation financière d'ensemble de l'épargnant et permet de se concentrer sur les parties du portefeuille où des régimes d'étalement du revenu imposable et de réduction des impôts pourraient être utilisés pour accroître le rendement des placements.

La théorie du portefeuille est une méthode de structuration et d'organisation de ses placements en valeurs mobilières. Cette méthode permet de garantir que les titres répondent aux objectifs de placement et se prête à des évaluations ordonnées et périodiques des titres quant aux cours du marché, aux taux de dividende, aux rendements, etc. Ainsi, les titres peuvent être continuellement évalués en fonction des objectifs fondamentaux de placement. Les avoirs peuvent être rajustés, si besoin est, pour de nombreuses raisons, y compris des objectifs de placement différents, une détérioration de la qualité de certains titres, un arbitrage en faveur de titres plus dynamiques ou défensifs, etc.

CONCLUSION

En termes simples, le placement est la gestion de fonds pour obtenir un rendement. Ce rendement peut être sous forme de revenu ou de gain en capital, ou des deux.

Un programme de placement bien planifié exige une définition claire des objectifs de placement qui traduit la situation financière, les besoins de l'épargnant et un degré de risque que celui-ci peut assumer. Tous les placements présentent divers degrés de risque.

Il existe de nombreuses catégories de titres et de placements, aussi est-il nécessaire d'élaborer soigneusement un programme de façon à choisir ceux qui répondent aux objectifs de l'épargnant. Des connaissances, de l'expérience et du discernement constituent la base de placements fructueux et l'épargnant qui débute devrait faire appel aux services d'une firme de courtage ou d'un conseiller en placement de bonne réputation, au moins durant les premières années de la constitution de son portefeuille.

Un programme de placement bien planifié procure une plus grande indépendance financière plus tard.

TABLEAU A — RELEVÉ DES ACTIONS ET OBLIGATIONS EN PORTEFEUILLE

OBLIGATIONS et DÉBENTURES

Nominative _____ Principal ☐ Intérêt ☐

Émetteur _____

Titre _____ N° de série _____

Coupon ____ % Date d'échéance _____ Vendeur _____

Dates de paiement de l'intérêt _____ Téléphone _____

Date	Valeur nominale	Achat			Vente			Gain (perte) en capital	Valeur nominale - Solde
		Prix	Intérêt couru	Total	Prix	Intérêt couru	Total		

RELEVÉ DE L'INTÉRÊT REÇU

Date	Montant	Date	Montant	Date	Montant

ACTIONS

Société _____

Titre _____ Bourse _____

_____

_____ Téléphone _____

Date	Nbre d'actions		N° de série	Cours	Total		Gain (perte) en capital	Actions - Solde
	Achat	Vente			Coût	Produit Net		

RELEVÉ DES DIVIDENDES

Date	N°	Par action	Montant	Date	N°	Par action	Montant

310

TABLEAU B — RELEVÉ DES OPÉRATIONS SUR TITRES ET DU REVENU

TITRES EN PORTEFEUILLE								INFORMATION SUR LES OPÉRATIONS			ANNÉE												
Valeur nominale ou nombre d'actions	TITRE	Taux	Échéance		N° du certificat	Prix d'achat	Prix de vente	Profit ou perte	INFORMATION SUR LE REVENU														
			Mois	Année					JAN	FÉV	MARS	AVRIL	MAI	JUIN	JUIL	AOÛT	SEPT	OCT	NOV	DÉC	TOTAL		

REVENU TOTAL

311

LEXIQUE

Certains des termes qui figurent dans ce lexique ont un sens général en plus du sens particulier dans lequel ils sont utilisés dans le domaine du placement: c'est ce sens particulier qui est défini ci-dessous.

Achat ferme (Bought Deal)

Prise ferme d'une émission de titres par un courtier en valeurs mobilières qui assume la responsabilité financière totale de l'émission. Les titres sont alors vendus exclusivement aux clients du courtier. La formation d'un syndicat de prise ferme (voir syndicat de prise ferme) ne diminue en rien la responsabilité et le risque que représente une prise ferme.

Acheter par échelons de baisse (Averaging Down)

Acheter des titres supplémentaires d'une émission à un cours inférieur à celui des titres achetés en premier lieu. Cela permet de réduire le coût unitaire moyen des titres. (Voir "méthode de la moyenne d'achat".)

Acheteur dispensé (Exempt Purchaser)

Investisseur institutionnel qu'une commission des valeurs mobilières reconnaît en tant que tel et à qui la vente d'une émission de titres ne requiert pas le dépôt d'un prospectus auprès de la commission des valeurs mobilières compétente.

Actif (Assets)

Tout ce qui appartient à une société ou à une personne, et tout ce qu'on lui doit.

Actif à court terme (Current Asset)

Encaisse ou bien qui, dans le cours normal des affaires, sera converti en espèces ou utilisé pour produire un revenu, généralement dans l'année. Un élément d'actif à court terme peut être un compte client, des stocks ou de l'argent comptant.

Actif incorporel (Intangible Assets)

Bien qui n'a pas d'existence physique et dont la conversion en espèces est incertaine (l'achalandage, les brevets, les concessions, les droits d'auteur, etc.).

Actif net (Net Asset Value)

Actif total d'une société moins son passif.

Action à caractère cyclique (Cyclical Stock)

Action d'un secteur particulièrement sensible aux fluctuations de la conjoncture économique.

Action à fort rendement (Income Stock)

Action qui offre un très bon dividende qui est assez sûr.

Action bloquée (Escrowed or Pooled Share)

Action en circulation d'une société qui, bien qu'elle soit assortie d'un droit de vote et d'un droit de participation aux bénéfices ne peut, tant qu'elle est bloquée, être vendue ou achetée sans une autorisation spéciale des autorités responsables (la bourse ou la commission des valeurs mobilières de la province, ou les deux à la fois). Les sociétés minières et pétrolières ont souvent recours à ce procédé lorsqu'elles émettent des actions de trésorerie pour acquérir de nouveaux terrains.

Action cotée en bourse (Listed Stock)

Action qui se négocie en bourse.

Action de la classe "A" (Class A)

Terme utilisé pour désigner diverses catégories d'actions. Dans certains cas, il s'agit d'une catégorie d'actions privilégiées ayant des caractéristiques différentes de celles d'autres émissions d'actions privilégiées en circulation du même émetteur. Parfois, cette expression fait référence à une catégorie d'actions ordinaires qui ont le droit de recevoir un dividende en espèces plutôt qu'un dividende-actions. L'expression "actions de la classe A" peut également se rapporter à une émission d'actions subalternes (voir action subalterne).

Action de trésorerie (Treasury Share)

Action d'une société qui est autorisée mais non émise, ou qui a déjà été émise mais que la société a rachetée.

Action non cotée (Unlisted)

Action qui n'est pas cotée en bourse et qui se négocie sur le marché hors cote.

Action ordinaire (Common Stock)

Titre représentatif d'une participation ou d'une part de propriété dans une société et qui donne un droit de vote.

Action privilégiée (Preferred Stock)

Partie du capital-actions d'une société qui donne au porteur le droit de recevoir une somme fixe en cas de liquidation et de toucher un dividende fixe avant les actionnaires ordinaires. Les actions privilégiées ne bénéficient normalement d'un droit de vote que lorsqu'un montant stipulé de dividendes n'a pas été payé.

Action privilégiée à dividende cumulatif (Cumulative Preferred)

Lorsque le dividende d'actions privilégiées est cumulatif, tous les dividendes qui n'ont pas été versés sur ces actions aux dates prévues s'ajoutent les uns aux autres et doivent être payés intégralement avant qu'un dividende ne soit distribué aux porteurs d'actions ordinaires.

Action privilégiée de premier rang (Prior Preferred)

Action privilégiée qui, en cas de liquidation de la société émettrice, prend rang avant les autres catégories d'actions privilégiées quant à la répartition de l'actif de la société et au paiement de dividendes.

Action subalterne (Restricted Share)

Action qui confère un droit de vote limité ou qui n'en confère aucun.

Actionnaire inscrit (Shareholder of Record)

Actionnaire dont le nom figure dans les registres d'une société dont il détient des actions. 'Lorsqu'une société annonce un versement de dividendes ou une émission de droits de souscription, seuls les actionnaires inscrits à une date précise peuvent toucher les dividendes ou bénéficier des droits de souscription.)

Actualisé (Discounted)

Lorsqu'un événement quelconque, comme une augmentation du dividende ou une baisse des bénéfices, est prévu et qu'il a déjà rejailli sur le cours de l'action, on dit de ce cours qu'il a été "actualisé" par le marché.

Administrateur des valeurs mobilières (Securities Administrator)

Terme générique servant à désigner l'autorité provinciale (commission des valeurs mobilières ou agent comptable des registres provincial) chargée de l'application de la loi provinciale sur les valeurs mobilières.

Agent comptable des registres (Registrar)

Il s'agit le plus souvent d'une compagnie de fidéicommis désignée par une société pour exercer une surveillance sur son capital-actions en circulation afin d'éviter que le nombre d'actions émises ne dépasse le nombre autorisé. L'agent comptable des registres reçoit, de l'agent des transferts (voir ci-dessous), le certificat annulé et le nouveau certificat émis en échange qu'il inscrit dans ses registres et signe. De fait, l'agent comptable des registres est un vérificateur qui veille à l'exactitude du travail accompli par l'agent des transferts, bien que dans la plupart des cas, les fonctions d'agent comptable des registres et d'agent des transferts soient remplies par la même compagnie de fidéicommis.

Agent des transferts (Transfer Agent)

Compagnie de fidéicommis qu'une société désigne pour tenir le registre de ses actionnaires, c'est-à-dire le livre dans lequel sont inscrits le nom et l'adresse de chaque actionnaire et le nombre d'actions qu'il détient. Souvent, l'agent des transferts s'occupe d'envoyer les chèques de dividendes.

Agent financier (Fiscal Agent)

Courtier en valeurs mobilières désigné par une société ou un gouvernement pour donner des conseils relatifs à des questions financières et pour organiser la prise ferme de ses titres.

Aller-retour (In-and-Out)

Achat et vente d'un même titre dans un court délai (un jour, une semaine et même un mois). Dans une opération aller-retour, l'épargnant s'intéresse plus aux fluctuations du cours au jour le jour qu'aux dividendes ou à la croissance à long terme.

American Depository Receipts (ADRs)

Système conçu par les milieux financiers des États-Unis, selon lequel le certificat original d'une valeur étrangère est immatriculé au nom d'une compagnie de fidéicommis ou d'une banque américaine et gardé par celle-ci. La compagnie de fidéicommis ou la banque délivre contre ce certificat un récépissé qui se négocie sous le nom de "ADR". Ce système a été élaboré après que des acheteurs de valeurs étrangères se soient aperçus qu'il s'écoulait souvent de 3 à 6 mois avant que le titre ne soit immatriculé à leur nom lorsqu'il devait être envoyé d'Amérique du Nord en Angleterre, en Afrique du Sud, en Allemagne, etc., pour faire effectuer le transfert.

Amortissement (financier) (Amortization)

Réduction graduelle d'un élément d'actif au cours d'une certaine période. Le plus souvent incorporel (achalandage, améliorations apportées à des locaux loués ou frais d'une nouvelle émission d'obligations, etc.).

Amortissement (pour dépréciation) (Depreciation)

Somme imputée systématiquement aux résultats afin d'amortir le coût d'un bien au cours de sa durée d'utilisation prévue. Ce n'est qu'une écriture comptable qui ne représente pas un décaissement ou la mise de côté d'une somme quelconque.

Analyse fondamentale (Fundamental Analysis)

Analyse de titres qui repose sur des faits essentiels d'une société: ventes, bénéfices, dividendes éventuels. (Voir analyse technique).

Analyse technique (Technical Analysis or Charting)

Analyse du marché ou de valeurs mobilières comportant l'étude des fluctuations des cours et du volume des opérations à l'aide de graphiques. L'analyse technique cherche à orienter les décisions de placement en fonction de l'attitude et du comportement prévus des investisseurs.

Arbitrage boursier (Arbitrage)

Opération consistant à acheter une valeur sur un marché pour la revendre simultanément sur un autre, à un cours qui rapportera un bénéfice à l'arbitragiste.

Arbitrage de portefeuille (Switching)

Vente de titres que l'on détient pour les remplacer par d'autres.

Arriérés (Arrears)

Intérêts ou dividendes qui n'ont pas été versés à la date normale de paiement mais qui restent dus.

Avec dividende (Cum Dividend)

L'acheteur d'une action cotée avec dividende recevra le prochain dividende déjà déclaré. Si une action est cotée ex-dividende (sans dividende), l'acheteur n'a pas droit au dividende déclaré; c'est le vendeur qui le reçoit.

Avec droits (Cum Rights)

L'acheteur d'une action cotée avec droits bénéficiera des droits à venir sur cette action. (Voir ex-dividende ou ex-droit.)

Avis d'exécution (Confirmation)

Attestation écrite donnant le détail de l'achat ou de la vente d'une valeur. Le courtier qui exécute un ordre doit normalement poster un avis d'exécution à son client dans les 24 heures qui suivent.

Avoir des actionnaires ou capitaux propres (Equity or Shareholders' Equity)

Différence entre l'actif et le passif d'une société que l'on désigne aussi parfois par valeur nette ou situation nette. Cette valeur représente la participation des actionnaires privilégiés et ordinaires dans une société.

Baissier (Bear)

Personne qui prévoit une baisse du marché ou du cours d'un titre. (Voir haussier).

Banque centrale (Central Bank)

Organisme créé par le gouvernement d'un pays afin de réguler sa monnaie et sa politique monétaire à l'échelle nationale et internationale. Au Canada, ce rôle échoit à la Banque du Canada; aux États-Unis, au Federal Reserve Board et au Royaume-Uni, à la Banque d'Angleterre.

Bénéfice dilué par action (Fully Diluted Earnings Per Share)

Bénéfice par action calculé en supposant la conversion de tous les titres convertibles en actions ordinaires, l'exercice de tous les droits et bons de souscription, la levée de toutes les options et l'émission éventuelle d'actions.

Bénéfice net (Net Earnings)

Ce qui reste des bénéfices d'une société, une fois tous les frais et impôts payés, et d'où les dividendes sont prélevés.

Bénéfices non répartis (Retained Earnings)

Partie totale et cumulative des bénéfices annuels qu'une société conserve après le paiement de tous ses frais et le versement des dividendes.

Bénéfice par action (Earnings Per Share)

Partie du bénéfice d'un exercice attribuable à une action du capital émis d'une société. Le calcul du bénéfice par action n'est pertinent que pour les actions qui ont le droit de participer sans limite aux bénéfices de la société.

Bénéfice théorique ou profit non matérialisé (Paper profit)

Profit non réalisé sur une valeur que l'on continue de détenir; un profit non matérialisé ne devient un profit réalisé qu'une fois la valeur vendue. Terme opposé à **perte théorique**.

Bilan (Balance Sheet)

État financier qui indique la nature et le montant des éléments de l'actif, du passif et de l'avoir des actionnaires d'une société à une date donnée.

Billet (Note)

Titre d'emprunt qui ne représente qu'une simple promesse de payer.

Billets à ordre (Acceptance Paper or Promissory Notes)

Titres émis et vendus par les sociétés de crédit à la consommation. Les coupures minimales peuvent être de 5 000 $, 25 000 $ ou de 50 000 $; au-dessus de ces montants, les coupures sont en multiples de 1 000 $ ou de 5 000 $ jusqu'à un maximum de 1 à 5 millions de dollars.

Bloqué (Locked In)

On dit qu'un épargnant est bloqué lorsqu'il a un bénéfice sur une valeur qu'il détient mais qu'il ne peut vendre, soit parce qu'il n'y a pas de marché pour cette valeur, soit qu'une restriction quelconque l'empêche de la vendre. S'emploie également lorsque le cours du titre a baissé au-dessous du prix d'achat et que l'épargnant ne peut vendre sans subir une perte.

Bon de souscription (Warrant)

Certificat donnant le droit à son porteur d'acheter certaines actions à un prix donné, dans un délai déterminé. Habituellement, les bons de souscription sont offerts avec de nouvelles émissions afin d'en accroître la facilité de négociation.

Bon de souscription avec règlement en espèces ou en obligations (CD Warrant)

Le détenteur de ce bon de souscription peut acheter la valeur offerte par le bon en payant en espèces ou en remettant un montant correspondant d'obligations ou de débentures de la société auxquelles ce bon de souscription était attaché à l'origine.

Bons du Trésor (Treasury Bills)

Titres d'emprunt à court terme du gouvernement fédéral émis généralement en grosses coupures et qui sont vendus principalement aux grands investisseurs institutionnels. Les bons du Trésor ne portent pas intérêt mais sont vendus au-dessous du pair et arrivent à échéance au pair (100). La différence entre le prix payé et le pair reçu à l'échéance représente le revenu que le prêteur reçoit à la place de l'intérêt.

Capital (Capital)

Ce terme a plusieurs sens. Pour un économiste, il désigne la machinerie, les usines et les stocks nécessaires à la fabrication d'autres produits. Pour un épargnant, il désigne les fonds qu'il a investis dans des valeurs mobilières, sa maison, son argent ainsi que d'autres valeurs immobilisées.

Capital-actions ou capital social (Capital Stock)

Toutes les actions, privilégiées et ordinaires, qui représentent la propriété d'une entreprise.

Capitaliser (Capitalize)

Inscrire à l'actif plutôt qu'au passif une dépense qui est ensuite amortie sur plusieurs exercices. Exemples: les contrats de location-acquisition et les intérêts capitalisés.

Certificat d'action provisoire (Scrip)

Certificat échangeable contre espèces avant une certaine date après laquelle il n'a plus aucune valeur. Ce genre de certificat est émis d'habitude pour des fractions d'action résultant d'un dividende en actions, d'une division d'actions ou de la réorganisation du capital d'une société. Par exemple, un dividende-actions qui ne représenterait que 1/3 d'action serait émis sous la forme d'un "scrip" plutôt que d'un certificat d'action pour 1/3 ou 2/3 d'action.

Certificat de courtier (Street Certificate)

Certificat d'action immatriculé au nom d'un courtier en valeurs mobilières au lieu de celui du propriétaire afin d'en accroître la négociabilité.

Certificat de dépôt (Certificate of Deposit or CD)

Titre à revenu fixe émis par la plupart des banques à charte, généralement en coupures minimales de 1 000 $ et dont l'échéance va de 1 à 6 ans.

Certificat de dépôt à terme (Term Deposit Receipt)

Titre émis par la plupart des banques à charte, en coupures d'un montant minimal, pour une période donnée et à un taux d'intérêt fixé à l'avance. Ce taux varie selon le montant investi et l'échéance, mais reste concurrentiel par rapport à des placements analogues. Ce titre est généralement remboursable, mais à un taux d'intérêt réduit si les fonds sont retirés avant l'échéance.

Certificat d'épargne (Savings Certificate)

Titre émis par la plupart des banques à charte, généralement en petites coupures, et dont l'échéance est de six ans. Vendu à escompte, il est remboursé à sa valeur nominale à l'échéance.

Certificat de placement garanti (Guaranteed Investment Certificate or GIC)

Titre le plus souvent émis par des compagnies de fidéicommis et qui nécessite un placement minimal à un taux d'intérêt fixé à l'avance pour une période donnée. Le taux d'intérêt varie selon le montant investi et l'échéance, mais reste généralement concurrentiel par rapport à celui des placements analogues. Ce titre n'est généralement pas remboursable avant l'échéance, bien qu'il puisse y avoir des exceptions.

Certificat provisoire ou titre provisoire (Interim Certificate)

Lorsqu'une nouvelle émission est lancée, on effectue parfois une livraison initiale de certificats provisoires qui sont par la suite échangés contre des certificats définitifs lorsque ces derniers sont prêts.

Clause attrayante (Sweetener)

Caractéristique insérée dans les modalités d'une nouvelle émission de titres d'emprunt ou d'actions privilégiées afin de la rendre plus attrayante aux yeux de l'épargnant. Exemples: bons de souscription ou actions ordinaires, ou les deux à la fois, vendus avec l'émission comme unité; privilège de conversion, d'encaissement par anticipation ou d'échéance prorogeable.

Clause de dénégation (Disclaimer Clause)

Les commissions des valeurs mobilières exigent que tous les prospectus portent en première page un avis selon lequel la commission elle-même ne s'est pas prononcée sur la qualité des titres offerts.

Clause "omnibus" (Basket Clause)

Clause qui figure dans la Loi sur les compagnies d'assurance canadiennes et britanniques; cette clause stipule que la valeur comptable totale des placements d'une compagnie d'assurance-vie, qui ne sont pas admissibles autrement en vertu des principales dispositions de la Loi, ne doit pas dépasser 7% de la valeur comptable de l'actif total de la compagnie d'assurance.

Clause "pari passu" (Negative Pledge Provision)

Clause protectrice dans l'acte de fiducie d'une émission de débentures d'une société, qui stipule qu'aucune autre émission d'obligations hypothécaires ne pourra être garantie par une partie ou la totalité des biens de la société à moins d'étendre cette garantie hypothécaire à toutes les débentures de la société.

Compte "carte blanche" ou (Discretionary Account)

Compte d'un client pour lequel un associé, un administrateur ou un gérant de portefeuille désigné d'une maison de courtage a reçu l'autorisation écrite du client d'acheter et de vendre des titres pour ce compte en se fondant sur son propre jugement.

Comptes clients (Accounts Receivable)

Sommes qui sont dues à une société pour des marchandises ou des services que celle-ci a vendues ou rendus et qui doivent être payées dans l'année.

Comptes fournisseurs (Accounts Payable)

Sommes qu'une société doit à ses fournisseurs et qu'elle doit payer dans l'année.

Conglomérat (Conglomerate)

Société qui, directement ou indirectement, exerce son activité dans une variété de secteurs n'ayant habituellement aucun lien entre eux. Les conglomérats font souvent l'acquisition de sociétés extérieures en échangeant leurs propres actions contre les actions de la majorité des actionnaires des sociétés dont ils prennent le contrôle.

Conseiller en placement (Investment Counsellor)

Personne dont la profession est de donner des conseils de placement sur des valeurs précises. Le conseiller en placement donne habituellement des conseils suivis sur le placement des fonds en se fondant sur les besoins personnels des clients.

Conseiller en valeurs (Securities Adviser)

Personne ou firme inscrite à la commission des valeurs mobilières dont elle relève et qui a pour fonction de donner des conseils au grand public sur certaines valeurs particulières, souvent au moyen de publications.

Contrepartiste (Principal)

Courtier qui achète et vend pour son propre compte.

Contrôle effectif ou participation déterminante (Working Control)

En théorie, la propriété de 51% des actions comportant droit de vote d'une société est nécessaire pour exercer un contrôle effectif. En pratique, et ceci est particulièrement vrai dans le cas des grandes sociétés, un contrôle effectif peut parfois être exercé, individuellement ou par un groupe agissant de concert, avec moins de 50% des actions.

Convention de vote fiduciaire (Voting Trust)

Moyen employé pour confier le contrôle d'une société à certains gestionnaires pendant une période donnée ou jusqu'à ce que certains résultats soient obtenus. Les actionnaires qui déposent leurs actions auprès d'un fiduciaire en vertu d'une convention de vote renoncent à leur droit de vote en faveur de ce dernier.

Convertible (Convertible)

Se dit d'une obligation, d'une débenture ou d'une action privilégiée que le propriétaire peut habituellement échanger contre une ou plusieurs actions ordinaires de la même société, suivant les conditions du privilège de conversion.

Cote (Quotation or Quote)

Le cours acheteur le plus haut et le cours vendeur le plus bas d'un titre à un moment donné. Exemple: une cote de 45 1/4 - 45 1/2 signifie que 45 1/4 est le prix le plus élevé que l'acheteur consent à payer et 45 1/2, le prix le plus bas que le vendeur acceptera.

Coupon (Coupon)

Partie détachable d'un certificat d'obligation donnant droit au détenteur à un paiement d'intérêt d'un montant déterminé lorsqu'il est détaché et présenté à une banque à compter de la date d'échéance.

Cours acheteur et cours vendeur (Bid and Asked Quotations)

Le cours acheteur est le prix le plus élevé qu'un acheteur éventuel est prêt à payer; le cours vendeur est le prix le plus bas que le vendeur est prêt à accepter. Les deux constituent la cote.

Cours désaligné (Out-of-Line)

On dit que le cours d'une valeur est désaligné lorsqu'elle se vend à un cours trop bas ou trop haut par rapport à celui d'autres valeurs comparables.

Cours du marché ou cours (Market Price)

Dernier cours auquel un titre s'est vendu.

Courtage ou frais de courtage (Commission)

Commission qu'un courtier facture pour l'achat ou la vente de titres qu'il effectue pour le compte d'un client.

Courtier chargé de compte (Jitney)

Il s'agit d'un membre d'une bourse qui exécute et compense les ordres d'un autre membre. Exemple: le courtier A est une petite firme dont le chiffre d'affaires n'est pas suffisant pour avoir un négociateur sur le parquet. En conséquence, il donne ses ordres au courtier B pour qu'ils soient exécutés et compensés moyennant un courtage à un taux réduit. Le courtier B est le "courtier chargé de compte".

Couverture (Margin)

Montant versé à un courtier par un client qui a recours au crédit pour acheter des titres. Le solde est prêté par le courtier en échange d'une garantie acceptable.

Couvrir, se (Cover)

Action d'acheter une valeur que l'on a auparavant vendue à découvert, c'est-à-dire que l'on a vendue alors qu'on ne la détenait pas.

CUSIP (Committee on Uniform Security Identification Procedures)

Marque d'un système uniforme d'identification de valeurs mobilières (système de numérotation CUSIP) et de désignation de valeurs mobilières (système de désignation CUSIP) qui sera utilisé dans le traitement et l'enregistrement des opérations sur titres en Amérique du Nord.

Date de l'opération (Transaction Date)

Date à laquelle a lieu un achat ou une vente de valeurs mobilières.

Débenture ou obligation non garantie (Debenture)

Titre d'emprunt émis par un gouvernement ou une société, qui n'est garanti que par la cote de solvabilité de l'émetteur et non par une hypothèque ou par un privilège sur un bien précis de l'emprunteur.

Déclaration d'admission à la cote (Listing Statement)

Document publié par une bourse lorsque les actions d'une société ont été admises à sa cote. Il fournit des renseignements essentiels sur la société, la direction, l'actif, la structure du capital et sur la situation financière de l'entreprise.

Déclaration de faits importants (Statement of Material Facts)

Document qui expose les faits pertinents relatifs à une société et établi pour une prise ferme ou un placement d'un bloc de titres. Ce document n'est utilisé que lorsque les actions prises fermes ou placées sont déjà cotées à une bourse reconnue; la déclaration de faits importants remplace alors le prospectus.

Déclaration d'initié (Insider report)

Déclaration de toutes les opérations sur titres d'une société par les personnes réputées être des "initiés" de la société; cette déclaration est déposée tous les mois auprès de la commission des valeurs mobilières de la province où la société est domiciliée.

Défaut (Default)

Lorsque l'emprunteur n'a pas respecté ses engagements conformément aux dispositions de l'acte de fiducie relatives aux paiements de l'intérêt et aux versements au fonds d'amortissement ou qu'il a omis de rembourser les obligations à la date d'échéance, on dit que ces obligations sont en défaut.

Dette à long terme (Funded Debt)

Ensemble des obligations, débentures, billets et autres titres d'emprunt analogues d'une société, échéant à plus d'un an.

Dilution (Dilution)

Phénomène lié à l'émission de nouvelles actions ou à l'octroi d'option de souscription à des actions et dont l'effet est une diminution des bénéfices réels ou possibles par action.

Diversification (Diversification)

Méthode consistant à répartir les risques de placement en achetant divers titres émis par des sociétés distinctes exerçant leur activité dans des secteurs différents. Les titres de nombreuses sociétés individuelles offrent aussi une certaine diversification en raison de la gamme étendue de leurs secteurs d'activité.

Dividende (Dividend)

Montant versé en espèces ou en actions aux actionnaires ordinaires et privilégiés d'une société, au gré du conseil d'administration.

Dividende-actions (Stock Dividend)

Actions supplémentaires qu'une société distribue à ses actionnaires, au prorata des actions que chacun détient. Une telle distribution augmente le nombre d'actions en circulation d'une société, mais ne change en rien la part qu'un actionnaire détient dans cette société.

Dividende supplémentaire (Extra or Extra dividend)

Dividende versé en espèces ou sous forme d'actions et qui est distribué en plus du dividende régulier prévu.

Division d'actions (Split)

Division, approuvée par les actionnaires, des actions ordinaires en circulation d'une société. Par exemple, une société qui aurait 1 million d'actions en circulation et qui les diviserait à raison de 2 actions nouvelles pour 1 action ancienne aurait, à la suite de cette opération, 2 millions d'actions en circulation. Chaque porteur de 100 actions détiendrait alors 200 actions.

Division d'actions sans échange de certificats (Push-Out)

Suite à une division d'actions, l'agent des transferts envoie directement des actions nouvelles aux détenteurs d'actions anciennes, sans qu'ils aient à rendre les certificats de celles-ci. Les actions anciennes et nouvelles ont alors la même valeur.

Droit de désengagement (Right of Withdrawal)

Droit qu'a l'acquéreur de titres d'une nouvelle émission de résoudre son contrat d'achat dans les deux jours qui suivent l'achat des titres, pour quelque raison que ce soit.

Droits de résolution (Right of Rescission)

Droit qu'a l'acquéreur de titres d'une nouvelle émission d'annuler son achat dans les 60 à 90 jours qui suivent si le prospectus contient des informations fausses et trompeuses ou omet de rapporter un fait important.

Droit de souscription (Right)

Privilège temporaire qui permet aux actionnaires ordinaires d'une société de souscrire à de nouvelles actions de la société, à un prix fixé d'avance.

Droit de vote (Voting Right)

Droit qu'un actionnaire d'une société peut exercer dans les assemblées des actionnaires au cours desquelles sont débattues les affaires de la société. La plupart des actions ordinaires confèrent chacune un droit de vote. Les actions privilégiées ne donnent habituellement droit de vote que si les dividendes privilégiés n'ont pas été payés. Un actionnaire peut déléguer ses pouvoirs à une autre personne pour qu'elle vote à sa place (voir procuration).

Écart (Spread)

Différence entre le cours acheteur et le cours vendeur d'un titre.

Écart net de cours (Net Change)

Écart du cours d'un titre entre le cours de clôture d'un jour et le cours de clôture du jour de bourse suivant. Dans le cas d'une action donnant droit à un dividende un jour mais se négociant "ex-dividende" le jour suivant, le dividende n'entre pas dans le calcul de l'écart du cours. Il en va de même pour une division d'actions. Une action qui se négocie à 100 $ le jour précédant une division à raison de 2 pour 1, et qui se négocie le jour suivant à 50 $, est considérée comme inchangée. L'écart net du cours est habituellement le dernier chiffre apparaissant à la fin d'une cote. L'inscription + 1 1/8 signifie qu'une action a augmenté de 1,125 $ par rapport au dernier cours auquel l'action a été vendue le jour précédent.

Échéance (Maturity)

Date à laquelle un emprunt, une obligation ou une débenture est exigible et doit être remboursé.

Effet de commerce ou papier commercial (Commercial Paper)

Titre d'emprunt à court terme négociable émis par des sociétés, et qui commande le paiement d'une certaine somme d'argent à une date donnée.

Effet de levier (Leverage)

Effet sur le bénéfice par action ordinaire d'une société lorsque des charges fixes doivent être payées pour l'intérêt sur une dette obligatoire ou les dividendes sur des actions privilégiées, ou pour les deux à la fois. Toute augmentation ou diminution de bénéfice net avant charges fixes se solde par un pourcentage amplifié d'augmentation ou de diminution du bénéfice par action ordinaire.

Émission (Issue - New Issue)

Désigne le fait d'émettre ou de placer des titres. Actions ou obligations vendues pour la première fois. Le produit peut servir au remboursement de titres en circulation, à l'achat d'immobilisations ou pour augmenter le fonds de roulement de la société. Les organismes gouvernementaux offrent eux aussi de nouvelles émissions de titres d'emprunt.

Encaissable par anticipation (Retractable)

Caractéristique de certaines émissions d'obligations ou d'actions privilégiées qui donne le droit à leur porteur d'en demander le remboursement à une date et à des conditions fixées d'avance (dans le cas d'obligations, avant la date d'échéance).

En compte (Long)

Ce terme fait référence à la possession de titres. Si une personne déclare: "j'ai en compte 100 actions ordinaires de Bell", cela signifie qu'elle possède 100 actions ordinaires de Bell Canada.

Épuisement (Depletion)

Pratique comptable utilisée dans les industries d'exploitation des ressources naturelles (mines, pétrole et gaz) où les biens peuvent être extraits et épuisés. Somme imputée aux bénéfices en fonction du montant des ressources extraites des réserves totales au cours d'un exercice. Écriture comptable, l'épuisement ne représente pas un déboursé en espèces ni une affectation de fonds.

Escompte ou au-dessous du pair (Discount)

Différence entre la valeur nominale d'une action privilégiée ou d'une obligation et son prix de vente.

État financier périodique (Interim Statement)

État financier portant sur une partie de l'exercice d'une société; par exemple: état financier trimestriel.

États financiers consolidés (Consolidated Financial Statements)

États financiers combinant ceux d'une société mère et ceux de ses filiales et exposant la situation financière actuelle du groupe en tant qu'unité.

Ex-dividende ou ex-droit (Ex Dividend or Rights)

Sans dividende ou droit. Contraire de "avec dividende" et "avec droits" (voir avec dividende et avec droits).

326

Exécution par compensation ou application (Cross on the Board or Contra Order or Put-through)

Lorsqu'un courtier a un ordre de vente pour un titre quelconque et que, d'autre part, il a un ordre d'achat pour le même titre, les règlements des bourses l'autorisent à l'exécuter par compensation ou application sur le parquet de la bourse sans que cela n'influe sur les cours extrêmes du moment.

Exercice financier (Fiscal Year)

Exercice comptable d'une société. En raison de la nature de leurs activités, l'exercice de certaines sociétés ne correspond pas à l'année civile. Un exemple type est celui d'un grand magasin, pour lequel la date du 31 décembre est beaucoup trop proche de la période fébrile des fêtes de Noël et qui clôture son exercice le 31 janvier.

Failli (Bankrupt)

Situation juridique d'un particulier ou d'une société qui ne peut payer ses créanciers et dont les biens sont administrés en faveur de ces derniers.

Fiduciaire (Trustee)

Il s'agit généralement, en ce qui concerne les obligataires, d'une compagnie de fidéi-commis nommée par la société afin de veiller à la garantie de ses obligations et de s'assurer que toutes les clauses de l'acte de fiducie portant sur ses obligations sont bien respectées.

Filiale (Subsidiary)

Société qui est contrôlée par une autre société, la deuxième possédant la majorité des actions de la première.

Firme membre (Member Firm)

Firme de courtage ou courtier en valeurs mobilières membre d'une bourse ou de l'Association canadienne des courtiers en valeurs mobilières.

Fonds d'amortissement (Sinking Fund)

Fonds constitué afin de retirer de la circulation une grande partie ou la totalité d'une émission d'actions privilégiées ou de titres d'emprunt dans un certain laps de temps.

Fonds de rachat (Purchase Fund)

Fonds constitué par une société afin de retirer de la circulation au moyen d'achats sur le marché une quantité donnée de ses actions privilégiées si ces achats peuvent être effectués à un prix stipulé ou à un prix inférieur à celui-ci.

Fonds de roulement (Working Capital)

Actif à court terme moins passif à court terme. Ce chiffre permet d'évaluer l'aptitude d'une société à rembourser ses dettes à court terme.

Fonds mutuel (Mutual Fund)

Voir société d'investissement.

Formule de placement (Formula Investing)

Méthode de placement qui consiste à vendre des actions ordinaires pour acheter des actions privilégiées ou des obligations lorsque le marché dépasse un point déterminé à l'avance, et à replacer les fonds dans des actions ordinaires lorsque la moyenne des cours baisse.

Frais d'acquisition (Load or Acquisition Fee)

Partie du prix de vente des actions qu'offrent la plupart des sociétés d'investissement à capital variable (fonds mutuels) qui sert à couvrir la commission du vendeur et tous les autres frais de distribution. Ces frais ne sont occasionnés qu'à l'achat, car, dans la plupart des cas, il n'y en a aucuns lorsque les actions sont vendues par le détenteur (c.-à-d. présentées au remboursement).

Frais ou charges fixes (Fixed Charges)

Frais qu'une société s'est engagée à payer, comme l'intérêt sur la dette, qu'elle fasse ou non des bénéfices; ces frais sont déduits du bénéfice de la société avant de calculer les impôts sur le revenu.

Gain ou perte en capital (Capital Gain or Loss)

Gain ou perte résultant de la vente d'une immobilisation.

Graphiques (Charting)

Voir analyse technique.

Haussier (Bull)

Personne qui prévoit une hausse du marché ou du cours d'un titre. (Voir baissier.)

Hypothèque (Mortgage)

Contrat stipulant que certains biens sont affectés à la garantie d'un prêt.

Immobilisation (Fixed Assets)

Élément d'actif corporel tel qu'un terrain, un bâtiment, le matériel et l'outillage, et qui est détenu à des fins d'utilisation plutôt que de vente.

Indicateurs précurseurs (Leading Indicators)

Choix de données statistiques qui, en moyenne, prévoient les hauts et les bas du cycle économique qui va suivre. Ces données couvrent l'emploi, les investissements en immobilisations, le nombre de nouvelles entreprises et de faillites, les bénéfices, le cours des actions, l'ajustement des stocks, les logements mis en chantier et le prix de certaines denrées et matières premières.

Indicateurs retardataires (Lagging Indicators)

Choix de données statistiques qui, en moyenne, font état des hauts et des bas du cycle économique précédent. Ces données couvrent les dépenses des entreprises pour l'acquisition de nouvelles usines et de nouveaux équipements, le crédit à la consommation, les prêts à court terme aux entreprises et la valeur globale des stocks des entreprises industrielles et commerciales.

Indices et moyennes (Indices and Averages)

Statistiques qui permettent d'évaluer la situation du marché boursier ou de l'économie et qui s'appuient sur le rendement des actions ou sur d'autres composantes significatives; exemples: la moyenne Dow-Jones des valeurs industrielles, l'indice des prix à la consommation (IPC), etc.

Information occasionnelle (Timely Disclosure)

Obligation imposée par les commissions des valeurs mobilières à une société, à ses dirigeants et administrateurs, de communiquer le plus tôt possible aux médias toute information importante favorable ou défavorable au sujet de la société. La diffusion de cette information permet aux personnes qui ne sont pas des initiés de négocier les titres de la société en ayant les mêmes renseignements que les initiés.

Initié (Insider)

Aux fins d'application des dispositions relatives aux obligations d'information et de déclaration des lois sur les valeurs mobilières, le terme "initié" s'étend à tous les administrateurs et dirigeants d'une société ainsi qu'aux cinq employés les mieux rémunérés. Toute personne ou société qui est propriétaire ou qui contrôle plus de 10% des actions de la société comportant droit de vote est un initié, de même que tout administrateur ou dirigeant d'une société qui est lui-même un initié de la société parce qu'il détient ou contrôle plus de 10% des actions comportant droit de vote de la société en question.

Inscription (Registration)

Avant un placement initial de nouveaux titres par une société ou un reclassement de titres par des actionnaires majoritaires, les titres doivent être inscrits conformément à la loi sur les valeurs mobilières de chaque province où ils seront offerts. Cela implique normalement le dépôt d'un prospectus.

Inscrit (Of Record)

Inscrit dans les livres ou registres de la société. Si, par exemple, une société annonce qu'elle versera un dividende aux actionnaires inscrits le 15 janvier, elle enverra un chèque-dividende à tous les actionnaires dont le nom figure dans ses livres ce jour-là.

Institution dispensée (Exempt Institution)

Investisseur institutionnel auquel le membre d'un syndicat de prise ferme propose, au nom du syndicat, une partie d'une nouvelle émission de titres.

Intérêt (Interest)

Ce qu'un emprunteur paie à un prêteur pour l'usage de son argent.

Intérêt couru (Accrued Interest)

Montant de l'intérêt sur des obligations ou des débentures qui s'est accumulé depuis la dernière date de paiement de l'intérêt.

Intérêt, sans (Flat)

Signifie que le cours d'une débenture ou d'une obligation représente le coût total de la débenture ou de l'obligation en question (contraire de "avec intérêts"). On négocie de cette façon les obligations et les débentures en défaut.

Intermédiaire financier (Financial Intermediary)

Institution telle qu'une banque, une compagnie d'assurance-vie, une compagnie de fidéicommis, une caisse de crédit ou un fonds mutuel, qui reçoit des fournisseurs de capitaux des sommes qu'elle investit.

Investisseur ou épargnant (Investor)

Personne dont le souci principal, lorsqu'elle achète une valeur, est de courir le moins de risques possible contrairement au spéculateur, qui est prêt à prendre des risques calculés dans l'espoir de réaliser des gains supérieurs à la moyenne, et au joueur, qui prend encore plus de risques.

Jour de règlement (Settlement Date, Value Date)

Date à laquelle un acheteur doit payer les titres qu'il a achetés et le vendeur les livrer. Habituellement, le règlement doit avoir lieu le cinquième jour ouvrable qui suit la date d'une opération, ou avant.

Jours ouvrables ou jours de bourse (Business Days)

Tous les jours de la semaine, exception faite du samedi, du dimanche et des jours fériés.

Limitée, à responsabilité (Limited Liability)

Expression qui désigne une société dont la responsabilité des actionnaires est limitée à la somme qu'ils ont versée pour acheter leurs actions. Par contre, dans le cas d'une entreprise à propriétaire unique ou d'une société de personnes, le ou les propriétaires sont civilement responsables de toutes les dettes de l'entreprise (leur responsabilité est donc illimitée).

Liquidation (Liquidation)

Conversion de titres ou d'autres biens en espèces. À la dissolution d'une société, les fonds qui restent après la vente de ses biens et le paiement de toutes ses dettes sont répartis entre les actionnaires.

Liquidité (Liquidity)

Capacité du marché pour une valeur particulière d'absorber un nombre raisonnable d'achats et de ventes sans écarts de cours exagérés. C'est l'une des caractéristiques les plus importantes d'un bon marché.

Livraison (Delivery)

1. **Livraison différée** (Delayed Delivery)

   Opération où il est clairement entendu que la livraison des titres en question sera reportée au-delà de la date normale de règlement.

2. **Bonne livraison, titre de** (Good Delivery)

   Titre vendu dans les formes et qui peut être transféré sans délai à l'acheteur.

3. **Livraison régulière** (Regular Delivery)

   À moins qu'il n'en soit convenu autrement lorsque l'ordre est donné, les vendeurs doivent au plus tard livrer les titres vendus le cinquième jour ouvrable qui suit celui de l'opération (voir jours ouvrables).

Loi sur les valeurs mobilières (Securities Act)

Loi provinciale qu'applique la commission des valeurs mobilières de chaque province et qui fixe les conditions régissant le placement de valeurs mobilières auprès du public.

Lot irrégulier (Odd Lot)

Quantité d'actions inférieure à celle d'un lot régulier. (Voir ce terme.)

Lot régulier (Board Lot)

Quotité régulière d'actions fixée uniformément par les bourses.

Manipulation (Manipulation)

Achat ou vente d'une valeur afin d'en faire monter ou baisser le cours ou de donner une impression fausse ou trompeuse d'activité pour inciter à l'achat ou à la vente; cette façon de procéder est illégale.

Marché baissier (Bear Market)

Marché à la baisse.

Marché étroit (Thin Market)

Marché sur lequel il y a relativement peu de demandes de la part des acheteurs ou d'offres de la part des vendeurs, ou les deux à la fois. Cette expression peut s'appliquer à une valeur en particulier ou au marché dans son ensemble. Dans un marché étroit, les fluctuations de cours d'une opération à l'autre sont d'habitude plus prononcées que dans un marché liquide. Un marché étroit pour une valeur en particulier peut signifier qu'il y a un manque d'intérêt pour cette valeur ou encore qu'il y a peu d'acheteurs ou peu de vendeurs.

Marché haussier (Bull Market)

Marché à la hausse.

Marché hors cote (Between-Dealer Market)

C'est un marché entre courtiers, membres ou non d'une bourse reconnue, où les opérations se concluent surtout par téléphone. On l'appelle aussi marché hors bourse ou marché entre courtiers.

Marché monétaire (Money Market)

Partie du marché des capitaux où se négocient les effets à court terme: bons du Trésor du gouvernement fédéral, titres échéant dans les trois ans, papier commercial, acceptations bancaires, certificats de placement garantis de compagnies de fidéicommis.

Marge brute d'autofinancement ou fonds autogénérés (Cash Flow)

Bénéfice net d'une société plus toutes les déductions qui ne demandent aucun décaissement comme l'amortissement et les impôts sur le revenu reportés.

Méthode de la moyenne d'achat (Dollar Cost Averaging or Averaging)

Cette méthode consiste à investir à intervalles réguliers une même somme d'argent dans un titre donné pendant une certaine période; cela a pour effet d'établir un coût unitaire moyen. (Voir acheter par échelons de baisse).

Nantissement (Collateral)

Remise par un emprunteur de valeurs ou d'autres biens en garantie du remboursement d'une dette.

Nantissement, transporter des titres en (Hypothecation)

Action de remettre des titres en garantie d'un prêt.

Négociable (Negotiable)

Terme qualifiant un certificat dont la propriété peut être transférée par livraison; s'il est immatriculé, il doit être dûment endossé et certifié.

Négociable (facilement) (Marketable)

Se dit d'une valeur que l'on peut acheter ou vendre facilement.

Non cumulatif (Non Cumulative)

Se dit d'un dividende privilégié qui ne s'accumule pas s'il n'est pas versé.

Obligation (Bond)

Reconnaissance de dette par laquelle l'émetteur promet de payer au porteur un montant d'intérêt donné pendant une période déterminée et de rembourser le prêt à l'échéance. À proprement parler, des biens doivent être donnés en garantie de l'emprunt. Toutefois, le terme est souvent utilisé pour désigner tout titre d'emprunt.

Obligation à court terme (Short-Term Bond)

Obligation ou débenture qui arrive à échéance dans les trois ans.

Obligation à intérêt conditionnel (Income Bond)

De façon générale, l'émetteur d'obligations à intérêt conditionnel s'engage à rembourser le capital mais à ne verser l'intérêt que si les bénéfices de la société le permettent. Dans certains cas, l'intérêt est cumulatif et peut être réclamé par le détenteur à l'échéance. Ces obligations sont rarement émises.

Obligation à long terme (Long-Term Bond)

Obligation ou débenture dont l'échéance est à plus de 10 ans.

Obligation à moyen terme (Medium-Term Bond)

Obligation ou débenture dont l'échéance se situe entre 3 et 10 ans.

Obligation garantie par nantissement de titres (Collateral Trust Bond)

Obligation garantie par une action ou une obligation appartenant à la société émettrice et que celle-ci dépose auprès d'un fiduciaire; la société émettrice donne souvent en garantie les actions ou les obligations de sociétés qu'elle contrôle, cependant, elle peut aussi donner d'autres titres.

Obligation échéant en série ou par tranches (Serial Bond)

Émission d'obligations ou de débentures dont une certaine tranche du capital vient à échéance chaque année.

Obligation ou débenture à échéance prorogeable (Extendible Bond or Debenture)

Obligation ou débenture émise avec une date d'échéance précise, mais donnant le droit au porteur de proroger l'échéance d'un certain nombre d'années.

Obligation d'hypothèque générale (General Mortgage Bond)

Obligation garantie par une hypothèque générale sur les biens d'une société; elle prend habituellement rang après une ou plusieurs autres obligations hypothécaires.

Offre (Offer)

Prix le plus bas auquel une personne est prête à vendre; par opposition à demande, prix le plus haut auquel une personne est prête à acheter.

Offre d'achat ferme, offre de vente ferme (Firm Bid, Firm Offer)

Action de s'engager à acheter (offre d'achat ferme) ou à vendre (offre de vente ferme) un certain nombre de titres à un prix donné durant un laps de temps déterminé, à moins d'être libéré de cet engagement par le vendeur, dans le cas d'une "offre d'achat ferme", ou par l'acheteur, dans le cas d'une "offre de vente ferme".

Offre d'achat sans engagement, offre de vente sans engagement (Subject Bid, Subject Offer)

Offre d'achat ou offre de vente faite sur un titre qui, selon le cas, indique l'intérêt de l'acheteur ou du vendeur, mais qui n'oblige pas nécessairement celui qui fait l'offre d'acheter ou de vendre le titre à ce cours ou à ce moment-là.

Offre publique de rachat (Issuer Bid)

Offre faite par un émetteur aux porteurs de ses titres afin de racheter ses propres actions ou tout autre titre convertible en actions.

Opération de couverture (Hedge)

Achat ou vente dont l'objet est de réduire les risques inhérents à la fluctuation des cours.

Option (Option)

Droit d'acheter ou de vendre certains titres ou produits à un prix et dans un délai fixés d'avance.

Option de vente ou d'achat (Puts and Calls)

Option qui donne au titulaire le droit, mais non l'obligation, de vendre ou d'acheter une certaine quantité du produit faisant l'objet de l'option (par exemple, des actions, des obligations, des contrats à terme ou des indices) à un prix et dans un délai fixés d'avance. Une option de vente donne au titulaire le droit, mais non l'obligation, de vendre le produit faisant l'objet de l'option, et une option d'achat donne le droit de les acheter. Les options de vente sont généralement achetées par ceux qui s'attendent à une baisse du cours d'une produit et les options d'achat par ceux qui prévoient une hausse d'un cours.

Ordre à cours limité (Limit Order)

Ordre donné par un client à son courtier d'acheter ou de vendre à un prix donné ou à un meilleur prix. Cet ordre ne peut être exécuté qu'à ce prix ou à un meilleur prix.

Ordre à révocation (GTC Order)

Ordre valable jusqu'à ce qu'il soit annulé par le client. Synonyme d'ordre ouvert (voir ce terme).

Ordre au marché ou au mieux (Market Order)

Ordre d'achat ou de vente qu'un courtier doit exécuter immédiatement au meilleur cours possible.

Ordre ouvert (Open Order)

Ordre d'acheter ou de vendre une valeur à un prix donné; cet ordre reste valable tant qu'il n'est pas exécuté ou annulé. (Voir ordre à révocation.)

Ordre Stop (Stop Loss Order)

Ordre de vente qui devient un ordre au mieux dès que le cours d'un lot régulier de l'action atteint le prix fixé par le client. On peut placer un ordre stop pour protéger un profit non matérialisé ou limiter une perte éventuelle. Étant donné que l'ordre stop se transforme en ordre au mieux lorsque le cours de l'action atteint le prix fixé par le client, il n'est jamais certain qu'il soit exécuté à ce prix.

Ordre valable jour (Day Order)

Ordre d'achat ou de vente qui n'est valable que la journée où il est donné.

Pari Passu (Pari Passu)

À égalité. Se dit habituellement de plusieurs émissions d'actions privilégiées d'une société qui prennent rang également les unes par rapport aux autres.

Participation directe ou indirecte (Direct and Indirect Holdings)

Participation d'un particulier ou d'une société dans d'autres sociétés. Par exemple: la société A détient 500 000 du million d'actions en circulation de la société B. La société A a donc une participation directe de 50% dans la société B. La société B, à son tour, détient 300 000 des 500 000 actions en circulation de la société C. Par conséquent, la société B a une participation directe de 60% dans la société C. En vertu de sa participation directe de 50% dans la société B, la société A a une participation indirecte de 30% dans la société C.

Participation minoritaire (Minority Interest)

(i) L'avoir des actionnaires qui ne détiennent pas une participation majoritaire dans une société dépendante; (ii) dans les états financiers consolidés, la partie des capitaux propres d'une filiale consolidée attribuable aux actions de la filiale qui n'appartiennent pas à la société mère ou à une filiale consolidée.

Passif (Liabilities)

Dettes d'une société parmi lesquelles on distingue généralement le passif à court terme, qui représente des dettes dont l'échéance est à moins d'un an, et la dette à long terme, dont l'échéance est à plus d'un an.

Passif à court terme (Current Liabilities)

Dettes échéant généralement à moins d'un an.

Période ou délai de récupération (Pay-Back Period)

Laps de temps nécessaire pour récupérer la prime d'un titre convertible en raison de son rendement supérieur à celui de l'action ordinaire.

Placement d'un bloc de titres ou reclassement de titres (Secondary Distribution or Secondary Offering)

Redistribution d'un bloc d'actions qui a lieu quelque temps après le placement initial de ces actions par la société émettrice. Il s'agit ordinairement d'un bloc important, comme celui qui serait vendu à l'occasion du règlement d'une succession. Ces actions sont offertes au public à un prix fixe, déterminé d'après le cours du marché.

Placement initial (Primary Distribution or Primary Offering of a New Issue)

Premier appel public à l'épargne que fait une société des titres qu'elle émet.

Placement admissible (Legal Investment)

Certaines valeurs sont désignées comme placement admissible en vertu de la Loi sur les compagnies de fidéicommis de certaines provinces. D'autres peuvent se qualifier comme "... valeurs dans lesquelles les compagnies enregistrées en vertu de la Loi sur les compagnies d'assurance canadiennes et britanniques (1932) peuvent placer leurs fonds ...".

Placement pour compte ("Best Efforts" Underwriting)

Le preneur ferme s'engage à faire de son mieux pour placer une nouvelle émission de titres d'une société sans lui garantir que la totalité ou une partie de l'émission sera vendue. Dans ce cas, le preneur ferme fait fonction de mandataire, n'achète pas l'émission et n'en assume pas la responsabilité.

Placement privé (Private Placement)

Vente d'actions de trésorerie ou de titres d'emprunt à long terme (habituellement par suite d'une prise ferme) d'un montant important à quelques acheteurs (généralement des institutions), sans avoir à préparer un prospectus.

Point (Point)

Terme employé lorsqu'il s'agit d'un cours. Dans le cas d'actions, un point signifie 1 $ par action. Dans le cas d'obligations et de débentures, un point signifie 1 $ si la valeur nominale de ces titres est de 100 $. Sur une obligation de 1 000 $, un point représente 1% de la valeur nominale de l'obligation, soit 10 $.

Point de base (Basis Point)

Terme qui désigne l'écart de rendement des obligations. Un point de base représente un centième de un pour cent. Ainsi, si l'obligation X a un rendement de 11,50% et l'obligation Y de 11,75%, la différence est de 25 points de base.

Politique monétaire (Monetary Policy)

Politique suivie par le gouvernement fédéral, par le biais de la Banque du Canada, pour contrôler le crédit et la masse monétaire dans l'économie.

Portefeuille (Portfolio)

Ensemble des valeurs mobilières que détient un particulier ou une institution. Un portefeuille peut contenir des titres d'emprunt, des actions privilégiées et ordinaires de différents genres d'entreprises ainsi que d'autres catégories de titres.

Prêt remboursable sur demande ou prêt à vue (Call Loan)

Prêt dont le remboursement peut être demandé par le prêteur ou effectué par l'emprunteur n'importe quand. Ce genre de prêt sert d'habitude à financer l'achat de valeurs mobilières.

Prime (Premium)

Lorsqu'une action privilégiée ou un titre d'emprunt se vend au-dessus de sa valeur nominale, on dit qu'il se vend à prime. Dans le cas d'une nouvelle émission d'obligations ou d'actions, lorsque le cours s'élève au-dessus du prix d'émission, on dit également que le titre se négocie à prime. On appelle également "prime" la différence entre le prix de rachat et la valeur nominale d'une obligation ou d'une action privilégiée.

Prise de bénéfice (Profit Taking)

Vendre pour réaliser un bénéfice, c'est-à-dire transformer un profit non matérialisé en argent.

Prise ferme (Underwriting)

Achat d'une émission de titres par un ou plusieurs courtiers ou "preneurs fermes" dans le but de la revendre. Toutes les modalités de cette opération sont énoncées dans le contrat de prise ferme.

Privilège de participation (Participating Feature)

Action privilégiée qui, en plus d'avoir droit à un dividende fixe et prioritaire, participe avec les actions ordinaires à des distributions supplémentaires de dividendes et à la répartition du capital qui dépasse sa valeur nominale en cas de liquidation.

Prix de rachat (Redemption Price)

Prix auquel des titres d'emprunt ou des actions privilégiées peuvent être rachetés au gré de la société émettrice.

Prix de l'option (Premium)

Prix que l'acheteur d'un contrat d'option paie au vendeur.

Procuration (Proxy)

Autorisation écrite donnée par un actionnaire à une autre personne, actionnaire ou non, pour le représenter et exercer les droits de vote afférents à ses actions au cours d'une assemblée d'actionnaires.

Pro forma (Pro Forma)

Terme qui désigne un document préparé en fonction de certaines hypothèses et tenant compte d'engagements contractuels en vue. Par exemple, une société qui émet de nouveaux titres est tenue d'inclure dans son prospectus un état pro forma de sa structure du capital après avoir tenu compte de son nouveau financement.

Propriétaire (Beneficial Owner)

Le propriétaire d'actions (ou d'autres biens) en est le vrai propriétaire. Ainsi, l'épargnant est propriétaire d'actions, même si elles sont immatriculées au nom d'un courtier, d'un fiduciaire ou d'une banque afin d'en faciliter le transfert ou d'assurer l'anonymat.

Prorata (Pro Rata)

L'expression "au prorata" signifie en proportion de, proportionnellement à. Par exemple, un dividende est un versement au prorata, car le montant que reçoit chaque actionnaire est proportionnel au nombre d'actions qu'il détient.

Prospectus (Prospectus)

Document juridique, conforme aux prescriptions de la commission des valeurs mobilières compétente, qui présente les caractéristiques d'une émission offerte au public. (Voir prospectus provisoire et prospectus définitif).

Prospectus définitif (Final Prospectus)

Prospectus qui remplace le prospectus provisoire et dont le dépôt est accepté par les commissions des valeurs mobilières compétentes. Le prospectus définitif indique tous les renseignements obligatoires sur une nouvelle émission; un exemplaire de ce prospectus doit être remis à tous les acheteurs de l'émission.

Prospectus provisoire (Red Herring)

Prospectus appelé "Red herring" en anglais, car certains renseignements sont imprimés à l'encre rouge en première page. Il ne contient pas tous les renseignements donnés dans le prospectus définitif. Un des buts d'un prospectus provisoire est de sonder le marché de façon à déterminer jusqu'à quel point le public pourrait s'intéresser à l'émission, pendant qu'elle est examinée par la commission des valeurs mobilières.

Quasi-banques (Country Banks or Near Banks)

Terme qui désigne les prêteurs qui ne sont pas des banques et qui consentent des prêts à court terme aux courtiers en valeurs mobilières. Ce sont des sociétés, des compagnies d'assurances et d'autres investisseurs institutionnels qui consentent des prêts à court terme, mais qui ne sont pas régis par la Loi sur les banques.

Rachat (Redemption)

Rachat de titres par la société émettrice, à une date et à un prix stipulés dans les modalités de l'émission.

Rachat d'office (Buy-In)

Si un courtier en valeurs ne livre pas les titres vendus à un autre courtier dans un certain nombre de jours à partir du jour de règlement, le courtier receveur peut effectuer un "rachat d'office" des titres sur le marché et facturer le coût de ces achats au courtier devant en faire la livraison.

Rachetable ou remboursable (Callable)

Valeur qui peut être rachetée ou remboursée sur avis en bonne et due forme par l'émetteur.

Rapport annuel (Annual Report)

États financiers officiels et rapport d'exploitation qu'une société distribue à ses actionnaires à la fin de chaque exercice financier.

Ratio cours-bénéfice ou coefficient de capitalisation des résultats (Price-Earnings Ratio or Multiple)

Pour obtenir ce rapport, on divise le cours de l'action par le montant du bénéfice annuel par action.

Ratio ou coefficient de rotation des stocks (Inventory Turnover Ratio)

Rapport qui s'obtient en divisant le coût des marchandises vendues par la valeur des stocks. On peut également exprimer ce rapport en jours nécessaires pour vendre les stocks annuels en divisant ce ratio par 365.

Réaction (Reaction)

Repli temporaire des cours qui survient après une hausse.

Refinancement (Refinancing or Refunding)

On dit qu'il y a refinancement lorsqu'une société ou un gouvernement émet de nouveaux titres et qu'il utilise le produit de cette émission pour rembourser des titres en circulation. Cette opération peut avoir pour but de diminuer les frais d'intérêt de l'emprunt ou encore d'en prolonger l'échéance, ou les deux à la fois.

Rendement d'une action, d'une obligation (Yield - Bond and Stock)

Revenu d'un placement. Le rendement d'une action est le dividende annuel exprimé en pourcentage du cours du marché de l'action. Le calcul du rendement d'une obligation est plus compliqué; il faut considérer l'intérêt annuel versé et amortir sur le temps restant à courir jusqu'à l'échéance la différence entre le cours actuel de l'obligation et sa valeur nominale. On peut obtenir ce rendement dans un livre de rendements ou avec à l'aide d'un ordinateur.

Rendement actuel (Current Return)

Rendement annuel d'un placement. Le rendement d'une action s'obtient en divisant le dividende annuel par le cours de l'action; le rendement d'une obligation s'obtient en divisant le taux d'intérêt par son cours.

Reprise (Rally)

Hausse rapide qui suit une baisse générale du marché ou la baisse d'une valeur en particulier.

Salle des dépêches (Board Room)

Terme employé dans les milieux du placement pour désigner la salle d'une firme de courtage où les représentants et les clients peuvent suivre les cours des titres et effectuer des opérations grâce à un équipement électronique.

"SEC"

Sigle qui désigne la "Securities and Exchange Commission" créée par le Congrès des États-Unis pour protéger les épargnants de ce pays. Cette commission est d'envergure nationale. Au Canada il n'existe pas d'organisme de réglementation national; plutôt, les lois sur les valeurs mobilières sont appliquées par les provinces.

SICAV (Open-End Fund)

Voir société d'investissement.

Société affiliée (Affiliated Company)

Société dont moins de 50% des actions sont détenues par une autre société ou dont les actions, avec celles d'une autre société, font partie du même bloc de contrôle.

Société associée (Associated Company)

Société que détiennent conjointement deux autres sociétés ou plus.

Société de portefeuille (Holding Company)

Société qui détient les titres d'une ou de plusieurs autres sociétés, ce qui lui en donne le contrôle, dans la plupart des cas.

Société d'investissement (Investment Trust, Company or Fund)

Société qui emploie son capital à l'achat de titres d'autres sociétés. Il en existe deux types principaux: (1) les sociétés d'investissement à capital fixe, de type fermé et (2) les sociétés d'investissement à capital variable (SICAV) ou fonds mutuel, de type ouvert. Les actions des sociétés d'investissement à capital fixe peuvent facilement être transférées en bourse comme n'importe quelle autre action. La structure du capital de ces sociétés est fixe. Les SICAV vendent leurs propres actions nouvelles aux épargnants, rachètent leurs anciennes et ne sont pas inscrites à la cote. On les appelle ainsi, car leur capital est variable puisqu'elles émettent des actions au fur et à mesure des achats.

Société d'investissement à capital fixe (Closed-end Investment Company)

Société d'investissement dont on peut acheter ou vendre les actions sur le marché boursier, mais dont le capital reste relativement le même.

Société par actions (Corporation)

Forme d'entreprise créée en vertu de lois fédérale ou provinciales et qui a une identité juridique distincte de celle de ses propriétaires. Ceux-ci (les actionnaires) ne sont responsables des dettes de la société que jusqu'à concurrence du capital qu'ils y ont investi.

Sociétés par actions à participation restreinte (Constrained Share Companies)

Elles comprennent les banques canadiennes, les compagnies de fidéicommis, d'assurance, de radio-télédiffusion et de télécommunications à qui des restrictions sont imposées quant au transfert de leurs actions à des non-Canadiens ou à des personnes qui ne résident pas au Canada.

Sous-évalué (Over-Sold)

Opinion que l'on peut émettre sur un seul titre ou sur tout le marché lorsqu'une baisse exagérée entraîne les cours à un niveau jugé trop bas.

Sous les réserves d'usage (If, as and when)

Les nouvelles émissions sont vendues avant que les certificats de titres ne soient imprimés. Cette clause protège le courtier en cas de retard dans la livraison des certificats.

Structure du capital ou des capitaux permanents (Capitalization or Capital Structure)

Montant total de la dette, des actions privilégiées et ordinaires, des surplus d'apport et des bénéfices non répartis d'une société.

Surévalué (Over-Bought)

Opinion, parfois controversée, selon laquelle les cours sont trop élevés. Elle peut être émise au sujet d'un titre en particulier dont le cours vient de monter rapidement, ou du marché dans son ensemble après une hausse très prononcée des cours suite à des achats excessifs.

S.V.N. (No Par Value, n.p.v.)

Indique qu'une action ordinaire n'a aucune valeur nominale. De nos jours, au Canada, les actions ordinaires sont habituellement émises sans valeur nominale.

Syndicat (Syndicate)

Groupe de courtiers en valeurs mobilières qui prend ferme et place une nouvelle émission de valeurs ou un important bloc de titres en circulation.

Syndicat de prise ferme (Banking Group)

Groupe de courtiers en valeurs mobilières où chacun assume la responsabilité financière d'une partie d'une prise ferme (voir prise ferme).

Syndicat de placement (Selling Group)

Groupe composé de courtiers en valeurs mobilières ou d'autres personnes qui aident un syndicat de prise ferme à placer une émission de titres dans le public, sans assumer de responsabilité financière dans le cas où l'émission ne serait pas vendue totalement. Un syndicat de placement permet une diffusion plus grande d'une nouvelle émission.

Talon (Talon)

Coupon ou certificat, similaire à un bon de souscription, attaché à un titre et représentant un droit ou un privilège.

Taux d'escompte (Bank Rate)

Taux minimum auquel la Banque du Canada accorde des prêts à court terme aux banques à charte, aux banques d'épargne régies par la Loi sur les banques d'épargne de Québec et aux courtiers en valeurs mobilières qui sont des agents agréés du marché monétaire. Par le passé, le taux d'escompte était fixé par la Banque du Canada, modifié de temps à autre, et représentait symboliquement l'attitude de la Banque à l'égard de la politique monétaire. Toutefois, le 13 mars 1980, le taux d'escompte a été fixé à 1/4% au-dessus du taux moyen des bons du trésor du gouvernement du Canada à 91 jours vendus à la dernière adjudication.

Taux préférentiel ou taux de base (Prime Rate)

Taux d'intérêt que demandent les banques à charte à leurs emprunteurs les plus solvables.

Tendance primaire ou majeure (Major Trend)

Tendance foncière des cours dans un marché en dépit de replis ou de reprises occasionnelles.

Théorie Dow (Dow Theory)

Théorie d'analyse du marché fondée sur la tendance des indices Dow Jones des valeurs industrielles et des transports. Selon cette théorie, le marché a une tendance foncière à la hausse si l'un des indices dépasse un niveau record accompagné ou suivi d'une tendance semblable de l'autre indice. Lorsque les deux indices baissent au-dessous d'un important creux précédent, cela est considéré comme la confirmation d'une tendance foncière à la baisse.

Titre au porteur (Bearer Security)

Titre dont le nom du propriétaire n'est inscrit ni sur les registres de la société émettrice ni sur le certificat lui-même. Il est négociable comme un billet de banque et le porteur, c'est-à-dire celui qui le possède, est considéré comme le propriétaire (voir titre nominatif).

Titre nominatif (Registered Security)

Titre immatriculé au nom du propriétaire dans les livres d'une société. Il ne peut être transféré que s'il est endossé. Ce titre peut être immatriculé quant au capital seulement ou quant au capital et l'intérêt. Dans ce cas, l'intérêt ou les dividendes sont payés par chèque plutôt qu'au moyen de coupons joints au certificat (voir titre au porteur).

Valeur au pair (Par Value)

Valeur attribuée à une obligation ou à une action (conformément à la charte de la société émettrice) et exprimée en dollars et en cents. La valeur au pair d'une action ordinaire a généralement peu de rapport avec le cours du marché de l'action; en conséquence, les actions "sans valeur nominale" sont aujourd'hui plus répandues. La valeur au pair d'une action privilégiée indique habituellement le montant en dollars auquel chaque action privilégiée aurait droit en cas de liquidation de la société.

Valeurs à quelques sous (Penny Stocks)

Valeurs, pour la plupart très spéculatives, qui se vendent au-dessous de 1 $ l'action.

Valeur comptable (Book Value)

Montant de l'actif net qui appartient aux propriétaires d'une entreprise (ou aux action-naires d'une société); ce montant est déterminé d'après les chiffres du bilan.

Valeur d'avenir (Growth Stock)

Valeur de protection (Defensive Stock)

Action d'une société qui a des bénéfices et des dividendes stables et qui est relativement à l'abri lorsque la conjoncture économique est défavorable.

Valeur nominale (Face Value or Principal)

Valeur d'une obligation indiquée au recto du certificat d'obligation, à moins de spécification contraire de l'émetteur. La valeur nominale représente généralement la somme que l'émetteur s'engage à rembourser à l'échéance. Elle n'indique pas la valeur au cours du marché.

Valeurs vedettes ou valeur de premier ordre (Blue Chip)

Actions ordinaires d'une société réputée pour l'importance de son chiffre d'affaires, la qualité de sa gestion, sa stabilité et qui distribue des dividendes depuis de nombreuses années; elles représentent un placement sûr.

Vente à découvert (Short Sale)

Vente de titres que l'on ne possède pas. La vente à découvert est une opération spéculative que l'on effectue lorsqu'on croit que le cours d'une action va baisser et que l'on sera en mesure de se couvrir et de faire un profit en la rachetant plus tard à un cours inférieur. Un vendeur qui ne signale pas que l'ordre qu'il place est une vente à découvert commet une infraction.

BIBLIOGRAPHIE

Cette liste est loin d'être complète et devrait seulement servir de guide. Beaucoup de livres contiennent eux-mêmes des bibliographies qui suggèrent d'autres lectures (* - indique les publications canadiennes).

OUVRAGES DE VULGARISATION

"The Affluent Society", J.K. Galbraith, Houghton.

"The Art of Contrary Thinking", H. B. Neill, the Caxton Printers.

"The Battle for Investment Survival", G.M. Loeb, Simon & Schuster (disponible en livre de poche).

"Capitalism: The Unknown Ideal", Ayn Rand, The New American Library (disponible en livre de poche).

"Extraordinary Popular Delusions and the Madness of Crowds", Charles Mackay, Farrar, Straus and Girous (disponible en livre de poche).

"The Great Crash - 1929", J.K. Galbraith, Pelican Books (disponible en livre de poche).

"How to Buy Stocks", Louis Engel, Bantam Books.

"The Money Game", Adam Smith, Random House (disponible en livre de poche).

*"Money Management", MacLean-Hunter Ltd. (livre de poche).

"My Own Story, Bernard Baruch, Holt, Rinehart and Winston.

"Panic on Wall Street", R. Sobel, MacMillan Publishing.

*"Successful Spending, Saving and Investing", W. Reddins, McGraw Hill.

"Supermoney", Adam Smith, Random House.

"The Watchdogs of Wall Street", H. Black, Morrow Publishing.

*"Your Guide To Investing For Bigger Profits", MacLean-Hunter Ltd.

*"Your Money: How To Make The Most Of It", MacLean-Hunter Ltd.

PLACEMENTS

"The Anatomy of Wall Street", C.J. Rols and G.J. Nelson, Lippincott Publishing.

"Guide to Intelligent Investing", J. Cohen, E. Zinbarg and A. Zeidel, Dow-Jones Irwin.

"Institutional Investing", C. Ellis, The Ronald Press Co.

"The Intelligent Investor", Benjamin Graham, Harper & Bros.

"Introduction to Investments", J. Clendenin and G. Christy, McGraw Hill.

"Investing Profitably in Canada", A. Granger, J.J. Douglas Ltd. (disponible en livre de poche).

"Investment Analysis and Portfolio Management, J. Cohen, E. Zinbard and A. Zeidel, Dow-Jones Irwin.

*"Investment Management in Canada", James E. Watch, Prentice-Hall Canada Inc.

"Investment Principles and Practices", R. Badger, H. Torgeson and H. Gulhmann, Prentice-Hall Inc.

"Investments", H. Dougall, Prentice-Hall Inc.

"Investments", Frank K. Reilly, Dryden Press.

The New Canadian Tax and Investment Guide for Executives, Professionnals and Business", Henry B. Zimmer, Hurtig Publishers Ltd.

"Principles of Investments - Text and Cases", L. Wright, Grid Publishing Inc.

"Security Analysis", B. Graham, S. Dodd, S. Cottle, McGraw Hill.

COMPTABILITÉ

"Accounting For The Financial Analyst", Dr. J.A. Mauriello, The Institute of Chartered Financial Analysts.

*"Analysis and Interpretation of Canadian Financial Statements", J. Langhout, University Press of Canada.

"Corporate Financial Reporting", D.F. Hawkins, Dow-Jones Irwin.

*"Fundamental Accounting Principles", Pyle, White and Zin, Irwin-Dorsey Limited.

ÉCONOMIE

*"Economics", C.R. MCConnell and W.H. Pope, McGraw-Hill Ryerson Limited.

"Economics", Paul Samuelson, McGraw-Hill Ryerson Limited (3e édition).

"Economics in One Lesson", H. Hazlitt, Harper & Bros.

"Inflation. Its Causes and Cures", G. Haberlen, American Enterprise Institute for Public Policy Research.

*"An Introduction to Political Economy", V. Bladen, University of Toronto Press.

"Introduction to Economics, A Canadian Analysis", M. Archer, Maurice Archer Enterprises Inc., Oakville, Ontario.

ÉTUDES

*"**Canadian Association of Investment Clubs' Manual**", C.A.I.C. Box 122, First Canadian Place, Toronto M5X 1E9 (manuel inclus - 15 $).

*"**The Canadian Trust Industry, Trust Companies Institute of Canada**", McGraw-Hill Ryerson.

"**Commodity Trading Manual**", Chicago Board of Trade.

"**Estate and Tax Planning**", S. Taube, The Carswell Company Limited.

"**The Financial System of Canada**", E.P. Neufeld, Macmillan of Canada.

*"**Going Public in Canada - The Facts and the Fads**", P.E. McQuillan, Institut canadien des comptables agréés.

*"**Introduction to Canadian Business**", M. Archer, McGraw-Hill Ryerson Limited.

"**Long Term Financing**", J.F. Childs, Prentice-Hall Inc.

*"**The Money Market in Canada**", S. Sarpkaya, Butterworth & Co. (Canada) Ltd., Toronto.

"**Option as a Strategic Investment**", Lawrence G. McMillan, New York Institute of Finance.

"**The Speculative Merits of Common Stock Warrants**", S. Freid, R.H.M. Associates, New York.

"**The Stock Market**", George L. Leffler, The Ronald Press Co.

"**The Stock Market and Inflation**", ed. J.A. Boeckh and R.T. Coghlan, Dow-Jones Irwin.

"**Trading in Commodity Futures**", Frederick F. Horn/Robert E. Fink, New York Institute of Finance.

L'INSTITUT CANADIEN DES VALEURS MOBILIÈRES

Comme nous l'avons mentionné précédemment, l'Institut canadien des valeurs mobilières offre plusieurs cours. L'un des plus populaires est le "Cours sur le commerce des valeurs mobilières au Canada" (CCVM) qui traite du placement et des valeurs mobilières à un niveau plus avancé que le présent ouvrage. Depuis sa création en 1964, plus de 60 000 personnes se sont inscrites à ce cours par correspondance.

L'ACCOVAM, les bourses et les commissions des valeurs mobilières exigent que les nouveaux vendeurs de valeurs mobilières réussissent à ce cours avant de pouvoir négocier avec le public investisseur. Mais d'autres employés des firmes de courtage, des employés d'institutions financières et de sociétés industrielles et commerciales ainsi que des étudiants et d'autres personnes suivent également ce cours. En fait, près de 80 % des inscriptions au cours proviennent de personnes qui ne travaillent pas dans le commerce des valeurs mobilières.

Pour satisfaire les candidats qui ont une expérience et des connaissances très variées, l'Institut offre deux possibilités pour suivre le CCVM: une session régulière d'une durée de six mois, offerte une fois par année à l'automne, et une session intensive d'une durée de 90 jours offerte quatre fois par année.

L'Institut recommande aux candidats qui ne travaillent pas dans le commerce des valeurs mobilières de s'inscrire à la session régulière qui comporte trois devoirs et un examen d'une durée de trois heures, tenu dans différents centres au Canada et à l'étranger.

Vous pouvez vous procurer des brochures descriptives du CCVM aux bureaux de l'Institut à Montréal, Toronto, Calgary et Vancouver.

QUESTIONS ET SUJETS DE DISCUSSION

Voici six séries de questions et réponses et une série de sujets à discussion.

Veuillez ne pas envoyer vos réponses à l'Institut canadien des valeurs mobilières pour les faire corriger; des réponses types sont données à la fin de chaque série de questions.

Si vous avez des questions sur le contenu de ce livre ou sur des points **généraux** qui n'y sont pas traités, veuillez nous les faire parvenir. Cependant, l'Institut ne peut faire de recommandations sur des titres particuliers, des portefeuilles ou des problèmes d'ordre fiscal précis.

SÉRIE N° 1 – INTRODUCTION ET ÉTATS FINANCIERS – CHAPITRES 1, 2 et 3

1. En vous servant des chiffres du bilan consolidé et de l'état consolidé des résultats de Les magasins d'alimentation Ltée, qui figurent à la page suivante, calculez:

    (a) le ratio du fonds de roulement
    (b) le ratio de trésorerie
    (c) le coefficient de rotation des stocks
    (d) la marge bénéficiaire nette
    (e) la marge d'autofinancement (les impôts reportés se chiffraient à 1 865 000 $)
    (f) la couverture de l'intérêt
    (g) le bénéfice par action ordinaire (il y avait 8 516 596 actions ordinaires en circulation mais aucune action privilégiée)
    (h) le rendement des actions ordinaires (dividende annuel indiqué: 0,96 $; cours du marché: 15 1/2 $)
    (i) le ratio cours-bénéfice (cours du marché: 15 1/2 $)

2. En une ou deux phrases, dites ce que les états financiers suivants ont pour but d'indiquer:

    (a) le bilan
    (b) l'état des résultats
    (c) l'état des bénéfices non répartis
    (d) l'état de l'évolution de la situation financière

3. En une ou deux phrases, expliquez chacun des énoncés suivants:

    (a) Les bénéfices non répartis appartiennent aux actionnaires mais sont rarement tous détenus en espèces.
    (b) Le coefficient de rotation des stocks d'une société ne devrait pas être étudié séparément mais par rapport au même ratio d'autres sociétés oeuvrant dans le même secteur industriel.
    (c) L'amortissement constitue une source interne de capitaux pouvant servir au financement de l'entreprise.
    (d) Les sociétés déclarent leurs bénéfices avant et après les postes extraordinaires pour éviter que leurs résultats financiers soient faussés.

LES MAGASINS D'ALIMENTATION LTÉE

Extrait du bilan consolidé
(au 19 mars 198.)

Actif à court terme	(en milliers de dollars)
Encaisse	10 295
Comptes clients	8 174
Hypothèques à recevoir	709
Marchandises	121 449
Frais payés d'avance	1 418
Impôts sur le revenu reportés	274
	142 319

Passif à court terme	
Comptes fournisseurs et frais courus	90 780
Impôts sur le revenu et taxes diverses	2 065
Dette à long terme échéant à moins d'un an	1 351
	94 196

LES MAGASINS D'ALIMENTATION LTÉE

État consolidé des résultats
(pour l'exercice clos le 19 mars 198.)

	(en milliers de dollars)
Ventes	2 026 488
Revenu de placement	934
	2 027 422
Coût des marchandises vendues	1 707 647
Salaires et avantages sociaux des employés	256 161
Amortissement	15 568
Impôts municipaux	12 636
Intérêt sur la dette à long terme	4 453
Autres intérêts	519
	1 996 984
Bénéfice avant impôts sur le revenu	30 438
Impôts sur le revenu	14 113
Bénéfice avant participation minoritaire	16 325
Participation minoritaire	127
Bénéfice net de l'exercice	16 198

4. (a) Où un épargnant peut-il obtenir des renseignements sur l'industrie chimique au Canada?

   (b) Quelles sont les deux caractéristiques des bénéfices d'une société que l'analyste financier juge importantes lorsqu'il évalue la qualité comme placement des titres de cette société?

5. Quels sont les principaux objectifs de placement?

RÉPONSES AUX QUESTIONS DE LA SÉRIE N° 1

1. (a) $\dfrac{142\ 319\ 000\ \$}{94\ 196\ 000\ \$} = 1,5:1$

   (b) $\dfrac{142\ 319\ 000\ \$ - 121\ 449\ 000\ \$}{94\ 196\ 000\ \$} = 0,22:1$

   (c) $\dfrac{2\ 026\ 488\ 000\ \$}{121\ 449\ 000\ \$} = 16,7$ fois OU $\dfrac{365}{16,7} = 21,9$ jours

   (Étant donné que le "coût des marchandises vendues" n'est pas indiqué séparément, il faut utiliser la deuxième méthode de calcul.)

   (d) $\dfrac{16\ 198\ 000\ \$ + 127\ 000\ \$}{2\ 026\ 488\ 000\ \$} \times \dfrac{100}{1} = 0,8\%$

   (e) $16\ 198\ 000\ \$ + 127\ 000\ \$ + 15\ 568\ 000\ \$ + 1\ 865\ 000\ \$ = 33\ 758\ 000\ \$$

   (f) $\dfrac{16\ 198\ 000\ \$ + 127\ 000\ \$ + 14\ 113\ 000\ \$ + 519\ 000\ \$ + 4\ 453\ 000\ \$}{4\ 453\ 000\ \$ + 519\ 000\ \$}$

   $= \dfrac{35\ 410\ 000\ \$}{4\ 972\ 000\ \$} = 7,1$ fois

   (g) $\dfrac{16\ 198\ 000\ \$}{8\ 516\ 596} = 1,90\ \$$

   (h) $\dfrac{0,96\ \$}{15,50\ \$} \times 100 = 6,2\%$

   (i) $\dfrac{15,50\ \$}{1,90\ \$} = 8,16:1$

2. (a) Le bilan indique la situation finacière d'une société à une date donnée, soit l'actif, le passif et l'avoir des actionnaires.

   (b) L'état des résultats indique les revenus, les dépenses, les profits (ou pertes) d'une société, pendant une période donnée qui correspond habituellement à l'exercice financier de la société.

   (c) L'état des bénéfices non répartis indique le montant des bénéfices accumulés depuis un certain nombre d'années; il sert également de lien entre le bilan et l'état.

(d) L'état de l'évolution de la situation financière indique les changements au fonds de roulement d'une société, pendant une période donnée qui correspond habituellement à l'exercice financier de la société.

3. (a) Chaque année, les bénéfices non répartis d'une compagnie sont réinvestis en partie dans des titres à court terme et en partie dans des comptes clients, des stocks, des biens, de la machinerie et d'autres éléments d'actif.

(b) Un faible coefficient de rotation des stocks n'est habituellement pas souhaitable; en effet, le financement des stocks importants exige un crédit bancaire appréciable et de tels stocks peuvent représenter des marchandises invendables. Toutefois, des sociétés engagées dans certains secteurs, la distillation par exemple, ont besoin de plus de temps pour pouvoir vendre leurs stocks. Ces sociétés ont donc un coefficient de rotation des stocks beaucoup plus faible que d'autres, par exemple les sociétés engagées dans la vente au détail, car celles-ci peuvent renouveler leurs stocks rapidement.

(c) L'amortissement est une dépense qui ne nécessite toutefois pas de déboursement en espèces. Plutôt, ces frais représentent la récupération partielle du placement initial en immobilisations qu'a effectué une société.

(d) Souvent une société réalise un profit ou subit une perte inhabituel qui ne fait pas partie du cours normal de ses activités et qui ne se répétera probablement pas. Ces montants découlent d'opérations telles que la vente de biens ou d'outillage, et ils sont indiqués séparément sur l'état des résultats d'une société comme postes extraordinaires.

4. (a) - Annuaire du Canada
- Rapports annuels des entreprises chimiques
- Périodiques sur l'industrie chimique

(b) Une tendance à la hausse des bénéfices et la stabilité générale des bénéfices.

5. Les principaux objectifs de placement sont la sécurité du capital, le revenu, la croissance du capital (plus-value du capital) et la négociabilité (liquidité).

SÉRIE N° 2 - OBLIGATIONS ET DÉBENTURES - CHAPITRE 4

1. Expliquez ce qui, fondamentalement, détermine la qualité comme placement d'une obligation ou d'une débenture de société.

2. En une ou deux phrases, définissez chacune des catégories d'obligations suivantes:

(a) obligation hypothécaire
(b) obligation à fonds d'amortissement
(c) obligation à échéance prorogeable
(d) obligation encaissable par anticipation

3. Expliquez la différence entre le calcul du rendement des actions et celui du rendement des obligations.

4. Pourquoi les rendements des obligations du gouvernement du Canada sont-ils généralement inférieurs à ceux des obligations provinciales, municipales et d~ sociétés?

5. (a) Une débenture de 1 000 $ est convertible en 140 actions ordinaires. Cette débenture se négocie à 111 1/4 et les actions ordinaires à 7 3/4. Quelle prime de conversion le marché place-t-il sur le privilège de conversion de la débenture?

   (b) Une débenture de 1 000 $ est convertible en 30 actions ordinaires. Si les actions se négocient à 38 $ et en supposant qu'il n'y ait pas de prime, quelle est la valeur intrinsèque de la débenture?

6. Sans tenir compte des conditions d'admissibilité des acheteurs, expliquez quatre raisons pour lesquelles les OEC constituent une catégorie unique d'obligations du gouvernement du Canada.

7. Expliquez les deux principales raisons pour lesquelles on achète des obligations.

RÉPONSES AUX QUESTIONS DE LA SÉRIE N° 2

1. Fondamentalement, la qualité d'une obligation ou d'une débenture de société est déterminée par la capacité de la société émettrice de réunir suffisamment de fonds pour payer l'intérêt sur sa dette, satisfaire les exigences de son fonds d'amortissement et rembourser le capital à l'échéance. La "couverture de l'intérêt" est le critère d'évaluation de la capacité de l'émetteur de payer l'intérêt sur sa dette.

2. (a) Une obligation hypothécaire est une obligation qui est garantie par des biens déposés en nantissement auprès du prêteur, au cas où l'émetteur ne rembourserait pas son emprunt.

   (b) Une obligation à fonds d'amortissement est une obligation dont l'émetteur s'engage à mettre des fonds de côté, à des dates précises, afin de rembourser une partie ou la totalité de l'émission à l'échéance.

   (c) Une obligation à échéance prorogeable est émise avec une échéance à court terme, mais elle donne au porteur le droit de l'échanger contre un même montant d'une obligation à plus long terme, ayant le même taux d'intérêt ou un taux légèrement supérieur.

   (d) Une obligation encaissable par anticipation est émise avec une échéance à long terme, mais elle donne au porteur le droit de la présenter au remboursement à une date précise avant l'échéance.

3. La différence entre les calculs de rendement provient du fait que les obligations ont une échéances alors que les actions n'en ont pas. Ce facteur — le temps à courir avant l'échéance — doit être inclus dans le calcul du rendement d'une obligation. Souvent, un obligataire achète une obligation à escompte et réalise un gain en capital au remboursement de son obligation au pair. Ce gain se calcule annuellement et doit faire partie du calcul du rendement d'une obl igation. Étant donné que la durée d'une action est illimitée, le rendement d'une action correspond à son taux de dividende annuel, indiqué en pourcentage du cours du marché de l'action.

4. Étant donné ses pouvoirs étendus en matière d'imposition, le gouvernement fédéral a une excellente cote de crédit et une plus grande solidité financière que n'importe quelle province, municipalité ou société. Aussi, il est peu probable que le gouvernement fédéral manque à ses engagements; il peut donc emprunter des fonds à des taux inférieurs à ceux que doivent payer les provinces, les municipalités ou les sociétés.

5. (a) Cours du marché de la débenture 1 112,50 $
   Cours du marché des actions
   (140 x 7,75 $) - 1 085,00

   Prime de conversion 27,50 $

   (b) Valeur intrinsèque: 30 x 38 $ = 1 140 $

6. Les différences entre les OEC et les autres catégories d'obligations du gouvernement du Canada sont les suivantes:

   . les OEC sont toujours remboursables à leur valeur nominale
   . les OEC peuvent être encaissées par leur propriétaire en tout temps
   . les OEC sont émises sous deux formes: à intérêt régulier et à intérêt composé
   . les OEC sont émises chaque automne, le 1er novembre
   . les OEC doivent être immatriculées au nom du propriétaire.

7. La plupart des obligations offrent les avantages d'une sécurité du capital et d'un revenu régulier et constant.

SÉRIE N° 3 - LES ACTIONS PRIVILÉGIÉES - CHAPITRE 5

1. La situation de l'actionnaire privilégié est plus faible que celle du porteur de titres d'emprunt à long terme mais plus forte que celle de l'actionnaire ordinaire. Expliquez pourquoi.

2. Expliquez la différence entre les caractéristiques suivantes des actions privilégiées:

   (a) à dividende cumulatif et à dividende non cumulatif
   (b) participantes et non participantes
   (c) rachetables et non rachetables

3. Expliquez brièvement les avantages qu'offre chacune des catégories d'actions privilégiées suivantes:

   (a) actions privilégiées à fonds d'amortissement
   (b) actions privilégiées encaissables par anticipation
   (c) actions privilégiées convertibles

4. Quel avantage fiscal les actions privilégiées (et ordinaires) de sociétés canadiennes imposables offrent-elles aux épargnants par rapport aux obligations et aux débentures?

5. Expliquez brièvement les trois critères fondamentaux qui servent à évaluer la qualité comme placement d'une action privilégiée.

6. Pourquoi les actions privilégiées avec bon de souscription sont-elles plus attrayantes aux yeux des sociétés qui réunissent de nouveaux capitaux et pour les épargnants?

7. Expliquez la différence entre une action privilégiée convertible et une action privilégiée avec bon de souscription.

RÉPONSES AUX QUESTIONS DE LA SÉRIE N° 3

1. Les porteurs de titres d'emprunt à long terme obtiennent un rendement sous forme d'intérêt alors que les actionnaires privilégiés obtiennent un rendement sous forme de dividendes. Étant donné que l'intérêt sur les titres d'emprunt est une obligation de société, il est payé automatiquement. Par contre, les paiements de dividendes privilégiés ne sont pas obligatoires. Ils doivent être approuvés par le conseil d'administration d'une société avant d'être déclarés. En cas de liquidation, les porteurs de titres d'emprunt à long terme d'une société ont priorité sur les actionnaires privilégiés quant à l'actif, pour le remboursement du capital et le paiement des intérêts.

   À l'instar des actions ordinaires, les actions privilégiées représentent la propriété d'une société. Toutefois, contrairement aux actionnaires ordinaires, les actionnaires privilégiés d'une société ont un droit prioritaire sur l'actif et les dividendes (dans le cas d'une liquidation de la société) par rapport aux actionnaires ordinaires.

2. (a) Les dividendes peuvent être omis sur des actions privilégiées à dividende non cumulatif, mais pas sur des actions privilégiées à dividende cumulatif. Les dividendes qui n'ont pas été versés sur des actions privilégiées à dividende cumulatif d'une société deviennent des "arriérés" et doivent être versés avant que les actionnaires ordinaires reçoivent un dividende ou que les actions privilégiées puissent être rachetées par la société.

   (b) Les actions privilégiées non participantes ont droit à un dividende fixe déterminé. Par contre, les actions privilégiées participantes ont droit à un dividende déterminé plus un montant additionnel qui est versé après ou en même temps que les dividendes ordinaires.

356

(c)   Les actions privilégiées non rachetables sont rares parce qu'elles ne peuvent être rachetées par la société émettrice avant sa dissolution. Les actions privilégiées rachetables qui sont le plus souvent émises peuvent normalement être rachetées par l'émetteur à prime par rapport au pair.

3.   (a)   Étant donné qu'un fonds d'amortissement exige que l'émetteur achète des actions sur le marché libre et qu'il rachète éventuellement des actions chaque année, le nombre d'actions en circulation diminue graduellement. Le nombre réduit d'actions en circulation améliore habituellement la qualité comme placement des actions et fait également augmenter leur cours.

(b)   Les actions privilégiées encaissables par anticipation permettent à leurs porteurs de les présenter au remboursement à un prix déterminé et à une date donnée.

(c)   Les actions privilégiées convertibles permettent aux émetteurs de vendre une nouvelle émission d'actions privilégiées à un taux de dividende ou à un prix élevé; elles attirent également les épargnants qui désirent profiter d'un titre à double avantage.

4.   Les dividendes en espèces versés sur les actions de sociétés canadiennes imposables bénéficient d'un traitement fiscal préférentiel que l'on appelle crédit d'impôt pour dividendes, et dont ne bénéficie pas le revenu d'intérêt.

5.   Pour avoir la qualité d'un bon placement, des actions privilégiées devraient avoir les caractéristiques suivantes:

(a)   pour les cinq derniers exercices, les bénéfices disponibles doivent courir au moins trois fois les dividendes (sociétés industrielles), et au moins deux fois dans le cas des sociétés de services publics;

(b)   un paiement régulier des dividendes;

(c)   une valeur comptable par action privilégiée d'au moins deux fois leur valeur de liquidation pour chacun des cinq derniers exercices.

6.   Les actions privilégiées avec bon de souscription ont une caractéristique (appelée "clause attrayante") que n'ont pas les actions privilégiées classiques; les sociétés ont donc généralement plus de facilité à les vendre lorsqu'il s'agit de réunir de nouveaux capitaux, particulièrement lorsque la conjoncture boursière est défavorable à de nouvelles émissions d'actions privilégiées. Habituellement, les sociétés peuvent vendre ces actions avec un taux de dividende inférieur à celui des actions privilégiées classiques et ainsi réduire leurs frais de dividendes. Pour ce qui est des épargnants, les bons de souscription offrent une possibilité de plus-value du capital (avec la sécurité relative des actions privilégiées), sans qu'ils n'aient à assumer tous les risques de la propriété d'actions ordinaires.

7.   Des actions privilégiées convertibles peuvent être échangées, au gré du porteur et sous réserve de certaines conditions, contre d'autres titres de la même société (contre des actions ordinaires le plus souvent). Si un porteur exerce son privilège, l'action privilégiée n'existe plus. Une action privilégiée avec bon de souscription est constituée de deux titres distincts: une action privilégiée et un certificat qui donne droit au porteur d'acheter des actions ordinaires (habituellement) de la société, à un ou des prix déterminés et pendant une période déterminée. L'exercice d'un bon de souscription n'affecte en rien l'existence de l'action privilégiée à laquelle il était attaché.

SÉRIE N° 4 – LES ACTIONS ORDINAIRES – CHAPITRE 6

1.   Expliquez la différence entre les actions "autorisées", "émises" et "en circulation".

2.   (a)   Quels sont les principaux avantages et inconvénients de la propriété d'actions ordinaires?

     (b)   Pourquoi les actions ordinaires sont-elles plus sensibles aux fluctuations des cours que les actions privilégiées?

3.   (a)   Pourquoi les analystes examinent-ils à la fois l'industrie au sein de laquelle une société exerce ses activités et la société elle-même?

     (b)   Pourquoi les valeurs d'avenir se négocient-elles normalement avec un ratio cours-bénéfice élevé?

4.   Expliquez trois différences entre les bons de souscription et les droits de souscription.

5.   Le conseil d'administration de la Société simplifiée Limitée (voir les états financiers au chapitre 2) a annoncé une offre de droits de souscription qui permettent aux actionnaires ordinaires inscrits le vendredi 16 novembre 198. de souscrire à une nouvelle action ordinaire pour cinq actions détenues, à un prix de souscription de 32,00 $. Les droits expirent le vendredi 28 décembre 198·.

     (a)   Calculez la valeur intrinsèque d'un droit:

           (i)   pendant la période avec droits, en supposant que l'action ordinaire se négocie à 40 $

           (ii)   pendant la période ex-droits, en supposant que l'action ordinaire se négocie à 38,50 $.

     (b)   En supposant que tous les droits de souscription aient été exercés, combien d'argent la société a-t-elle réuni (sans tenir compte des frais de l'émission)?

     (c)   À quelle date les actions ordinaires ont-elles commencé à se négocier ex-droits?

6. Une débenture de 1 000 $ comporte des bons de souscription permettant aux porteurs d'acheter 60 actions ordinaires à 2,30 $ l'action jusqu'au 30 septembre 198·. Si les bons de souscription se négocient à 4,85 $ et les actions ordinaires à 5,25 $, quel montant de surévaluation le marché place-t-il sur les actions?

7. Une société verse deux dividendes semestriels, chacun étant de 0,80 $ par action ordinaire. De plus, elle verse un dividende supplémentaire de 0,40 $ à la fin de son exercice. Les dividendes annuels représentent 50% des bénéfices annuels disponibles versés aux actionnaires ordinaires. Si les actions ordinaires se négocient à 54 $ l'action, quel est le ratio cours-bénéfice?

8. Au cours des deux derniers exercices, la Société ABC Ltée n'a versé aucun dividende à ses actionnaires. Toutefois, les bénéfices pour l'exercice en cours sont élevés et le conseil d'administration décide de verser un total de 500 000 $ en dividendes. Il y a en circulation 250 000 actions ordinaires et 50 000 actions privilégiées non participantes au dividende cumulatif de 6%, d'une valeur nominale de 25 $. À quel dividende par action les actionnaires ordinaires peuvent-ils s'attendre?

9. Expliquez la différence entre une obligation et une action ordinaire.

RÉPONSES AUX QUESTIONS DE LA SÉRIE N° 4

1. Le capital-actions autorisé correspond au nombre d'actions qu'une société peut émettre en vertu de sa charte; il demeure le même à moins que les dispositions de la charte ne soient modifiées.

   Les actions qu'une société vend à partir des actions autorisées s'appellent les actions émises; leur nombre ne diminue pas mais augmentera probablement au cours des années alors que la société émettra plus d'actions pour réunir des capitaux.

   Les actions d'une société que les épargnants détiennent et qui, par conséquent, ne sont pas dans la trésorerie de la société, s'appellent les actions en circulation. Habituellement, le nombre d'actions émises par une société est égal au nombre d'actions en circulation de la société. Toutefois, lorsqu'une société rachète ses actions privilégiées ou qu'elle fait une offre publique de rachat de ses actions ordinaires, le capital-actions en circulation est réduit en conséquence et est alors inférieur au nombre d'actions émises.

2. (a) Les actions ordinaires offrent des possibilités de plus-value du capital grâce à l'augmentation de leur cours et une augmentation du revenu grâce aux paiements de dividendes. Toutefois, le cours des actions ordinaires peut baisser plutôt qu'augmenter et les dividendes peuvent être réduits ou tout simplement omis.

   (b) Étant donné leur rang inférieur, les actions ordinaires ne reçoivent que ce qui reste après que les porteurs de titres d'emprunt et les actionnaires privilégiés ont été satisfaits; de plus, les dividendes ordinaires doivent être approuvés par le conseil d'administration avant d'être versés. Ainsi, les actions ordinaires ne comportent aucune garantie et n'assurent pas un revenu déterminé; leurs cours réagissent beaucoup plus aux variations des bénéfices et aux dividendes qui sont payés.

3. (a) Chaque secteur possède des caractéristiques uniques. Certaines industries sont cycliques, d'autres stables. Certaines sont nouvelles et croissantes tandis que d'autres sont bien établies et ont une stabilité générale reconnue. Ces caractéristiques influent sur les résultats de toutes les sociétés engagées dans le même secteur et, par conséquent, sur la qualité comme placement des titres de ces sociétés. C'est pourquoi l'analyse de l'industrie constitue la base de l'analyse des sociétés.

    (b) Les sociétés en pleine croissance offrent des possibilités d'une augmentation rapide des bénéfices. Aussi, les investisseurs paieront volontiers plus cher pour leurs actions ordinaires en prévision d'une hausse sensible des bénéfices. Si cette augmentation ne se réalise pas, le cours du marché des actions fléchira.

4. Trois différences entre les bons de souscription et les droits de souscription:

    . la durée de validité d'un bon de souscription est habituellement de quelques années alors que celle d'un droit de souscription n'est que de quelques semaines;

    . lorsqu'ils sont émis, les bons de souscription sont normalement attachés à des titres d'emprunt ou à des actions privilégiées mais ils sont détachables par la suite; les droits de souscription ne sont offerts qu'aux actionnaires existants d'une société;

    . les fluctuations du prix des bons de souscription sont plus importantes que celles du prix des droits de souscription en raison de la durée de validité plus longue des bons de souscription.

5. (a) (i) $\dfrac{40\ \$ - 32\ \$}{5 + 1}$ = $\dfrac{8\ \$}{6}$ = $\underline{1,33\ \$}$

         (ii) $\dfrac{38,50\ \$ - 32\ \$}{5}$ = $\dfrac{6,50\ \$}{5}$ = $\underline{1,30\ \$}$

    (b) Nombre d'actions émises: $\dfrac{80\ 000}{5}$ = 16 000

    (c) Valeur des actions émises: 16 000 x 32 $ = 512 000 $

6. Coût d'achat d'un bon de souscription et prix d'exercice:

4,85 $ + 2,30 $ =	7,15 $
Moins: Coût d'achat d'une action ordinaire	5,25 $
Surévaluation	1,90 $

7. Dividende total par action = 80¢ + 80¢ + 40¢ = 2,00 $

    Les dividendes versés représentent 50% des bénéfices. Par conséquent, les bénéfices sont de: 2 $ x 2 = 4,00 $

    Le ratio cours-bénéfice est de $\dfrac{54}{4}$ = 13,5 fois

8. Le dividende privilégié annuel est de (6% de 25 $) x 50 000 = 75 000 $

    Dividende privilégié accumulé depuis 3 ans = 75 000 $ x 3 = 225 000 $

    Montant disponible pour les actionnaires ordinaires:
    500 000 $ - 225 000 $ = 275 000 $

    Dividende par action ordinaire = $\dfrac{275\ 000\ \$}{250\ 000}$ = 1,10 $

9. Une obligation constate un emprunt, et l'obligataire est un créancier de la société à laquelle il a prêté de l'argent. Il reçoit de l'intérêt sur les fonds qu'il a prêtés et la promesse que son prêt lui sera remboursé à l'échéance. Par contre, l'action atteste une participation à la propriété d'une société, et l'actionnaire est copropriétaire de cette société, qui peut lui verser ou non des dividendes.

SÉRIE N° 5 - L'ACHAT ET LA VENTE D'ACTIONS - CHAPITRE 7

1. Les lois provinciales sur les valeurs mobilières aident à protéger les épargnants. Expliquez comment.

2. Expliquez les fonctions d'un courtier en valeurs mobilières qui agit à titre d'agent financier d'une société.

3. Supposez qu'un épargnant achète une débenture d'une valeur nominale de 1 000 $ et qu'on lui facture 5,39 $ d'intérêt couru. Que représente ce montant de 5,39 $?

4. Quels avantages possibles offre l'achat d'un titre coté en bourse par rapport à un titre non coté en bourse?

5. (a) Quel avantage l'achat et la vente de lots réguliers d'actions cotées en bourse procurent-ils?

    (b) Combien de jours après l'opération doit se faire le règlement pour les rachats et les ventes d'actions?

6. Expliquez la différence entre chacune des catégories suivantes:

    (a) ordre valable jour et ordre valable jusqu'à révocation

    (b) ordre au marché et ordre à cours limité

    (c) ordre "tout ou partie" et ordre "tout ou rien"

7. Quelle relation entre un épargnant et une firme de courtage donnera les meilleurs résultats?

RÉPONSES AUX QUESTIONS DU TEST N° 5

1. Les lois exigent que toute personne qui vend et négocie des valeurs mobilières soit inscrite et que les personnes qui vendent une nouvelle émission divulguent tous les faits importants concernant cette émission. De plus, les lois imposent des sanctions, par exemple la suspension ou la révocation de l'inscription, à ceux qui enfreignent les lois sur les valeurs mobilières.

2. Le courtier conseille la société sur des questions comme le moment le plus opportun pour lancer une émission, le genre de titre à émettre, le prix et le rendement de l'émission et, le cas échéant, ses clauses protectrices. De plus, le courtier organise le placement de la nouvelle émission.

3. Le montant d'intérêt couru représente l'intérêt qui doit être payé au précédent propriétaire de l'obligation, intérêt qui s'est accumulé depuis la dernière date de paiement de l'intérêt jusqu'à la date de règlement de l'opération. L'acheteur récupère toutefois ce montant lorsqu'il reçoit le paiement d'intérêt suivant, car il reçoit alors l'intérêt pour la période entière, c.-à-d. d'une date de paiement de l'intérêt à l'autre. Si l'épargnant vend l'obligation avant la prochaine date de paiement de l'intérêt, il récupère l'intérêt couru car il recevra l'intérêt couru à partir de la date de paiement de l'intérêt précédente jusqu'à la date de règlement de sa vente.

4. Un titre coté attire généralement beaucoup plus l'attention du public et est plus facilement négociable qu'un titre non coté en bourse. Étant donné que les titres cotés se négocient normalement beaucoup plus que les titres non cotés, l'écart entre les cours acheteur et vendeur des titres cotés est normalement plus étroit. On peut aussi obtenir le cours des titres cotés très rapidement, ce qui facilite l'évaluation des titres à des fins de succession, de garantie de crédit commercial et de prêt bancaire. Plus important encore, un titre coté doit répondre aux conditions d'inscription très strictes imposées par les bourses où il est coté tandis que les titres non cotés ne doivent pas répondre à ces exigences et peuvent donc ne pas être en mesure de le faire.

5. (a) Les ordres portant sur des lots réguliers sont généralement exécutés plus rapidement et à un cours légèrement meilleur que les ordres portant sur des lots irréguliers ou fragmentaires.

    (b) Les opérations sur actions doivent être réglées au plus tard le cinquième jour ouvrable suivant l'opération.

6. (a) Un ordre valable jour doit être exécuté le jour où il est placé ou, s'il n'est pas exécuté, il doit être annulé. Un ordre valable jusqu'à révocation, par contre, reste inscrit dans les livres du courtier jusqu'à ce qu'il soit exécuté ou, s'il n'est pas exécuté dans le nombre de jours précisé par le client, il est automatiquement annulé.

    (b) Un ordre au marché doit être exécuté au meilleur prix possible et le plus tôt possible, tandis qu'un ordre à cours limité ne peut être exécuté qu'à un prix précis ou à un meilleur prix si cela est possible.

(c) S'il place un ordre "tout ou partie", l'épargnant est prêt à accepter des lots irréguliers, fragmentaires ou réguliers jusqu'à concurrence du montant total de l'ordre. L'opposé d'un ordre "tout ou partie", l'ordre "tout ou rien", précise le nombre minimum d'actions qui doivent être achetées ou vendues.

7. L'épargnant devrait donner à sa firme de courtage tous les renseignements pertinents concernant sa situation personnelle et financière de même que ses objectifs de placement, soit le revenu, la plus-value du capital ou la sécurité du capital. Il devrait également fournir une liste de tous ses avoirs.

SÉRIE N° 6 - CATÉGORIES SPÉCIALES DE TITRES, CYCLES ÉCONOMIQUES ET GESTION DE PORTEFEUILLE - CHAPITRES 8, 9 ET 10

1. (a) Expliquez les principaux avantages qu'offre l'achat d'actions de fonds mutuels par rapport à des actions autres que d'un fonds mutuel.

    (b) Le nombre d'actions qu'un fonds mutuel a en circulation varie constamment. Pourquoi?

    (c) Qu'est-ce qu'un fonds mutuel sans frais d'acquisition?

    (d) Quelle importance revêt la VANPA d'un fonds mutuel?

    (e) Calculez le prix de vente d'un fonds mutuel dont la VANPA est de 20 $ et les frais d'acquisition de 9%.

2. (a) Expliquez la différence entre une option d'achat et une option de vente sur actions.

    (b) Expliquez trois avantages que procure l'achat d'options d'achat sur actions.

    (c) Expliquez trois avantages que procure la vente d'options d'achat sur actions couvertes.

    (d) Citez quatre facteurs qui affectent le prix de l'option.

3. (a) Expliquez trois avantages que procurent les REER.

    (b) Expliquez la différence entre un REER géré et un REER autogéré.

4. Expliquez la différence entre les indicateurs économiques précurseurs, simultanés et retardataires.

5. Quelles sont les grandes phases du cycle économique?

6. Quelle stratégie de placement pourrait être adoptée au sommet du cycle économique?

7.   Décrivez brièvement ce qu'est l'indice "général" 300 de la Bourse de Toronto.

9.   (a)   Citez six façons de diversifier un portefeuille.

     (b)   Pourquoi un épargnant doit-il éviter de détenir un grand nombre de titres différents dans son portefeuille?

     (c)   Une politique de placement fructueuse doit être flexible.   Expliquez pourquoi.

RÉPONSES AUX QUESTIONS DE LA SÉRIE N° 6

1.   (a)   Les fonds mutuels procurent les avantages d'une surveillance continue par des gérants professionnels, une grande diversification des titres, un vaste choix de fonds et de plans d'achat, la possibilité d'acheter et de payer par petits montants réguliers et une liquidité presque en tout temps.   Les frais d'acquisition constituent le principal inconvénient.

     (b)   Les fonds mutuels vendent continuellement des actions de trésorerie aux épargnants et les leur rachètent sur demande.   Étant donné que les actions de fonds mutuels sont constamment émises et rachetées par le fonds plutôt que négociées entre les actionnaires, comme dans le cas des sociétés d'investissement à capital fixe, le nombre d'actions en circulation varie constamment.

     (c)   Les fonds mutuels sans frais d'acquisition n'emploient généralement pas de vendeurs mais vendent eux-mêmes leurs actions directement au public; c'est pourquoi ces fonds sont sans frais d'acquisition.

     (d)   La valeur d'actif net par action d'un fonds mutuel est le prix de rachat des actions du fonds et un facteur clé du calcul du prix de vente des actions du fonds.

     (e)   Prix de vente:

$$\frac{20\ \$}{100\% - 9\%} = \frac{20\ \$}{91\%} = 21,98\ \$ \text{ ou } 22\ \$ \text{ environ}$$

2.   (a)   Le détenteur d'une option d'achat peut acheter une certaine quantité d'actions à un prix donné et pendant une période déterminée.   Une option de vente sur actions donne au porteur le droit de vendre des actions à des conditions semblables.

     (b)   Les options d'achat sur actions permettent à leurs détenteurs de déterminer d'avance le prix auquel ils pourront acheter l'action et la perte maximum qu'ils pourront subir, étant donné que seul le prix d'option payé pour l'option est exposé au risque; elles permettent également de participer à une croissance possible de l'action faisant l'objet de l'option et d'utiliser le reste des fonds disponibles pour acheter d'autres catégories de titres.

(c)   Les options d'achat sur actions procurent aux vendeurs couverts un revenu supplémentaire sur les placements qu'ils détiennent, une certaine protection contre une baisse des cours et un certain profit si l'option vendue est levée par le détenteur.

(d)   Les quatre facteurs importants qui déterminent les prix des options sont la valeur intrinsèque de l'option (la différence entre le prix de levée de l'option et le cours de la valeur sous option), le temps à courir avant l'expiration de l'option, les fluctuations du cours de la valeur sous option et l'orientation générale du marché (haussier ou baissier).

3.   (a)   Le REER permet au titulaire de réduire son revenu annuel imposable grâce à ses cotisations au régime jusqu'à concurrence des limites imposées, d'accumuler ses bénéfices (intérêts, gains en capital, etc.) sur les fonds placés exempts d'impôt dans le régime et d'accumuler des fonds pour la retraite; les fonds retirés du régime seront alors probablement imposés à un taux inférieur à celui auquel ils sont imposés pendant les années de travail.

(b)   Un REER géré permet au titulaire de placer son argent dans une variété de fonds mis en commun et gardés en fiducie par les fonds mutuels, les compagnies de fidéicommis, certaines compagnies d'assurance-vie et les banques. Les fonds placés dans le régime sont gérés par des professionnels et doivent remplir certaines exigences quant au contenu canadien et à la façon dont ils sont placés. Dans le cas d'un REER autogéré, le titulaire place ou cotise des fonds ou des biens acceptables directement dans le régime qui est détenu par une compagnie de fidéicommis. Les opérations de placement dans ce genre de régime peuvent être effectuées par le titulaire même, sous réserve de satisfaire à certaines exigences quant au contenu canadien et à la qualité comme placement.

4.   Les indicateurs précurseurs sont ceux qui prévoient les revirements du cycle économique avant qu'ils ne se produisent. Les indicateurs simultanés changent à peu près en même temps que le cycle économique, alors que les indicateurs retardataires changent après qu'il y ait eu revirement général de l'économie.

5.   Le cycle économique se compose de quatre phases: le creux, la phase d'expansion ou de reprise, le sommet et la phase de récession.

6.   Au sommet du cycle économique, l'épargnant devrait vendre ses actions ordinaires, en raison du fléchissement imminent de leurs cours, et en placer le produit dans des obligations à court terme et d'autres placements qui offrent de bons rendements et qui présentent un très faible risque de pertes en capital.

7.   La Bourse de Toronto a mis au point l'indice général TSE 300 en 1977. L'indice couvre 300 sociétés divisées en 14 groupes industriels importants. L'année de base de l'indice est 1975, année où il a été fixé à 1 000.

8. (a) La diversification d'un portefeuille peut se faire par industrie, par groupe de sociétés oeuvrant au sein de le même secteur, par catégorie de titr (obligations, actions privilégiées, actions ordinaires), en échelonnant les dates d'échéance des titres d'emprunt, en échelonnant les paiements de revenu et en limitant le pourcentage de capitaux placés dans une seule valeur.

(b) Au fur et à mesure que le nombre de titres en portefeuille augmente, la responsabilité de surveiller et d'administrer le portefeuille augmente d'autant. De plus, le rendement du portefeuille a tendance à se rapprocher du rendement moyen du marché plutôt qu'à dépasser la moyenne. La plupart des épargnants n'ont pas le temps ou le désir de surveiller et d'administrer un portefeuille contenant plus de dix ou quinze titres.

(c) Les conditions économiques, sociales et politiques ont un effet considérable sur les placements et peuvent changer, parfois radicalement. En outre, un portefeuille doit répondre aux objectifs de placement que l'épargnant s'est fixé d'après sa situation personnelle qui, elle aussi, peut évoluer. Pour être efficace, la gestion des placements doit donc être flexible et s'adapter aux changements.

SUJETS DE DISCUSSION

Les questions suivantes ont pour but de stimuler la réflexion et la discussion. Aucune réponse n'est donnée.

1. Expliquez les principales différences entre:

(a) les obligations classiques du gouvernement du Canada et les obligations d'épargne du Canada;

(b) l'intérêt et le rendement d'une obligation;

(c) une division d'actions et un dividende-actions;

(d) l'analyse fondamentale et l'analyse technique;

(e) la diversification et la diversification excessive d'un portefeuille;

(f) le marché boursier et le marché hors cote;

2. Les lois sur les valeurs mobilières au Canada reposent sur le principe d'un "exposé complet, véridique et clair" de tous les faits importants. Expliquez comment les organismes suivants appliquent ce principe:

(a) les commissions provinciales des valeurs mobilières
(b) les bourses

3. Donnez les raisons pour lesquelles une société qui désire réunir des capitaux émettrait des débentures plutôt que des actions privilégiées.

4. Deux sociétés émettent en même temps des débentures au pair ayant la même échéance. Le taux d'intérêt de la débenture de la société A est de 9% alors que celui de la débenture de la société B est de 9 1/2%. Quels facteurs pourraient être attribuables à la différence du coût d'emprunt pour chaque société?

5. Le discours du budget annuel fait par le Ministre fédéral des Finances est souvent très important pour les épargnants. Pourquoi?

6. Expliquez les avantages et les inconvénients des gros investissements étrangers dans des sociétés canadiennes et des sociétés étrangères exerçant leurs activités au Canada.

7. Expliquez pourquoi l'analyse d'un placement se complique au fur et à mesure qu'une société diversifie ses activités.

8. (a) Quelle est, selon vous, la phase actuelle du cycle économique? Expliquez votre raisonnement.

   (b) D'après vos conclusions à la partie (a) ci-dessus, quelle orientation les cours des titres d'emprunt (obligations et débentures) et des actions ordinaires devraient-ils prendre au cours des 6 à 12 prochains mois? Expliquez votre raisonnement.

9. Décrivez la situation financière de personnes fictives auxquelles chacun des objectifs de placement suivants conviendrait le mieux.

   (a) sécurité du capital et revenu

   (b) revenu-risque moyen

   (c) plus-value du capital et revenu moyen

INDEX